The Modern Student's Library

FRENCH SERIES

THE Modern Student's Library now includes a series of volumes in French—novels, short stories, plays, and essays. These have been selected from the works of the great French writers to suit the special needs of the student and the general reader. Each volume contains an introduction and brief notes by a leading American authority.

The French Series is under the general editorship of Horatio Smith, Professor of French at Brown University.

[*For a complete list of* THE MODERN STUDENT'S LIBRARY *see the pages following the text*]

CHARLES SCRIBNER'S SONS

THE MODERN STUDENT'S LIBRARY

FRENCH ROMANTIC PROSE

FRENCH ROMANTIC PROSE

EDITED BY

W. W. COMFORT

PRESIDENT OF HAVERFORD COLLEGE

CHARLES SCRIBNER'S SONS

NEW YORK CHICAGO BOSTON ATLANTA
SAN FRANCISCO DALLAS

Printed in the United States of America

B

CONTENTS

CONTENTS

INTRODUCTION

Ferdinand Brunetière gives the following definition of Romanticism: "Romanticism is a social phenomenon, characterized by a tendency toward individualism, whose poetic expression could be only lyricism." [1] The student will do well to keep this definition in mind, for it covers the essential facts in any attempt to account for the moment when Romanticism swept over European literature; it indicates the unfailing trait of the romantic writer to be a self-centered individualism; and it points to the truth that the finest literary expression of this individualism is found in the lyric poetry of Europe written between 1790 and 1840.

In France, however, lyric poetry was not the first fruit of the romantic movement. Perhaps this was because the French naturally tend to express themselves in prose; perhaps it was because the artistic ideas of Chateaubriand needed to become completely assimilated before they could be effectively expressed in poetry and drama. At any rate, not until the second generation of romanticists reached its productive age between 1820 and 1840 did lyric poetry and lyric drama become the recognized channels for the relief of the romantic temperament in France.

It was in prose, then, that the French first developed the shift of literary interest from man in his social relations to man as an individual "case," which was capable

[1] F. Brunetière: *Évolution de la Poésie lyrique en France au dix-neuvième siècle,* quatrième leçon, 2 vols., Paris, 1895.

of elaborate treatment and which was fitted to arouse the sympathy of the reading public. It will be recalled that the earlier French literature, like the French themselves, was social and sociable.[1] This had been a characteristic of French literature through the ages: to present man in his social relations and contacts and to emphasize the traits he possesses in common with all mankind, rather than to set him apart with aspirations, hopes, failures and sorrows peculiar to himself. In this sense, with certain exceptions like Villon and Montaigne, French authors before Rousseau were not concerned to obtrude themselves as exceptional beings whose fate possessed an undue amount of interest for the public; rather were they objective students and recorders of the human nature about them. They kept themselves and their personal affairs out of sight, and produced their effect by a conscientious study of man in general in accordance with psychological exactness and with the moral and social standards of their times. It is primarily in this sense that we speak of French literature of the 17th and early 18th century as being classical. Not only the French classicists, but the English classicists who were so closely related to them, boasted, as Terence said, of being men and of being interested in all that touched humanity.

French literature especially had been interested quite exclusively in human society. To the French, man was the noblest work of creation, and human reason, after the time of Descartes, was recognized as the highest of human attributes. The consequence of this emphasis was that for a century and a half of great artistic pro-

[1] Brunetière indeed maintains that this is generally true of all French literature. Cf. *Sur le caractère essentiel de la littérature française*, in *Études critiques sur l'histoire de la littérature française*, cinquième série.

duction, nature description had played no part in literary work, and man's feelings and emotions as distinguished from his reason had been but little exploited.

It has been necessary to recall these characteristics of an important preceding literary era in order to appreciate the profound reaction brought by the early romanticists from theories which had long been held. The ideals which had dominated France since 1650 were the Church and the State. The latter was personified in a monarch who was little less than absolute, for there was no assembly of the States General between 1614 and 1789. The gradual degeneracy of the monarchy during the 18th century is too well known to require description here. It offered ready material for the criticism of 18th century political theorists. The blow fell upon the monarchy as an institution in 1789.

It is instructive to observe how, during the 18th century in France, the weariness attached to an exhausted tradition was felt in other places beside the monarchy. The Church of Rome, in league with the monarchy, had revoked the edict of Nantes in 1685, had razed Port-Royal in 1709, and had issued the famous Bull Unigenitus in 1713, seeking to suppress heresy and free thought. But free thought boldly raised its head and launched *La Grande Encyclopédie* in 1751-72. The God of the second half of the 18th century was either limited in his functions to creator and rewarder of the deeds done in the body, as in the conception of the Deists, or to the personified conscience described by Rousseau in his *Confession de foi d'un vicaire savoyard.*[1] In either case the Church, either as a political institution or as a divinely appointed in-

[1] *Émile,* Book IV.

strument of individual salvation, was largely eliminated from consideration. The revelation of God in Jesus Christ and the doctrine of atonement were dispensed with. We shall see presently what was the subsequent reaction to this situation in France in the early part of the nineteenth century with Chateaubriand and Mme. de Staël. But there was nothing in France like the eighteenth century Evangelical movement in England, a movement which has been said to have revivified religion and to have saved England from the fate which befell France.[1] The knell of conventional authority of Church and State had sounded before 1789.

Society, too, changed profoundly during the 18th century. The Goncourt brothers have given us a fascinating account of this change in *La Femme en France au xviiie Siècle*. The rise of woman, of free thought, of immorality, were combined in an amazing fashion with a passion for sincerity, for new motives in life, for the thrill of adventure and scientific experiment and discovery. Science was taking its first steps in society, and society was fascinated by it. Weary with conventionality and false fronts, people were craving simplicity and sentiment. They wished to be touched, to have their hard hearts melted. They asked for Nature. *The Vicar of Wakefield* (1766), *Hermann und Dorothea* (1797), *Paul et Virginie* (1788) all sprang in some degree from this craving for simplicity, Nature and sentiment which was common to all Europe. Marie-Antoinette, playing at her bucolic Swiss village in the park of Versailles, appears a pathetic figure bored by the exactions of the court. Literature and society kept step in the beginnings of Romanticism, as they had in the

[1] Cf. H. P. Liddon: *The Life of Pusey*, vol. 1, p. 255 and Shailer Mathews: *The Spiritual Interpretation of History*, p. 165.

palmy days of Mme. de Rambouillet's *salon* and *la préciosité.*

Let us consider briefly the situation in the drama and in the novel. The *comédie larmoyante,* definitely introduced by La Chaussée[1] in 1741 and followed by the bourgeois drama of Diderot and others, marked in the second half of the century the demand for sentiment, often running into sentimentality, which was a social demand all over Europe. It was fashionable to be touched by the pathetic commonplaces of daily life. Bernardin de Saint-Pierre, in his *Études de la Nature* (vii), gives an interesting illustration of this sentiment on the part of a little Saxon princess at Dresden in 1765. The scene is a performance of Diderot's tearful *Père de famille:*—"Un officier des gardes saxonnes, avec lequel j'étais venu au spectacle, me dit: 'Cette enfant vous intéressera autant que la pièce.' En effet, dès qu'elle fut assise, elle posa ses deux mains sur les bords da sa loge, fixa les yeux sur le théâtre, et resta la bouche ouverte, tout attentive au jeu des acteurs. C'était une chose vraiment touchante de voir leurs différentes passions se peindre sur son visage comme dans un miroir: on y voyait paraître successivement l'inquiétude, la surprise, la mélancolie, la tristesse; enfin l'intérêt croissant à chaque scène, vinrent les larmes, qui coulaient en abondance le long de ses petites joues; puis les anxiétés, les soupirs, les gros sanglots; on fut obligé à la fin de l'emporter de la loge, de peur qu'elle n'étouffât. Mon voisin me dit que toutes les fois que cette jeune princesse se trouvait à une pièce pathétique, elle était contrainte de sortir avant le dénoûment."

In her excellent remarks on dramatic art, Mme. de

[1] Cf. Gustave Lanson: *Nivelle de la Chaussée et la comédie larmoyante,* Paris, 1887.

Staël[1] granted the superiority of the French in the *opéra comique* and in comedy, but she deplored that tragedy in France had always been removed from the interests and sympathy of the common people: it was an aristocratic *genre.* The more popular *comédie larmoyante* and the bourgeois drama had produced no masterpieces, and if anyone tampered with the sacred rules of tragedy, the result was proclaimed by the classicists to be a melodrama. There seemed to Mme. de Staël no hope for the French tragedy except in a new inspiration to be caught from Germany and England, and her counsels were not successfully carried out until the genius of Victor Hugo gave the new literary movement a drama of its own.

The novel changed more gradually. The wit and mischief of Lesage's picaresque hero survived with tragic potentialities almost until the Revolution, in Beaumarchais' *Figaro,* but the movement in public taste was away from sophistication toward simplicity and virtue. Here, as elsewhere, Rousseau set the taste and was the grandfather, as Chateaubriand was the father, of the generation of 1820.

The fact is, then, that during the second half of the 18th century a feeling of lassitude and of discontent with exhausted literary tradition was felt in western Europe. The neoclassicists had had their day and produced masterpieces which rendered emulation hopeless. But now classic art was sterile. The 18th century produced no inspired lyric poetry until that exceptional genius, André Chénier at the end of the century, who lost his head under the guillotine and whose poetry was not published until long after. A new path was to be struck out in literature correspond-

[1] *De l'Allemagne,* chap. XV.

ing to the change in the requirements of society. In France certain paths remained unexplored: there were sentiment and imagination as opposed to reason, there were foreign scenes and customs to be described, there was individualism, there was all the subject matter presented by medieval and modern history, including Christianity, and finally, all those tragic situations in which the sensitive Christian soul feels its limitations. There was no lack of material, in all conscience, and if there was a delay in successful execution, it was because the French were slow to deny their classical tradition and to follow the lead of other nations whose intellectual superiors they had long considered themselves to be. A literary tradition is not lightly discarded. But in this case a political and religious and social crisis combined to bring in eventually a total denial of the past and a new literary art.

In considering the literary characteristics of French Romanticism, let us begin with individualism, for out of it several other characteristics grow. Romanticism in literature means emphasis upon the accidental, the peculiar trait rather than upon the common and general. If La Fontaine, La Bruyère and La Rochefoucauld are conceded to be outstanding examples of literary classicism, it is because they are always describing humanity in general terms. There is nothing of self and nothing of anyone else in particular in their work. That is not their concern. They are depicting the motives, the characters, the psychology, the morals of the *genus homo.* If we recognize ourselves in their work, we know that they were not pointing their finger at us in particular, but that millions of other readers who have also recognized themselves prove the universality of these authors. This was the art of the French classicists: to lose self in objective treatment, and in all particulars to seek the general. Rousseau brought into literature a monumental interest in himself combined with an ability to convey this interest to others. Not since the time of Benvenuto Cellini had the world read an autobiography of such colossal but fascinating egotism. Rousseau was not notably virtuous or strong or handsome or energetic or lucky. But he was sensitive beyond belief, he was proud, he was unhappy because by some he was hated and ridiculed. That was enough to give him his literary cue. He believed he was the most interesting personality alive, and he succeeded in making his contemporary reputation upon this assumption. *Le Contrat social* and *Émile,* in which he presented to his generation a political and educational theory, have had perhaps the widest and most disastrous social consequences, but they do not give the reader the real Rousseau so vividly as *Julie, Les Confessions,* or *Les Rêveries d'un promeneur solitaire.* For literary and biographical purposes one must go to these three prose works as the fountain-head of French Romanticism. Though it did not really find a channel of expression in lyric poetry for over half a century, French Romanticism sprang fully armed from the personality and the art of Rousseau; only inevitable details will later be added to it.

This is not the place to speak at length of Rousseau, for another volume in this series is devoted to him and his work. But it may be said here that Rousseau staked his reputation upon his ability to interest the public in himself, and he won. He took a great chance, for all past experience in France was against him. But he came in the nick of time, when people wanted to be touched, to pity, to sympathize with individual misfortune. Rousseau might have led as dull and contented a life as many another man. But he was convinced that he was the special butt of destiny, that all society was leagued against him, and he was determined to make society go on its knees to the man whom it had cast out. This he certainly succeeded in doing, and it will be long before the influence of Rousseau ceases.

Now if a man thinks of himself as a special case, as an exception to the ordinary run of humanity, he soon begins to pity himself. He notices that the world and its society is apparently not being conducted for his exclusive benefit, and this is a cause of pain. If one is an exception to the general rule, the general rule is wrong; the individual is right, but he is misunderstood; he cannot accomplish anything useful because everyone's hand is set against him; as we say, he plays a "lone hand," and he is driven into himself for meditation and introspection, with resulting melancholy and misanthropy. This train of thought ensues in the mind of a person who is fascinated by self-contemplation. Such was Rousseau, and after him so were most of the great French romantic artists. Three brief references to Rousseau's *Rêveries,* written toward the end of his life as a continuation of the *Confessions,* will serve to give the tone of one who was persistently on the minority side and whose misery derived from this fixed position. ". . . je paraîtrais à mes contemporains méchant et féroce, quand je n'aurais à leurs yeux d'autre crime que de n'être pas faux et perfide comme eux."[1] In other words, his standards were so much higher than those of society that he was never understood. Again, "Qu'ai-je fait ici-bas? J'étais fait pour vivre, et je meurs sans avoir vécu. Au moins ce n'a pas été ma faute, et je porterai à l'auteur de mon être, sinon l'offrande des bonnes œuvres qu'on ne m'a pas laissé

[1] *Rêveries d'un promeneur solitaire,* Deuxième Promenade.

faire, du moins un tribut de bonnes intentions frustrées, de sentiments sains mais rendus sans effet, et d'une patience à l'épreuve du mépris des hommes.[1] Here we have that helpless cry of futility which is wrung from men when they are most truly romantic. Finally, and perhaps the most honest: ". . . je n'ai jamais été vraiment propre à la société civile, où tout est gêne, obligation, devoir; et mon naturel indépendant me rendit toujours incapable des assujettissements nécessaires à qui veut vivre avec les hommes. Tant que j'agis librement, je suis bon, et je ne fais que du bien, mais sitôt que je sens le joug, soit de la nécessité, soit des hommes, je deviens rebelle ou plutôt rétif; alors je suis nul. Lorsqu'il faut faire le contraire de ma volonté, je ne le fais point, quoi qu'il arrive; je ne fais pas non plus ma volonté même, parce que je suis faible. Je m'abstiens d'agir: car toute ma faiblesse est pour l'action, toute ma force est négative, et tous mes péchés sont d'omission, rarement de commission. Je n'ai jamais cru que la liberté de l'homme consistât à faire ce qu'il veut, mais bien à ne jamais faire ce qu'il ne veut pas."[2]

These quotations will suffice to give Rousseau's mature reaction to human society. They reveal his illusion that he was cast out by his fellows because of his superiority to them, that he wanted something that he never got, and that the world was not worthy of him. His pride, if not satisfied in life, must have been sated with the post-mortem attention his attitude and his opinions have commanded. Society has not finished with Rousseau. He would be the mouthpiece of countless discontented and impotent people to-day, if they knew enough to claim him as their spiritual ancestor. Unhealthy as

[1] *Rêveries d'un promeneur solitaire*, Deuxième Promenade.
[2] *Idem*, Sixième Promenade.

this self-absorption, this unsociability was in Rousseau, it became a characteristic of tender and artistic souls for over half a century, and we shall have to trace it here briefly as seen in his successors.

The next great manifestation of egotism is Chateaubriand. Here egotism is shorn of bitterness toward society; it is simply artistic. Though a far less portentous figure than Rousseau, Chateaubriand is a greater artist and knows that he can make with his woes, real or imaginary, an artistic appeal. His prose is thoroughly represented in this volume. On an autobiographical foundation he has built up his *René* to become the typical "homme fatal." Outdoing Saint-Preux of Rousseau's *Julie,* René is comparable with Gœthe's Werther. René and Werther are useless as members of society. They may pine away or they may commit suicide. But as artistic creations they came at the right hour. They were awaited by the reading public which was ready to be touched and to sympathize with the sorrows of others, and a generation of young men pined away or committed suicide in sheer self-pity induced by Werther and René.

Let us pursue this disillusion a little further. Senancour also counted upon public interest in his case. He correctly observes in his Introduction to *Obermann* (1804): "Nous avons beaucoup d'écrits où le genre humain se trouve peint en quelques lignes. Si, cependant, ces longues lettres faisaient à peu près connaître un seul homme, elles pourraient être et neuves et utiles." In Senancour's *Rêveries* we find the following: "Des cœurs mortels, nul n'est plus déchiré que celui qui conçoit un monde heureux, et n'éprouve qu'un monde déplorable, qui toujours incité ne peut rien chercher, et toujours consumé ne peut rien aimer; qui, refroidi par le néant des choses humaines, est arraché par une sensibilité invincible au calme de sa propre mort." [1] And again, "Épuisé d'un besoin dont l'objet, toujours cherché, n'est jamais atteint, jamais connu, jamais espéré, (l'homme) succombe à l'irrésistible ennui, à l'ennui irrémédiable qui opprime sans relâche et consume avec une froide lenteur." [2] And also from the same author's *Obermann:* "J'ai le malheur de ne pouvoir être jeune: les longs ennuis de mes premiers ans ont apparemment détruit la séduction. Les dehors fleuris ne m'en imposent pas: mes yeux demi-fermés ne sont jamais éblouis; trop fixes, ils ne sont point surpris." [3] Again, "un vide inexprimable est la constante habitude de mon âme altérée." [4] Finally, "C'est une chose étonnante que l'accablement où un homme qui a quelque force laisse consumer sa vie, pendant qu'il faut si peu pour le tirer de sa léthargie." [5]

In her Preface to Senancour's *Obermann,* written about 1840, George Sand contrasts three types of Romanticism: Werther (1774), René (1804) and Obermann (1804). She sees in Gœthe's Werther the primitive revolt against thwarted love, and remarks that Werther is but a German picture of a life wrecked by unrequited passion. René signifies genius without will power. He says: "Si je pouvais vouloir, je pourrais faire." But Obermann, without religious convictions, says: "A quoi bon vouloir? Je ne pourrais pas." With all these "cases" the trouble is in the lack of adjustment of the individual to the conventions of society. It could hardly be otherwise when, as in the case of a particularly wild burst of egotism on the part of Obermann, he declared: "Dans tout ce que n'interdit pas une loi supérieure et évidente, mon désir est ma loi, puisqu'il est le signe

[1] Rêverie III.
[2] Rêverie XI.
[3] Lettre I.
[4] Lettre IV.
[5] Lettre VI.

de l'impulsion naturelle; il est mon droit par cela seul qu'il est mon désir." [1] This anti-social thrust, this cry as of a spoiled child, shows Rousseau's influence at its worst. But it is heard more than once. The attitude is accounted for by such succinct utterances as these of Bernardin de Saint-Pierre, which were generally shared by the romantic insurgents: "L'homme naît bon; c'est la société qui fait les méchants, et c'est notre éducation qui les prépare," [2] and again: "L'homme est un dieu exilé." [3]

Benjamin Constant's *Journal Intime,* covering the years 1804-1816, is another important document of self-revealed moral wretchedness. The following are characteristic of Constant's confessions: "La destinée semble se plaire à me condamner à user ma santé, qui est bonne, et des talents, assez distingués, sans qu'il en résulte ni plaisir ni gloire." [4] "J'ai été assez malade toute la matinée. J'ai souvent remarqué qu'il y avait derrière nous une puissance invisible qui avait l'air de se moquer de nous, car toutes les fois que je me suis trouvé assez bien pour me féliciter intérieurement avec une sensation de bien-être, j'ai éprouvé à l'instant quelque contretemps inopiné." [5] "Je m'ennuie tant dans le monde et du monde que j'ai peine à croire que je puisse plaire. Je suis malade, chacun s'aperçoit de mon changement; je ne serai pas fâché d'en finir tout d'un temps. Qu'ai-je à attendre de la vie?" [6] "Je ne sais quoi de sombre et d'affreux se répand sur ma vie. Le monde se dépeuple de ce qui est bon et les monstres

[1] *Obermann,* Lettre XLI.
[2] *Études de la Nature,* VII.
[3] *Idem,* Étude VIII.
[4] Benjamin Constant: *Journal Intime,* p. 25. (Paris, 1895.)
[5] *Idem.,* p. 72.
[6] *Idem,* pp. 76-77.

vivent."[1] Much later Lamartine, speaking of his youth in the first decade of the 19th century, complains: "J'étais né pour agir, et la destinée me ramenait toujours, malgré moi, languir et fermer mes ailes dans ce nid, dont je brûlais sans cesse de m'échapper."[2] And again: "L'ennui était alors le mot de ma vie, le mal incurable de mon âme. Je ne sentais plus tant la douleur; elle avait brûlé en moi toutes les fibres sensibles. Mon cœur s'était ossifié, du moins je le croyais; mais je sentais le vide, un vide que rien ne pouvait remplir, un vide si profond et si vaste qu'il aurait englouti un monde."[3] Finally: "J'ai souvent regretté d'être né."[4]

With the exception of Rousseau, all these are the confessions of young men reaching maturity during the Napoleonic era, when the armies of France were conquering all Europe. There was plenty to be done. Life was full for the youth of energy and ambition. The marshal's baton might be wielded by the man of humble birth. But these young aristocrats were not at home in the world; they were the product of a sensitive class which had lost its stamina and, in large part, its faith. Their families, if not they themselves, had passed through the horrors of the Revolution. The resulting political régime was to them a nightmare. Better the woods and the fields; better the fastnesses and forests of a savage continent than the trammels of human society under such conditions. They distrusted Reason and yearned for sensations and emotions through the Imagination.

This brings us to a consideration of Nature, and in particular of Nature as an accompaniment of man's

[1] Benjamin Constant: *Journal Intime,* p. 104.
[2] *Nouvelles Confidences,* Book I, chap. 2.
[3] *Idem,* Book I, chap. 37.
[4] *Confidences,* Book I, chap. 2.

moods. The romanticists were men of irresponsible moods for which they sought congenial accompaniment in Nature. Rousseau had started descriptions of Nature in his *Julie,* using with rare success the shores of the Lake of Geneva for the setting of his love story. The *Confessions* are full of the influence of Nature upon the writer's temperament; so also are the *Rêveries,* from which we shall quote only one typical passage: "En sortant d'une longue et douce rêverie, me voyant entouré de verdure, de fleurs, d'oiseaux, et laissant errer mes yeux au loin sur les romanesques rivages qui bordaient une vaste étendue d'eau claire et cristalline, j'assimilais à mes fictions tous ces aimables objets; et à ce qui m'entourait, je ne pouvais marquer le point de séparation des fictions aux réalités; tant tout concourait également à me rendre chère la vie recueillie et solitaire que je menais dans ce beau séjour."[1]

Bernardin de Saint-Pierre in his *Études de la Nature* and in *Paul et Virginie* carried on the eulogy of Nature and its salubrious effect upon the lonely individual, until the great master of description, Chateaubriand, used his brush to give his prose a greater variety of colors than French prose had yet known. Both Bernardin de Saint-Pierre and Chateaubriand traveled far afield to gain that local color which was at the time a fascinating novelty to a generation hitherto unfamiliar with exotic scenes.

A hatred of towns and a corresponding preference for wild and rural Nature is a constant feature of romantic art in its early stages. The French did not develop the morbid traits of the English graveyard poets, nor the love for the horrid and fearsome aspects of Nature in her sterner moods. But they loved Nature

[1] Cinquième Promenade.

where man was absent. William Cowper spoke for all these exclusive and weary souls when he said: "God made the country, and man made the town." Not only of distant lands, but of those near home, could it be said "Every prospect pleases, and only man is vile." Escape from the exactions of society and its boredom, the refreshing streams of solitude beneath the open heavens, or the darksome forests of the Eternal Being, —these are what the romanticists of 1800 craved, and this occasional longing for escape from the bonds of civilization they have introduced permanently into our stock of literary ideas, and, be it added, into our modern vacation plans. Speaking of his survey of the environs of Geneva, Senancour remarked with complacency: "Peut-être mon état intérieur ajouta-t-il au prestige de ces lieux; peut-être nul homme n'a-t-il éprouvé à leur aspect tout ce que j'ai senti." [1] Elsewhere, like Rousseau, he notes his dislike of Paris, where he is disturbed even by the street cries.[2] Most interesting is the claim he makes that Nature is really understood only when interpreted through a human mood: "La nature sentie n'est que dans les rapports humains, et l'éloquence des choses n'est rien que l'éloquence de l'homme. La terre féconde, les cieux immenses, les eaux passagères ne sont qu'une expression des rapports que nos cœurs produisent et contiennent." [3] This reminds one of the statement that there is no noise unless there is a human ear to hear it; it is certainly a subjective interpretation of the universe. Solitude again is sought and appreciated by Benjamin Constant: "Je trouve un vrai bonheur dans la solitude au milieu de la campagne triste et dépouillée, avec le vent qui siffle, des nuages

[1] *Obermann,* Lettre II.
[2] *Idem,* Lettre X.
[3] *Idem,* Lettre XXXVI.

noires qui glissent dans le ciel, le gazon gris et les glaciers; le campagne, quand on la cherche pour la solitude, vaut mieux en hiver qu'en été." [1] Lamartine professes himself in full accord with Cowper in the sentiment quoted above and refers to "les tristesses, les mélancolies, et l'insupportable ennui que les murs de la ville et d'une ville quelconque ont toujours exhalés pour moi"; and he adds: "Je haïs les villes de toute la puissance de mes sensations, qui sont toutes des sensations rurales." [2]

These prose quotations show how the romanticists based their use of Nature upon its superiority as a direct revelation of God unspoiled by man, and upon the fact that from out of the silence and the solitude come voices of response to man's every mood. As Bryant said:

> "To him who in the love of Nature holds
> Communion with her visible forms, she speaks
> A various language." [3]

These quotations also show the large part played by *mélancolie, ennui, tristesse* in the artistic and temperamental appeal of Romanticism. These traits, combining to form *Weltschmerz* in Germany and *la maladie du siècle* in France, will be especially observed in the selections from the work of Chateaubriand. The cause of these traits in the younger generation of French romanticists will be found in the selection from Musset's *Confession d'un enfant du siècle.* He explains the lassitude of his generation by the depleted vitality and the moral bankruptcy of the post-Napoleonic era. It may occur to some readers that there is a parallel between

[1] *Journal Intime,* p. 95.
[2] *Nouvelles Confidences,* Book I, chap. 41.
[3] *Thanatopsis.*

those early years of the 19th century and our own. "Toute la maladie du siècle présent," says Musset, "vient de deux causes: le peuple qui a passé par '93 et par 1814 porte au cœur deux blessures. Tout ce qui a été n'est plus; et tout ce qui sera n'est pas encore. Ne cherchez pas ailleurs le secret de nos maux." A long era had closed, with its political and social standards, its artistic conventions, shattered; when Musset wrote these lines, a new era of democracy and realistic art had not yet become assured. In the third decade of the last century many were conscious of an interregnum: some were holding fast to the ideals and standards of a bygone era of social history; some were loudly proclaiming a new era of liberty and sincerity; others did not know what was happening and were lost in doubt.

Looking back, as we can do now, we see that the saving grace of a vital religious faith was lacking in France for over half a century. The Supreme Being of Voltaire and the natural religion of Rousseau were not enough to warm men's hearts and kindle a lively flame. In Rousseau's *Confession de foi d'un vicaire savoyard* there is no mention of the Christ or of any doctrine of sacrifice and atonement. For the last half of the 18th century the Catholic Church as an institution built upon a historical Christ and Saviour of the world was in general disrepute. "Je n'entends pas par religion le goût des cérémonies ni de la théologie, mais la religion du cœur," says Bernardin de Saint-Pierre.[1] The mysteries of the Christian religion were relegated to the same obloquy as their anointed celebrants in the priesthood. It was Mme. de Staël and Chateaubriand who revived Christianity in 1800. But it was a peculiar form of Christianity which they revived. It was the

[1] *Études de la Nature*, X.

historical and artistic side of Christianity which appealed to the romanticists. For Mme. de Staël the Church was a noble institution whose existence had made possible the progress in the arts and sciences which she detected in the past eighteen hundred years. For Chateaubriand it was a thing of mystic beauty, with its touching rites and symbols. The reader can see in *Atala* and *René* what use Chateaubriand made of the church and its offices. For his art his religion was an artistic accompaniment,—"a religion of bells." It was so patently an appeal to the emotions that a reasonable man could not be deeply affected by it. If we are not mistaken, it was the lack of any vital religious call to the individual life which made life so little worth living to many gifted men of the early 19th century. For our part, we should emphasize this fact in the explanation given by Musset for *la maladie du siècle*. We fail to find in the writings of the chief French romanticists any evidence that their religion furnished them with a deep sense of responsibility, with a powerful motive to live virtuously, or with an availing consolation in the sorrows and disappointments of life. Any generation of men with the orthodox background of French catholicism which misses these functions of a personal religion may succeed in producing works of art, but will hardly produce lives which we can esteem without reservations. We must admit that the careers of the romanticists, aside from their art, were in general unsatisfactory and unenviable.

The reestablishment of the credit of the Church as an institution at the very opening of the 19th century by that strangely assorted trio,—Napoleon, Chateaubriand and Mme. de Staël—brought with it a new interest in medieval history and its notable product of "Gothic" art. In history proper Chateaubriand's *Le Génie du Christianisme* brought on Michelet, Thierry, Sismondi, Fauriel and others; while the example of Walter Scott turned the attention of the younger romanticists to medieval and modern subjects for their novels and dramas. Not only France itself, but England, Germany, Spain and Italy furnished the French after 1815 with historical material. Cosmopolitanism had begun in the 18th century with the English literary contacts of Montesquieu, Voltaire, Rousseau, Prévost and others.[1] For the first time the French had then found that there was something to learn in politics and in literature across the Channel. But it was Mme. de Staël in her *De la littérature* (1800) and *De l'Allemagne* (1813) who most enthusiastically directed the attention of the French to the art of their English and German neighbors. Since her time the contact has been close. So far as the drama was concerned, however, this stronghold of classicism was the last to fall before the onslaught of the new school with the *Préface* of Victor Hugo's *Cromwell* in 1827 and the more successful incarnation of his ideals in *Hernani* in 1830.

French romantic drama had a brief career from 1830 to 1843.[2] We cannot but feel that it is an anomaly in the history of French dramatic art. When it is great, it is great for its poetry, and not for its psychology or for its technique. It is too extravagant and too fantastic to be more than a *tour de force* which the French, like the other nations, were bound to try, but which was doomed to fail through its excesses and its neglect of a reasonable psychology. Its appeal is to the senses, and literary permanence cannot be assured by that method.

One feature of the romantic drama and fiction as

[1] Cf. J. Texte: *J.-J. Rousseau et le cosmopolitisme littéraire au dix-huitième siècle,* Paris, 1895.

[2] Cf. Théophile Gautier: *Histoire du romantisme.*

advocated by Victor Hugo deserves mention: the use of the grotesque for literary effect. The grotesque is lacking in the work of the earlier French romanticists, for, after all, Chateaubriand and Lamartine were too well trained classicists to use the grotesque. But Victor Hugo contended that in the combination of tragedy and comedy which the drama, representing human life, should portray, there was room for the grotesque. He used it freely in his plays, and especially in certain novels like *Hans d'Islande, Notre-Dame de Paris* and *Les Travailleurs de la Mer*. His conception of the rôle of the grotesque as the distinguishing feature of modern literature may be found set forth in the *Préface de Cromwell*. The grotesque is introduced, of course, by way of contrast to the normal. It is essentially abnormal, eccentric, exceptional, unconventional and unexpected. It lends itself to abuse and is a dangerous literary tool to handle deliberately. It cannot be said that even Hugo has convinced us of its unqualified utility.

One more observation should be made regarding the art of the French romanticists: their vocabulary. As soon as exoticism or the literary use of foreign scenes made itself felt, the French vocabulary began of necessity to grow. New words, many of them of foreign origin, were required to name and describe scientifically new objects and scenes. A specific term was required to replace the general term which had done service so long and which had satisfied the requirements even of Buffon the naturalist.[1] The extension of the vocabulary is notable in Bernardin de Saint-Pierre and is continued thereafter until the total effect of the tendency can best be seen by comparing a page of Hugo's or Balzac's

[1] Cf. Buffon: *Discours sur le style* (1753).

or Gautier's prose with a page of Voltaire. This extension of the French vocabulary, which was contemporary with the increasing interest in science, is an important contribution of the romanticists and prepared the language as a literary tool for the exigencies of the 19th century.[1]

We may now try to evaluate the faults and the merits of French Romanticism. Its faults are evident. It strove too hard to be different from the school which had so long preceded it with distinction. Not satisfied with existing life and opportunity, it sought to lose its discontent with society in the unreal, or imaginary. Its psychology is faulty, because it is that of the abnormal, the exceptional individual. By focussing attention upon the individual, it lost sight of social obligations and the common duties of citizenship. It paid the consequent penalty of a restless and unsatisfied melancholy which no available religious philosophy was able to dispel. A life without a serious objective is a moral failure.[2] It should be constantly borne in mind that the romanticist deals with the exceptional case, and hence, as an artist, stakes all his assets on his ability to interest the public in himself. Only the greatest artists and the most genuine sufferers can survive the test to which the modern public will subject romantic writers. The best artistic work of the French romanticists is found in the lyric verse of Lamartine, Hugo, Musset and Vigny.

[1] Cf. G. Lanson: *Histoire de la littérature française,* Paris, 1909, pp. 839-843.

[2] All of the following youthful romantic heroes have natural capacity but have no regular job and are in revolt against society: Saint-Preux, René, Obermann, Adolphe, Antony, Hernani, Rolla, Chatterton, M. de Ramière (in G. Sand's *Indiana*), and Bénédict (in G. Sand's *Valentine*).

But the prose selections which follow are important as examples of artistic writing and support the claim of this movement to possess certain merits.

In the first place, to enumerate these merits, we count the rediscovery of outdoor Nature as a literary asset, Nature in her solitudes as a welcome companion to the moods of mankind. In the second place, the establishment of Imagination, as Mme. de Staël had urged, on a literary plane with Reason and the Intellect.[1] Thirdly, the creation in France of a body of lyric poetry expressing the individual soul, which is worthy to stand beside the lyric poetry of any other modern nation. Fourthly, cosmopolitanism,—that is, the breaking of international boundaries in literature, so that the whole world is thrown open to the artist in words. Fifthly, the search for local color appropriate to the events and scenes described. Chateaubriand in *Atala, Les Natchez* and *Les Martyrs* was the first of a long line of great French novelists who have deliberately added this new charm to modern fiction. To appreciate this the reader may profitably contrast a romance of Loti with *La Princesse de Clèves* (1678) of Mme. de La Fayette.

Is it correct, after all, to speak of a romantic movement? Yes, if we emphasize the idea of a concerted movement in various European countries to institute certain reforms. It is true that nearly every single feature of Romanticism had existed before at some period of literary history, some of them as early as the time of Homer. As late as 1836 Alfred deMusset pointed this out and wittily queried whether Romanticism consisted of anything more than an overpadded style and the excessive use of adjectives.[2] The significance of French

[1] *De l'Allemagne,* chap. xv.

[2] *Lettres de Dupuis et Colonel* in *Mélanges de Littérature et de Critique.*

Romanticism as a chapter in literary history consists in its self-consciousness, beginning with Mme. de Staël, and in its determined search for new inspiration and new technique. Its place in literary history is between the exhausted conventions of neo-classicism which it displaced and that sober realism of the later 19th century to which its excesses inevitably led.

W. W. Comfort.

EXTENDED READING IN FRENCH ROMANTIC LITERATURE

FICTION

MME. DE STAËL: *Delphine*, 1802.
Corinne, 1807

SENANCOUR: *Rêveries*, 1799.
Obermann, 1804.

CHATEAUBRIAND: *Les Martyrs*, 1809.
Les Natchez, 1826.
Le dernier Abencérage, 1826.

B. CONSTANT: *Adolphe*, 1816.

C. NODIER: *Le Peintre de Salzbourg*, 1803.
Jean Sbogar, 1818.

MME. KRUDENER: *Valérie*, 1803.

MME. COTTIN: *Elisabeth ou les Exilés de Sibérie*, 1806.

A. DE VIGNY: *Cinq-Mars*, 1826.

V. HUGO: *Han d'Islande*, 1823.
Bug Jargal, 1826.
Notre-Dame de Paris, 1831.
Les Misérables, 1862.
Les travailleurs de la mer, 1866.
Quatre-vingt-treize, 1873.

P. MÉRIMÉE: *Chronique du règne de Charles IX*, 1829.

G. SAND: *Indiana*, 1832.

A. DE LAMARTINE: *Raphaël*, 1849.

DRAMA

A. DUMAS PÈRE: *Henri III et sa cour*, 1829.
Antony, 1831.
Charles VII chez ses grands vassau

V. HUGO: *Hernani*, 1830.
Le roi s'amuse, 1832.
Ruy Blas, 1838.

A. DE VIGNY: *Le More de Venise*, 1829.
Chatterton, 1835.

C. DELAVIGNE: *Louis XI*, 1832.
Les enfants d'Édouard,

CRITICISM, JOURNALS AND AUTOBIOGRAPHY

MME. DE STAËL: *De la littérature,* 1800.
De l'Allemagne, 1813.
CHATEAUBRIAND: *Le Génie du Christianisme,* 1802.
Mémoires d'Outre-tombe, 1849-50.
A. DE MUSSET: *Confession d'un enfant du siècle,* 1836.
A. DE LAMARTINE: *Confidences,* 1849.
Nouvelles Confidences, 1851.
A. DE VIGNY: *Journal d'un poète,* 1867.
B. CONSTANT: *Journal intime,* 1895.

BRIEF GENERAL BIBLIOGRAPHY FOR THE FRENCH ROMANTIC MOVEMENT

T. GAUTIER: *Histoire du romantisme,* 1874.
A. STEVENS: *Mme. de Staël, A Study of Her Life and Times,* 2 vols., London, 1881.
E. FAGUET: *Dix-neuvième siècle,* 1887.
G. PELLISSIER: *Le mouvement littéraire au xixe siècle,* 1889.
F. BRUNETIÈRE: *L'évolution des genres,* 1890.
P. MORILLOT: *Le roman en France depuis 1610 à nos jours,* 1893.
F. BRUNETIÈRE: *L'évolution de la poésie lyrique en France au dix-neuvième siècle,* 2 vols., 1895.
L. MAIGRON: *Le roman historique à l'époque romantique,* 1898.
E. FAGUET: *Introduction aux tomes vii et viii de l'Histoire de la langue et de la littérature française des origines à 1900,* par L. Petit de Julleville, 1899.
E. SEILLIÈRE: *Le mal romantique,* 1908.
L. MAIGRON: *Le Romantisme et les mœurs,* 1910.
STEWART AND TILLY: *The Romantic Movement in French Literature,* Cambridge, 1910.
L. MAIGRON: *Le Romantisme et la mode,* 1911.
J. MARSAN: *La Bataille Romantique,* 1912.
G. PELLISSIER: *Le Réalisme du Romantisme,* 1912.
GIRARD ET MONCEL: *Pour et Contre le Romantisme, Bibliographie des travaux publiés de 1914 à 1926,* Paris, 1927.

FRENCH ROMANTIC PROSE

PAUL ET VIRGINIE

BERNARDIN DE SAINT-PIERRE

BERNARDIN DE SAINT-PIERRE

1737-1814

Paul et Virginie appeared in 1787 as part of the fourth volume of *Études de la Nature.* It is the simplest of prose idylls, written to contrast advantageously the innocent life possible in a comparative state of Nature with the alleged corrupt and decadent standards of European civilization. The apparent simplicity of the love story is somewhat deceptive. The author is always interested in two theses, and nowhere has he insisted upon them more effectively than in this work. One of these is that feeling or sentiment is a more trustworthy guide than reason, in which opinion he is in line with Rousseau and the later romantic artists. The other is that man is born virtuous, that society produces vice and our system of education encourages it. Such opinions separated Bernardin de Saint-Pierre from the deists and atheists who were his fellow members of the French Academy, and they also set him apart from the orthodox tenets of the Church regarding the corrupt nature of man and the necessity of the Atonement, though the latter fact was not realized by his contemporaries. As has been pointed out by Barine, the next generation of romanticists were victims of his childish theory that God had created the natural world for the edification and delectation of man. Those who held this conviction were naturally disappointed when they discovered that their little personality was not the "final cause" of creation, and profound melancholy or despair resulted as we find it in his successors.

The personality and career of Bernardin de Saint-Pierre are variegated and interesting. He was not so tender as one might suppose from reading *Paul et Virginie.* His innumerable papers on philosophical and political and social topics are forgotten today, and his science was absurd. But his influence was nevertheless very great upon the language, the correct observation and description of outdoor Nature, and the growing favor of sentiment in literature. No anthology of French romantic prose can pass over this little book, which competent critics have classed with the world's great love stories.

BERNARDIN DE SAINT-PIERRE

Chief literary works:

Études de la Nature (including *Paul et Virginie* and *La Chaumière Indienne*), 1784—1792

Harmonies de la Nature, 1796

For Biography and Criticism:

A. Barine: *Bernardin de Saint-Pierre,* 1891.

F. Maury: *Étude sur la vie et les œuvres de Bernardin de Saint-Pierre,* 1892.

Sainte-Beuve in *Portraits littéraires,* t. ii; *Causeries du lundi,* t. VI.

PAUL ET VIRGINIE

Sur le côté oriental de la montagne qui s'élève derrière le Port-Louis de l'île de France, on voit, dans un terrain jadis cultivé, les ruines de deux petites cabanes. Elles sont situées presque au milieu d'un bassin formé par de grands rochers, qui n'a qu'une seule ouverture tournée au nord. On aperçoit à gauche la montagne appelée le Morne de la Découverte, d'où l'on signale les vaisseaux qui abordent dans l'île, et, au bas de cette montagne, la ville nommée le Port-Louis; à droite, le chemin qui mène du Port-Louis au quartier des Pamplemousses; ensuite l'église de ce nom, qui s'élève avec ses avenues de bambous au milieu d'une grande plaine; et, plus loin, une forêt qui s'étend jusqu'aux extrémités de l'île. On distingue devant soi, sur les bords de la mer, la baie du Tombeau; un peu sur la droite, le cap Malheureux; et au delà, la pleine mer, où paraissent à fleur d'eau quelques îlots inhabités, entre autres le Coin de Mire, qui ressemble à un bastion au milieu des flots.

A l'entrée de ce bassin, d'où l'on découvre tant d'objets, les échos de la montagne répètent sans cesse le bruit des vents qui agitent les forêts voisines, et le fracas des vagues qui se brisent au loin sur les récifs; mais au pied même des cabanes on n'entend plus aucun bruit, et on ne voit autour de soi que de grands rochers escarpés comme des murailles. Des bouquets d'arbres croissent à leur base, dans leurs fentes et jusque sur leurs cimes, où s'arrêtént les nuages. Les pluies, que leurs pitons attirent, peignent souvent les couleurs de l'arc-en-ciel sur leurs flancs verts et bruns, et entretiennent à leur pied les sources dont se forme la petite rivière des Lataniers. Un grand silence règne dans leur enceinte, où tout est paisible: l'air, les eaux et la lumière. A peine l'écho y répète le murmure des palmistes qui croissent sur leurs plateaux élevés, et dont on voit les longues flèches toujours balancées par les vents. Un jour doux éclaire le fond de ce bassin, où le soleil ne luit qu'à midi; mais dès l'aurore, ses rayons en frappent le couronnement, dont les pics, s'élevant au-dessus des ombres de la montagne, paraissent d'or et de pourpre sur l'azur des cieux.

J'aimais à me rendre dans ce lieu, où l'on jouit à la fois d'une vue immense et d'une solitude profonde. Un jour que j'étais assis au pied de ces cabanes, et que j'en considérais les ruines, un homme déjà sur l'âge vint à passer aux environs. Il était, suivant la coutume des anciens habitants, en petite veste et en long caleçon. Il marchait nu-pieds et s'appuyait sur un bâton de bois d'ébène. Ses cheveux étaient tout blancs, et sa physionomie noble et simple. Je le saluai avec respect. Il me rendit mon salut; et, m'ayant considéré un moment, il s'approcha de moi et vint se reposer sur le tertre où j'étais assis. Excité par cette marque de confiance, je lui adressai la parole. "Mon père, lui dis-je, pourriez-vous m'apprendre à qui ont appartenu ces deux cabanes?" Il me répondit: "Mon fils, ces masures et ce terrain inculte étaient habités, il y a environ vingt ans, par deux familles qui y avaient trouvé le bonheur. Leur histoire est touchante; mais dans cette île, située sur la route des Indes, quel Européen peut s'intéresser au sort de quelques particuliers obscurs? Qui voudrait même y vivre heureux, mais pauvre et ignoré? Les hommes ne veulent connaître que l'histoire des grands et des rois, qui ne sert à personne.—Mon père, repris-je, il est aisé de juger à votre air et à votre discours que vous avez acquis une grande expérience. Si vous en avez le temps, racontez-moi, je vous prie, ce que vous savez des anciens habitants de ce désert, et croyez que l'homme même le plus dépravé par les préjugés du monde aime à entendre parler du bonheur que donnent la nature et la vertu." Alors, comme quelqu'un qui cherche à se rappeler diverses circonstances, après avoir appuyé quelque temps ses mains sur son front, voici ce que le vieillard me raconta:

En 1726, un jeune homme de Normandie, appelé M. de La Tour, après avoir sollicité en vain du service en France et des secours dans sa famille, se détermina à venir dans cette île pour y chercher fortune. Il avait avec lui une jeune femme qu'il aimait beaucoup, et dont il était également aimé. Elle était d'une ancienne et riche maison de sa province, mais il l'avait épousée en secret et sans dot, parce que les parents de sa femme s'étaient opposés à son mariage, attendu qu'il n'était pas gentilhomme. Il la laissa au Port-Louis de cette île, et il s'embarqua pour Madagascar, dans l'espérance d'y acheter quelques noirs et de revenir promptement ici former une habitation. Il débarqua à Madagascar vers la mauvaise saison, qui commence à la mi-octobre; et, peu de temps après son arrivée, il y mourut des fièvres pestilentielles qui y règnent pendant six mois de l'année, et qui empêcheront toujours les nations européennes d'y faire des établissements fixes. Les effets qu'il avait emportés avec lui furent dispersés après sa mort, comme il arrive ordinairement à ceux qui meurent hors de leur patrie. Sa femme, restée à l'île de France, se trouva veuve, enceinte, et n'ayant pour tout bien au monde qu'une négresse, dans un pays où elle n'avait ni crédit ni recommandation. Ne voulant rien solliciter auprès d'aucun homme après la mort de celui qu'elle avait uniquement aimé, son malheur lui donna du courage.

Elle résolut de cultiver avec son esclave un petit coin de terre, afin de se procurer de quoi vivre.

Dans une île presque déserte dont le terrain était à discrétion, elle ne choisit point les cantons les plus fertiles ni les plus favorables au commerce; mais, cherchant quelque gorge de montagne, quelque asile caché où elle pût vivre seule et inconnue, elle s'achemina de la ville vers ces rochers, pour s'y retirer comme dans un nid. C'est un instinct commun à tous les êtres sensibles et souffrants de se réfugier dans les lieux les plus sauvages et les plus déserts, comme si des rochers étaient des remparts contre l'infortune, et comme si le calme de la nature pouvait apaiser les troubles malheureux de l'âme. Mais la Providence, qui vient à notre secours lorsque nous ne voulons que les biens nécessaires, en réservait un à Mme. de La Tour que ne donnent ni les richesses ni la grandeur: c'était une amie.

Dans ce lieu, depuis un an, demeurait une femme vive, bonne et sensible; elle s'appelait Marguerite. Elle était née en Bretagne, d'une simple famille de paysans, dont elle était chérie et qui l'aurait rendue heureuse, si elle n'avait eu la faiblesse d'ajouter foi à l'amour d'un gentilhomme de son voisinage, qui lui avait promis de l'épouser; mais celui-ci, ayant satisfait sa passion, s'éloigna d'elle, et refusa même de lui assurer une subsistance pour un enfant dont il l'avait laissée enceinte. Elle s'était déterminée alors à quitter pour toujours le village où elle était née, et à aller cacher sa faute aux colonies, loin de son pays, où elle avait perdu la seule dot d'une fille pauvre et honnête, la réputation. Un vieux noir, qu'elle avait acquis de quelques deniers empruntés, cultivait avec elle un petit coin de ce canton.

Mme. de la Tour, suivie de sa négresse, trouva dans ce lieu Marguerite, qui allaitait son enfant. Elle fut charmée de rencontrer une femme dans une position qu'elle jugea semblable à la sienne. Elle lui parla en peu de mots de sa condition passée et de ses besoins présents. Marguerite, au récit de Mme. de La Tour, fut émue de pitié; et, voulant mériter sa confiance plutôt que son estime, elle lui avoua, sans lui rien déguiser, l'imprudence, dont elle s'était rendue coupable. "Pour moi, dit-elle, j'ai mérité mon sort; mais vous, madame. . ., vous sage et malheureuse!" Et elle lui offrit en pleurant sa cabane et son amitié. Mme. de La Tour, touchée d'un accueil si tendre, lui dit en la serrant dans ses bras: "Ah! Dieu veut finir mes peines, puisqu'il vous inspire plus de bonté envers moi, qui vous suis étrangère, que jamais je n'en ai trouvé dans mes parents."

Je connaissais Marguerite; et, quoique je demeure à une lieue et demie d'ici, dans les bois, derrière la Montagne-Longue, je me regardais comme son voisin. Dans les villes d'Europe, une rue, un simple mur, empêchent les membres d'une même famille de se réunir pendant des années entières; mais, dans les colonies nouvelles, on considère comme ses voisins ceux dont on n'est séparé que par des bois et par des montagnes. Dans ce temps-là surtout, où cette île faisait peu de commerce aux Indes, le simple voisinage y était un titre d'amitié, et l'hospitalité envers les étrangers un devoir et un plaisir. Lorsque j'appris que ma voisine avait une compagne, je fus la voir pour tâcher d'être utile à l'une et à l'autre. Je trouvai dans Mme. de la Tour une personne d'une figure intéressante, pleine de noblesse et de mélancolie. Elle était alors sur le point d'accoucher. Je dis à ces deux dames qu'il convenait, pour l'intérêt de leurs enfants, et surtout pour empêcher l'établissement de quelque autre habitant, de partager entre elles le fond de ce bassin, qui contient environ vingt arpents. Elles s'en rapportèrent à moi pour ce partage. J'en formai deux portions à peu près égales: l'une renfermait la partie supérieure de cette enceinte, depuis ce piton de rocher couvert de nuages, d'où sort la source de la rivière des Lataniers, jusqu'à cette ouverture escarpée que vous voyez au haut de la montagne, et qu'on appelle l'Embrasure, parce qu'elle ressemble en effet à une embrasure de canon. Le fond de ce sol est si rempli de roches et de ravins, qu'à peine on y peut marcher; cependant il produit de grands arbres, et il est rempli de fontaines et de petits ruisseaux.

Dans l'autre portion, je compris toute la partie inférieure qui s'étend le long de la rivière des Lataniers jusqu'à l'ouverture où nous sommes, d'où cette rivière commence à couler entre deux collines jusqu'à la mer. Vous y voyez quelques lisières de prairies et un terrain assez uni, mais qui n'est guère meilleur que l'autre; car dans la saison des pluies il est marécageux, et dans les sécheresses il est dur comme du plomb: quand on y veut alors ouvrir une tranchée, on est obligé de le couper avec des haches. Après avoir fait ces deux partages, j'engageai ces deux dames à les tirer au sort. La partie supérieure échut à Mme. de La Tour, et l'inférieure à Marguerite. L'une et l'autre furent contentes de leur lot; mais elles me prièrent de ne pas séparer leur demeure, "afin, me dirent-elles, que nous puissions toujours nous voir, nous parler et nous entr'aider." Il fallait cependant à chacune d'elles une retraite particulière. La case de Marguerite se trouvait au milieu du bassin, précisément sur les limites de son terrain. Je bâtis tout auprès, sur celui de Mme. de La Tour, une autre case, en sorte que ces deux amies étaient à la fois dans le voisinage l'une de l'autre, et sur la propriété de leurs familles. Moi-même j'ai coupé des palissades sur la montagne; j'ai apporté des feuilles de latanier des bords de la mer pour construire ces deux cabanes, où vous ne voyez plus maintenant ni porte ni couverture. Hélas ! il n'en reste encore que trop pour mon souvenir ! Le temps, qui détruit si rapidement les monuments des empires, semble respecter dans ces déserts ceux de l'amitié, pour perpétuer mes regrets jusqu'à la fin de ma vie.

A peine la seconde de ces cabanes était achevée, que Mme. de La Tour accoucha d'une fille. J'avais été le parrain de l'enfant de Marguerite, qui s'appelait Paul. Mme. de La Tour me pria aussi de nommer sa fille conjointement avec son amie. Celle-ci lui donna le nom de Virginie. "Elle sera vertueuse, dit-elle, et elle sera heureuse. Je n'ai connu le malheur qu'en m'écartant de la vertu."

Lorsque Mme. de La Tour fut relevée de ses couches, ces deux petites habitations commencèrent à être de quelque rapport, à l'aide des soins que j'y donnais de temps en temps, mais surtout par les travaux assidus de leurs esclaves. Celui de Marguerite, appelé Domingue, était un noir iolof, encore robuste, quoique déjà sur l'âge. Il avait de l'expérience et un bon sens naturel. Il cultivait indifféremment sur les deux habitations les terrains qui lui semblaient les plus fertiles, et il y mettait les semences qui leur convenaient le mieux. Il semait du petit mil et du maïs dans les endroits médiocres, un peu de froment dans les bonnes terres, du riz dans les fonds marécageux; et, au pied des roches, des giraumonts, des courges et des concombres, qui se plaisent à y grimper. Il plantait dans les lieux secs des patates qui y viennent très-sucrées, des cotonniers sur les hauteurs, des cannes à sucre dans les terres fortes, des pieds de café sur les collines, où le grain est petit, mais excellent; le long de la rivière, et autour des cases, des bananiers, qui donnent toute l'année de longs régimes de fruits avec un bel ombrage, et enfin quelques plantes de tabac pour charmer ses soucis et ceux de ses bonnes maîtresses. Il allait couper du bois à brûler dans la montagne, et casser des roches çà et là dans les habitations pour en aplanir les chemins. Il faisait tous ces ouvrages avec intelligence et activité, parce qu'il les faisait avec zèle.

Il était fort attaché à Marguerite, et il ne l'était guère moins à Mme. de La Tour, dont il avait épousé la négresse à la naissance de Virginie. Il aimait passionnément sa femme, qui s'appelait Marie. Elle était née à Madagascar, d'où elle avait apporté quelque industrie, surtout celle de faire des paniers et des étoffes appelées pagnes, avec des herbes qui croissent dans les bois. Elle était adroite, propre et très-fidèle. Elle avait soin de préparer à manger, d'élever quelques poules et d'aller de temps en temps vendre au Port-Louis le superflu de ces deux habitations, qui était bien peu considérable. Si vous y joignez deux chèvres élevées près des enfants, et un gros chien qui veillait la nuit au dehors, vous aurez une idée de tout le revenu et de tout le domestique de ces deux petites métairies.

Pour ces deux amies, elles filaient, du matin au soir, du coton. Ce travail suffisait à leur entretien et à celui de leurs familles; mais d'ailleurs elles étaient si dépourvues de commodités étrangères, qu'elles marchaient nu-pieds dans leur habitation, et ne portaient de souliers que pour aller le dimanche de grand matin à la messe de l'église des Pamplemousses, que vous voyez là-bas. Il y a cependant bien plus loin qu'au Port-Louis; mais elles se rendaient rarement à la ville, de peur d'y être méprisées, parce qu'elles étaient vêtues de grosse toile bleue du Bengale, comme des esclaves. Après tout, la considération publique vaut-elle le bonheur domestique? Si ces dames avaient un peu à souffrir au dehors, elles rentraient chez elles avec d'autant plus de plaisir. A peine Marie et Domingue les apercevaient de cette hauteur sur le chemin des Pamplemousses, qu'ils accouraient jusqu'au bas de la montagne pour les aider à la remonter. Elles lisaient dans les yeux de leurs esclaves la joie qu'ils avaient de les revoir. Elles trouvaient chez elles la propreté, la liberté, des biens qu'elles ne devaient qu'à leurs propres travaux, et des serviteurs pleins de zèle et d'affection.

Elles-mêmes, unies par les mêmes besoins, ayant éprouvé des maux presque semblables, se donnant les doux noms d'amie, de compagne et de sœur, n'avaient. qu'une volonté, qu'un intérêt, qu'une table. Tout entre elles était commun. Seulement, si d'anciens feux, plus vifs que ceux de l'amitié, se réveillaient dans leur âme, une religion pure, aidée par des mœurs chastes, les dirigeait vers une autre vie, comme la flamme qui s'envole vers le ciel lorsqu'elle n'a plus d'aliment sur la terre.

Les devoirs de la nature ajoutaient encore au bonheur de leur société. Leur amitié mutuelle redoublait à la vue de leurs enfants, fruit d'un amour également infortuné. Elles prenaient plaisir à les mettre ensemble dans le même bain, et à les coucher dans le même berceau. Souvent elles les changeaient de lait: "Mon amie, disait Mme. de La Tour, chacune de nous aura deux enfants, et chacun de nos enfants aura deux mères." Comme deux bourgeons qui restent sur deux arbres de la même espèce, dont la tempête a brisé toutes les branches, viennent à produire des fruits plus doux si chacun d'eux, détaché du tronc maternel, est greffé sur le tronc voisin: ainsi ces deux petits enfants, privés de tous leurs parents, se remplissaient de sentiments plus tendres que ceux de fils et de fille, de frère et de sœur, quand ils venaient à être changés de mamelles par les deux amies qui leur avaient donné le jour. Déjà leurs mères parlaient de leur mariage sur leurs berceaux, et cette perspective de félicité conjugale dont elles charmaient leurs propres peines finissait bien souvent par les faire pleurer: l'une se rappelant que ses maux étaient venus d'avoir négligé l'hymen, et l'autre d'en avoir subi les lois: l'une de s'être élevée au-dessus de sa condition, et l'autre d'en être descendue; mais elles se consolaient en pensant qu'un jour leurs enfants, plus heureux, jouiraient à la fois, loin des cruels préjugés de l'Europe, des plaisirs de l'amour et du bonheur de l'égalité.

Rien en effet n'était comparable à l'attachement qu'ils se témoignaient déjà. Si Paul venait à se plaindre, on lui montrait Virginie; à sa vue, il souriait et s'apaisait. Si Virginie souffrait, on en était averti par les cris de Paul; mais cette aimable fille dissimulait aussitôt son mal, pour qu'il ne souffrît pas de sa douleur. Je n'arrivais point de fois ici que je ne les visse tous deux tout nus, suivant la coutume du pays, pouvant à peine marcher, se tenant ensemble par les mains et sous les bras, comme on représente la constellation des Gémeaux. La nuit même ne pouvait les séparer; elle les surprenait souvent couchés dans le même berceau, joue contre joue, poitrine contre poitrine, les mains passées mutuellement autour de leurs cous, et endormis dans les bras l'un de l'autre.

Lorsqu'ils surent parler, les premiers noms qu'ils apprirent à se donner furent ceux de frère et de sœur. L'enfance, qui connaît des caresses plus tendres, ne connaît point de plus doux noms. Leur éducation ne fit que redoubler leur amitié, en la dirigeant vers leurs besoins réciproques. Bientôt tout ce qui regarde l'économie, la propreté, le soin de préparer un repas champêtre, fut du ressort de Virginie, et ses travaux étaient toujours suivis des louanges et des baisers de son frère. Pour lui, sans cesse en action, il bêchait le jardin avec Domingue, ou, une petite hache à la main, il le suivait dans les bois; et si, dans ces courses, une belle fleur, un bon fruit ou un nid d'oiseaux se présentaient à lui, eussent-ils été au haut d'un arbre, il l'escaladait pour les apporter à sa sœur.

Quand on en rencontrait un quelque part, on était sûr que l'autre n'était pas loin.

Un jour que je descendais du sommet de cette montagne, j'aperçus, à l'extrémité du jardin, Virginie qui accourait vers la maison la tête couverte de son jupon, qu'elle avait relevé par derrière pour se mettre à l'abri d'une ondée de pluie.

De loin je la crus seule; et, m'étant avancé vers elle pour l'aider à marcher, je vis qu'elle tenait Paul par le bras, enveloppé presque en entier sous la même couverture, riant l'un et l'autre d'être ensemble à l'abri sous un parapluie de leur invention. Ces deux têtes charmantes, renfermées sous ce jupon bouffant, me rappelèrent les enfants de Léda, enclos sous la même coquille.

Toute leur étude était de se complaire et de s'entr'aider. Au reste, ils étaient ignorants comme des créoles et ne savaient ni lire ni écrire. Ils ne s'inquiétaient pas de ce qui s'était passé dans des temps reculés et loin d'eux: leur curiosité ne s'étendait pas au delà de cette montagne. Ils croyaient que le monde finissait où finissait leur île; et ils n'imaginaient rien d'aimable où ils n'étaient pas. Leur affection mutuelle et celle de leurs mères occupaient toute l'activité de leurs âmes. Jamais des sciences inutiles n'avaient fait couler leurs larmes, jamais les leçons d'une triste morale ne les avaient remplis d'ennui. Ils ne savaient pas qu'il ne faut pas dérober, tout chez eux étant commun; ni être intempérants, ayant à discrétion des mets simples; ni menteurs, n'ayant aucune vérité à dissimuler. On ne les avait jamais effrayés en leur disant que Dieu réserve des punitions terribles aux enfants ingrats; chez eux l'amitié filiale était née de l'amitié maternelle. On ne leur avait appris de la religion que ce qui la fait aimer; et, s'ils n'offraient pas à l'église de longues prières, partout où ils étaient: dans la maison, dans les champs, dans les bois, ils levaient vers le ciel des mains innocentes et un cœur plein de l'amour de leurs parents.

Ainsi se passa leur première enfance, comme une aube qui annonce le plus beau jour. Déjà ils partageaient avec leurs mères tous les soins du ménage. Dès que le chant du coq annonçait le retour de l'aurore, Virginie se levait, allait puiser de l'eau à la source voisine, et rentrait dans la maison pour préparer le déjeuner. Bientôt après, quand le soleil dorait les pitons de cette enceinte, Marguerite et son fils se rendaient chez Mme. de La Tour: alors ils commençaient tous ensemble une prière, suivie du premier repas; souvent ils le prenaient devant la porte, assis sur l'herbe sous un berceau de bananiers, qui leur fournissait à la fois des mets tout préparés dans leurs fruits substantiels, et du linge de table dans leurs feuilles larges, longues et lustrées. Une nourriture saine et abondante développait rapidement les corps de ces deux jeunes gens, et une éducation douce peignait dans leur physionomie la pureté et le contentement de leur âme. Virginie n'avait que douze ans; déjà sa taille était plus qu'à demi formée; de grands cheveux blonds ombrageaient sa tête; ses yeux bleus et ses lèvres de corail brillaient du plus tendre éclat sur la fraîcheur de son visage; ils souriaient toujours de concert quand elle parlait: mais quand elle gardait le silence, leur obliquité naturelle vers le ciel leur donnait une expression d'une sensibilité extrême, et même celle d'une légère mélancolie. Pour Paul, on voyait déjà se développer en lui le caractère d'un homme au milieu des grâces de l'adolescence. Sa taille était plus élevée que celle de Virginie, son teint plus rembruni, son nez plus aquilin, et ses yeux, qui étaient noirs, auraient eu un peu de fierté, si les longs cils qui rayonnaient autour comme des pinceaux ne leur avaient donné la plus grande douceur. Quoiqu'il fût toujours en mouvement, dès que sa sœur paraissait, il devenait tranquille et allait s'asseoir auprès d'elle. Souvent leur repas se passait sans qu'ils se dissent un mot. A leur silence, à la naïveté de leurs attitudes, à la beauté de leurs pieds nus, on eût cru voir un groupe antique de marbre blanc représentant quelques-uns des enfants de Niobé; mais, à leurs regards qui cherchaient à se rencontrer, à leurs sourires rendus par de plus doux sourires, on les eût pris pour ces enfants du ciel, pour ces enfants bienheureux dont la nature est de s'aimer, et qui n'ont pas besoin de rendre le sentiment par des pensées, et l'amitié par des paroles.

Cependant Mme. de La Tour, voyant sa fille se développer avec tant de charmes, sentait augmenter son inquiétude avec sa tendresse. Elle me disait quelquefois: "Si je venais à mourir, que deviendrait Virginie sans fortune?"

Elle avait en France une tante, fille de qualité, riche, vieille et dévote, qui lui avait refusé si durement des secours lorsqu'elle se fut mariée à M. de La Tour, qu'elle s'était bien promis de n'avoir jamais recours à elle, à quelque extrémité qu'elle fût réduite. Mais, devenue mère, elle ne craignit plus la honte des refus. Elle manda à sa tante la mort inattendue de son mari, la naissance de sa fille et l'embarras où elle se trouvait, loin de son pays, dénuée de support et chargée d'un enfant. Elle n'en reçut point de réponse. Elle, qui était d'un caractère élevé, ne craignit plus de s'humilier et de s'exposer aux reproches de sa parente, qui ne lui avait jamais pardonné d'avoir épousé un homme sans naissance, quoique vertueux. Elle lui écrivait donc par toutes les occasions, afin d'exciter sa sensibilité en faveur de Virginie. Mais bien des années s'étaient écoulées sans recevoir d'elle aucune marque de souvenir.

Enfin, en 1738, trois ans après l'arrivée de M. de La Bourdonnaye dans cette île, Mme. de La Tour apprit que ce gouverneur avait à lui remettre une lettre de la part de sa tante. Elle courut au Port-Louis sans se soucier cette fois d'y paraître mal vêtue, la joie maternelle la mettant au-dessus du respect humain. M. de La Bourdonnaye lui donna en effet une lettre de sa tante. Celle-ci mandait à sa nièce qu'elle avait mérité son sort, pour avoir épousé un aventurier, un libertin; que les passions portaient avec elles leur punition; que la mort prématurée de son mari était un juste châtiment de Dieu; qu'elle avait bien fait de passer aux îles plutôt que de déshonorer sa famille en France; qu'elle était après tout dans un bon pays où tout le monde faisait fortune, excepté les paresseux. Après l'avoir ainsi blâmée, elle finissait par se louer elle-même; pour éviter, disait-elle, les suites souvent funestes du mariage, elle avait toujours refusé de se marier. La vérité est qu'étant ambitieuse, elle n'avait voulu épouser qu'un homme de grande qualité; mais, quoiqu'elle fût très-riche, et qu'à la cour on soit indifférent à tout, excepté à la fortune, il ne s'était trouvé personne qui eût voulu s'allier à une fille aussi laide et à un cœur aussi dur.

Elle ajoutait par post-scriptum que, toute réflexion faite, elle l'avait fortement recommandée à M. de La Bourdonnaye. Elle l'avait en effet recommandée, mais suivant un usage bien commun aujourd'hui qui rend un protecteur plus à craindre qu'un ennemi déclaré: afin de justifier auprès du gouverneur sa dureté pour sa nièce, en feignant de la plaindre elle l'avait calomniée.

Mme. de La Tour, que tout homme indifférent n'eût

pu voir sans intérêt et sans respect, fut recue avec beaucoup de froideur par M. de La Bourdonnaye, prévenu contre elle. Il ne répondit à l'exposé qu'elle lui fit de sa situation et de celle de sa fille que par de durs monosyllabes: "Je verrai—nous verrons—avec le temps —il y a bien des malheureux—Pourquoi indisposer une tante respectable?—C'est vous qui avez tort."

Mme. de La Tour retourna à l'habitation, le cœur navré de douleur et plein d'amertume. En arrivant, elle s'assit, jeta sur la table la lettre de sa tante, et dit à son amie: "Voilà le fruit de onze ans de patience!" Mais, comme il n'y avait que Mme. de La Tour qui sût lire dans la société, elle reprit la lettre et en fit la lecture devant toute la famille rassemblée. A peine était-elle achevée, que Marguerite lui dit avec vivacité: "Qu'avons-nous besoin de tes parents? Dieu nous a-t-il abandonnées? C'est lui seul qui est notre père. N'avons-nous pas vécu heureuses jusqu'à ce jour? Pourquoi donc te chagriner? Tu n'as point de courage." Et, voyant Mme. de La Tour pleurer, elle se jeta à son cou, et, la serrant dans ses bras: "Chère amie! s'écria-t-elle, chère amie!" Mais ses propres sanglots étouffèrent sa voix. A ce spectacle, Virginie, fondant en larmes, pressait alternativement les mains de sa mère et celles de Marguerite contre sa bouche et contre son cœur; et Paul, les yeux enflammés de colère, criait, serrait les poings, frappait du pied, ne sachant à qui s'en prendre. A ce bruit, Domingue et Marie accoururent, et l'on n'entendit plus dans la case que ces cris de douleur: "Ah!—madame!—ma bonne maîtresse!—ma mère!—ne pleurez pas." De si tendres marques d'amitié dissipèrent le chagrin de Mme. de La Tour. Elle prit Paul et Virginie dans ses bras, et leur dit d'un air content: "Mes enfants, vous êtes cause de ma peine; mais vous faites toute ma joie. O mes chers enfants! le malheur ne m'est venu que de loin; le bonheur est autour de moi." Paul et Virginie ne la comprirent pas; mais quand ils la virent tranquille, ils sourirent et se mirent à la caresser. Ainsi ils continuèrent tous d'être heureux, et ce ne fut qu'un orage au milieu d'une belle saison.

Le bon naturel de ces enfants se développait de jour en jour. Un dimanche, au lever de l'aurore, leurs mères étant allées à la première messe de l'église des Pamplemousses, une négresse marronne se présenta sous les bananiers qui entouraient leur habitation. Elle était décharnée comme un squelette, et n'avait pour vêtement qu'un lambeau de serpillière autour des reins. Elle se jeta aux pieds de Virginie, qui préparait le déjeuner de la famille, et lui dit: "Ma jeune demoiselle, ayez pitié d'une pauvre esclave fugitive; il y a un mois que j'erre dans ces montagnes, demi-morte de faim, souvent poursuivie par des chasseurs et par leurs chiens. Je fuis mon maître, qui est un riche habitant de la Rivière-Noire: il m'a traitée comme vous le voyez." En même temps elle lui montra son corps sillonné de cicatrices profondes par les coups de fouet qu'elle en avait reçus. Elle ajouta: "Je voudrais aller me noyer; mais, sachant que vous demeuriez ici, j'ai dit: Puisqu'il y a encore de bons blancs dans ce pays, il ne faut pas encore mourir." Virginie tout émue lui répondit: "Rassurez-vous, infortunée créature! Mangez, mangez!" Et elle lui donna le déjeuner de la maison, qu'elle avait apprêté. L'esclave, en peu de moments, le dévora tout entier. Virginie, la voyant rassasiée, lui dit: "Pauvre misérable! j'ai envie d'aller demander votre grâce à votre maître; en vous voyant, il sera touché de pitié. Voulez-vous me conduire chez lui?—Ange de Dieu, repartit la négresse, je vous suivrai partout où vous voudrez." Virginie appela son frère et le pria de l'accompagner. L'esclave marronne les conduisit, par des sentiers au milieu des bois, à travers de hautes montagues qu'ils grimpèrent avec bien de la peine, et de larges rivières qu'ils passèrent à gué. Enfin, vers le milieu du jour, ils arrivèrent au bas d'un morne sur les bords de la Rivière-Noire. Ils aperçurent là une maison bien bâtie, des plantations considérables et un grand nombre d'esclaves occupés à toutes sortes de travaux. Leur maître se promenait au milieu d'eux, une pipe à la bouche et un rotin à la main. C'était un grand homme sec, olivâtre, aux yeux enfoncés et aux sourcils noirs et joints. Virginie, tout émue, tenant Paul par le bras, s'approcha de l'habitant et le pria, pour l'amour de Dieu, de pardonner à son esclave, qui était à quelques pas de là derrière eux. D'abord l'habitant ne fit pas grand compte de ces deux enfants pauvrement vêtus; mais quand il eut remarqué la taille élégante de Virginie, sa belle tête blonde sous une capote bleue, et qu'il eut entendu le doux son de sa voix, qui tremblait ainsi que tout son corps en lui demandant grâce, il ôta sa pipe de sa bouche, et, levant son rotin vers le ciel, il jura, par un affreux serment, qu'il pardonnait à son esclave, non pas pour l'amour de Dieu, mais pour l'amour d'elle. Virginie aussitôt fit signe à l'esclave de s'avancer vers son maître; puis elle s'enfuit, et Paul courut après elle.

Ils remontèrent ensemble le revers du morne par où ils étaient descendus, et, parvenus au sommet, ils s'assirent sous un arbre, accablés de lassitude, de faim et de soif. Ils avaient fait à jeun plus de cinq lieues depuis le lever du soleil. Paul dit à Virginie: "Ma sœur, il est plus de midi; tu as faim et soif: nous ne trouverons point ici à dîner; redescendons le morne et allons demander à manger au maître de l'esclave.—Oh! non, mon ami, reprit Virginie, il m'a fait trop de peur. Souviens-toi de ce que dit quelquefois maman: Le pain du méchant remplit la bouche de gravier.—Comment ferons-nous donc? dit Paul; ces arbres ne produisent que de mauvais fruits; il n'y a pas seulement ici un tamarin ou un citron pour te rafraîchir.—Dieu aura pitié de nous, reprit Virginie: il exauce la voix des petits oiseaux qui lui demandent de la nourriture." A peine avait-elle dit ces mots, qu'ils entendirent le bruit d'une source qui tombait d'un rocher voisin. Ils y coururent, et, après s'être désaltérés avec ses eaux plus claires que le cristal, ils cueillirent et mangèrent un peu de cresson qui croissait sur ses bords.

Comme ils regardaient de côté et d'autre s'ils ne trouveraient pas quelque nourriture plus solide, Virginie aperçut parmi les arbres de la forêt un jeune palmiste. Le chou que la cime de cet arbre renferme au milieu de ses feuilles est un fort bon manger; mais quoique sa tige ne fût pas plus grosse que la jambe, elle avait plus de soixante pieds de hauteur. A la vérité, le bois de cet arbre n'est formé que d'un paquet de filaments; mais son aubier est si dur qu'il fait rebrousser les meilleures haches; et Paul n'avait pas même un couteau. L'idée lui vint de mettre le feu au pied de ce palmiste: autre embarras; il n'avait point de briquet, et d'ailleurs dans cette île, si couverte de rochers, je ne crois pas qu'on puisse trouver une seule pierre à fusil. La nécessité donne de l'industrie, et souvent les inventions les plus utiles ont été dues aux hommes les plus misérables. Paul résolut d'allumer du feu à la manière des noirs: avec l'angle d'une pierre il fit un petit trou sur une branche d'arbre bien sèche, qu'il assujettit sous ses pieds; puis, avec le tranchant de cette pierre, il fit une pointe à un autre morceau de branche également sèche, mais d'une espèce de bois différent; il posa ensuite ce morceau de bois pointu dans le petit trou de la branche qui était sous ses pieds, et, le faisant rouler rapidement entre ses mains, comme on roule un moulinet dont on veut faire mousser du chocolat, en peu de moments il vit sortir du point de contact de la fumée et des étincelles. Il ramassa des herbes sèches et d'autres branches d'arbres, et mit le feu au pied du palmiste, qui, bientôt après, tomba avec un grand fracas. Le feu lui servit encore à dépouiller le chou de ses longues feuilles ligneuses et piquantes. Virginie et lui mangèrent une partie de ce chou cru et l'autre cuite sous la cendre, et ils les trouvèrent également savoureuses. Ils firent ce repas frugal remplis de joie, par le souvenir de la bonne action qu'ils avaient faite le matin; mais cette joie était troublée par l'inquiétude où ils se doutaient bien que leur longue absence de la maison jetterait leurs mères. Virginie revenait souvent sur cet objet. Cependant Paul, qui sentait ses forces rétablies, l'assura qu'ils ne tarderaient pas à tranquilliser leurs parents.

Après dîner ils se trouvèrent bien embarrassés; car ils n'avaient plus de guide pour les reconduire chez eux. Paul, qui ne s'étonnait de rien, dit à Virginie: "Notre case est vers le soleil du milieu du jour; il faut que nous passions, comme ce matin, par-dessus cette montagne que tu vois là-bas avec ses trois pitons. Allons, marchons, mon amie." Cette montagne était celle des Trois-Mamelles, ainsi nommée parce que ses trois pitons en ont la forme. Ils descendirent donc le morne de la Rivière-Noire du côté du nord, et arrivèrent, après une heure de marche, sur les bords d'une large rivière qui barrait leur chemin. Cette grande partie de l'île, toute couverte de forêts, est si peu connue, même aujourd'hui, que plusieurs de ses rivières et de ses montagnes n'y ont pas encore de nom. La rivière sur le bord de laquelle ils étaient coule en bouillonnant sur un lit de rochers. Le bruit de ses eaux effraya Virginie; elle n'osa y mettre les pieds pour la passer à gué. Paul alors prit Virginie sur son dos, et passa ainsi chargé sur les roches glissantes de la rivière, malgré le tumulte de ses eaux. "N'aie pas peur, lui disait-il; je me sens bien fort avec toi. Si l'habitant de la Rivière-Noire t'avait refusé la grâce de son esclave, je me serais battu avec lui.— Comment! dit Virginie, avec cet homme si grand et si méchant? A quoi t'ai-je exposé! Mon Dieu! qu'il est difficile de faire le bien! il n'y a que le mal de facile à faire." Quand Paul fut sur le rivage, il voulut continuer sa route, chargé de sa sœur, et il se flattait de monter ainsi la montagne des Trois-Mamelles, qu'il voyait devant lui à une demi-lieue de là: mais bientôt les forces lui manquèrent, et il fut obligé de la mettre à terre, et de se reposer auprès d'elle. Virginie lui dit alors: "Mon frère, le jour baisse; tu as encore des forces, et les miennes me manquent; laisse-moi ici, et retourne seul à notre case pour tranquilliser nos mères.—Oh! non, dit Paul, je ne te quitterai pas. Si la nuit nous surprend dans ce bois, j'allumerai du feu, j'abattrai un palmiste, tu en mangeras le chou, et je ferai avec ses feuilles un ajoupa pour te mettre à l'abri." Cependant Virginie, s'étant un peu reposée, cueillit sur le tronc d'un vieux arbre, penché sur le bord de la rivière, de longues feuilles de scolopendre qui pendaient de son tronc; elle en fit des espèces de brodequins dont elle s'entoura les pieds, que les pierres des chemins avaient mis en sang; car, dans l'empressement d'être utile, elle avait oublié de se chausser. Se sentant soulagée par la fraîcheur de ces feuilles, elle rompit une branche de bambou, et se mit en marche, en s'appuyant d'une main sur ce roseau, et de l'autre sur son frère.

Ils cheminaient ainsi doucement à travers les bois; mais la hauteur des arbres et l'épaisseur de leurs feuillages leur firent bientôt perdre de vue la montagne des Trois-Mamelles, sur laquelle ils se dirigeaient, et même le soleil, qui était déjà près de se coucher. Au bout de quelque temps ils quittèrent, sans s'en apercevoir, le sentier frayé dans lequel ils avaient marché jusqu'alors, et ils se trouvèrent dans un labyrinthe d'arbres, de lianes et de roches, qui n'avait plus d'issue. Paul fit asseoir Virginie, et se mit à courir çà et là, tout hors de lui, pour chercher un chemin hors de ce fourré épais; mais il se fatigua en vain. Il monta au haut d'un grand arbre pour découvrir au moins la montagne des Trois-Mamelles; mais il n'aperçut autour de lui que les cimes des arbres, dont quelques-unes étaient éclairées par les derniers rayons du soleil couchant. Cependant l'ombre des montagnes couvrait déjà les forêts dans les vallées; le vent se calmait comme il arrive au coucher du soleil; un profond silence régnait dans ces solitudes, et on n'y entendait d'autre bruit que le bramement des cerfs qui venaient chercher leurs gîtes dans ces lieux écartés. Paul, dans l'espoir que quelque chasseur pourrait l'entendre, cria alors de toute sa force: "Venez, venez au secours de Virginie!" Mais les seuls échos de la forêt répondirent à sa voix, et répétèrent à plusieurs reprises: "Virginie!—Virginie!"

Paul descendit alors de l'arbre, accablé de fatigue et de chagrin: il chercha les moyens de passer la nuit dans ce lieu; mais il n'y avait ni fontaine, ni palmiste, ni même de branches de bois sec propre à allumer du feu. Il sentit alors par son expérience toute la faiblesse de ses ressources, et il se mit à pleurer. Virginie lui dit: "Ne pleure point, mon ami, si tu ne veux m'accabler de chagrin. C'est moi qui suis la cause de toutes tes peines, et de celles qu'éprouvent maintenant nos mères. Il ne faut rien faire, pas même le bien, sans consulter ses parents. Oh! j'ai été bien imprudente!" Et elle se prit à verser des larmes. Cependant elle dit à Paul:

"Prions Dieu, mon frère, et il aura pitié de nous."

A peine avaient-ils achevé leur prière, qu'ils entendirent un chien aboyer. "C'est, dit Paul, le chien de quelque chasseur qui vient le soir tuer des cerfs à l'affût." Peu après, les aboiements du chien redoublèrent. "Il me semble, dit Virginie, que c'est Fidèle, le chien de notre case: oui, je reconnais sa voix; serions-nous si près d'arriver au pied de notre montagne?"

En effet, un moment après, Fidèle était à leurs pieds, aboyant, hurlant, gémissant, et les accablant de caresses. Comme ils ne pouvaient revenir de leur surprise, ils aperçurent Domingue, qui accourait à eux. A l'arrivée de ce bon noir, qui pleurait de joie, ils se mirent aussi à pleurer, sans pouvoir lui dire un mot. Quand Domingue eut repris ses sens: "O mes jeunes maîtres, leur dit-il, que vos mères ont d'inquiétude! comme elles ont été étonnées quand elles ne vous ont plus retrouvés au retour de la messe, où je les accompagnais! Marie, qui travaillait dans un coin de l'habitation, n'a su nous dire où vous étiez allés. J'allais, je venais autour de l'habitation, ne sachant moi-même de quel côté vous chercher. Enfin j'ai pris vos vieux habits à l'un et à l'autre, je les ai fait flairer à Fidèle, et sur-le-champ, comme si ce pauvre animal m'eût entendu, il s'est mis à quêter sur vos pas; il m'a conduit, toujours en remuant la queue, jusqu'à la Rivière-Noire. C'est là où j'ai appris d'un habitant que vous lui aviez ramené une négresse marronne, et qu'il vous avait accordé sa grâce. Mais quelle grâce! Il me l'a montrée attachée, avec une chaîne au pied, à un billot de bois, et avec un collier de fer à trois crochets autour du cou. De là, Fidèle, toujours quêtant, m'a mené sur le morne de la Rivière-Noire, où il s'est arrêté encore en aboyant de toute sa force: c'était sur le bord d'une source, auprès d'un palmiste abattu, et près d'un feu qui fumait encore.

Enfin il m'a conduit ici: nous sommes au pied de la montagne des Trois-Mamelles, et il y a encore quatre bonnes lieues jusque chez nous. Allons, mangez, et prenez des forces." Il leur présenta aussitôt un gâteau, des fruits, et une grande calebasse remplie d'une liqueur composée d'eau, de vin, de jus de citron, de sucre et de muscade, que leurs mères avaient préparée pour les fortifier et les rafraîchir. Virginie soupira au souvenir de la pauvre esclave, et des inquiétudes de leurs mères. Elle répéta plusieurs fois: "Oh! qu'il est difficile de faire le bien!" Pendant que Paul et elle se rafraîchissaient, Domingue alluma du feu, et ayant cherché dans les rochers un bois tortu qu'on appelle bois de ronde, et qui brûle tout vert en jetant une grande flamme, il en fit un flambeau, qu'il alluma, car il était déjà nuit. Mais il éprouva un embarras bien plus grand quand il fallut se mettre en route: Paul et Virginie ne pouvaient plus marcher; leurs pieds étaient enflés et tout rouges. Domingue ne savait s'il devait aller bien loin de là leur chercher du secours, ou passer dans ce lieu la nuit avec eux. "Où est le temps, leur disait-il, où je vous portais tous deux à la fois dans mes bras! mais maintenant, vous êtes grands et je suis vieux." Comme il était dans cette perplexité, une troupe de noirs marrons se fit voir à vingt pas de là. Le chef de cette troupe, s'approchant de Paul et de Virginie, leur dit: "Bons petits blancs, n'ayez pas peur; nous vous avons vus passer ce matin avec une négresse de la Rivière-Noire; vous alliez demander sa grâce à son mauvais maître: en reconnaissance, nous vous reporterons chez vous sur nos épaules." Alors il fit un signe, et quatre noirs marrons des plus robustes firent aussitôt un brancard avec des branches d'arbres et des lianes, y placèrent Paul et Virginie, les mirent sur leurs épaules; et, Domingue marchant devant eux avec son flambeau, ils se mirent en route aux cris de joie de toute la troupe, qui les comblait de bénédictions. Virginie, attendrie, disait à Paul: "O mon ami! jamais Dieu ne laisse un bien sans récompense."

Ils arrivèrent vers le milieu de la nuit au pied de leur montagne, dont les croupes étaient éclairées de plusieurs feux. A peine ils la montaient, qu'ils entendirent des voix qui criaient: "Est-ce vous, mes enfants?" Ils répondirent avec les noirs: "Oui, c'est nous!" et bientôt ils aperçurent leurs mères et Marie qui venaient au-devant d'eux avec des tisons flambants. "Malheureux enfants, dit Mme. de La Tour, d'où venez-vous? dans quelles angoisses vous nous avez jetées!—Nous venons, dit Virginie, de la Rivière-Noire demander la grâce d'une pauvre esclave marronne, à qui j'ai donné ce matin le déjeuner de la maison, parce qu'elle mourait de faim; et voilà que les noirs marrons nous ont ramenés." Mme. de La Tour embrassa sa fille sans pouvoir parler; et Virginie, qui sentit son visage mouillé des larmes de sa mère, lui dit: "Vous me payez de tout le mal que j'ai souffert!" Marguerite, ravie de joie, serrait Paul dans ses bras, et lui disait: "Et toi aussi, mon fils, tu as fait une bonne action!" Quand elles furent arrivées dans leurs cases avec leurs enfants, elles donnèrent bien à manger aux noirs marrons, qui s'en retournèrent dans leurs bois en leur souhaitant toute sorte de prospérité.

Chaque jour était pour ces familles un jour de bonheur et de paix. Ni l'envie ni l'ambition ne les tourmentaient. Elles ne désiraient point au dehors une vaine réputation que donne l'intrigue, et qu'ôte la calomnie; il leur suffisait d'être à elles-mêmes leurs témoins et leurs juges. Dans cette île où, comme dans toutes les colonies européennes, on n'est curieux que d'anecdotes malignes, leurs vertus et même leurs noms étaient ignorés; seulement, quand un passant demandait, sur le chemin des Pamplemousses, à quelques habitants de la plaine: "Qui est-ce qui demeure là-haut dans ces petites cases?" ceux-ci répondaient, sans les connaître: "Ce sont de bonnes gens." Ainsi des violettes, sous des buissons épineux, exhalent au loin leurs doux parfums, quoiqu'on ne les voie pas.

Elles avaient banni de leurs conversations la médisance, qui sous une apparence de justice, dispose nécessairement le cœur à la haine ou à la fausseté: car il est impossible de ne pas haïr les hommes si on les croit méchants, et de vivre avec les méchants si on ne leur cache sa haine sous de fausses apparences de bienveillance. Ainsi la médisance nous oblige d'être mal avec les autres ou avec nous-mêmes. Mais, sans juger des hommes en particulier, elles ne s'entretenaient que des moyens de faire du bien à tous en général; et, quoiqu'elles n'en eussent pas le pouvoir, elles en avaient une volonté perpétuelle qui les remplissait d'une bienveillance toujours prête à s'étendre au dehors. En vivant donc dans la solitude, loin d'être sauvages, elles étaient devenues plus humaines. Si l'histoire scandaleuse de la société ne fournissait point de matière à leurs conversations, celle de la nature les remplissait de ravissement et de joie. Elles admiraient avec transport le pouvoir d'une Providence qui, par leurs mains, avait répandu au milieu de ces arides rochers l'abondance, les grâces, les plaisirs purs, simples, et toujours renaissants.

Paul, à l'âge de douze ans, plus robuste et plus intelligent que les Européens à quinze, avait embelli ce que le noir Domingue ne faisait que cultiver. Il allait avec lui dans les bois voisins déraciner de jeunes plants de citronniers, d'orangers, de tamarins, dont la tête ronde est d'un si beau vert, et de dattiers, dont le fruit est plein d'une crème sucrée qui a le parfum de la fleur d'oranger; il plantait ces arbres déjà grands autour de cette enceinte. Il y avait semé des graines d'arbres qui, dès la seconde année, portent des fleurs ou des fruits, tels que l'agathis, où pendent tout autour, comme les cristaux d'un lustre, de longues grappes de fleurs blanches; le lilas de Perse, qui élève droit en l'air ses girandoles gris de lin; le papayer, dont le tronc sans branches, formé en colonne hérissée de melons verts, porte un chapiteau de larges feuilles semblables à celles du figuier.

Il y avait planté encore des pepins et des noyaux de badamiers, de manguiers, d'avocats, de goyaviers, de jacqs et de jamroses. La plupart de ces arbres donnaient déjà à leur jeune maître de l'ombrage et des fruits. Sa main laborieuse avait répandu la fécondité jusque dans les lieux les plus stériles de cet enclos. Diverses espèces d'aloès, la raquette chargée de fleurs jaunes fouettées de rouge, les cierges épineux, s'élevaient sur les têtes noires des roches, et semblaient vouloir atteindre aux longues lianes chargées de fleurs bleues ou écarlates, qui pendaient çà et là le long des escarpements de la montagne.

Il avait disposé ces végétaux de manière qu'on pouvait jouir de leur vue d'un seul coup d'œil. Il avait planté au milieu de ce bassin les herbes qui s'élèvent peu, ensuite les arbrisseaux, puis les arbres moyens, et enfin les grands arbres qui en bordaient la circonférence: de sorte que ce vaste enclos paraissait de son centre comme un amphithéâtre de verdure, de fruits et de fleurs, renfermant des plantes potagères, des lisières de prairies, et des champs de riz et de blé. Mais en assujettissant ces végétaux à son plan, il ne s'était pas écarté de celui de la nature. Guidé par ses indications, il avait mis dans les lieux élevés ceux dont les semences sont volatiles, et sur le bord des eaux ceux dont les graines sont faites pour flotter. Ainsi chaque végétal croissait dans son site propre, et chaque site recevait de son végétal sa parure naturelle.

Les eaux qui descendent du sommet de ces roches formaient, au fond du vallon, ici des fontaines, là de larges miroirs, qui répétaient, au milieu de la verdure, les arbres en fleurs, les rochers, et l'azur des cieux.

Malgré la grande irrégularité de ce terrain, toutes ces plantations étaient pour la plupart aussi accessibles au toucher qu'à la vue: à la vérité nous l'aidions tous de nos conseils et de nos secours pour en venir à bout. Il avait pratiqué un sentier qui tournait autour de ce bassin, et dont plusieurs rameaux venaient se rendre de la circonférence au centre. Il avait tiré parti des lieux les plus raboteux, et accordé, par la plus heureuse harmonie, la facilité de la promenade avec l'aspérité du sol, et les arbres domestiques avec les sauvages. De cette énorme quantité de pierres roulantes qui embarrassent maintenant ces chemins, ainsi que la plupart du terrain de cette île, il avait formé çà et là des pyramides, dans les assises desquelles il avait mêlé de la terre et des racines de rosiers, des poincillades, et d'autres arbrisseaux qui se plaisent dans les roches. En peu de temps, ces pyramides sombres et brutes furent couvertes de verdure, ou de l'éclat des plus belles fleurs. Les ravins, bordés de vieux arbres inclinés sur les bords, formaient des souterrains voûtés, inaccessibles à la chaleur, où l'on allait prendre le frais pendant le jour. Un sentier conduisait dans un bosquet d'arbres sauvages, au centre duquel croissait, à l'abri des vents, un arbre domestique chargé de fruits. Là était une moisson; ici, un verger. Par cette avenue, on apercevait les maisons; par cette autre, les sommets inaccessibles de la montagne.

Sous un bocage touffu de tatamaques entrelacés de lianes, on ne distinguait en plein midi aucun objet; sur la pointe de ce grand rocher voisin qui sort de la montagne on découvrait tous ceux de cet enclos, avec la mer au loin, où apparaissait quelquefois un vaisseau qui venait de l'Europe, ou qui y retournait. C'était sur ce rocher que ces familles se rassemblaient le soir, et jouissaient en silence de la fraîcheur de l'air, du parfum des fleurs, du murmure des fontaines, et des dernières harmonies de la lumière et des ombres.

Rien n'était plus agréable que les noms donnés à la plupart des retraites charmantes de ce labyrinthe. Ce rocher, dont je viens de vous parler, d'où l'on me voyait venir de bien loin, s'appelait la DÉCOUVERTE DE L'AMITIÉ. Paul et Virginie, dans leurs jeux, y avaient planté un bambou, au haut duquel ils élevaient un petit mouchoir blanc pour signaler mon arrivée dès qu'ils m'apercevaient, ainsi qu'on élève un pavillon sur la montagne voisine, à la vue d'un vaisseau en mer. L'idée me vint de graver une inscription sur la tige de ce roseau. Quelque plaisir que j'aie eu dans mes voyages à voir une statue ou un monument de l'antiquité, j'en ai encore davantage à lire une inscription bien faite: il me semble alors qu'une voix humaine sorte de la pierre, se fasse entendre à travers les siècles, et, s'adressant à l'homme au milieu des déserts, lui dise qu'il n'est pas seul, et que d'autres hommes, dans ces mêmes lieux, ont senti, pensé, et souffert comme lui; que si cette inscription est de quelque nation ancienne qui ne subsiste plus, elle étend notre âme dans les champs de l'infini, et lui donne le sentiment de son immortalité, en lui montrant qu'une pensée a survécu à la ruine même d'un empire.

J'écrivis donc sur le petit mât de pavillon de Paul et de Virginie ces vers d'Horace:

. . . Fratres Helenæ, lucida sidera,
Ventorumque regat pater,
Obstrictis aliis, præter Iapyga.

"Que les frères d'Hélène, astres charmants comme vous, et que le père des vents vous dirigent, et ne fassent souffler que le Zéphire."

Je gravai ce vers de Virgile sur l'écorce d'un tatamaque à l'ombre duquel Paul s'asseyait quelquefois pour regarder au loin la mer agitée:

Fortunatus et ille deos qui novit agrestes!

"Heureux, mon fils, de ne connaître que les divinités champêtres!"

Et cet autre au-dessus de la porte de la cabane de Mme. de La Tour, qui était leur lieu d'assemblée:

At secura quies, et nescia fallere vita.

"Ici est une bonne conscience, et une vie qui ne sait pas tromper."

Mais Virginie n'approuvait point mon latin; elle disait que ce que j'avais mis au pied de sa girouette était trop long et trop savant. "J'eusse mieux aimé, ajoutait-elle: TOUJOURS AGITÉE, MAIS CONSTANTE.—Cette devise, lui répondis-je, conviendrait encore mieux à la vertu." Ma réflexion la fit rougir.

Ces familles heureuses étendaient leurs âmes sensibles à tout ce qui les environnait. Elles avaient donné les noms les plus tendres aux objets en apparence les plus indifférents. Un cercle d'orangers, de bananiers et de jamroses, plantés autour d'une pelouse au milieu de laquelle Virginie et Paul allaient quelquefois danser, se nommait LA CONCORDE. Un vieil arbre, à l'ombre duquel Mme. de La Tour et Marguerite s'étaient raconté leurs malheurs, s'appelait LES PLEURS ESSUYÉS. Elles faisaient porter les noms de BRETAGNE et de NORMANDIE à de petites portions de terres où elles avaient semé du blé, des fraises et des pois. Domingue et Marie, désirant, à l'imitation de leurs maîtresses, se rappeler les lieux de leur naissance en Afrique, appelaient ANGOLA et FOUILLEPOINTE deux endroits où croissait l'herbe dont ils faisaient des paniers, et où ils avaient planté un calebassier. Ainsi, par ces productions de leurs climats, ces familles expatriées entretenaient les douces illusions de leur pays, et en calmaient les regrets dans une terre étrangère. Hélas ! j'ai vu s'animer de mille appellations charmantes les arbres, les fontaines, les rochers de ce lieu maintenant si bouleversé, et qui, semblable à un champ de la Grèce, n'offre plus que des ruines et des noms touchants.

Mais, de tout ce que renfermait cette enceinte, rien n'était plus agréable que ce qu'on appelait le REPOS DE VIRGINIE. Au pied du rocher la DÉCOUVERTE DE L'AMITIÉ est un enfoncement d'où sort une fontaine qui forme, dès sa source, une petite flaque d'eau, au milieu d'un pré d'une herbe fine. Lorsque Marguerite eut mis Paul au monde, je lui fis présent d'un coco des Indes qu'on m'avait donné. Elle planta ce fruit sur le bord de cette flaque d'eau, afin que l'arbre qu'il produirait servît un jour d'époque à la naissance de son fils. Mme. de La Tour, à son exemple, y en planta un autre, dans une semblable intention, dès qu'elle fut accouchée de Virginie. Il naquit de ces deux fruits deux cocotiers qui formaient toutes les archives de ces deux familles ; l'un se nommait l'arbre de Paul, et l'autre, l'arbre de Virginie. Ils crûrent tous deux, dans la même proportion que leurs jeunes maîtres, d'une grandeur un peu inégale, mais qui surpassait au bout de douze ans celle de leurs cabanes. Déjà ils entrelaçaient leurs palmes, et laissaient pendre leurs jeunes grappes de cocos au-dessus du bassin de la fontaine. Excepté cette plantation, on avait laissé cet enfoncement du rocher tel que la nature l'avait orné. Sur ses flancs bruns et humides rayonnaient en étoiles vertes et noires de larges capillaires, et flottaient au gré des vents des touffes de scolopendre suspendues comme de longs rubans d'un vert pourpré. Près de là croissaient des lisières de pervenche, dont les fleurs sont presque semblables à celles de la giroflée rouge, et des piments, dont les gousses, couleur de sang, sont plus éclatantes que le corail. Aux environs, l'herbe de baume, dont les feuilles sont en cœur, et les basilics à odeur de girofle, exhalaient les plus doux parfums. Du haut de l'escarpement de la montagne pendaient des lianes semblables à des draperies flottantes, qui formaient sur les flancs des rochers de grandes courtines de verdure. Les oiseaux de mer, attirés par ces retraites paisibles, y venaient passer la nuit. Au coucher du soleil on y voyait voler le long des rivages de la mer le corbijeau et l'alouette marine, et au haut des airs la noire frégate, avec l'oiseau blanc du tropique, qui abandonnaient, ainsi que l'astre du jour, les solitudes de l'océan Indien. Virginie aimait à se reposer sur les bords de cette fontaine, décorée d'une pompe à la fois magnifique et sauvage. Souvent elle venait y laver le linge de la famille à l'ombre des deux cocotiers. Quelquefois elle y menait paître ses chèvres. Pendant qu'elle préparait des fromages avec leur lait, elle se plaisait à leur voir brouter les capillaires sur les flancs escarpés de la roche, et se tenir en l'air sur une de ses corniches comme sur un piédestal. Paul, voyant que ce lieu était aimée de Virginie, y apporta de la forêt voisine des nids de toutes sortes d'oiseaux. Les pères et les mères de ces oiseaux suivirent leurs petits, et vinrent s'établir dans cette nouvelle colonie. Virginie leur distribuait de temps en temps des graines de riz, de maïs, et du millet. Dès qu'elle paraissait, les merles siffleurs, les bengalis, dont le ramage est si doux, les cardinaux, dont le plumage est couleur de feu, quittaient leurs buissons; des perruches, vertes comme des émeraudes, descendaient des lataniers voisins; des perdrix accouraient sous l'herbe; tous s'avançaient pêle-mêle jusqu'à ses pieds comme des poules. Paul et elle s'amusaient avec transport de leurs jeux, de leurs appétits et de leurs amours.

Aimables enfants, vous passiez ainsi dans l'innocence vos premiers jours en vous exerçant aux bienfaits! Combien de fois, dans ce lieu, vos mères, vous serrant dans leurs bras, bénissaient le ciel de la consolation que vous prépariez à leur vieillesse, et de vous voir entrer dans la vie sous de si heureux auspices! Combien de fois, à l'ombre de ces rochers, ai-je partagé avec elles vos repas champêtres, qui n'avaient coûté la vie à aucun animal! des calebasses pleines de lait, des œufs frais, des gâteaux de riz sur des feuilles de bananier, des corbeilles chargées de patates, de mangues, d'oranges, de grenades, de bananes, de dattes, d'ananas, offraient à la fois les mets les plus sains, les couleurs les plus gaies et les sucs les plus agréables.

La conversation était aussi douce et aussi innocente que ces festins. Paul y parlait souvent des travaux du jour et de ceux du lendemain. Il méditait toujours quelque chose d'utile pour la société. Ici, les sentiers n'étaient pas commodes; là, on était mal assis; ces jeunes berceaux ne donnaient pas assez d'ombrage; Virginie serait mieux là.

Dans la saison pluvieuse, ils passaient le jour tous ensemble dans la case, maîtres et serviteurs, occupés à faire des nattes d'herbes et des paniers de bambou. On voyait rangés dans le plus grand ordre, aux parois de la muraille, des râteaux, des haches, des bêches; et auprès de ces instruments de l'agriculture, les productions qui en étaient les fruits: des sacs de riz, des gerbes de blé et des régimes de bananes. La délicatesse s'y joignait toujours à l'abondance. Virginie, instruite par Marguerite et par sa mère, y préparait des sorbets et des cordiaux avec le jus des cannes à sucre, des citrons et des cédrats.

La nuit venue, ils soupaient à la lueur d'une lampe; ensuite Mme. de La Tour ou Marguerite racontait quelques histoires de voyageurs égarés la nuit dans les bois de l'Europe infestés de voleurs, ou le naufrage de quelque vaisseau jeté par la tempête sur les rochers d'une île déserte. A ces récits, les âmes sensibles de leurs enfants s'enflammaient; ils priaient le ciel de leur faire la grâce d'exercer quelque jour l'hospitalité envers de semblables malheureux. Cependant les deux familles se séparaient pour aller prendre du repos, dans l'impatience de se revoir le lendemain. Quelquefois elles s'endormaient au bruit de la pluie qui tombait par torrents sur la couverture de leurs cases, ou à celui des vents qui leur apportaient le murmure lointain des flots qui se brisaient sur le rivage. Elles bénissaient Dieu de leur sécurité personnelle, dont le sentiment redoublait par celui du danger éloigné.

De temps en temps, Mme. de La Tour lisait publiquement quelque histoire touchante de l'Ancien ou du Nouveau Testament. Ils raisonnaient peu sur ces livres sacrés; car leur théologie était toute en sentiment, comme celle de la nature, et leur morale toute en action, comme celle d el'Évangile. Ils n'avaient point de jours destinés aux plaisirs, et d'autres à la tristesse. Chaque jour était pour eux un jour de fête, et tout ce qui les environnait, un temple divin, où ils admiraient sans cesse une intelligence infinie, toute-puissante et amie des hommes. Ce sentiment de confiance dans le pouvoir suprême les remplissait de consolation pour le passé, de courage pour le présent, et d'espérance pour l'avenir. Voilà comme ces femmes, forcées par le malheur de rentrer dans la nature, avaient développé en elles-mêmes et dans leurs enfants ces sentiments que donne la nature pour nous empêcher de tomber dans le malheur.

Mais comme il s'élève quelquefois dans l'âme la mieux réglée des nuages qui la troublent, quand quelque membre de leur société paraissait triste, tous les autres se réunissaient autour de lui, et l'enlevaient aux pensées amères, plus par des sentiments que par des réflexions. Chacun y employait son caractère particulier: Marguerite, une gaieté vive; Mme. de La Tour une théologie douce; Virginie, des caresses tendres; Paul, de la franchise et de la cordialité: Marie et Domingue même venaient à son secours. Ils s'affligeaient s'ils le voyaient affligé; ils pleuraient s'ils le voyaient pleurer. Ainsi des plantes faibles s'entrelacent ensemble pour résister aux ouragans.

Dans la belle saison ils allaient tous les dimanches à la messe à l'église des Pamplemousses, dont vous voyez le clocher là-bas dans la plaine. Il y venait des habitants riches, en palanquin, qui s'empressèrent plusieurs fois de faire la connaissance de ces familles si unies, et de les inviter à des parties de plaisir. Mais elles repoussèrent toujours leurs offres avec honnêteté et respect, persuadées que les gens puissants ne recherchent les faibles que pour avoir des complaisants, et qu'on ne peut être complaisant qu'en flattant les passions d'autrui, bonnes et mauvaises. D'un autre côté, elles n'évitaient pas avec moins de soin l'accointance des petits habitants, pour l'ordinaire jaloux, médisants et grossiers. Elles passèrent d'abord auprès des uns pour timides, et auprès des autres pour fières; mais leur conduite réservée était accompagnée de marques de politesse si obligeantes, surtout envers les misérables, qu'elles acquirent insensiblement le respect des riches et la confiance des pauvres.

Après la messe, on venait souvent les requérir de quelque bon office. C'était une personne affligée qui leur demandait des conseils, ou un enfant qui les priait de passer chez sa mère, malade dans un des quartiers voisins. Elles portaient toujours avec elles quelques recettes utiles aux maladies ordinaires des habitants, et elles y joignaient la bonne grâce, qui donne tant de prix aux petits services. Elles réussissaient surtout à bannir les peines de l'esprit, si intolérables dans la solitude et dans un corps infirme. Mme. de La Tour parlait avec tant de confiance de la Divinité, que le malade, en l'écoutant la croyait présente. Virginie revenait bien souvent de là les yeux humides de larmes, mais le cœur rempli de joie, car elle avait eu l'occasion de faire du bien. C'était elle qui préparait d'avance les remèdes nécessaires aux malades, et qui les leur présentait avec une grâce ineffable. Après ces visites d'humanité, elles prolongeaient quelquefois leur chemin par la vallée de la Montagne-Longue jusque chez moi, où je les attendais à diner sur les bords de la petite rivière qui coule dans mon voisinage. Je me procurais pour ces occasions quelques bouteilles de vin vieux, afin d'augmenter la gaieté de nos repas indiens, par ces douces et cordiales productions de l'Europe. D'autres fois, nous nous donnions rendez-vous sur les bords de la mer, à l'embouchure de quelques autres petites rivières, qui ne sont guère ici que de grands ruisseaux. Nous y apportions de l'habitation des provisions végétales que nous joignions à celles que la mer nous fournissait en abondance. Nous pêchions sur ses rivages des cabots, des polypes, des rougets, des langoustes, des chevrettes, des crabes, des oursins, des huîtres et des coquillages de toute espèce. Les sites les plus terribles nous procuraient souvent les plaisirs les plus tranquilles. Quelquefois, assis sur un rocher, à l'ombre d'un veloutier, nous voyions les flots du large venir se briser à nos pieds avec un horrible fracas. Paul, qui nageait d'ailleurs comme un poisson, s'avançait quelquefois sur les récifs au-devant des lames; puis, à leur approche, il fuyait sur le rivage devant leurs grandes volutes écumeuses et mugissantes qui le poursuivaient bien avant sur la grève. Mais Virginie, à cette vue, jetait des cris perçants, et disait que ces jeux-là lui faisaient grand'peur.

Nos repas étaient suivis des chants et des danses de ces deux jeunes gens. Virginie chantait le bonheur de la vie champêtre et les malheurs des gens de mer, que l'avarice porte à naviguer sur un élément furieux, plutôt que de cultiver la terre, qui donne paisiblement tant de biens. Quelquefois à la manière des noirs, elle exécutait avec Paul une pantomime. La pantomime est le premier langage de l'homme: elle est connue de toutes les nations; elle est si naturelle et si expressive, que les enfants des blancs ne tardent pas à l'apprendre dès qu'ils ont vu ceux des noirs s'y exercer. Virginie se rappelant, dans les lectures que lui faisait sa mère, les histoires qui l'avaient le plus touchée, en rendait les principaux événements avec beaucoup de naïveté. Tantôt, au son du tam-tam de Domingue, elle se présentait sur la pelouse, portant une cruche sur sa tête: elle s'avançait avec timidité à la source d'une fontaine voisine pour y puiser de l'eau. Domingue et Marie, représentant les bergers de Madian lui en défendaient l'approche, et feignaient de la repousser. Paul accourait à son secours, battait les bergers, remplissait la cruche de Virginie; et, en la lui posant sur la tête, il lui mettait en même temps une couronne de fleurs rouges de pervenche, qui relevait la blancheur de son teint. Alors, me prêtant à leurs jeux, je me chargeais du personnage de Raguel, et j'accordais à Paul ma fille Séphora en mariage.

Une autre fois, elle représentait l'infortunée Ruth, qui retourne veuve et pauvre dans son pays, où elle se trouve étrangère, après une longue absence. Domingue et Marie contrefaisaient les moissonneurs. Virginie feignait de glaner çà et là, sur leurs pas, quelques épis de blé. Paul, imitant la gravité d'un patriarche, l'interrogeait; elle répondait en tremblant à ses questions. Bientôt, ému de pitié, il accordait l'hospitalité à l'innocence, et un asile à l'infortune; il remplissait le tablier de Virginie de toutes sortes de provisions, et l'amenait devant nous, comme devant les anciens de la ville, en déclarant qu'il la prenait en mariage malgré son indigence. Mme. de la Tour, à cette scène, venant à se rappeler l'abandon où l'avaient laissée ses propres parents, son veuvage, la bonne réception que lui avait faite Marguerite, suivie maintenant de l'espoir d'un mariage heureux entre leurs enfants, ne pouvait s'empêcher de pleurer; et ce souvenir confus de maux et de biens nous faisait verser à tous des larmes de douleur et de joie.

Ces drames étaient rendus avec tant de vérité, qu'on se croyait transporté dans les champs de la Syrie ou de la Palestine. Nous ne manquions point de décorations, d'illuminations et d'orchestre convenables à ce spectacle. Le lieu de la scène était, pour l'ordinaire, au carrefour d'une forêt dont les percées formaient autour de nous plusieurs arcades de feuillage. Nous étions, à leur centre, abrités de la chaleur pendant toute la journée; mais, quand le soleil était descendu à l'horizon, ses rayons, brisés par les troncs des arbres, divergeaient dans les ombres de la forêt en longues gerbes lumineuses qui produisaient le plus majestueux effet. Quelquefois son disque tout entier paraissait à l'extrémité d'une avenue, et la rendait tout étincelante de lumière. Le feuillage des arbres, éclairés en dessous de ses rayons safranés, brillait des feux de la topaze et de l'émeraude; leurs troncs mousseux et bruns paraissaient changés en colonnes de bronze antique; et les oiseaux, déjà retirés en silence sous la sombre feuillée pour y passer la nuit, surpris de revoir une seconde aurore, saluaient tous à la fois l'astre du jour par mille et mille chansons.

La nuit nous surprenait bien souvent dans ces fêtes champêtres; mais la pureté de l'air et la douceur du climat nous permettaient de dormir sous un ajoupa, au milieu des bois, sans craindre d'ailleurs les voleurs, ni de près ni de loin. Chacun, le lendemain, retournait dans sa case, et la retrouvait dans l'état où il l'avait laissée. Il y avait alors tant de bonne foi et de simplicité dans cette île sans commerce, que les portes de beaucoup de maisons ne fermaient point à la clef, et qu'une serrure était un objet de curiosité pour plusieurs créoles.

Mais il avait dans l'année des jours qui étaient, pour Paul et Virginie, des jours de plus grandes réjouissances: c'étaient les fêtes de leurs mères. Virginie ne manquait pas, la veille, de pétrir et de cuire des gâteaux de farine de froment, qu'elle envoyait à de pauvres familles de blancs, nées dans l'île, qui n'avaient jamais mangé de pain d'Europe, et qui, sans aucun secours des noirs, réduites à vivre de manioc au milieu des bois, n'avaient, pour supporter la pauvreté, ni la stupidité qui accompagne l'esclavage, ni le courage qui vient de l'éducation. Ces gâteaux étaient les seuls présents que Virginie pût faire de l'aisance de l'habitation; mais elle y joignait une bonne grâce qui leur donnait un grand prix. D'abord, c'était Paul qui était chargé de les porter lui-même à ces familles, et elles s'engageaient, en les recevant, de venir le lendemain passer la journée chez Mme. de La Tour et Marguerite. On voyait alors arriver une mère de famille avec deux ou trois misérables filles, jaunes, maigres, et si timides qu'elles n'osaient lever les yeux. Virginie les mettait bientôt à leur aise; elle leur servait des rafraîchissements, dont elle relevait la bonté par quelque circonstance particulière qui en augmentait, selon elle, l'agrément. Cette liqueur avait été préparée par Marguerite; cette autre par sa mère; son frère avait cueilli lui-même ce fruit au haut d'un arbre. Elle engageait Paul à les faire danser. Elle ne les quittait point qu'elle ne les vit contentes et satisfaites: elle voulait qu'elles fussent joyeuses de la joie de sa famille. "On ne fait son bonheur, disait-elle, qu'en s'occupant de celui des autres." Quand elles s'en retournaient, elle les engageait d'emporter ce qui paraissait leur avoir fait plaisir, couvrant la nécessité d'agréer ses présents du prétexte de leur nouveauté ou de leur singularité. Si elle remarquait trop de délabrement dans leurs habits, elle choisissait, avec l'agrément de sa mère, quelques-uns des siens, et elle chargeait Paul d'aller secrètement les déposer à la porte de leurs cases. Ainsi elle faisait le bien à l'exemple de la Divinité, cachant la bienfaitrice et montrant le bienfait.

Vous autres, Européens, dont l'esprit se remplit dès l'enfance, de tant de préjugés contraires au bonheur, vous ne pouvez concevoir que la nature puisse donner tant de lumières et de plaisirs. Votre âme, circonscrite dans une petite sphère de connaissances humaines, atteint bientôt le terme de ses jouissances artificielles: mais la nature et le cœur sont inépuisables. Paul et Virginie n'avaient ni horloges, ni almanachs, ni livres de chronologie, d'histoire et de philosophie. Les périodes de leur vie se réglaient sur celles de la nature. Ils connaissaient les heures du jour par l'ombre des arbres; les saisons, par les temps où ils donnent leurs fleurs ou leurs fruits; et les années, par le nombre de leurs récoltes. Ces douces images répandaient les plus grands charmes dans leurs conversations. "Il est temps de dîner, disait Virginie à la famille, les ombres des bananiers sont à leurs pieds;" ou bien: "La nuit s'approche, les tamarins ferment leurs feuilles.—Quand viendrez-vous nous voir? lui disaient quelques amies du voisinage.—"Aux cannes à sucre, répondait Virginie.—Votre visite nous sera encore plus douce et plus agréable," reprenaient ces jeunes filles. Quand on l'interrogeait sur son âge et sur celui de Paul: "Mon frère, disait-elle, est de l'âge du grand cocotier de la fontaine, et moi de celui du plus petit. Les manguiers ont donné douze fois leurs fruits, et les orangers vingt-quatre fois leurs fleurs, depuis que je suis au monde." Leur vie semblait attachée à celle des arbres, comme celle des faunes et des dryades. Ils ne connaissaient d'autres époques historiques que celles de la vie de leurs mères, d'autre chronologie que celle de leurs vergers, et d'autre philosophie que de faire du bien à tout le monde, et de se résigner à la volonté de Dieu.

Après tout, qu'avaient besoin ces jeunes gens d'être riches et savants à notre manière? Leurs besoins et leur ignorance ajoutaient encore à leur félicité. Il n'y avait point de jour qu'ils ne se communiquassent quelques secours ou quelques lumières: oui, des lumières; et, quand il s'y serait mêlé quelques erreurs, l'homme pur n'en a point de dangereuses à craindre. Ainsi croissaient ces deux enfants de la nature. Aucun souci n'avait ridé leur front, aucune intempérance n'avait corrompu leur sang, aucune passion malheureuse n'avait dépravé leur cœur: l'amour, l'innocence, la piété, développaient chaque jour la beauté de leur âme en grâces ineffables dans leurs traits, leurs attitudes et leurs mouvements. Au matin de la vie, ils en avaient toute la fraîcheur; tels, dans le jardin d'Éden, parurent nos premiers parents, lorsque, sortant des mains de Dieu, ils se virent, s'approchèrent et conversèrent d'abord comme frère et comme sœur: Virginie, douce, modeste, confiante, comme

Ève; et Paul, semblable à Adam, ayant la taille d'un homme, avec la simplicité d'un enfant.

Quelquefois, seul avec elle (il me l'a mille fois raconté), il lui disait, au retour de ses travaux: "Lorsque je suis fatigué, ta vue me délasse. Quand, du haut de la montagne, je t'aperçois au fond de ce vallon, tu me parais, au milieu de nos vergers, comme un bouton de rose. Si tu marches vers la maison de nos mères, la perdrix qui court avec ses petits a un corsage moins beau et une démarche moins légère. Quoique je te perde de vue à travers les arbres, je n'ai pas besoin de te voir pour te retrouver; quelque chose de toi que je ne puis te dire reste pour moi dans l'air où tu passes, sur l'herbe où tu t'assieds. Lorsque je t'approche, tu ravis tous mes sens. L'azur du ciel est moins beau que le bleu de tes yeux; le chant des bengalis, moins doux que le son de ta voix. Si je te touche seulement du bout du doigt, tout mon corps frémit de plaisir. Souviens-toi du jour où nous passâmes à travers les cailloux roulants de la rivière des Trois-Mamelles. En arrivant sur ses bords, j'étais déjà bien fatigué; mais, quand je t'eus prise sur mon dos, il me semblait que j'avais des ailes comme un oiseau. Dis-moi par quel charme tu as pu m'enchanter. Est-ce par ton esprit? mais nos mères en ont plus que nous deux. Est-ce par tes caresses? mais elles m'embrassent plus souvent que toi. Je crois que c'est par ta bonté. Je n'oublierai jamais que tu as marché nu-pieds jusqu'à la Rivière-Noire, pour demander la grâce d'une pauvre esclave fugitive. Tiens, ma bien-aimée, prends cette branche fleurie de citronnier que j'ai cueillie dans la forêt; tu la mettras, la nuit, près de ton lit. Mange ce rayon de miel; je l'ai pris pour toi au haut d'un rocher. Mais auparavant, repose-toi sur mon sein, et je serai délassé."

Virginie lui répondait: "O mon frère! les rayons du

soleil au matin, au haut de ces rochers, me donnent moins de joie que ta présence. J'aime bien ma mère, j'aime bien la tienne; mais, quand elles t'appellent mon fils, je les aime encore davantage. Les caresses qu'elles te font me sont plus sensibles que celles que j'en reçois. Tu me demandes pourquoi tu m'aimes; mais tout ce qui a été élevé ensemble s'aime. Vois nos oiseaux: élevés dans les mêmes nids, ils s'aiment comme nous; ils sont toujours ensemble comme nous. Écoute comme ils s'appellent et se répondent d'un arbre à l'autre: de même, quand l'écho me fait entendre les airs que tu joues sur ta flûte au haut de la montagne, j'en répète les paroles au fond de ce vallon. Tu m'es cher, surtout depuis le jour où tu voulais te battre pour moi contre le maître de l'esclave. Depuis ce temps-là, je me suis dit bien des fois: Ah! mon frère a un bon cœur; sans lui je serais morte d'effroi. Je prie Dieu tous les jours pour ma mère, la tienne, pour toi, pour nos pauvres serviteurs; mais, quand je prononce ton nom, il me semble que ma dévotion augmente. Je demande si instamment à Dieu qu'il ne t'arrive aucun mal! Pourquoi vas-tu si loin et si haut me chercher des fruits et des fleurs? N'en avons-nous pas assez dans le jardin? Comme te voilà fatigué! Tu es tout en nage." Et avec son petit mouchoir blanc elle lui essuyait le front et les joues, et elle lui donnait plusieurs baisers.

Cependant, depuis quelque temps, Virginie se sentait agitée d'un mal inconnu. Ses beaux yeux bleus se marbraient de noir; son teint jaunissait; une langueur universelle abattait son corps. La sérénité n'était plus sur son front, ni le sourire sur ses lèvres. On la voyait tout à coup gaie sans joie, et triste sans chagrin. Elle fuyait ses jeux innocents, ses doux travaux et la société de sa famille bien-aimée; elle errait çà et là dans les lieux les plus solitaires de l'habitation, cherchant partout du repos, et ne le trouvant nulle part. Quelquefois, à la vue de Paul, elle allait vers lui en folâtrant; puis tout à coup, près de l'aborder, un embarras subit la saisissait; un rouge vif colorait ses joues pâles, et ses yeux n'osaient plus s'arrêter sur les siens. Paul lui disait: "La verdure couvre ces rochers, nos oiseaux chantent quand ils te voient; tout est gai autour de toi, toi seule es triste." Et il cherchait à la ranimer en l'embrassant; mais elle détournait la tête, et fuyait tremblante vers sa mère. L'infortunée se sentait troublée par les caresses de son frère. Paul ne comprenait rien à des caprices si nouveaux et si étranges. Un mal n'arrive guère seul.

Un de ces étés qui désolent de temps à autre les terres situées entre les tropiques vint étendre ici ses ravages. C'était vers la fin de décembre, lorsque le soleil au Capricorne échauffe pendant trois semaines l'île de France de ses feux verticaux. Le vent du sud-est, qui y règne presque toute l'année, n'y soufflait plus. De longs tourbillons de poussière s'élevaient sur les chemins, et restaient suspendus en l'air. La terre se fendait de toutes parts; l'herbe était brûlée; des exhalaisons chaudes sortaient du flanc des montagnes, et la plupart de leurs ruisseaux étaient desséchés. Aucun nuage ne venait du côté de la mer. Seulement, pendant le jour, des vapeurs rousses s'élevaient de dessus ses plaines, et paraissaient au coucher du soleil, comme les flammes d'un incendie. La nuit même n'apportait aucun rafraîchissement à l'atmosphère embrasée. L'orbe de la lune, tout rouge, se levait dans un horizon embrumé, d'une grandeur démesurée. Les troupeaux, abattus sur les flancs des collines, le cou tendu vers le ciel, aspirant l'air, faisaient retentir les vallons de tristes mugissements. Le Cafre même qui les conduisait se couchait sur la terre pour y trouver de la fraîcheur;

mais partout le sol était brûlant, et l'air étouffant retentissait du bourdonnement des insectes qui cherchaient à se désaltérer dans le sang des hommes et des animaux.

Dans une de ces nuits ardentes, Virginie sentit redoubler tous les symptômes de son mal. Elle se levait, elle s'asseyait, elle se recouchait, et ne trouvait dans aucune attitude ni le sommeil ni le repos. Elle s'achemine, à la clarté de la lune, vers sa fontaine. Elle en aperçoit la source, qui, malgré la sécheresse, coulait encore en filets d'argent sur les flancs bruns du rocher. Elle se plonge dans son bassin. D'abord la fraîcheur ranime ses sens, et mille souvenirs agréables se présentent à son esprit. Elle se rappelle que, dans son enfance, sa mère et Marguerite s'amusaient à la baigner avec Paul dans ce même lieu; que Paul ensuite, réservant ce bain pour elle, en avait creusé le lit, couvert le fond de sable, et semé sur ses bords des herbes aromatiques. Elle entrevoit, dans l'eau, sur ses bras nus et sur son sein, les reflets des deux palmiers plantés à la naissance de son frère et à la sienne, qui entrelaçaient au-dessus de sa tête leurs rameaux verts et leurs jeunes cocos. Elle pense à l'amitié de Paul, plus douce que les parfums, plus pure que l'eau des fontaines, plus forte que les palmiers unis; et elle soupire. Elle songe à la nuit, à la solitude; et un feu dévorant la saisit. Aussitôt elle sort, effrayée de ces dangereux ombrages, et de ces eaux plus brûlantes que les soleils de la zone torride. Elle court auprès de sa mère chercher un appui contre elle-même. Plusieurs fois, voulant lui raconter ses peines, elle lui pressa les mains dans les siennes; plusieurs fois elle fut près de prononcer le nom de Paul, mais son cœur oppressé laissa sa langue sans expression; et posant sa tête sur le sein maternel, elle ne put que l'inonder de ses larmes.

Mme. de La Tour pénétrait bien la cause du mal de

sa fille; mais elle n'osait elle-même lui en parler. "Mon enfant, lui disait-elle, adresse-toi à Dieu, qui dispose à son gré de la santé et de la vie. Il t'éprouve aujourd'hui pour te récompenser demain. Songe que nous ne sommes sur la terre que pour exercer la vertu."

Cependant ces chaleurs excessives élevèrent de l'Océan des vapeurs qui couvrirent l'île comme un vaste parasol. Les sommets des montagnes les rassemblaient autour d'eux, et de longs sillons de feux sortaient de temps en temps de leurs pitons embrumés. Bientôt des tonnerres affreux firent retentir de leurs éclats les bois, les plaines et les vallons; des pluies épouvantables, semblables à des cataractes, tombèrent du ciel. Des torrents écumeux se précipitaient le long des flancs de cette montagne: le fond de ce bassin était devenu une mer; le plateau où sont assises les cabanes, une petite île; et l'entrée de ce vallon, une écluse par où sortaient pêle-mêle, avec les eaux mugissantes, les terres, les arbres et les rochers.

Toute la famille tremblante priait Dieu dans la case de Mme. de La Tour, dont le toit craquait horriblement par l'effort des vents. Quoique la porte et les contrevents en fussent bien fermés, tous les objets s'y distinguaient à travers les jointures de la charpente, tant les éclairs étaient vifs et fréquents. L'intrépide Paul, suivi de Domingue, allait d'une case à l'autre, malgré la fureur de la tempête, assurant ici une paroi avec un arc-boutant, et enfonçant là un pieu; il ne rentrait que pour consoler la famille par l'espoir prochain du retour du beau temps. En effet, sur le soir, la pluie cessa; le vent alisé du sud-est reprit son cours ordinaire; les nuages orageux furent jetés vers le nord-ouest, et le soleil couchant parut à l'horizon.

Le premier désir de Virginie fut de revoir le lieu de son repos. Paul s'approcha d'elle d'un air timide, et lui présenta son bras pour l'aider à marcher. Elle l'accepta en souriant, et ils sortirent ensemble de la case. L'air était frais et sonore. Des fumées blanches s'élevaient sur les croupes de la montagne, sillonnées cà et là de l'écume des torrents qui tarissaient de tous côtés. Pour le jardin, il était tout bouleversé par d'affreux ravins; la plupart des arbres fruitiers avaient leurs racines en haut; de grands amas de sable couvraient les lisières des prairies, et avaient comblé le bain de Virginie. Cependant les deux cocotiers étaient debout et bien verdoyants; mais il n'y avait plus aux environs ni gazons, ni berceaux, ni oiseaux, excepté quelques bengalis, qui, sur la pointe des rochers voisins, déploraient par des chants plaintifs la perte de leurs petits.

A la vue de cette désolation, Virginie dit à Paul: "Vous aviez apporté ici des oiseaux, l'ouragan les a tués. Vous aviez planté ce jardin, il est détruit. Tout périt sur la terre; il n'y a que le ciel qui ne change point." Paul lui répondit: "Que ne puis-je vous donner quelque chose du ciel! mais je ne possède rien, même sur la terre." Virginie reprit en rougissant: "Vous avez à vous le portrait de saint Paul."

A peine eut-elle parlé qu'il courut le chercher dans la case de sa mère. Ce portrait était une petite miniature représentant l'ermite Paul: Marguerite y avait une grande dévotion: elle l'avait porté longtemps suspendu à son cou étant fille; ensuite, devenue mère, elle l'avait mis à celui de son enfant. Il était même arrivé qu'étant enceinte de lui, et délaissée de tout le monde, à force de contempler l'image de ce bienheureux solitaire, son fruit en avait contracté quelque ressemblance, ce qui l'avait décidée à lui en faire porter le nom, et à lui donner pour patron un saint qui avait passé sa vie loin des hommes, qui l'avaient elle-même abusée, puis abandonnée. Virginie, en recevant ce petit portrait des mains de Paul, lui dit d'un ton ému: "Mon frère, il ne me sera jamais enlevé tant que je vivrai, et je n'oublierai jamais que tu m'as donné la seule chose que tu possèdes au monde." A ce ton d'amitié, à ce retour inespéré de familiarité et de tendresse, Paul voulut l'embrasser; mais aussi légère qu'un oiseau elle lui échappa, et le laissa hors de lui, ne concevant rien à une conduite si extraordinaire.

Cependant Marguerite disait à Mme. de La Tour: "Pourquoi ne marions-nous pas nos enfants? ils ont l'un pour l'autre une passion extrème, dont mon fils ne s'aperçoit pas encore. Lorsque la nature lui aura parlé, en vain nous veillons sur eux, tout est à craindre." Mme. de La Tour lui répondit: "Ils sont trop jeunes et trop pauvres. Quel chagrin pour nous si Virginie mettait au monde des enfants malheureux, qu'elle n'aurait peut-être pas la force d'élever! Ton noir Domingue est bien cassé: Marie est infirme. Moi-même, chère amie, depuis quinze ans je me sens fort affaiblie. On vieillit promptement dans les pays chauds, et encore plus vite dans le chagrin. Paul est notre unique espérance. Attendons que l'âge ait formé son tempérament, et qu'il puisse nous soutenir par son travail.

"A présent, tu le sais, nous n'avons guère que le nécessaire de chaque jour. Mais en faisant passer Paul dans l'Inde pour un peu de temps, le commerce lui fournira de quoi acheter quelque esclave; et, à son retour ici, nous le marierons à Virginie; car je crois que personne ne peut rendre ma chère fille aussi heureuse que ton fils Paul. Nous en parlerons à notre voisin."

En effet, ces dames me consultèrent, et je fus de leur avis. "Les mers de l'Inde sont belles, leur dis-je. En prenant une saison favorable pour passer d'ici aux Indes, c'est un voyage de six semaines au plus, et d'autant de temps pour en revenir. Nous ferons dans notre quartier une pacotille à Paul; car j'ai des voisins qui l'aiment beaucoup. Quand nous ne lui donnerions que du coton brut, dont nous ne faisons aucun usage, faute de moulin pour l'éplucher; du bois d'ébène, si commun ici qu'il sert au chauffrage, et quelques résines qui se perdent dans nos bois: tout cela se vend assez bien aux Indes, et nous est fort inutile ici."

Je me chargeai de demander à M. de La Bourdonnaye une permission d'embarquement pour ce voyage; et, avant tout, je voulus en prévenir Paul. Mais quel fut mon étonnement lorsque ce jeune homme me dit, avec un bon sens fort au-dessus de son âge: "Pourquoi voulez-vous que je quitte ma famille pour je ne sais quel projet de fortune? Y a-t-il un commerce au monde plus avantageux que la culture d'un champ qui rend quelquefois cinquante et cent pour un? Si nous voulons faire le commerce, ne pouvons-nous pas le faire en portant le superflu d'ici à la ville, sans que j'aille courir les Indes? Nos mères me disent que Domingue est vieux et cassé; mais moi, je suis jeune, et je me renforce chaque jour. Il n'a qu'à leur arriver pendant mon absence quelque accident, surtout à Virginie, qui est déjà souffrante. Oh! non, non, je ne saurais me résoudre à la quitter."

Sa réponse me jeta dans un grand embarras; car Mme. de La Tour ne m'avait pas caché l'état de Virginie, et le désir qu'elle avait de gagner quelques années sur l'âge de ces jeunes gens, en les éloignant l'un de l'autre. C'étaient des motifs que je n'osais pas même faire soupçonner à Paul.

Sur ces entrefaites, un vaisseau arrivé de France apporta à Mme. de La Tour une lettre de sa tante. La crainte de la mort, sans laquelle les cœurs durs ne seraient jamais sensibles, l'avait frappée. Elle mandait à sa nièce de repasser en France, ou, si sa santé ne lui permettait pas de faire un si long voyage, elle lui enjoignait d'y envoyer Virginie, à laquelle elle destinait une bonne éducation, un parti à la cour, et la donation de tous ses biens. Elle attachait, disait-elle, le retour de ses bontés à l'exécution de ses ordres.

A peine cette lettre fut-elle lue dans la famille, qu'elle y répandit la consternation. Domingue et Marie se mirent à pleurer. Paul, immobile d'étonnement, paraissait prêt à se mettre en colère. Virginie, les yeux fixés sur sa mère, n'osait proférer un mot. "Pourriez-vous nous quitter maintenant? dit Marguerite à Mme. de La Tour—Non, mon amie; non, mes enfants, reprit Mme. de La Tour; je ne vous quitterai point. J'ai vécu avec vous, et c'est avec vous que je veux mourir. Je n'ai connu le bonheur que dans votre amitié. Si ma santé est dérangée, d'anciens chagrins en sont la cause. J'ai été blessée au cœur par la dureté de mes parents et par la perte de mon cher époux. Mais depuis j'ai goûté plus de consolation et de félicité avec vous, sous ces pauvres cabanes, que jamais les richesses de ma famille ne m'en ont fait même espérer dans ma patrie."

A ce discours, des larmes de joie coulèrent de tous les yeux. Paul, serrant Mme. de La Tour dans ses bras, lui dit: "Je ne vous quitterai pas non plus; je n'irai point aux Indes. Nous travaillerons tous pour vous, chère maman; rien ne vous manquera jamais avec nous." Mais, de toute la société, la personne qui témoigna le moins de joie, et qui y fut la plus sensible, fut Virginie. Elle parut le reste du jour d'une gaieté douce, et le retour de sa tranquillité mit le comble à la satisfaction générale.

Le lendemain, au lever du soleil, comme ils venaient de faire tous ensemble, suivant leur coutume, la prière qui précédait le déjeuner, Domingue les avertit qu'un monsieur à cheval, suivi de deux esclaves, s'avançait vers l'habitation. C'était M. de La Bourdonnaye. Il entra dans la case, où toute la famille était à table. Virginie, venait de servir, suivant l'usage du pays, du café et du riz cuit à l'eau. Elle y avait joint des patates chaudes et des bananes fraîches. Il y avait pour toute vaisselle des moitiés de calebasses, et pour linge des feuilles de bananier. Le gouverneur témoigna d'abord quelque étonnement de la pauvreté de cette demeure. Ensuite, s'adressant à Mme. de La Tour, il lui dit que les affaires générales l'empêchaient quelquefois de songer aux particulières, mais qu'elle avait bien des droits sur lui. "Vous avez, ajouta-t-il, madame, une tante de qualité et fort riche à Paris, qui vous réserve sa fortune, et vous attend auprès d'elle." Mme. de La Tour répondit que sa santé altérée ne lui permettait pas d'entreprendre un si long voyage.

"Au moins, reprit M. de La Bourdonnaye, pour mademoiselle votre fille, si jeune et si aimable, vous ne sauriez sans injustice la priver d'une si grande succession. Je ne vous cache pas que votre tante a employé l'autorité pour la faire venir auprés d'elle. Les bureaux m'ont écrit à ce sujet d'user, s'il le fallait, de mon pouvoir; mais, ne l'exerçant que pour rendre heureux les habitants de cette colonie, j'attends de votre volonté seule un sacrifice de quelques années, d'où dépend l'établissement de votre fille, et le bien-être de toute votre vie. Pourquoit vient-on aux îles? n'est-ce pas pour y faire fortune? N'est-il pas bien plus agréable de l'aller retrouver dans sa patrie?"

En disant ces mots, il posa sur la table un gros sac de piastres que portait un de ses noirs. "Voilà, ajouta-t-il, ce qui est destiné aux préparatifs de voyage de mademoiselle votre fille, de la part de votre tante." Ensuite il finit par reprocher avec bonté à Mme. de

La Tour de ne s'être pas adressée à lui dans ses besoins, en la louant cependant de son noble courage. Paul aussitôt prit la parole, et dit au gouverneur: "Monsieur, ma mère s'est adressée à vous, et vous l'avez mal reçue. —Avez-vous un autre enfant, madame? dit M. de La Bourdonnaye à Mme. de La Tour.—Non, monsieur, reprit-elle, celui-ci est le fils de mon amie; mais lui et Virginie nous sont communs, et également chers.— Jeune homme, dit le gouverneur à Paul, quand vous aurez acquis l'expérience du monde, vous connaîtrez le malheur des gens en place; vous saurez combien il est facile de les prévenir, combien aisément ils donnent au vice intrigant ce qui appartient au mérite qui se cache."

M. de la Bourdonnaye, invité par Mme. de La Tour, s'assit à table auprès d'elle. Il déjeuna, à la manière des créoles, avec du café mêlé avec du riz cuit à l'eau. Il fut charmé de l'ordre et de la propreté de la petite case, de l'union de ces deux familles charmantes, et du zèle même de leurs vieux domestiques. "Il n'y a, dit-il, ici, que des meubles de bois; mais on y trouve des visages sereins et des cœurs d'or." Paul, charmé de la popularité du gouverneur, lui dit: "Je désire être votre ami, car vous êtes un honnête homme." M. de La Bourdonnaye reçut avec plaisir cette marque de cordialité insulaire. Il embrassa Paul en lui serrant la main, et l'assura qu'il pouvait compter sur son amitié.

Après déjeuner, il prit Mme. de La Tour en particulier, et lui dit qu'il se présentait une occasion prochaine d'envoyer sa fille en France sur un vaisseau prêt à partir; qu'il la recommanderait à une dame de ses parentes qui y était passagère; qu'il fallait bien se garder d'abandonner une fortune immense pour une satisfaction de quelques années. "Votre tante, ajouta-t-il en s'en allant, ne peut pas traîner plus de deux ans, ses amis me l'ont mandé. Songez-y bien. La fortune ne vient pas tous les jours. Consultez-vous. Tous les gens de bon sens seront de mon avis." Elle lui répondit "que ne désirant désormais d'autre bonheur dans le monde que celui de sa fille, elle laisserait son départ pour la France entièrement à sa disposition."

Mme. de La Tour n'était pas fâchée de trouver une occasion de séparer pour quelque temps Virginie et Paul, en procurant un jour leur bonheur mutuel. Elle prit donc sa fille à part, et lui dit: "Mon enfant, nos domestiques sont vieux; Paul est bien jeune, Marguerite vient sur l'âge; je suis déjà infirme: si j'allais mourir, que deviendriez-vous, sans fortune, au milieu de ces déserts? Vous resteriez donc seule, n'ayant personne qui puisse vous être d'un grand secours, et obligée, pour vivre, de travailler sans cesse à la terre comme une mercenaire? Cette idée me pénètre de douleur." Virginie lui répondit: "Dieu nous a condamnés au travail. Vous m'avez appris à travailler et à le bénir chaque jour. Jusq'à présent, il ne nous a pas abandonnés, il ne nous abandonnera point encore. Sa providence veille particulièrement sur les malheureux. Vous me l'avez dit tant de fois, ma mère! Je ne saurais me résoudre à vous quitter." Mme. de La Tour, émue, reprit: "Je n'ai d'autre projet que de te rendre heureuse, et de te marier un jour avec Paul, qui n'est point ton frère. Songe maintenant que sa fortune dépend de toi."

Une jeune fille qui aime croit que tout le monde l'ignore. Elle met sur ses yeux le voile qu'elle a sur son cœur; mais, quand il est soulevé par une main amie, alors les peines secrètes de son amour s'échappent comme par une barrière ouverte, et les doux épanchements de la confiance succèdent aux réserves et aux mystères dont elle s'environnait. Virginie, sensible aux nouveaux témoignages de bonté de sa mère lui raconta quels avaient été ses combats, qui n'avaient eu d'autres témoins que Dieu seul; qu'elle voyait le secours de sa providence dans celui d'une mère tendre qui approuvait son inclination, et qui la dirigerait par ses conseils; que maintenant, appuyée de son support, tout l'engageait à rester auprès d'elle, sans inquiétude pour le présent et sans crainte pour l'avenir.

Mme. de La Tour, voyant que sa confidence avait produit un effet contraire à celui qu'elle en attendait, lui dit: "Mon enfant, je ne veux point te contraindre; délibère à ton aise; mais cache ton amour à Paul. Quand le cœur d'une fille est pris, son amant n'a plus rien à lui demander."

Vers le soir, comme elle était seule avec Virginie, il entra chez elle un grand homme vêtu d'une soutane bleue. C'était un ecclésiastique missionnaire de l'île, et confesseur de Mme. de La Tour et de Virginie. Il était envoyé par le gouverneur: "Mes enfants, dit-il en entrant, Dieu soit loué! vous voilà riches. Vous pourrez écouter votre bon cœur, faire du bien aux pauvres. Je sais ce que vous a dit M. de La Bourdonnaye, et ce que vous lui avez répondu. Bonne maman, votre santé vous oblige de rester ici; mais vous, jeune demoiselle, vous n'avez point d'excuse. Il faut obéir à la Providence, à nos vieux parents, même injustes. C'est un sacrifice, mais c'est l'ordre de Dieu. Il s'est dévoué pour nous: il faut, à son exemple, se dévouer pour le bien de sa famille. Votre voyage en France aura une fin heureuse. Ne voulez-vous pas bien y aller, ma chère demoiselle?"

Virginie, les yeux baissés, lui répondit en tremblait: "Si c'est l'ordre de Dieu, je ne m'oppose à rien. Que la volonté de Dieu soit fait!" dit-elle en pleurant.

Le missionnaire sortit, et fut rendre compte au gouverneur du succès de sa commission. Cependant Mme. de La Tour m'envoya prier par Domingue de passer chez elle pour me consulter sur le départ de Virginie. Je ne fus point du tout d'avis qu'on la laissât partir. Je tiens pour principe certain du bonheur qu'il faut préférer les avantages de la nature à tous ceux de la fortune, et que nous ne devons point aller chercher hors de nous ce que nous pouvons trouver chez nous. J'étends ces maximes à tout, sans exception. Mais que pouvaient mes conseils de modération contre les illusions d'une grande fortune, et mes raisons naturelles contre les préjugés du monde et une autorité sacrée pour Mme. de La Tour? Cette dame ne me consulta donc que par bienséance, et elle ne délibéra plus depuis la décision de son confesseur. Marguerite même, qui, malgré les avantages qu'elle espérait pour son fils de la fortune de Virginie, s'était opposée fortement à son départ, ne fit plus d'objections. Pour Paul, qui ignorait le parti auquel on se déterminait, étonné des conversations secrètes de Mme. de La Tour et de sa fille, il s'abandonnait à une tristesse sombre. "On trame quelque chose contre moi, dit-il, puisqu'on se cache de moi."

Cependant, le bruit s'étant répandu dans l'île que la fortune avait visité ces rochers, on y vit grimper des marchands de toute espèce. Ils déployèrent, au milieu de ces pauvres cabanes, les plus riches étoffes de l'Inde; de superbes basins de Goudelours, des mouchoirs de Paliacate et de Mazulipatan, des mousselines de Daca, unies, rayées, brodées, transparentes comme le jour, des baftas de Surate d'un si beau blanc, des chittes de toutes couleurs et des plus rares, à fond sablé et à rameaux verts. Ils déroulèrent de magnifiques étoffes de soie de la Chine, des lampas découpés à jour, des damas d'un blanc satiné, d'autres d'un vert de prairie, d'autres d'un rouge à éblouir; des taffetas roses, des satins à pleine main, des pékins moelleux comme le drap, des nankins blancs et jaunes, et jusqu'à des pagnes de Madagascar.

Mme. de La Tour voulut que sa fille achetât tout ce qui lui ferait plaisir; elle veilla seulement sur le prix et les qualités des marchandises, de peur que les marchands ne la trompassent. Virginie choisit tout ce qu'elle crut être agréable à sa mère, à Marguerite et à son fils. "Ceci, disait-elle, était bon pour des meubles, cela pour l'usage de Marie et de Domingue." Enfin le sac de piastres était employé, qu'elle n'avait pas encore songé à ses besoins. Il fallut lui faire son partage sur les présents qu'elle avait distribués à la société.

Paul, pénétré de douleur à la vue de ces dons de la fortune, qui lui présageaient le départ de Virginie, s'en vint quelques jours après chez moi. Il me dit d'un air accablé: "Ma sœur s'en va; elle fait déjà les apprêts de son voyage. Passez chez nous, je vous prie. Employez votre crédit sur l'esprit de sa mère et de la mienne pour la retenir." Je me rendis aux instances de Paul, quoique bien persuadé que mes représentations seraient sans effet.

Si Virginie m'avait paru charmante en toile bleue du Bengale, avec un mouchoir rouge autour de sa tête, ce fut encore tout autre chose quand je la vis parée à la manière des dames de ce pays. Elle était vêtue de mousseline blanche doublée de taffetas rose. Sa taille, légère et élevée se dessinait parfaitement sous son corset, et ses cheveux blonds, tressés à double tresse, accompagnaient admirablement sa tête virginale. Ses beaux yeux bleus étaient remplis de mélancolie, et son cœur, agité par une passion combattue, donnait à son teint une couleur animée, et à sa voix des sons pleins d'émotion. Le contraste même de sa parure élégante, qu'elle semblait porter malgré elle, rendait sa langueur encore plus touchante. Personne ne pouvait la voir ni l'entendre sans se sentir ému. La tristesse de Paul en augmenta. Marguerite, affligée de la situation de son fils, lui dit en particulier: "Pourquoi, mon fils, te nourrir de fausses espérances, qui rendent les privations encore plus amères? Il est temps que je te découvre le secret de ta vie et de la mienne. Mme. de La Tour appartient, par sa mère, à une parente riche et de grande condition; pour toi, tu n'es que le fils d'une pauvre paysanne, et, qui pis est, tu es bâtard."

Ce mot de bâtard étonna beaucoup Paul. Il ne l'avait jamais ouï prononcer; il en demanda la signification à sa mère, qui lui répondit: "Tu n'as point eu de père légitime. Lorsque j'étais fille, l'amour me fit commettre une faiblesse dont tu as été le fruit. Ma faute t'a privé de ta famille paternelle, et mon repentir, de ta famille maternelle. Infortuné, tu n'as d'autres parents que moi seule dans le monde!" Et elle se mit à répandre des larmes. Paul, la serrant dans ses bras, lui dit: "O ma mère! puisque je n'ai d'autres parents que vous dans le monde, je vous en aimerai davantage. Mais quel secret venez-vous de me révéler! Je vois maintenant la raison qui éloigne de moi Mme. de La Tour depuis deux mois, et qui la décide aujourd'hui à partir. Ah! sans doute, elle me méprise."

Cependant, l'heure du souper étant venue, on se mit à table, où chacun des convives, agité de passions différentes, mangea peu, et ne parla point. Virginie en sortit la première, et fut s'asseoir au lieu où nous sommes. Paul la suivit bientôt après, et vint se mettre auprès d'elle. L'un et l'autre gardèrent quelque temps un profond silence. Il faisait une de ces nuits délicieuses, si communes entre les tropiques, et dont le plus habile pinceau ne rendrait pas la beauté. La lune paraissait au milieu du firmament, entourée d'un rideau de nuages, que ses rayons dissipaient par degrés. Sa lumière se répandait insensiblement sur les montagnes de l'île et sur leurs pitons, qui brillaient d'un vert argenté. Les vents retenaient leurs haleines. On entendait dans les bois, au fond des vallées, au haut des rochers, de petits cris, de doux murmures d'oiseaux qui se caressaient dans leurs nids, réjouis par la clarté de la nuit et la tranquillité de l'air. Tous, jusqu'aux insectes, bruissaient sous l'herbe. Les étoiles étincelaient au ciel, et se réfléchissaient au sein de la mer, qui répétait leurs images tremblantes. Virginie parcourait avec des regards distraits son vaste et sombre horizon, distingué du rivage de l'île par les feux rouges des pêcheurs. Elle aperçut à l'entrée du port une lumière et une ombre: c'était le fanal et le corps du vaisseau où elle devait s'embarquer pour l'Europe, et qui, prêt à mettre à la voile, attendait à l'ancre la fin du calme. A cette vue elle se troubla, et détourna la tête pour que Paul ne la vît pas pleurer.

Mme. de La Tour, Marguerite et moi, nous étions assis à quelques pas de là, sous des bananiers; et, dans le silence de la nuit, nous entendîmes distinctement leur conversation, que je n'ai pas oubliée.

Paul lui dit: "Mademoiselle, vous partez, dit-on, dans trois jours. Vous ne craignez pas de vous exposer aux dangers de la mer—de la mer dont vous êtes si effrayée! —Il faut, répondit Virginie, que j'obéisse à mes parents, à mon devoir.—Vous nous quittez, reprit Paul, pour une parente éloignée que vous n'avez jamais vue!— Hélas! dit Virginie, je voulais rester ici toute ma vie; ma mère ne l'a pas voulu. Mon confesseur m'a dit que la volonté de Dieu était que je partisse; que la vie était une épreuve—Oh! c'est une épreuve bien dure! —Quoi! repartit Paul, tant de raisons vous ont décidée, et aucune ne vous a retenue! Ah! il en est encore que vous ne me dites pas. La richesse a de grands attraits. Vous trouverez bientôt, dans un nouveau monde, à qui donner le nom de frère, que vous ne me donnez plus. Vous le choisirez, ce frère, parmi les gens dignes de vous par une naissance et une fortune que je ne puis vous offrir. Mais, pour être plus heureuse, où voulez-vous aller? Dans quelle terre aborderez-vous qui vous soit plus chère que celle où vous êtes née? Où trouverez-vous une société plus aimable que celle qui vous aime? Comment vivrez-vous sans les caresses de votre mère, auxquelles vous êtes si accoutumée? Que deviendra-t-elle elle-même, déjà sur l'âge, lorsqu'elle ne vous verra plus à ses côtés, à la table, dans la maison, à la promenade, où elle s'appuyait sur vous? Que deviendra la mienne, qui vous chérit autant qu'elle! Que leur dirai-je à l'une et à l'autre quand je les verrai pleurer de votre absence? Cruelle! je ne vous parle point de moi: mais que deviendrai-je moi-même quand, le matin, je ne vous verrai plus avec nous, et que la nuit viendra sans nous réunir? quand j'apercevrai ces deux palmiers plantés à notre naissance, et si longtemps témoins de notre amitié mutuelle? Ah! puisqu'un nouveau sort te touche, que tu cherches d'autres pays que ton pays natal, d'autres biens que ceux de mes travaux, laisse-moi t'accompagner sur le vaisseau où tu pars. Je te rassurerai dans les tempêtes, qui te donnent tant d'effroi sur la terre. Je reposerai ta tête sur mon sein, je réchaufferai ton cœur contre mon cœur; et en France où tu vas chercher de la fortune et de la grandeur je te servirai comme ton esclave. Heureux de ton seul bonheur, dans ces hôtels où je te verrai servie et adorée, je serai encore assez riche et assez noble pour te faire le plus grand des sacrifices, en mourant à tes pieds."

Les sanglots étouffèrent sa voix, et nous entendîmes aussitôt celle de Virginie, qui lui disait ces mots entrecoupés de soupirs: "C'est pour toi que je pars—pour toi, que j'ai vu chaque jour courbé par le travail pour nourrir deux familles infirmes. Si je me suis prêtée à l'occasion de devenir riche, c'est pour te rendre mille fois le bien que tu nous as fait. Est-il une fortune digne de ton amitié? Que me dis-tu de ta naissance? Ah! s'il m'était encore possible de me donner un frère, en choisirais-je un autre que toi? O Paul! ô Paul! tu m'es beaucoup plus cher qu'un frère! Combien m'en a-t-il coûté pour te repousser loin de moi! Je voulais que tu m'aidasses à me séparer de moi-même jusqu'à ce que le ciel pût bénir notre union. Maintenant je reste, je pars, je vis, je meurs: fais de moi ce que tu veux. Fille sans vertu! j'ai pu résister à tes caresses, et je ne puis soutenir ta douleur!"

A ces mots, Paul la saisit dans ses bras, et, la tenant étroitement serrée, il s'écria d'une voix terrible: "Je pars avec elle! rien ne pourra m'en détacher!" Nous courûmes tous à lui. Mme. de La Tour lui dit: "Mon fils, si vous nous quittez, qu'allons-nous devenir?"

Il répéta en tremblant ces mots: "Mon fils—mon fils—Vous, ma mère! lui dit-il, vous qui séparez le frère d'avec la sœur! Tous deux nous avons sucé votre lait; tous deux, élevés sur vos genoux, nous avons appris de vous à nous aimer; tous deux nous nous le sommes dit mille fois. Et maintenant, vous l'éloignez de moi! Vous l'envoyez en Europe, dans ce pays barbare qui vous a refusé un asile, et chez des parents cruels qui vous ont vous-même abandonnée. Vous me direz: Vous n'avez plus de droits sur elle; elle n'est pas votre sœur. Elle est tout pour moi, ma richesse, ma famille, ma naissance, tout mon bien. Je n'en connais plus d'autre. Nous n'avons eu qu'un toit, qu'un berceau, nous n'aurons qu'un tombeau. Si elle part, il faut que je la suive. Le gouverneur m'en empêchera? M'empêchera-t-il de me jeter à la mer? Je la suivrai à la nage. La mer ne saurait m'être plus funeste que la terre. Ne pouvant vivre ici près d'elle, au moins je mourrai sous ses yeux, loin de vous. Mère barbare! femme sans pitié! puisse cet Océan où vous l'exposez ne jamais vous la rendre! puissent ces flots vous rapporter mon corps, et le roulant avec le sien parmi les cailloux de ces rivages, vous donner par la perte de vos deux enfants un sujet éternel de douleur."

A ces mots, je le saisis dans mes bras; car le désespoir lui ôtait la raison. Ses yeux étincelaient; la sueur coulait à grosses gouttes sur son visage en feu; ses genoux tremblaient, et je sentais dans sa poitrine brûlante son cœur battre à coups redoublés.

Virginie, effrayée, lui dit: "O mon ami! j'atteste les plaisirs de notre premier âge, tes maux, les miens, et tout ce qui doit lier à jamais deux infortunés, si je reste, de ne vivre que pour toi; si je pars, de revenir, un jour pour être à toi. Je vous prends à témoin, vous tous qui avez élevé mon enfance, qui disposez de ma vie, et qui voyez mes larmes. Je le jure par ce ciel qui m'entend, par cette mer que je dois traverser, par l'air que je respire et que je n'ai jamais souillé du mensonge."

Comme le soleil fond et précipite un rocher de glace du sommet des Apennins, ainsi tomba la colère impétueuse de ce jeune homme à la voix de l'objet aimé. Sa tête altière était baissée, et un torrent de pleurs coulait de ses yeux. Sa mère, mêlant ses larmes aux siennes, le tenait embrassé sans pouvoir parler. Mme. de La Tour, hors d'elle, me dit: "Je n'y puis tenir; mon âme est déchirée. Ce malheureux voyage n'aura pas lieu. Mon voisin, tâchez d'emmener mon fils. Il y a huit jours que personne ici n'a dormi."

Je dis à Paul: "Mon ami, votre sœur restera. Demain nous en parlerons au gouverneur; laissez reposer votre famille, et venez passer cette nuit chez moi. Il est tard, il est minuit; la croix du sud est droite sur l'horizon."

Il se laissa emmener sans rien dire, et après une nuit fort agitée, il se leva au point du jour, et s'en retourna à son habitation.

Mais qu'est-il besoin de vous continuer plus longtemps le récit de cette histoire? Il n'y a jamais qu'un côté agréable à connaître dans la vie humaine. Semblable au globe sur lequel nous tournons, notre révolution rapide n'est que d'un jour, et une partie de ce jour ne peut recevoir la lumière que l'autre ne soit livrée aux ténèbres.

"Mon père, lui dis-je, je vous en conjure, achevez de me raconter ce que vous avez commencé d'une manière si touchante. Les images du bonheur nous plaisent; mais celles du malheur nous instruisent. Que devint, je vous prie, l'infortuné Paul?"

Le premier objet que vit Paul, en retournant à l'habitation, fut la négresse Marie, qui montée sur un rocher, regardait vers la pleine mer. Il lui cria, du plus loin qu'il l'aperçut: "Où est Virginie?" Marie tourna la tête vers son jeune maître, et se mit à pleurer. Paul, hors de lui, revint sur ses pas, et courut au port. Il y apprit que Virginie s'était embarquée au point du jour, que son vaisseau avait mis à la voile aussitôt, et qu'on ne le voyait plus. Il revint à l'habitation, qu'il traversa sans parler à personne.

Quoique cette enceinte de rochers paraisse derrière nous presque perpendiculaire, ces plateaux verts qui en divisent la hauteur sont autant d'étages par lesquels on parvient, au moyen de quelques sentiers difficiles, jusqu'au pied de ce cône de rochers incliné et inaccessible, qu'on appelle le Pouce. A la base de ce rocher est une esplanade couverte de grands arbres, mais si élevée et si escarpée qu'elle est comme une grande forêt dans l'air, environnée de précipices effroyables. Les nuages que le sommet du Pouce attire sans cesse autour de lui y entretiennent plusieurs ruisseaux, qui tombent à une si grande profondeur au fond de la vallée située au revers de cette montagne, que de cette hauteur on n'entend point le bruit de leur chute. De ce lieu, on voit une grande partie de l'île, avec ses mornes surmontés de leurs pitons, entre autres Pieter-Booth et les Trois-Mamelles, avec leurs vallons remplis de forêts; puis la pleine mer et l'île de Bourbon, qui est à quarante lieues de là vers l'occident.

Ce fut de cette élévation que Paul aperçut le vaisseau qui emmenait Virginie. Il le vit à plus de dix lieues au large, comme un point noir au milieu de l'Océan. Il resta une partie du jour tout occupé à le considérer: il était déjà disparu qu'il croyait le voir encore; et, quand il fut perdu dans la vapeur de l'horizon, il s'assit dans ce lieu sauvage, toujours battu des vents, qui y agitent sans cesse les sommets des palmistes et des tatamaques. Leur murmure sourd et mugissant ressemble au bruit lointain des orgues, et inspire une profonde mélancolie. Ce fut là que je trouvai Paul, la tête appuyée contre le rocher, et les yeux fixés vers la terre. Je marchais après lui depuis le lever du soleil: j'eus beaucoup de peine à le déterminer à descendre et à revoir sa famille. Je le ramenai cependant à son habitation; et son premier mouvement, en revoyant Mme. de La Tour, fut de se plaindre amèrement qu'elle l'avait trompé. Mme. de La Tour nous dit que le vent s'étant levé vers les trois heures du matin, le vaisseau étant au moment d'appareiller, le gouverneur, suivi d'une partie de son état-major et du missionnaire, était venu chercher Virginie en palanquin, et que, malgré ses propres raisons, ses larmes et celles de Marguerite, tout le monde criant que c'était leur bien à tous, ils avaient emmené sa fille à demi mourante. "Au moins, répondit Paul, si je lui avais fait mes adieux, je serais tranquille à présent. Je lui aurais dit: Virginie, si, pendant le temps que nous avons vécu ensemble, il m'est échappé quelque parole qui vous ait offensée, avant de me quitter pour jamais, dites-moi que vous me le pardonnez. Je lui aurais dit: Puisque je ne suis plus destiné à vous revoir, adieu, ma chère Virginie, adieu! Vivez loin de moi contente et heureuse!" Et comme il vit que sa mère et Mme. de La Tour pleuraient: "Cherchez maintenant, leur dit-il, quelque autre que moi qui essuie vos larmes!" Puis il s'éloigna d'elles en gémissant, et se mit à errer çà et là dans l'habitation. Il en parcourait tous les endroits qui avaient été les plus chers à Virginie. Il disait à ses chèvres et à leurs petits chevreaux, qui le suivaient en bêlant: "Que me demandez-vous? vous ne reverrez plus avec moi celle qui vous donnait à manger dans sa main." Il fut au repos de Virginie, et, à la vue des oiseaux qui voltigeaient autour, il s'écria: "Pauvres oiseaux! vous n'irez plus au-devant de celle qui était votre bonne nourrice." En voyant Fidèle, qui flairait çà et là, et marchait devant lui en quêtant, il soupira et lui dit: "Oh! tu ne la trouveras plus jamais." Enfin il fut s'asseoir sur le rocher où il lui avait parlé la veille; et, à l'aspect de la mer où il avait vu disparaître le vaisseau qui l'avait emmenée, il pleura abondamment.

Cependant nous le suivions pas à pas, craignant quelque suite funeste de l'agitation de son esprit. Sa mère et Mme. de La Tour le priaient, par les termes les plus tendres, de ne pas augmenter leur douleur par son désespoir. Enfin celle-ci parvint à le calmer, en lui prodiguant les noms les plus propres à réveiller ses espérances. Elle l'appelait son fils, son cher fils, son gendre, celui à qui elle destinait sa fille. Elle l'engagea à rentrer dans la maison, et à y prendre quelque peu de nourriture. Il se mit à table avec nous auprés de la place où se mettait la compagne de son enfance; et, comme si elle l'eût encore occupée, il lui adressait la parole et lui présentait les mets qu'il savait lui être le plus agréables; mais, dès qu'il s'apercevait de son erreur, il se mettait à pleurer. Les jours suivants, il recueillit tout ce qui avait été à son usage particulier, les derniers bouquets qu'elle avait portés, une tasse de coco où elle avait coutume de boire; et, comme si ces restes de son amie eussent été les choses du monde les plus précieuses, il les baisait et les mettait dans son sein. L'ambre ne répand pas un parfum aussi doux que les objets touchés par l'objet que l'on aime. Enfin, voyant que ses regrets augmentaient ceux de sa mère et de Mme. de La Tour, et que les besoins de la famille demandaient un travail continuel, il se mit, avec l'aide de Domingue, à réparer le jardin.

Bientôt, ce jeune homme, indifférent comme un créole pour tout ce qui se passe dans le monde, me pria de lui apprendre à lire et à écrire, afin qu'il pût entretenir une correspondance avec Virginie. Il voulut ensuite s'instruire dans la géographie, pour se faire une idée du pays où elle débarquerait, et dans l'histoire, pour connaître les mœurs de la société où elle allait vivre. Ainsi il s'était perfectionné dans l'agriculture et dans l'art de disposer avec agrément le terrain le plus irrégulier, par le sentiment de l'amour. Sans doute c'est aux jouissances que se propose cette passion ardente et inquiète que les hommes doivent la plupart des sciences et des arts; et c'est de ces privations qu'est née la philosophie, qui apprend à se consoler de tout. Ainsi la nature ayant fait l'amour le lien de tous les êtres, l'a rendu le premier mobile de nos sociétés, et l'instigateur de nos lumières et de nos plaisirs.

Paul ne trouva pas beaucoup de goût dans l'étude de la géographie, qui, au lieu de nous décrire la nature de chaque pays, ne nous en présente que les divisions politiques. L'histoire, et surtout l'histoire moderne, ne l'intéressa guère davantage. Il n'y voyait que des malheurs généraux et périodiques, dont il n'apercevait pas les causes; des guerres sans sujet et sans objet, des intrigues obscures, des nations sans caractère, et des princes sans humanité. Il préférait à cette lecture celle des romans, qui, s'occupant davantage des sentiments et des intérêts des hommes, lui offraient quelquefois des situations pareilles à la sienne. Aussi aucun livre ne lui fit autant de plaisir que le *Télémaque,* par ses tableaux de la vie champêtre et des passions naturelles au cœur humain. Il en lisait à sa mère et à Mme. de La Tour les endroits qui l'affectaient davantage: alors, ému par de touchants ressouvenirs, sa voix s'étouffait et les larmes coulaient de ses yeux. Il lui semblait trouver dans Virginie la dignité et la sagesse d'Antiope, avec les malheurs et la tendresse d'Eucharis. D'un autre côté, il fut tout bouleversé par la lecture de nos romans à la mode, pleins de mœurs et de maximes licencieuses; et, quand il sut que ces romans renfermaient une peinture véritable des sociétés de l'Europe, il craignit, non sans quelque apparence de raison, que Virginie ne vînt à s'y corrompre et à l'oublier.

En effet, plus d'un an et demi s'était écoulé sans que Mme. de la Tour eût des nouvelles de sa tante et de sa fille: seulement elle avait appris, par une voie étrangère, que celle-ci était arrivée heureusement en France. Enfin elle reçut, par un vaisseau qui allait aux Indes, un paquet et une lettre écrite de la propre main de Virginie. Malgré la circonspection de son aimable et indulgente fille, elle jugea qu'elle était fort malheureuse. Cette lettre peignait si bien sa situation et son caractère, que je l'ai retenue presque mot pour mot.

"Très-chère et bien-aimée maman,

"Je vous ai déjà écrit plusieurs lettres de mon écriture; et, comme je n'en ai pas eu de réponse, j'ai lieu de craindre qu'elles ne vous soient point parvenues. J'espère mieux de celle-ci, par les précautions que j'ai prises pour vous donner de mes nouvelles, et pour recevoir des vôtres.

"J'ai versé bien des larmes depuis notre séparation, moi qui n'avais presque jamais pleuré que sur les maux d'autrui! Ma grand'tante fut bien surprise à mon arrivée, lorsque, m'ayant questionnée sur mes talents, je lui dis que je ne savais ni lire ni écrire. Elle me demanda qu'est-ce que j'avais donc appris depuis que j'étais au monde; et, quand je lui eus répondu que c'était à avoir soin d'un ménage et à faire votre volonté, elle me dit que j'avais reçu l'éducation d'une servante. Elle me mit, dès le lendemain, en pension dans une grande abbaye, auprès de Paris, où j'ai des maîtres de toute espèce: ils m'enseignent, entre autres choses, l'histoire, la géographie, la grammaire, la mathématique, et à monter à cheval; mais j'ai de si faibles dispositions pour toutes ces sciences, que jc ne profiterai pas beaucoup avec ces messieurs. Je sens que je suis une pauvre créature qui ai peu d'esprit, comme ils le font entendre. Cependant les bontés de ma tante ne se refroidissent point. Elle me donne des robes nouvelles à chaque saison. Elle a mis près de moi deux femmes de chambre qui sont aussi bien parées que de grandes dames. Elle m'a fait prendre le titre de comtesse; mais elle m'a fait quitter mon nom de La Tour, qui m'était aussi cher qu'à vous-même, par tout ce que vous m'avez raconté des peines que mon père avait souffertes pour vous épouser. Elle a remplacé votre nom de femme par celui de votre famille, qui m'est encore cher cependant, parce qu'il a été votre nom de fille. Me voyant dans une situation aussi brillante, je l'ai suppliée de vous envoyer quelques secours. Comment vous rendre sa réponse? Mais vous m'avez recommandé de vous dire toujours la vérité. Elle m'a donc répondu que peu ne vous servirait à rien, et que, dans la vie simple que vous menez, beaucoup vous embarrasserait. J'ai cherché d'abord à vous donner de mes nouvelles par une main étrangère, au défaut de la mienne. Mais n'ayant, à mon arrivée ici, personne en qui je pusse prendre confiance, je me suis appliquée, nuit et jour, à apprendre à lire et à écrire: Dieu m'a fait la grâce d'en venir à bout en peu de temps. J'ai chargé de l'envoi de mes premières lettres les dames qui sont autour de moi; j'ai lieu de croire qu'elles les ont remises à ma grand'tante. Cette fois j'ai eu recours à une pensionnaire de mes amies: c'est sous son adresse ci-jointe que je vous prie de me faire passer vos réponses. Ma grand'tante m'a interdit toute correspondance au dehors, qui pourrait, selon elle, mettre obstacle aux grandes vues qu'elle a sur moi. Il n'y a qu'elle qui puisse me voir à la grille, ainsi qu'un vieux seigneur de ses amis, qui a, dit-elle, beaucoup de goût pour ma personne. Pour dire la vérité, je n'en ai point du tout pour lui, quand même j'en pourrais prendre pour quelqu'un.

"Je vis au milieu de l'éclat de la fortune, et je ne peux disposer d'un sou. On dit que, si j'avais de l'argent, cela tirerait à conséquence. Mes robes mêmes appartiennent à mes femmes de chambre qui se les disputent avant que je les aie quittées. Au sein des richesses, je suis bien plus pauvre que je ne l'étais auprès de vous, car je n'ai rien à donner. Lorsque j'ai vu que les grands talents que l'on m'enseignait ne me procuraient pas la facilité de faire le plus petit bien, j'ai eu recours à mon aiguille, dont heureusement vous m'avez appris à faire usage. Je vous envoie donc plusieurs paires de bas de ma façon, pour vous et maman Marguerite, un bonnet pour Domingue, et un de mes mouchoirs rouges pour Marie. Je joins à ce paquet, des pepins et des noyaux des fruits de mes collations, avec des graines de toutes sortes d'arbres que j'ai recueillies à mes heures de récréation, dans le parc de l'abbaye. J'y ai ajouté aussi des semences de violettes, de marguerites, de bassinets, de coquelicots, de bleuets, de scabieuses, que j'ai ramassées dans les champs. Il y a, dans les prairies de ce pays, de plus belles fleurs que dans les nôtres, mais personne ne s'en soucie. Je suis sûre que vous et maman Marguerite serez plus contentes de ce sac de graines que du sac de piastres qui a été la cause de notre séparation et de mes larmes. Ce sera une grande joie pour moi si vous avez un jour la satisfaction de voir des pommiers croître auprès de nos bananiers, et des hêtres mêler leur feuillage à celui de nos cocotiers. Vous vous croirez dans la Normandie, que vous aimez tant.

"Vous m'avez enjoint de vous mander mes joies et mes peines. Je n'ai plus de joie loin de vous: pour mes peines, je les adoucis en pensant que je suis dans un poste où vous m'avez mise par la volonté de Dieu. Mais le plus grand chagrin que j'y éprouve est que personne ne me parle ici de vous, et que je n'en puis parler à personne. Mes femmes de chambre, où plutôt celles de ma grand'tante, car elles sont plus à elle qu'à moi, me disent, lorsque je cherche à amener la conversation sur des objets qui me sont si chers: Mademoiselle, souvenez-vous que vous êtes Française, et que vous devez oublier le pays des sauvages. Ah! je m'oublierais plutôt moi-même que d'oublier le lieu où je suis née et où vous vivez! C'est ce pays-ci qui est pour moi un pays de sauvages; car j'y vis seule, n'ayant personne à qui je puisse faire part de l'amour que vous portera jusqu'au tombeau,

"Très-chère et bien-aimée maman,

"Votre obéissante et tendre fille,

"VIRGINIE DE LA TOUR."

"Je recommande à vos bontés Marie et Domingue, qui ont pris tant de soins de mon enfance; caressez pour moi Fidèle, qui m'a retrouvée dans les bois."

Paul fut bien étonné de ce que Virginie ne parlait pas du tout de lui, elle qui n'avait pas oublié dans ses ressouvenirs le chien de la maison: mais il ne savait pas que, quelque longue que soit la lettre d'une femme, elle n'y met jamais sa pensée la plus chère qu'à la fin.

Dans un post-scriptum, Virginie recommandait particulièrement à Paul deux espèces de graines, celles de violettes et de scabieuses. Elle lui donnait quelques instructions sur les caractères de ces plantes, et sur les lieux les plus propres à les semer. "La violette, lui mandait-elle, produit une petite fleur d'un violet foncé, qui aime à se cacher sous les buissons; mais son charmant parfum l'y fait bientôt découvrir." Elle lui enjoignait de la semer sur le bord de la fontaine, au pied de son cocotier. "La scabieuse, ajoutait-elle, donne une jolie fleur d'un bleu mourant, et à fond noir piqueté de blanc. On la croirait en deuil. On l'appelle aussi, pour cette raison, fleur de veuve. Elle se plaît dans les lieux âpres et battus des vents." Elle le priait de la semer sur le rocher où elle lui avait parlé la nuit pour la dernière fois, et de donner à ce rocher, pour l'amour d'elle, le nom de ROCHER DES ADIEUX.

Elle avait renfermé ces semences dans une petite bourse dont le tissu était fort simple, mais qui parut sans prix à Paul, lorsqu'il y aperçut un P et un V entrelacés, et formés de cheveux, qu'il reconnut, à leur beauté, pour être ceux de Virginie.

La lettre de cette sensible et vertueuse demoiselle fit verser des larmes à toute la famille. Sa mère lui répondit, au nom de la société, de rester ou de revenir à son gré, l'assurant qu'ils avaient tous perdu la meilleure partie de leur bonheur depuis son départ, et que pour elle en particulier, elle en était inconsolable.

Paul lui écrivit une lettre fort longue, où il l'assurait qu'il allait rendre le jardin digne d'elle et y mêler les plantes de l'Europe à celles de l'Afrique, ainsi qu'elle avait entrelacé leurs noms dans son ouvrage. Il lui envoyait des fruits des cocotiers de sa fontaine, parvenus à une maturité parfaite. Il n'y joignait, ajoutait-il, aucune autre semence de l'île, afin que le désir d'en revoir les productions la déterminât à y revenir promptement. Il la suppliait de se rendre au plus tôt aux vœux ardents de leur famille, et aux siens particuliers, puisqu'il ne pouvait désormais goûter aucune joie loin d'elle.

Paul sema avec soin, le plus grand soin, les graines européennes, et surtout celles de violettes et de scabieuses, dont les fleurs semblaient avoir quelque analogie avec le caractère et la situation de Virginie, qui les lui avait si particulièrement recommandées; mais, soit qu'elles eussent été éventées dans le trajet, soit plutôt que le climat de cette partie de l'Afrique ne leur soit pas favorable, il n'en germa qu'un petit nombre, qui ne put venir à sa perfection.

Cependant l'envie, qui va même au-devant du bonheur des hommes, surtout dans les colonies françaises, répandit dans l'île des bruits qui donnaient beaucoup d'inquiétude à Paul. Les gens du vaisseau qui avaient apporté la lettre de Virginie assuraient qu'elle était sur le point de se marier: ils nommaient le seigneur de la cour qui devait l'épouser: quelques-uns même disaient que la chose était faite, et qu'ils en avaient été témoins. D'abord Paul méprisa des nouvelles apportées par un vaisseau de commerce, qui en répand souvent de fausses sur les lieux de son passage. Mais, comme plusieurs habitants de l'île, par une pitié perfide, s'empressaient de le plaindre de cet événement, il commenca à y ajouter quelque croyance. D'ailleurs, dans quelques-uns des romans qu'il avait lus, il voyait la trahison traitée de plaisanterie; et, comme il savait que ces livres renfermaient des peintures assez fidèles des mœurs de l'Europe, il craignit que la fille de Mme. de la Tour ne vînt à s'y corrompre, et à oublier ses anciens engagements. Ses lumières le rendaient déjà malheureux. Ce qui acheva d'augmenter ses craintes, c'est que plusieurs vaisseaux d'Europe arrivèrent ici depuis, dans l'espace de six mois, sans qu'aucun d'eux apportât des nouvelles de Virginie.

Cet infortuné jeune homme, livré à toutes les agitations de son cœur, venait me voir souvent, pour confirmer ou pour bannir ses inquiétudes par mon expérience du monde.

Je demeure, comme je vous l'ai dit, à une lieue et demie d'ici, sur les bords d'une petite rivière qui coule le long de la Montagne-Longue. C'est là que je passe ma vie seul, sans femme, sans enfants et sans esclaves.

Après le rare bonheur de trouver une compagne qui nous soit bien assortie, l'état le moins malheureux de la vie est sans doute de vivre seul. Tout homme qui a eu beaucoup à se plaindre des hommes cherche la solitude. Il est même très-remarquable que tous les peuples malheureux par leurs opinions, leurs mœurs ou leurs gouvernements, ont produit des classes nombreuses de citoyens entièrement dévoués à la solitude et au célibat. Tels ont été les Egyptiens dans leur décadence, les

Grecs du Bas-Empire; et tels sont, de nos jours, les Indiens, les Chinois, les Grecs modernes, les Italiens, et la plupart des peuples orientaux et méridionaux de l'Europe. La solitude ramène en partie l'homme au bonheur naturel, en éloignant de lui le malheur social. Au milieu de nos sociétés, divisées par tant de préjugés, l'âme est dans une agitation continuelle; elle roule sans cesse en elle-même opinions turbulentes et contradictoires, dont les membres d'une société ambitieuse et misérable cherchent à se subjuguer les uns les autres. Mais dans la solitude elle dépose ces illusions étrangères qui la troublent; elle reprend le sentiment d'elle-même, de la nature et de son auteur. Ainsi l'eau bourbeuse d'un torrent qui ravage les campagnes, venant à se répandre dans quelque petit bassin écarté de son cours, dépose ses vases au fond de son lit, reprend sa première limpidité, et, redevenue transparente, réfléchit, avec ses propres rivages, la verdure de la terre et la lumière des cieux. La solitude rétablit aussi bien les harmonies du corps que celles de l'âme. C'est dans la classe des solitaires que se trouvent les hommes qui poussent le plus loin la carrière de la vie; tels sont les brames de l'Inde. Enfin je la crois si nécessaire au bonheur dans le monde même, qu'il me paraît impossible d'y goûter un plaisir durable, de quelque sentiment que ce soit, ou de régler sa conduite sur quelque principe stable, si l'on ne se fait une solitude intérieure, d'où notre opinion sorte bien rarement, et où celle d'autrui n'entre jamais. Je ne veux pas dire toutefois que l'homme doive vivre absolument seul: il est lié avec tout le genre humain par ses besoins; il doit donc ses travaux aux hommes; il se doit aussi au reste de la nature. Mais, comme Dieu a donné à chacun de nous des organes parfaitement assortis aux éléments du globe où nous vivons, des pieds pour le sol, des poumons pour l'air, des yeux pour la lumière, sans que nous puissions intervertir l'usage de ces sens, il s'est réservé pour lui seul, qui est l'auteur de la vie, le cœur, qui est le principal organe.

Je passe donc mes jours loin des hommes, que j'ai voulu servir, et qui m'ont persécuté. Après avoir parcouru une grande partie de l'Europe, et quelques cantons de l'Amérique et de l'Afrique, je me suis fixé dans cette île peu habitée, séduit par sa douce température et par ses solitudes. Une cabane que j'ai bâtie dans la forêt, au pied d'un arbre, un petit champ défriché de mes mains, une rivière qui coule devant ma porte, suffisent à mes besoins et à mes plaisirs. Je joins à ces jouissances celles de quelques bons livres qui m'apprennent à devenir meilleur. Ils font encore servir à mon bonheur le monde même que j'ai quitté: ils me présentent des tableaux des passions qui en rendent les habitants si misérables; et, par la comparaison que je fais de leur sort au mien, ils me font jouir d'un bonheur négatif. Comme un homme sauvé .du naufrage sur un rocher, je contemple de ma solitude les orages qui frémissent dans le reste du monde; mon repos même redouble par le bruit lointain de la tempête. Depuis que les hommes ne sont plus sur mon chemin, et que je ne suis plus sur le leur, je ne les hais plus, je les plains. Si je rencontre quelque infortuné, je tâche de venir à son secours par mes conseils, comme un passant, sur le bord d'un torrent, tend la main à un malheureux qui s'y noie. Mais je n'ai guère trouvé que l'innocence attentive à ma voix. La nature appelle en vain à elle le reste des hommes; chacun d'eux se fait d'elle une image qu'il revêt de ses propres passions. Il poursuit, toute sa vie, ce vain fantôme qui l'égare, et il se plaint ensuite au ciel de l'erreur qu'il s'est formée lui-même. Parmi un grand nombre d'infortunés que j'ai quelquefois essayé de ramener à la nature, je n'en ai pas trouvé un seul qui ne fût enivré de ses propres misères. Ils m'écoutaient d'abord avec attention, dans l'espérance que je les aiderais à acquérir de la gloire ou de la fortune; mais, voyant que je ne voulais leur apprendre qu'à s'en passer, ils me trouvaient moi-même misérable de ne pas courir après leur malheureux bonheur: ils blâmaient ma vie solitaire; ils prétendaient qu'eux seuls étaient utiles aux hommes, et ils s'efforçaient de m'entraîner dans leur tourbillon. Mais, si je me communique à tout le monde, je ne me livre à personne. Souvent il me suffit de moi pour me servir de leçon à moi-même. Je repasse, dans le calme présent, les agitations passées de ma propre vie, auxquelles j'ai donné tant de prix; les protections, la fortune, la réputation, les voluptés et les opinions qui se combattent par toute la terre. Je compare tant d'hommes que j'ai vus se disputer avec fureur ces chimères, et qui ne sont plus, aux flots de ma rivière, qui se brisent en écumant contre les rochers de son lit, et disparaissent pour ne revenir jamais. Pour moi, je me laisse entraîner en paix au fleuve du temps, vers l'océan de l'avenir, qui n'a plus de rivages; et, par le spectacle des harmonies actuelles de la nature, je m'élève vers son auteur, et j'espère dans un autre monde de plus heureux destins.

Quoiqu'on n'aperçoive pas de mon ermitage, situé au milieu d'une forêt, cette multitude d'objets que nous présente l'élévation du lieu où nous sommes, il s'y trouve des dispositions intéressantes, surtout pour un homme qui, comme moi, aime mieux rentrer en lui-même que s'étendre au dehors. La rivière qui coule devant ma porte passe en ligne droite à travers les bois, en sorte qu'elle me présente un long canal ombragé d'arbres de toute sorte de feuillages: il y a des tatamaques, des bois d'ébène, et de ceux qu'on appelle ici bois de pomme, bois d'olive, et bois de cannelle; des bosquets de palmistes élèvent ça et là leurs colonnes nues et longues de plus de cent pieds, surmontées à leurs sommets d'un bouquet de palmes, et paraissent au-dessus des autres arbres comme une forêt plantée sur une autre forêt. Il s'y joint des lianes de divers feuillages, qui, s'enlaçant d'un arbre à l'autre, forment ici des arcades de fleurs, là de longues courtines de verdure. Des odeurs aromatiques sortent de la plupart de ces arbres, et leurs parfums ont tant d'influence sur les vêtements mêmes, qu'on sent ici un homme qui a traversé une forêt, quelques heures après qu'il en est sorti. Dans la saison où ils donnent leurs fleurs, vous les diriez à demi couverts de neige. A la fin de l'été, plusieurs espèces d'oiseaux étrangers viennent, par un instinct incompréhensible, de régions inconnues, au delà des vastes mers, récolter les graines des végétaux de cette île, et opposent l'éclat de leurs couleurs à la verdure des arbres, rembrunie par le soleil. Telles sont, entre autres, diverses espèces de perruches, et les pigeons bleus, appelés ici pigeons hollandais. Les singes, habitants domiciliés de ces forêts, se jouent dans leurs sombres rameaux, dont ils se détachent par leur poil gris et verdâtre, et leur face toute noire; quelques-uns s'y suspendent par la queue et se balancent en l'air; d'autres sautent de branche en branche, portant leurs petits dans leurs bras. Jamais le fusil meurtrier n'y a effrayé ces paisibles enfants de la nature. On n'y entend que des cris de joie, des gazouillements et des ramages inconnus de quelques oiseaux des terres australes, que répètent au loin les échos de ces forêts. La rivière, qui coule en bouillonnant sur un lit de roche, à travers les arbres, réfléchit çà et là dans ses eaux limpides leurs masses vénérables de verdure et d'ombre, ainsi que les jeux de leurs heureux habitants: à mille pas de là, elle se précipite de différents étages de rochers, et forme, à sa chute, une nappe d'eau unie comme le cristal, qui se brise, en tombant, en bouillon d'écume. Mille bruits confus sortent de ses eaux tumultueuses; et, dispersés par les vents dans la forêt, tantôt ils fuient au loin, tantôt ils se rapprochent tous à la fois, et assourdissent comme les sons des cloches d'une cathédrale. L'air, sans cesse renouvelé par le mouvement des eaux, entretient sur les bords de cette rivière, malgré les ardeurs de l'été, une verdure et une fraîcheur qu'on trouve rarement dans cette île, sur le haut même des montagnes.

A quelque distance de là est un rocher assez éloigné de la cascade, pour qu'on n'y soit pas étourdi du bruit de ses eaux, et qui en est assez voisin pour y jouir de leur vue, de leur fraîcheur, et de leur murmure. Nous allions quelquefois, dans les grandes chaleurs, dîner à l'ombre de ce rocher, Mme. de La Tour, Marguerite, Virginie, Paul et moi. Comme Virginie dirigeait toujours au bien d'autrui ses actions même les plus communes, elle ne mangeait pas un fruit à la campagne qu'elle n'en mît en terre les noyaux ou les pepins. "Il en viendra, disait-elle, des arbres qui donneront leurs fruits à quelque voyageur, ou au moins à un oiseau." Un jour donc qu'elle avait mangé une papaye au pied de ce rocher, elle y planta les semences de ce fruit. Bientôt après il y crût plusieurs papayers, parmi lesquels il y en avait un femelle, c'est-à-dire qui porte des fruits. Cet arbre n'était pas si haut que le genou de Virginie à son départ; mais, comme il croît vite, deux ans après il avait vingt pieds de hauteur, et son tronc était entouré, dans sa partie supérieure, de plusieurs rangs de fruits mûrs. Paul, s'étant rendu par hasard dans ce lieu, fut rempli de joie en voyant ce grand arbre sorti d'une petite graine qu'il avait vu planter par son amie; et, en même temps, il fut saisi d'une tristesse profonde par ce témoignage de sa longue absence. Les objets que nous voyons habituellement ne nous font pas apercevoir de la rapidité de notre vie: ils vieillissent avec nous d'une vieillesse insensible: mais ce sont ceux que nous revoyons tout à coup, après les avoir perdus quelques années de vue, qui nous avertissent de la vitesse avec laquelle s'écoule le fleuve de nos jours. Paul fut aussi surpris et aussi troublé à la vue de ce grand papayer chargé de fruits, qu'un voyageur l'est, après une longue absence de son pays, de n'y plus retrouver ses contemporains, et d'y voir leurs enfants, qu'il avait laissés à la mamelle, devenus eux-mêmes pères de famille. Tantôt il voulait l'abattre, parce qu'il lui rendait trop sensible la longueur du temps qui s'était écoulé depuis le départ de Virginie; tantôt, le considérant comme un monument de sa bienfaisance, il baisait son tronc, et lui adressait des paroles pleines d'amour et de regrets. O arbre, dont la postérité existe encore dans nos bois, je vous ai vu moi-même avec plus d'intérêt et de vénération que les arcs de triomphe des Romains! Puisse la nature, qui détruit chaque jour les monuments de l'ambition des rois, multiplier dans nos forêts ceux de la bienfaisance d'une jeune et pauvre fille!

C'était donc au pied de ce papayer que j'étais sûr de rencontrer Paul, quand il venait dans mon quartier. Un jour, je l'y trouvai accablé de mélancolie, et j'eus avec lui une conversation que je vais vous rapporter, si je ne vous suis point trop ennuyeux par mes longues digressions, pardonnables à mon âge et à mes dernières amitiés. Je vous la raconterai en forme de dialogue, afin que vous jugiez du bon sens naturel de ce jeune homme; et il vous sera aisé de faire la différence des interlocuteurs par le sens de ses questions et de mes réponses. Il me dit:

"Je suis bien chagrin. Mlle. de La Tour est partie depuis deux ans et deux mois; et, depuis huit mois et demi, elle ne nous a pas donné de ses nouvelles. Elle est riche; je suis pauvre: elle m'a oublié. J'ai envie de m'embarquer; j'irai en France, j'y servirai le roi, j'y ferai fortune, et la grand'tante de Mlle. de La Tour me donnera sa petite-nièce en mariage, quand je serai devenu un grand seigneur.

LE VIEILLARD.

"O mon ami! ne m'avez-vous pas dit que vous n'aviez pas de naissance?

PAUL.

"Ma mère me l'a dit; car, pour moi, je ne sais ce que c'est que la naissance. Je ne me suis jamais aperçu que j'en eusse moins qu'un autre, ni que les autres en eussent plus que moi.

LE VIEILLARD.

"Le défaut de naissance vous ferme en France le chemin aux grands emplois. Il y a plus: vous ne pouvez même être admis dans aucun corps distingué.

PAUL.

"Vous m'avez dit plusieurs fois qu'une des causes de la grandeur de la France était que le moindre sujet pouvait y parvenir à tout, et vous m'avez cité beaucoup d'hommes célèbres qui, sortis de petits états, avaient fait honneur à leur patrie. Vous vouliez donc tromper mon courage?

LE VIEILLARD.

"Mon fils, jamais je ne l'abattrai. Je vous ai dit la vérité sur les temps passés; mais les choses sont bien changées à présent: tout est devenu vénal en France; tout y est aujourd'hui le patrimoine d'un petit nombre de familles, ou le partage des corps. Le roi est un soleil que les grands et les corps environnent comme des nuages; il est presque impossible qu'un de ses rayons tombe sur vous. Autrefois, dans une administration moins compliquée, on a vu ces phénomènes. Alors les talents et le mérite se sont développés de toutes parts, comme des terres nouvelles qui, venant à être défrichées, produisent avec tout leur suc. Mais les grands rois qui savent connaître les hommes et les choisir sont rares. Le vulgaire des rois ne se laisse aller qu'aux impulsions des grands et des corps qui les environnent.

PAUL.

"Mais je trouverai peut-être un de ces grands qui me protégera?

LE VIEILLARD.

"Pour être protégé des grands, il faut servir leur ambition ou leurs plaisirs. Vous n'y réussirez jamais, car vous êtes sans naissance, et vous avez de la probité.

PAUL.

"Mais je ferai des actions si courageuses, je serai si fidèle à ma parole, si exact dans mes devoirs, si zélé et si constant dans mon amitié, que je mériterai d'être adopté par quelqu'un d'eux, comme j'ai vu que cela se pratiquait dans les histoires anciennes que vous m'avez fait lire.

LE VIEILLARD.

"O mon ami! chez les Grecs et chez les Romains, même dans leur décadence, les grands avaient du respect pour la vertu; mais nous avons eu une foule d'hommes célèbres en tout genre, sortis des classes du peuple, et je n'en sache pas un seul qui ait été adopté par une grande maison. La vertu, sans nos rois, serait condamnée en France à être éternellement plébéienne. Comme je vous l'ai dit, ils la mettent quelquefois en honneur lorsqu'ils l'aperçoivent; mais, aujourd'hui, les distinctions qui lui étaient réservées ne s'accordent plus que pour l'argent.

PAUL.

"Au défaut d'un grand, je chercherai à plaire à un corps. J'épouserai entièrement son esprit et ses opinions; je m'en ferai aimer.

LE VIEILLARD.

"Vous ferez donc comme les autres hommes; vous renoncerez à votre conscience pour parvenir à la fortune?

PAUL.

"Oh non! je ne chercherai jamais que la vérité.

LE VIEILLARD.

"Au lieu de vous faire aimer, vous pourriez bien vous faire haïr. D'ailleurs, les corps s'intéressent fort peu à la découverte de la vérité. Toute opinion est indifférente aux ambitieux, pourvu qu'ils gouvernent.

PAUL.

"Que je suis infortuné! tout me repousse. Je suis condamnée à passer ma vie dans un travail obscur, loin de Virginie!" Et il soupira profondément.

LE VIEILLARD.

"Que Dieu soit votre unique patron, et le genre humain votre corps. Soyez constamment attaché à l'un et à l'autre. Les familles, les corps, les peuples, les rois, ont leurs préjugés et leurs passions; il faut souvent les servir par des vices: Dieu et le genre humain ne nous demandent que des vertus.

"Mais pourquoi voulez-vous être distingué du reste

des hommes? C'est un sentiment qui n'est pas naturel, puisque, si chacun l'avait, chacun serait en état de guerre avec son voisin. Contentez-vous de remplir votre devoir dans l'état où la Providence vous a mis; bénissez votre sort, qui vous permet d'avoir une conscience à vous, et qui ne vous oblige pas, comme les grands, de mettre votre bonheur dans l'opinion des petits, et, comme les petits, de ramper sous les grands pour avoir de quoi vivre. Vous êtes dans un pays et dans une condition où, pour subsister, vous n'avez besoin ni de tromper, ni de flatter, ni de vous avilir, comme font la plupart de ceux qui cherchent la fortune en Europe; où votre état ne vous interdit aucune vertu; où vous pouvez être impunément bon, vrai, sincère, instruit, patient, tempérant, chaste, indulgent, pieux, sans qu'aucun ridicule vienne flétrir votre sagesse, qui n'est encore qu'en fleur. Le ciel vous a donné la liberté, de la santé, une bonne conscience et des amis: les rois, dont vous ambitionnez la faveur, ne sont pas si heureux.

PAUL.

"Ah! il me manque Virginie! Sans elle je n'ai rien; avec elle j'aurais tout. Elle seule est ma naissance, ma gloire et ma fortune. Mais puisque enfin sa parente veut lui donner pour mari un homme d'un grand nom, avec l'étude et des livres on devient savant et célèbre: je m'en vais étudier. J'acquerrai de la science; je servirai utilement ma patrie par mes lumières, sans nuire à personne, et sans en dépendre; je deviendrai fameux, et ma gloire n'appartiendra qu'à moi.

LE VIEILLARD.

"Mon fils, les talents sont encore plus rares que la naissance et les richesses; et sans doute ils sont de plus grands biens, puisque rien ne peut les ôter, et que partout ils nous concilient l'estime publique. Mais ils coûtent cher. On ne les acquiert que par des privations en tout genre, par une sensibilité exquise qui nous rend malheureux au dedans, et au dehors par les persécutions de nos contemporains. L'homme de robe n'envie point, en France, la gloire du militaire, ni le militaire celle de l'homme de mer; mais tout le monde y traversera votre chemin, parce que tout le monde s'y pique d'avoir de l'esprit. Vous servirez les hommes, dites-vous? Mais celui qui fait produire à un terrain une gerbe de blé de plus leur rend un plus grand service que cetui qui leur donne un livre.

PAUL.

"Oh! celle qui a planté ce papayer a fait aux habitants de ces forêts un présent plus utile et plus doux que si elle leur avait donné une bibliothèque." Et en même temps il saisit cet arbre dans ses bras et le baisa avec transport.

LE VIEILLARD.

"Le meilleur des livres, qui ne prêche que l'égalité, l'amitié, l'humilité et la concorde, l'Évangile, a servi pendant des siècles de prétexte aux fureurs des Européens.

"Combien de tyrannics publiques et particulières s'exercent encore en son nom sur la terre! Après cela, qui se flattera d'être utile aux hommes par un livre? Rappelez-vous quel a été le sort de la plupart des philosophes qui leur ont prêché la sagesse. Homère, qui l'a revêtue de vers si beaux, demandait l'aumône pendant sa vie. Socrate, qui en donna aux Athéniens de si aimables leçons par ses discours et par ses mœurs, fut empoisonné juridiquement par eux. Son sublime disciple Platon fut livré à l'esclavage par l'ordre du prince même qui le protégeait; et avant eux, Pythagore, qui étendait l'humanité jusqu'aux animaux, fut brûlé vif par les Crotoniates. Que dis-je? la plupart même de ces noms illustres sont venus à nous défigurés par quelques traits de satire qui les caractérisent, l'ingratitude humaine se plaisant à les reconnaître là; et si, dans la foule, la gloire de quelques-uns est venue nette et pure jusqu'à nous, c'est que ceux qui les ont portés ont vécu loin de la société de leurs contemporains: semblables à ces statues qu'on tire entières des champs de la Grèce et de l'Italie, et qui, pour avoir été ensevelies dans le sein de la terre, ont échappé à la fureur des barbares.

"Vous voyez donc que pour acquérir la gloire orageuse des lettres il faut bien de la vertu, et être prêt à sacrifier sa propre vie. D'ailleurs, croyez-vous que cette gloire intéresse en France les gens riches? ils se soucient bien des gens de lettres, auxquels la science ne rapporte ni dignité dans la patrie, ni gouvernement, ni entrée à la cour! On persécute peu dans ce siècle indifférent à tout, hors à la fortune et aux voluptés; mais les lumières et la vertu n'y mènent à rien de distingué, parce que tout est dans l'État le prix de l'argent. Autrefois elles trouvaient des récompenses assurés dans les différentes places de l'Église, de la magistrature et de l'administration: aujourd'hui, elles ne servent qu'à faire des livres. Mais ce fruit, peu prisé des gens du monde, est toujours digne de son origine céleste. C'est à ces mêmes livres qu'il est réservé particulièrement de donner de l'éclat à la vie obscure, de consoler les malheureux, d'éclairer les nations et de dire la vérité même aux rois. C'est, sans contredit, la fonction la plus auguste dont le ciel puisse honorer un mortel sur la terre. Quel est l'homme qui ne se console de l'injustice ou du mépris de ceux qui disposent de la fortune, lorsqu'il pense que son ouvrage ira, de siècle en siècle et de nations en nations, servir de barrière à l'erreur et aux tyrans; et que, du sein de l'obscurité où il a vécu, il jaillira une gloire qui effacera celle de la plupart des rois, dont les monuments périssent dans l'oubli, malgré les flatteurs qui les élèvent et qui les vantent?

PAUL.

"Ah! je ne voudrais cette gloire que pour la répandre sur Virginie, et la rendre chère à l'univers. Mais vous qui avez tant de connaissances, dites-moi si nous nous marierons. Je voudrais être savant, au moins pour connaître l'avenir.

LE VIEILLARD.

"Qui voudrait vivre, mon fils, s'il connaissait l'avenir? Un seul malheur prévu nous donne tant de vaines inquiétudes! la vue d'un malheur certain empoisonnerait tous les jours qui le précéderaient. Il ne faut pas même trop approfondir ce qui nous environne; et le ciel, qui nous donna la réflexion pour prévoir nos besoins, nous a donné les besoins pour mettre des bornes à notre réflexion.

PAUL.

"Avec de l'argent, dites-vous, on acquiert en Europe des dignités et des honneurs. J'irai m'enrichir au Bengale pour aller épouser Virginie à Paris. Je vais m'embarquer.

LE VIEILLARD.

"Quoi! vous quitteriez sa mère et la vôtre?

PAUL.

"Vous m'avez vous-même donné le conseil de passer aux Indes.

LE VIEILLARD.

"Virginie était alors ici. Mais vous êtes maintenant l'unique soutien de votre mère et de la sienne.

PAUL.

"Virginie leur fera du bien par sa riche parente.

LE VIEILLARD.

"Les riches n'en font guère qu'à ceux qui leur font honneur dans le monde. Ils ont des parents bien plus à plaindre que Mme. de La Tour, qui, faute d'être secourus par eux, sacrifient leur liberté pour avoir du pain, et passent leur vie renfermés dans des couvents.

PAUL.

"Quel pays que l'Europe! Oh! il faut que Virginie revienne ici. Qu'a-t-elle besoin d'avoir une parente riche? Elle était si contente sous ces cabanes, si jolie et si bien parée avec un mouchoir rouge et des fleurs autour de sa tête! Reviens, Virginie! quitte tes hôtels et tes grandeurs. Reviens dans ces rochers, à l'ombre de ces bois et de nos cocotiers. Hélas! tu es peut-être maintenant malheureuse!—" Et il se mettait à pleurer. "Mon père, ne me cachez rien: si vous ne pouvez me dire si j'épouserai Virginie, au moins apprenez-moi si elle m'aime encore au milieu de ces grands seigneurs qui parlent au roi et qui la vont voir.

LE VIEILLARD.

"O mon ami! je suis sûr qu'elle vous aime, par plusieurs raisons, mais surtout parce qu'elle a de la vertu." A ces mots, il me sauta au cou, transporté de joie.

PAUL.

"Mais croyez-vous les femmes d'Europe fausses, comme on les représente dans les comédies et dans les livres que vous m'avez prêtés?

LE VIEILLARD.

"Les femmes sont fausses dans les pays où les hommes sont tyrans. Partout la violence produit la ruse.

PAUL.

"Comment peut-on être le tyran des femmes?

LE VIEILLARD.

"En les mariant sans les consulter: une jeune fille avec un vieillard, une femme sensible avec un homme indifférent.

PAUL.

"Pourquoi ne pas marier ensemble ceux qui se conviennent: les jeunes avec les jeunes, les amants avec les amantes?

LE VIEILLARD.

"C'est que la plupart des jeunes gens, en France, n'ont pas assez de fortune pour se marier et qu'ils n'en acquièrent qu'en devenant vieux. Jeunes, ils corrompent les femmes de leurs voisins; vieux, ils ne peuvent fixer l'affection de leurs épouses. Ils ont trompé étant jeunes, on les trompe à leur tour étant vieux. C'est une des réactions de la justice universelle qui gouverne le monde: un excès y balance toujours un autre excès. Ainsi la plupart des Européens passent leur vie dans ce double désordre; et ce désordre augmente dans une société à mesure que les richesses s'y accumulent sur un nombre moindre de têtes. L'État est semblable à un jardin, où les petits arbres ne peuvent venir s'il y en a de trop grands qui les ombragent; mais il y a cette différence, que la beauté d'un jardin peut résulter d'un petit nombre de grands arbres, et que la prospérité d'un État dépend toujours de la multitude et de l'égalité des sujets, et non pas d'un petit nombre de riches.

PAUL.

"Mais qu'est-il besoin d'être riche pour se marier?

LE VIEILLARD.

"Afin de passer ses jours dans l'abondance, sans rien faire.

PAUL.

"Et pourquoi ne pas travailler? Je travaille bien, moi!

LE VIEILLARD.

"C'est qu'en Europe le travail des mains déshonore: on l'appelle travail mécanique. Celui même de labourer la terre y est le plus méprisé de tous. Un artisan y est bien plus estimé qu'un paysan.

PAUL.

"Quoi! l'art qui nourrit les hommes est méprisé en Europe! Je ne vous comprends pas.

LE VIEILLARD.

"Oh! il n'est pas possible à un homme élevé dans la nature de comprendre les dépravations de la société. On se fait une idée précise de l'ordre, mais non pas du désordre. La beauté, la vertu, le bonheur, ont des proportions; la laideur, le vice et le malheur n'en ont point.

PAUL.

"Les gens riches sont donc bien heureux! Ils ne trouvent d'obstacle à rien; ils peuvent combler de plaisirs les objets qu'ils aiment.

LE VIEILLARD.

"Ils sont la plupart usés sur tous les plaisirs par cela même qu'ils ne leur coûtent aucunes peines. N'avez-vous pas éprouvé que le plaisir du repos s'achète par la fatigue; celui de manger, par la faim; celui de boire, par la soif? Eh bien, celui d'aimer et d'être aimé ne s'acquiert que par une multitude de privations et de sacrifices. Les richesses ôtent aux riches tous ces plaisirs-là en prévenant leurs besoins. Joignez à l'ennui qui suit leur satiété l'orgueil qui naît de leur opulence, et que la moindre privation blesse, lors même que les plus grandes jouissances ne le flattent plus. Le parfum de mille roses ne plaît qu'un instant; mais la douleur que cause une seule de leurs épines dure longtemps après sa piqûre. Un mal au milieu des plaisirs est pour les riches une épine au milieu des fleurs. Pour les pauvres, au contraire, un plaisir au milieu des maux est une fleur au milieu des épines: ils en goûtent vivement la jouissance. Tout effet augmente par son contraste. La nature a tout balancé. Quel état, à tout prendre, croyez-vous préférable, de n'avoir presque rien à espérer, et tout à craindre, ou presque rien à craindre et tout à espérer? Le premier état est celui des riches, et le second celui des pauvres. Mais ces extrêmes sont également difficiles à supporter aux hommes, dont le bonheur consiste dans la médiocrité et la vertu.

PAUL.

"Qu'entendez-vous par la vertu?

LE VIEILLARD.

"Mon fils, vous qui soutenez vos parents par vos travaux, vous n'avez pas besoin qu'on vous la définisse. La vertu est un effort fait sur nous-mêmes pour le bien d'autrui, dans l'intention de plaire à Dieu seul.

PAUL.

"Oh! que Virginie est vertueuse! C'est par vertu qu'elle a voulu être riche, afin d'être bienfaisante. C'est par vertu qu'elle est partie de cette île: la vertu l'y ramènera."

L'idée de son retour prochain allumant l'imagination de ce jeune homme, toutes ses inquiétudes s'évanouissaient. Virginie n'avait point écrit, parce qu'elle allait arriver. Il fallait si peu de temps pour venir d'Europe avec un bon vent! Il faisait l'énumération des vaisseaux qui avaient fait ce trajet de quatre mille cinq cents lieues en moins de trois mois. Le vaisseau où elle s'était embarquée n'en mettrait pas plus de deux. Les constructeurs étaient aujourd'hui si savants et les marins si habiles! Il parlait des arrangements qu'il allait faire pour la recevoir, du nouveau logement qu'il allait bâtir, des plaisirs et des surprises qu'il lui ménagerait chaque jour quand elle serait sa femme. Sa femme!—cette idée le ravissait. "Au moins, mon père, me disait-il, vous ne ferez plus rien, que pour votre plaisir. Virginie étant riche, nous aurons beaucoup de noirs qui travailleront pour vous. Vous serez toujours avec nous, n'ayant d'autre souci que celui de vous amuser et de vous réjouir." Et il allait, hors de lui, porter à sa famille la joie dont il était enivré.

En peu de temps les grandes craintes succèdent aux grandes espérances. Les passions violentes jettent toujours l'âme dans les extrémités opposés. Souvent, dès le lendemain, Paul revenait me voir, accablé de tristesse. Il me disait: "Virginie ne m'écrit point. Si elle était partie d'Europe, elle m'aurait mandé son départ. Ah! les bruits qui ont couru d'elle ne sont que trop fondés! Sa tante l'a mariée à un grand seigneur. L'amour des richesses l'a perdue, comme tant d'autres. Dans ces livres qui peignent si bien les femmes, la vertu n'est qu'un sujet de roman. Si Virginie avait eu de la vertu, elle n'aurait pas quitté sa propre mère et moi. Pendant que je passe ma vie à penser à elle, elle m'oublie. Je m'afflige, et elle se divertit. Ah! cette pensée me désespère. Tout travail me déplaît; toute société m'ennuie. Plût à Dieu que la guerre fût déclarée dans l'Inde! j'irais y mourir.

"—Mon fils, lui répondis-je, le courage qui nous jette dans la mort n'est que le courage d'un instant. Il est souvent excité par les vains applaudissements des hommes. Il en est un plus rare et plus nécessaire qui nous fait supporter, chaque jour, sans témoin et sans éloge, les traverses de la vie: c'est la patience. Elle s'appuie, non sur l'opinion d'autrui ou sur l'impulsion de nos passions, mais sur la volonté de Dieu. La patience est le courage de la vertu.

"—Ah! s'écria-t-il, je n'ai donc point de vertu! Tout m'accable et me désespère.

"—La vertu, repris-je, toujours égale, constante, invariable, n'est pas le partage de l'homme. Au milieu de tant de passions qui nous agitent, notre raison se trouble et s'obscurcit; mais il est des phares où nous pouvons en rallumer le flambeau: ce sont les lettres.

"Les lettres, mon fils, sont un secours du ciel. Ce sont des rayons de cette sagesse qui gouverne l'univers, que l'homme, inspiré par un art céleste, a appris à fixer sur la terre. Semblable aux rayons du soleil, elles éclairent, elles réjouissent, elles échauffent; c'est un feu divin. Comme le feu, elles approprient toute la nature à notre usage: par elles, nous réunissons autour de nous les choses, les lieux, les hommes et les temps. Ce sont elles qui nous rappellent aux règles de la vie humaine. Elles calment les passions; elles répriment les vices; elles excitent les vertus par les exemples augustes des gens de bien qu'elles célèbrent et dont elles nous présentent les images toujours honorées. Ce sont des filles du Ciel, qui descendent sur la terre pour charmer les maux du genre humain. Les grands écrivains qu'elles inspirent ont toujours paru dans les temps les plus difficiles à supporter à toute société, les temps de barbarie et ceux de dépravation. Mon fils, les lettres ont consolé une infinité d'hommes plus malheureux que vous: Xénophon, exilé de sa patrie après y avoir ramené dix mille Grecs; Scipion l'Africain, lassé des calomnies des Romains; Lucullus, de leurs brigues; Catinat de l'ingratitude de sa cour. Les Grecs, si ingénieux, avaient réparti à chacune des Muses qui président aux lettres une partie de notre entendement pour le gouverner: nous devons donc leur donner nos passions à régir, afin qu'elles leur imposent un joug et un frein. Elles doivent remplir, par rapport aux puissances de notre âme, les mêmes fonctions que les Heures qui attelaient et conduisaient les chevaux du Soleil.

"Lisez donc, mon fils. Les sages qui ont écrit avant nous sont des voyageurs qui nous ont précédés dans les sentiers de l'infortune, qui nous tendent la main, et nous invitent à nous joindre à leur compagnie, lorsque tout nous abandonne. Un bon livre est un bon ami.

"—Ah! s'écriait Paul, je n'avais pas besoin de savoir lire quand Virginie était ici. Elle n'avait pas plus étudié que moi; mais, quand elle me regardait en m'appelant son ami, il m'était impossible d'avoir du chagrin.

"—Sans doute, lui disais-je, il n'y a point d'ami aussi agréable qu'une maîtresse qui nous aime. Il y a de plus dans la femme une gaieté légère qui dissipe la tristesse de l'homme. Ses grâces font évanouir les noirs fantômes de la réflexion. Sur son visage sont les doux attraits et la confiance. Quelle joie n'est rendue plus vive par sa joie? quel front ne se déride à son sourire? quelle colère résiste à ses larmes? Virginie reviendra avec plus de philosophie que vous n'en avez. Elle sera bien surprise de ne pas trouver le jardin tout à fait rétabli, elle qui ne songe qu'à l'embellir, malgré les persécutions de sa parente, loin de sa mère et de vous."

L'idée du retour prochain de Virginie renouvelait le courage de Paul et le ramenait à ses occupations champêtres. Heureux, au milieu de ses peines, de proposer à son travail une fin qui plaisait à sa passion.

Un matin, au point du jour (c'était le 24 décembre 1744), Paul, en se levant, aperçut un pavillon blanc arboré sur la montagne de la Découverte. Ce pavillon était le signalement d'un vaisseau qu'on voyait en mer. Paul courut à la ville pour savoir s'il n'apportait pas des nouvelles de Virginie. Il y resta jusqu'au retour du pilote du port, qui s'était embarqué pour aller le reconnaître, suivant l'usage. Cet homme ne revint que le soir. Il rapporta au gouverneur que le vaisseau signalé était *le Saint-Géran,* du port de sept cents tonneaux, commandé par un capitaine appelé M. Aubin; qu'il était à quatre lieues au large, et qu'il ne mouillerait au Port-Louis que le lendemain dans l'après-dînée, si le vent était favorable. Il n'en faisait point du tout alors. Le pilote remit au gouverneur les lettres que ce vaisseau apportait de France. Il y en avait une pour Mme. de La Tour, de l'écriture de Virginie. Paul s'en saisit aussitôt, la baisa avec transport, la mit dans son sein, et courut à l'habitation. Du plus loin qu'il aperçut la famille, qui attendait son retour sur le rocher des Adieux, il éleva la lettre en l'air, sans pouvoir parler; et aussitôt tout le monde se rassembla chez Mme. de La Tour pour en entendre la lecture. Virginie mandait à sa mère qu'elle avait éprouvé beaucoup de mauvais procédés de la part de sa grand'tante, qui l'avait voulu marier malgré elle, ensuite déshéritee, et enfin renvoyée dans un temps qui ne lui permettait d'arriver à l'île de France que dans la saison des ouragans; qu'elle avait essayé en vain de la fléchir en lui représentant ce qu'elle devait à sa mère et aux habitudes du premier âge; qu'elle en avait été traitée de fille insensée, dont la tête était gâtée par les romans; qu'elle n'était maintenant sensible qu'au bonheur de revoir et d'embrasser sa chère famille, et qu'elle eût satisfait cet ardent désir dès le jour même, si le capitaine lui eût permis de s'embarquer dans la chaloupe du pilote; mais qu'il s'était opposé à son départ à cause de l'éloignement de la terre et d'une grosse mer qui régnait au large, malgré le calme des vents.

A peine cette lettre fut lue, que toute la famille, transportée de joie, s'écria: "Virginie est arrivée!" Maîtres et serviteurs, tous s'embrassèrent. Mme. de La Tour dit à Paul: "Mon fils, allez prévenir notre voisin de l'arrivée de Virginie." Aussitôt Domingue alluma un flambeau de bois de ronde, et Paul et lui s'acheminèrent vers mon habitation.

Il pouvait être dix heures du soir. Je venais d'éteindre ma lampe et de me coucher, lorsque j'aperçus, à travers les palissades de ma cabane, une lumière dans les bois. Bientôt après, j'entendis la voix de Paul qui m'appelait. Je me lève; et à peine j'étais habillé que Paul, hors de lui et tout essoufflé me saute au cou en me disant: "Allons, allons, Virginie est arrivée. Allons au port; le vaisseau y mouillera au point du jour."

Sur-le-champ nous nous mettons en route. Comme nous traversions le bois de la Montagne-Longue, et que nous étions déjà sur le chemin des Pamplemousses au port, j'entendis quelqu'un marcher derrière nous. C'était un noir qui s'avançait à grands pas. Dès qu'il nous eut atteints, je lui demandai d'où il venait et où il allait en si grande hâte. Il me répondit: "Je viens du quartier de l'île appelé la Poudre-d'Or: on m'envoie au port avertir le gouverneur qu'un vaisseau de France est mouillé sous l'île d'Ambre. Il tire du canon pour demander du secours, car la mer est bien mauvaise." Cet homme, ayant ainsi parlé, continua sa route sans s'arrêter davantage.

Je dis alors à Paul: "Allons vers le quartier de la Poudre-d'Or, au-devant de Virginie; il n'y a que trois lieues d'ici." Nous nous mîmes donc en route vers le nord de l'île. Il faisait une chaleur étouffante. La lune était levée: on voyait autour d'elle trois grands cercles noirs. Le ciel était d'une obscurité affreuse. On distinguait, à la lueur fréquente des éclairs, de longues files de nuages épais, sombres, peu élevés, qui s'entassaient vers le milieu de l'île, et venaient de la mer avec une grande vitesse, quoiqu'on ne sentît pas le moindre vent à terre. Chemin faisant, nous crûmes entendre rouler le tonnerre; mais ayant prêté l'oreille attentivement, nous reconnûmes que c'étaient des coups de canon répétés par les échos. Ces coups de canon lointains, joints à l'aspect d'un ciel orageux, me firent frémir. Je ne pouvais douter qu'ils ne fussent les signaux de détresse d'un vaisseau en perdition. Une demi-heure après, nous n'entendîmes plus tirer du tout; et ce silence me parut encore plus effrayant que le bruit lugubre qui l'avait précédé.

Nous nous hâtions d'avancer sans dire un mot, et sans oser nous communiquer nos inquiétudes. Vers minuit, nous arrivâmes tout en nage sur le bord de la mer, au quartier de la Poudre-d'Or. Les flots s'y brisaient avec un bruit épouvantable; ils en couvraient les rochers et les grèves d'écume d'un blanc éblouissant et d'étincelles de feu. Malgré les ténèbres, nous distinguâmes, à ces lueurs phosphoriques, les pirogues des pêcheurs, qu'on avait tirées bien avant sur le sable.

A quelque distance de là, nous vîmes, à l'entrée du bois, un feu autour duquel plusieurs habitants s'étaient rassemblés. Nous fûmes nous y reposer en attendant le jour. Pendant que nous étions assis auprès de ce feu, un des habitants nous raconta que, dans l'après-midi, il avait vu un vaisseau en pleine mer, porté sur l'île par les courants; que la nuit l'avait dérobé à sa vue; que, deux heures après le coucher du soleil, il l'avait entendu tirer du canon pour appeler du secours; mais que la mer était si mauvaise, qu'on n'avait pu mettre aucun bateau dehors pour aller à lui; que, bientôt après, il avait cru apercevoir ses fanaux allumés, et que, dans ce cas, il craignait que le vaisseau, venu si près du rivage, n'eût passé entre la terre et la petite île d'Ambre, prenant celle-ci pour le Coin de mire, près duquel passent les vaisseaux qui arrivent au Port-Louis; que, si cela était, ce qu'il ne pouvait toutefois affirmer, ce vaisseau était dans le plus grand péril. Un autre habitant prit la parole, et nous dit qu'il avait traversé plusieurs fois le canal qui sépare l'île d'Ambre de la côte; qu'il l'avait sondé, et que la tenure et le mouillage en étaient très-bons, et que le vaisseau y était en parfaite sûreté, comme dans le meilleur port. "J'y mettrais toute ma fortune, ajouta-t-il, et j'y dormirais aussi tranquillement qu'à terre." Un troisième habitant dit qu'il était impossible que ce vaisseau entrât dans ce canal, où à peine les chaloupes pouvaient naviguer. Il assura qu'il l'avait vu mouiller au delà de l'île d'Ambre; en sorte que, si le vent venait à s'élever au matin, il serait le maître de pousser au large ou de gagner le port. D'autres habitants ouvrirent d'autres opinions. Pendant qu'ils contestaient entre eux, suivant la coutume des créoles oisifs, Paul et moi nous gardions un profond silence. Nous restâmes là jusqu'au petit point du jour; mais il faisait trop peu de clarté au ciel pour qu'on pût distinguer aucun objet sur la mer, qui d'ailleurs était couverte de brume: nous n'entrevîmes au large qu'un nuage sombre, qu'on nous dit être l'île d'Ambre, située à un quart de lieue de la côte. On n'apercevait dans ce jour ténébreux que la pointe du rivage où nous étions, et quelques pitons des montagnes de l'intérieur de l'île, qui apparaissaient de temps en temps au milieu des nuages qui circulaient autour.

Vers les sept heures du matin, nous entendîmes dans les bois un bruit de tambours: c'était le gouverneur, M. de La Bourdonnaye, qui arrivait à cheval suivi d'un détachement de soldats armés de fusils et d'un grand nombre d'habitants et de noirs. Il plaça ses soldats sur le rivage et leur ordonna de faire feu de leurs armes tous à la fois. A peine leur décharge fut faite que nous aperçûmes sur la mer une lueur, suivie presque aussitôt d'un coup de canon. Nous jugeâmes que le vaisseau était à peu de distance de nous, et nous courûmes tous du côté où nous avions vu son signal. Nous aperçumes alors, à travers le brouillard, le corps et les vergues d'un grand vaisseau. Nous en étions si près que, malgré le bruit des flots, nous entendîmes le sifflet du maître qui commandait la manœuvre, et les cris des matelots qui crièrent trois fois: VIVE LE ROI! car c'est le cri des Français dans les dangers extrêmes, ainsi que dans les grandes joies: comme si, dans les dangers, ils appelaient leur prince à leur secours, ou comme s'ils voulaient témoigner alors qu'ils sont prêts à périr pour lui.

Depuis le moment où le *Saint-Géran* aperçut que nous étions à portée de le seccourir, il ne cessa de tirer du canon de trois minutes en trois minutes. M. de La Bourdonnaye fit allumer de grands feux de distance en distance sur la grève, et envoya chez tous les habitants du voisinage chercher des vivres, des planches, des câbles et des tonneaux vides. On en vit arriver bientôt une foule, accompagnés de leurs noirs, chargés de provisions et d'agrès, qui venaient des habitations de la Poudre-d'Or, du quartier de Flacque et de la rivière du Rempart. Un des plus anciens de ces habitants s'approcha du gouverneur, et lui dit: "Monsieur, on a entendu, toute la nuit, des bruits sourds dans la montagne; dans les bois, les feuilles des arbres remuent sans qu'il fasse du vent; les oiseaux de marine se réfugient à terre: certainement tous ces signes annoncent un ouragan."—"Eh bien, mes amis, répondit le gouverneur, nous y sommes préparés, et sûrement le vaisseau l'est aussi."

En effet, tout présageait l'arrivée prochaine d'un ouragan. Les nuages qu'on distinguait au zénith étaient, à leur centre, d'un noir affreux, et cuivrés sur leurs bords. L'air retentissait des cris des paille-en-cul, des frégates, des coupeurs-d'eau et d'une multitude d'oiseaux de marine, qui, malgré l'obscurité de l'atmosphère, venaient, de tous les points de l'horizon, chercher des retraites dans l'île.

Vers les neuf heures du matin on entendit du côté de la mer des bruits épouvantables, comme si des torrents d'eau, mêlés à des tonnerres, eussent roulé du haut des montagnes. Tout le monde s'écria: "Voilà l'ouragan!" et dans l'instant un tourbillon affreux de vent enleva la brume qui couvrait l'île d'Ambre et son canal. Le *Saint-Géran* parut alors à découvert avec son pont chargé de monde, ses vergues et ses mâts de hunes amenés sur le tillac, son pavillon en berne, quatre câbles sur son avant, et un de retenu sur son arrière. Il était mouillé entre l'île d'Ambre et la terre, en deçà de la ceinture de récifs qui entoure l'île de France, et qu'il avait franchie par un endroit où jamais vaisseau n'avait passé avant lui. Il présentait son avant aux flots qui venaient de la pleine mer, et à chaque lame d'eau qui s'engageait dans le canal, sa proue se soulevait tout entière, de sorte qu'on en voyait la carène en l'air, mais, dans ce mouvement, sa poupe, venant à plonger, disparaissait à la vue jusqu'au couronnement, comme si elle eût été submergée. Dans cette position, où le vent et la mer le jetaient à terre, il lui était également impossible de s'en aller par où il était venu, ou, en coupant ses câbles, d'échouer sur le rivage, dont il était séparé par des hauts-fonds semés de récifs. Chaque lame qui venait briser sur la côte s'avançait en mugissant jusqu'au fond des anses, et y jetait des galets à plus de cinquante pieds dans les terres; puis, venant à se retirer, elle découvrait une grande partie du lit du rivage dont elle roulait les cailloux avec un bruit rauque et affreux. La mer, soulevée par le vent, grossissait à chaque instant, et tout le canal compris entre cette île et l'île d'Ambre n'était qu'une vaste nappe d'écumes blanches, creusée de vagues profondes. Ces écumes s'amassaient dans le fond des anses à plus de six pieds de hauteur, et le vent, qui en balayait la surface, les portait par-dessus l'escarpement du rivage à plus d'une demi-lieue dans les terres. A leurs flocons blancs et innombrables qui étaient chassés horizontalement jusqu'au pied des montagnes, on eût dit d'une neige qui sortait de la mer. L'horizon offrait tous les signes d'une longue tempête; la mer y paraissait confondue avec le ciel. Il s'en détachait sans cesse des nuages d'une forme horrible, qui traversaient le zénith avec la vitesse des oiseaux, tandis que d'autres y paraissaient immobiles comme de grands rochers. On n'apercevait aucune partie azurée du firmament; une lueur olivâtre et blafarde éclairait seule tous les objets de la terre, de la mer et des cieux.

Dans les balancements du vaisseau, ce qu'on craignait arriva: les câbles de son avant rompirent; et, comme il n'était plus retenu que par une seule aussière, il fut jeté sur les rochers à une demi-encâblure du rivage. Ce ne fut qu'un cri de douleur parmi nous. Paul allait s'élancer à la mer, lorsque je le saisis par le bras: "Mon fils, lui dis-je, voulez-vous périr?—Que j'aille à son secours, s'écria-t-il, ou que je meure!" Comme le désespoir lui ôtait la raison, pour prévenir sa perte, Domingue et moi lui attachâmes à la ceinture une longue corde dont nous saisîmes l'une des extrémités. Paul alors s'avança vers le *Saint-Géran,* tantôt nageant, tantôt marchant sur les récifs. Quelquefois il avait l'espoir de l'aborder, car la mer, dans ses mouvements irréguliers, laissait le vaisseau presque à sec, de manière qu'on eût pu en faire le tour à pied; mais bientôt après, revenant sur ses pas avec une nouvelle furie, elle le couvrait d'énormes voûtes d'eau qui soulevaient tout l'avant de sa carène, et rejetaient bien loin sur le rivage le malheureux Paul, les jambes en sang, la poitrine meurtrie, et à demi noyé. A peine ce jeune homme avait-il repris l'usage de ses sens, qu'il se relevait et retournait avec une nouvelle ardeur vers le vaisseau, que la mer cependant entr'ouvrait par d'horribles secousses. Tout l'équipage, désespérant alors de son salut, se précipitait en foule à la mer, sur des vergues, des planches, des cages à poules, des tables et des tonneaux. On vit alors un objet digne d'une éternelle pitié: une jeune demoiselle parut dans la galerie de la poupe du *Saint-Géran,* tendant les bras vers celui qui faisait tant d'efforts pour la joindre. C'était Virginie. Elle avait reconnu son amant à son intrépidité. La vue de cette aimable personne, exposée à un si terrible danger, nous remplit de douleur et de désespoir. Pour Virginie, d'un port noble et assuré, elle nous faisait signe de la main, comme nous disant un éternel adieu. Tous les matelots s'étaient jetés à la mer. Il n'en restait plus qu'un sur le pont, qui était tout nu et nerveux comme Hercule. Il s'approcha de Virginie avec respect: nous le vîmes se jeter à ses genoux et s'efforcer même de lui ôter ses habits; mais elle, le repoussant avec dignité, détourna de lui sa vue. On entendit aussitôt ces cris redoublés des spectateurs: "Sauvez-la, sauvez-la, ne la quittez pas!" Mais dans ce moment, une montagne d'eau d'une effroyable grandeur s'engouffra entre l'île d'Ambre et la côte, et s'avança en rugissant vers le vaisseau qu'elle menaçait de ses flancs noirs et de ses sommets écumants.

A cette terrible vue, le matelot s'élança seul à la mer; et Virginie, voyant la mort inévitable, posa une main sur ses habits, l'autre sur son cœur, et, levant en haut des yeux sereins, parut un ange qui prend son vol vers les cieux.

O jour affreux! hélas! tout fut englouti. La lame jeta bien avant dans les terres une partie des spectateurs qu'un mouvement d'humanité avait portés à s'avancer vers Virginie, ainsi que le matelot qui l'avait voulu sauver à la nage. Cet homme, échappé à une mort certaine, s'agenouilla sur le sable, en disant: "O mon Dieu! vous m'avez sauvé la vie; mais je l'aurais donnée de bon cœur pour cette digne demoiselle qui n'a jamais voulu se déshabiller comme moi. Domingue et moi nous retirâmes des flots le malheureux Paul, sans connaissance, rendant le sang par la bouche et par les oreilles. Le gouverneur le fit mettre entre les mains des chirurgiens et nous cherchâmes de notre côté, le long du rivage, si la mer n'y apportait point le corps de Virginie; mais le vent ayant tourné subitement, comme il arrive dans les ouragans, nous eûmes le chagrin de penser que nous ne pourrions pas même rendre à cette fille infortunée les devoirs de la sépulture. Nous nous éloignâmes de ce lieu, accablés de consternation, tous l'esprit frappé d'une seule perte, dans un naufrage où un grand nombre de personnes avaient péri, la plupart doutant, d'après une fin aussi funeste d'une fille si vertueuse, qu'il existât une Providence; car il y a des maux si terribles et si peu mérités, que l'espérance même du sage en est ébranlée.

Cependant on avait mis Paul, qui commençait à reprendre ses sens, dans une maison voisine, jusqu'à ce qu'il fût en état d'être transporté à son habitation. Pour moi, je m'en revins avec Domingue, afin de préparer la mère de Virginie et son amie à ce désastreux événement. Quand nous fûmes à l'entrée du vallon de la rivière des Lataniers, des noirs nous dirent que la mer jetait beaucoup de débris du vaisseau dans la baie vis-à-vis. Nous y descendîmes, et un des premiers objets que j'aperçus sur le rivage fut le corps de Virginie. Elle était à moitié couverte de sable, dans l'attitude où nous l'avions vue périr. Ses traits n'étaient point sensiblement altérés. Ses yeux étaient fermés; mais la sérenité était encore sur son front: seulement les pâles violettes de la mort se confondaient sur ses joues avec les roses de la pudeur. Une de ses mains était sur ses habits, et l'autre, qu'elle appuyait sur son cœur, était fortement fermée et roidie. J'en dégageai avec peine une petite boîte; mais quelle fut ma surprise lorsque je vis que c'était le portrait de Paul, qu'elle lui avait promis de ne jamais abandonner tant qu'elle vivrait! A cette dernière marque de la constance et de l'amour de cette fille infortunée, je pleurai amèrement. Pour Domingue, il se frappait la poitrine, et perçait l'air de ses cris douloureux. Nous portâmes le corps de Virginie dans une cabane de pêcheurs, où nous le donnâmes à garder à de pauvres femmes malabres, qui prirent soin de le laver.

Pendant qu'elles s'occupaient de ce triste office, nous montâmes à l'habitation. Nous y trouvâmes Mme. de La Tour et Marguerite en prière, en attendant des nouvelles du vaisseau. Dès que Mme. de La Tour m'aperçut, elle s'écria: "Où est ma fille, ma chère fille, mon enfant?" Ne pouvant douter de son malheur à mon silence et à mes larmes, elle fut saisie tout à coup d'étouffements et d'angoisses douloureuses; sa voix ne faisait plus entendre que des soupirs et des sanglots. Pour Marguerite, elle s'écria: "Où est mon fils? je ne vois point mon fils!" et elle s'évanouit.

Nous courûmes à elle; et, l'ayant fait revenir, je l'assurai que Paul était vivant, et que le gouverneur en faisait prendre soin. Elle ne reprit ses sens que pour s'occuper de son amie, qui tombait de temps en temps dans de longs évanouissements. Mme. de La Tour passa toute la nuit dans ces cruelles souffrances; et, par leurs longues périodes, j'ai jugé qu'aucune douleur n'était égale à la douleur maternelle. Quand elle recouvrait la connaissance, elle tournait des regards fixes et mornes vers le ciel. En vain son amie et moi nous lui pressions les mains dans les nôtres, en vain nous l'appelions par les noms les plus tendres; elle paraissait insensible à ces témoignages de notre ancienne affection, et il ne sortait de sa poitrine oppressée que de sourds gémissements.

Dès le matin, on apporta Paul, couché dans un palanquin. Il avait repris l'usage de ses sens; mais il ne pouvait proférer une parole. Son entrevue avec sa mère et Mme. de La Tour, que j'avais d'abord redoutée, produisit un meilleur effet que tous les soins que j'avais pris jusqu'alors. Un rayon de consolation parut sur le visage de ces deux malheureuses mères. Elles se mirent l'une et l'autre auprès de lui, le saisirent dans leurs bras, le baisèrent; et leurs larmes, qui avaient été suspendues jusqu'alors par l'excès de leur chagrin, commencèrent à couler. Paul y mêla bientôt les siennes. La nature s'étant ainsi soulagée dans ces trois infortunés, un long assoupissement succéda à l'état convulsif de leur douleur, et leur procura un repos léthargique, semblable, à la vérité, à celui de la mort.

M. de La Bourdonnaye m'envoya avertir secrètement que le corps de Virginie avait été apporté à la ville par son ordre, et que de là on allait le transférer à l'église des Pamplemousses. Je descendis aussitôt au Port-Louis, où je trouvai des habitants de tous les quartiers rassemblés pour assister à ses funérailles, comme si l'île eût perdu en elle ce qu'elle avait de plus cher. Dans le port, les vaisseaux avaient leurs vergues croisées, leurs pavillons en berne, et tiraient du canon par longs intervalles. Des grenadiers ouvraient la marche du convoi. Ils portaient leurs fusils baissés; leurs tambours, couverts de longs crêpes, ne faisaient entendre que des sons lugubres, et on voyait l'abattement peint dans les traits de ces guerriers, qui avaient tant de fois affronté la mort dans les combats sans changer de visage. Huit jeunes demoiselles des plus considérables de l'île, vêtues de blanc, et tenant des palmes à la main, portaient le corps de leur vertueuse compagne, couvert de fleurs. Un chœur de petits enfants le suivait en chantant des hymnes; après eux venait tout ce que l'île avait de plus distingué dans ses habitants et dans son état-major, à la suite duquel marchait le gouverneur, suivi de la foule du peuple.

Voilà ce que l'administration avait ordonné pour rendre quelques honneurs à la vertu de Virginie. Mais, quand son corps fut arrivé au pied de cette montagne, à la vue de ces mêmes cabanes dont elle avait fait si longtemps le bonheur, et que sa mort remplissait maintenant de désespoir, toute la pompe funèbre fut dérangée: les hymnes et les chants cessèrent; on n'entendit plus dans la plaine que des soupirs et des sanglots. On vit accourir alors des troupes de jeunes filles des habitations voisines pour faire toucher au cercueil de Virginie des mouchoirs, des chapelets et des couronnes de fleurs, en l'invoquant comme une sainte. Les mères demandaient à Dieu une fille comme elle; les garçons, des amantes aussi constantes; les pauvres, une amie aussi tendre; les esclaves, une maîtresse aussi bonne.

Lorsqu'elle fut arrivée au lieu de la sépulture, des négresses de Madagascar et des Cafres de Mosambique déposèrent autour d'elle des paniers de fruits, et suspendirent des pièces d'étoffe aux arbres voisins, suivant l'usage de leur pays; des Indiennes du Bengale et de la côte du Malabar apportèrent des cages pleines d'oiseaux auxquels elles donnèrent la liberté sur son corps: tant la perte d'un objet aimable intéresse toutes les nations! et tant est grand le pouvoir de la vertu malheureuse, puisqu'elle réunit toutes les religions autour de son tombeau!

Il fallut mettre des gardes auprès de sa fosse, et en écarter quelques filles de pauvres habitants qui voulaient s'y jeter à toute force, disant qu'elles n'avaient plus de consolation à espérer dans le monde, et qu'il ne leur restait qu'à mourir avec celle qui était leur unique bienfaitrice.

On l'enterra près de l'église des Pamplemousses, sur son côté occidental, près d'une touffe de bambous, où, en venant à la messe avec sa mère et Marguerite, elle aimait à se reposer, assise à côté de celui qu'elle appelait alors son frère.

Au retour de cette pompe funèbre, M. de La Bourdonnaye monta ici, suivi d'une partie de son nombreux cortège. Il offrit à Mme. de La Tour et à son amie tous les secours qui dépendaient de lui. Il s'exprima en peu de mots, mais avec indignation, contre sa tante dénaturée; et, s'approchant de Paul, il lui dit ce qu'il crut propre à le consoler: "Je désirais, lui dit-il, votre bonheur et celui de votre famille, Dieu m'en est témoin. Mon ami, il faut aller en France; je vous y ferai avoir du service. Dans votre absence j'aurai soin de votre mère comme de la mienne." Et en même temps il lui présenta la main; mais Paul retira la sienne et détourna la tête pour ne le pas voir.

Pour moi, je restai dans l'habitation de mes amies infortunées, pour leur donner, ainsi qu'à Paul, tous les secours dont j'étais capable. Au bout de trois semaines, Paul fut en état de marcher; mais son chagrin paraissait augmenter à mesure que son corps reprenait des forces. Il était insensible à tout; ses regards étaient éteints, et il ne répondait rien à toutes les questions qu'on pouvait lui faire. Mme. de la Tour, qui était mourante, lui disait souvent: "Mon fils, tant que je vous verrai, je croirai voir ma chère Virginie." A ce nom de Virginie, il tressaillait et s'éloignait d'elle, malgré les invitations de sa mère, qui le rappelait auprès de son amie. Il allait seul se retirer dans le jardin, et s'asseyait au pied du cocotier de Virginie, les yeux fixés sur sa fontaine. Le chirurgien du gouverneur, qui avait pris le plus grand soin de lui et de ces dames, nous dit que pour le tirer de sa noire mélancolie, il fallait lui laisser faire tout ce qui lui plairait, sans le contrarier en rien; qu'il n'y avait que ce seul moyen de vaincre le silence auquel il s'obstinait.

Je résolus de suivre son conseil. Dès que Paul sentit ses forces un peu rétablies, le premier usage qu'il en fit fut de s'éloigner de l'habitation. Comme je ne le perdais pas de vue, je me mis en marche après lui, je dis à Domingue de prendre des vivres et de nous accompagner. A mesure que ce jeune homme descendait de cette montagne, sa joie et ses forces semblaient renaître. Il prit d'abord le chemin des Pamplemousses; et quand il fut auprès de l'église, dans l'allée des bambous, il s'en fut droit au lieu où il vit de la terre fraîchement remuée: là il s'agenouilla, et, levant les yeux au ciel, il fit une longue prière. Sa démarche me parut de bonne augure pour le retour de sa raison, puisque cette marque de confiance envers l'Être suprême faisait voir que son âme commençait à reprendre ses fonctions naturelles.

Domingue et moi, nous nous mîmes à genoux à son exemple, et nous priâmes avec lui. Ensuite il se leva, et prit sa route vers le nord de l'île, sans faire beaucoup d'attention à nous. Comme je savais qu'il ignorait non-seulement où on avait déposé le corps de Virginie, mais même s'il avait été retiré de la mer, je lui demandai pourquoi il avait été prier Dieu au pied de ces bambous; il me répondit: "Nous y avons été si souvent!"

Il continua sa route jusqu'à l'entrée de la forêt, où la nuit nous surprit. Là, je l'engageai par mon exemple à prendre quelque nourriture; ensuite nous dormîmes sur l'herbe au pied d'un arbre. Le lendemain, je crus qu'il se déterminerait à revenir sur ses pas. En effet, il regarda quelque temps dans la plaine l'église des Pamplemousses avec ses longues avenues de bambous, et il fit quelques mouvements comme pour y retourner; mais il s'enfonça brusquement dans la forêt, en dirigeant toujours sa route vers le nord. Je pénétrai son intention, et je m'efforçai en vain de l'en distraire. Nous arrivâmes sur le milieu du jour au quartier de la Poudre-d'Or. Il descendit précipitamment au bord de la mer, vis-à-vis du lieu où avait péri le *Saint-Géran.* A la vue de l'île d'Ambre, et de son canal, alors uni comme un miroir, il s'écria: "Virginie! ô ma chère Virginie!" et aussitôt il tomba en défaillance. Domingue et moi nous le portâmes dans l'intérieur de la forêt, où nous le fîmes revenir avec bien de la peine. Dès qu'il eut repris ses sens, il voulut retourner sur les bords de la mer; mais l'ayant supplié de ne pas renouveler sa douleur et la nôtre par de si cruels ressouvenirs, il prit une autre direction. Enfin, pendant huit jours, il se rendit dans tous les lieux où il s'était trouvé avec la compagne de son enfance. Il parcourut le sentier par où elle avait été demander la grâce de l'esclave de la Rivière-Noire; il revit ensuite les bords de la rivière des Trois-

Mamelles, où elle s'assit, ne pouvant plus marcher, et la partie du bois où elle s'était égarée. Tous les lieux qui lui rappelaient les inquiétudes, les jeux, les repas, la bienfaisance de sa bien-aimée; la rivière de la Montagne-Longue, ma petite maison, la cascade voisine, le papayer qu'elle avait planté, les pelouses où elle aimait à courir, les carrefours de la forêt où elle se plaisait à chanter, firent tour à tour couler ses larmes; et les mêmes échos qui avaient retenti tant de fois de leurs cris de joie communs, ne répétaient plus maintenant que ces mots douloureux: "Virginie! ô ma chère Virginie!"

Dans cette vie sauvage et vagabonde, ses yeux se cavèrent, son teint jaunit, et sa santé s'altéra de plus en en plus. Persuadé que le sentiment de nos maux redouble par le souvenir de nos plaisirs, et que les passions s'accroissent dans la solitude, je résolus d'éloigner mon infortuné ami des lieux qui lui rappelaient le souvenir de sa perte, et de le transférer dans quelque endroit de l'île où il y eût beaucoup de dissipation. Pour cet effet, je le conduisis sur les hauteurs habitées du quartier de Williams, où il n'avait jamais été. L'agriculture et le commerce répandaient dans cette partie de l'île beaucoup de mouvement et de variété. Il y avait des troupes de charpentiers qui équarrissaient des bois, et d'autres qui les sciaient en planches; des voitures allaient et venaient le long de ses chemins; de grands troupeaux de bœufs et de chevaux y paissaient dans de vastes pâturages, et la campagne y était parsemée d'habitations. L'élévation du sol y permettait en plusieurs lieux la culture de diverses espèces de végétaux de l'Europe. On y voyait çà et là des moissons de blé dans la plaine, des tapis de fraisiers dans les éclaircies des bois, et des haies de rosiers le long des routes. Le fraîcheur de l'air, en donnant de la tension aux nerfs, y était même favorable à la santé des blancs. De ces hauteurs, situées vers le milieu de l'île, et entourées de grands bois, on n'apercevait ni la mer, ni le Port-Louis, ni l'église des Pamplemousses, ni rien qui pût rappeler à Paul le souvenir de Virginie. Les montagnes mêmes, qui présentent différentes branches du côté du Port-Louis, n'offrent plus du côté des plaines de Williams qu'un vaste promontoire en ligne droite et perpendiculaire, d'où s'élèvent plusieurs longues pyramides de rochers où se rassemblent les nuages.

Ce fut donc dans ces plaines que je conduisis Paul. Je le tenais sans cesse en action, marchant avec lui au soleil et à la pluie, de jour et de nuit, l'égarant exprès dans les bois, les défrichés, les champs, afin de distraire son esprit par la fatigue de son corps, et de donner le change à ses réflexions par l'ignorance du lieu où nous étions et du chemin que nous avions perdu. Mais l'âme d'un amant retrouve partout les traces de l'objet aimé. La nuit et le jour, le calme des solitudes et le bruit des habitations, le temps même qui emporte tant de souvenirs, rien ne put l'en écarter. Comme l'aiguille touchée de l'aimant, elle a beau être agitée, dès qu'elle rentre dans son repos, elle se tourne vers le pôle qui l'attire. Quand je demandais à Paul, égaré au milieu des plaines de Williams: "Où irons-nous maintenant?" il se tournait vers le nord, et me disait: "Voilà nos montagnes, retournons-y."

Je vis bien que tous les moyens que je tentais pour le distraire étaient inutiles, et qu'il ne me restait d'autre ressource que d'attaquer sa passion en elle-même, en y employant toutes les forces de ma faible raison. Je lui répondis donc: "Oui, voilà les montagnes où demeurait votre chère Virginie, et voilà le portrait que vous lui aviez donné, et qu'en mourant elle portait sur son cœur, dont les derniers mouvements ont encore été pour vous."

Je présentai alors à Paul le petit portrait qu'il avait donné à Virginie, au bord de la fontaine des Cocotiers. A cette vue, une joie funeste parut dans ses regards. Il saisit avidement ce portrait de ses faibles mains, et le porta sur sa bouche. Alors sa poitrine s'oppressa, et, dans ses yeux à demi sanglants, des larmes s'arrêtèrent sans pouvoir couler.

Je lui dis: "Mon fils, écoutez-moi, qui suis votre ami, qui ai été celui de Virginie, et qui, au milieu de vos espérances, ai souvent tâché de fortifier votre raison contre les accidents imprévus de la vie. Que déplorez-vous avec tant d'amertume? est-ce votre malheur? est-ce celui de Virginie?

"Votre malheur? Oui, sans doute, il est grand. Vous avez perdu la plus aimable des filles, qui aurait été la plus digne des femmes. Elle avait sacrifié ses intérêts aux vôtres, et vous avait préféré à la fortune, comme la seule récompense digne de sa vertu. Mais que savez-vous si l'objet de qui vous deviez attendre un bonheur si pur n'eût pas été pour vous la source d'une infinité de peines? Elle était sans bien, et déshéritée; vous n'aviez désormais à partager avec elle que votre seul travail. Revenue plus délicate par son éducation, et plus courageuse par son malheur même, vous l'auriez vue chaque jour succomber, en s'efforçant de partager vos fatigues. Quand elle vous aurait donné des enfants, ses peines et les vôtres auraient augmentés, par la difficulté de soutenir seule avec vous de vieux parents et une famille naissante.

"Vous me direz: Le gouverneur nous aurait aidés. Que savez-vous si, dans une colonie qui change si souvent d'administrateurs, vous aurez souvent des La Bourdonnaye? s'il ne viendra pas ici des chefs sans mœurs et sans morale? si, pour obtenir quelque misérable secours, votre épouse n'eût pas été obligée de leur faire sa cour? Ou elle eût été faible, et vous eussiez été à plaindre; ou elle eût été sage, et vous fussiez resté pauvre: heureux si, à cause de sa beauté et de sa vertu, vous n'eussiez pas été persécuté par ceux mêmes de qui vous espériez de la protection!

"Il me fût resté, me direz-vous, le bonheur, indépendant de la fortune, de protéger l'objet aimé qui s'attache à nous à proportion de sa faiblesse même; de le consoler par mes propres inquiétudes; de le réjouir de ma tristesse, et d'accroître notre amour de nos peines mutuelles. Sans doute, la vertu et l'amour jouissent de ces plaisirs amers. Mais elle n'est plus; et il vous reste ce qu'après vous elle a le plus aimé, sa mère et la vôtre, que votre douleur inconsolable conduira au tombeau. Mettez votre bonheur à les aider, comme elle l'y avait mis elle-même. Mon fils, la bienfaisance est le bonheur de la vertu; il n'y en a point de plus assuré ni de plus grand sur la terre. Les projets de plaisirs, de repos, de délices, d'abondance, de gloire, ne sont point faits pour l'homme, faible, voyageur et passager. Voyez comme un pas vers la fortune nous a précipités tous d'abîme en abîme. Vous vous y êtes opposé, il est vrai; mais qui n'eût pas cru que le voyage de Virginie devait se terminer par son bonheur et par le vôtre? Les invitations d'une parente riche et âgée, les conseils d'un sage gouverneur, les applaudissements d'une colonie, les exhortations et l'autorité d'un prêtre, ont décidé du malheur de Virginie. Ainsi nous courons à notre perte, trompés par la prudence même de ceux qui nous gouvernent. Il eût mieux valu sans doute ne pas les croire, ni se fier à la voix et aux espérances d'un monde trompeur. Mais enfin, de tant d'hommes que nous voyons si occupés dans ces plaines, de tant d'autres qui vont chercher la fortune aux Indes, ou qui, sans sortir de chez eux, jouissent en repos, en Europe, des travaux de ceux-ci, il n'y en a aucun qui ne soit destiné à perdre un jour ce qu'il chérit le plus, grandeur, fortune, femme, enfants, amis. La plupart auront à joindre à leur perte le souvenir de leur propre imprudence. Pour vous, en rentrant en vous-même, vous n'avez rien à vous reprocher. Vous avez été fidèle à votre foi. Vous avez eu à la fleur de la jeunesse la prudence d'un sage, en ne vous écartant pas du sentiment de la nature. Vos vues seules étaient légitimes, parce qu'elles étaient pures, simples, désintéressées, et que vous aviez sur Virginie des droits sacrés qu'aucune fortune ne pouvait balancer. Vous l'avez perdue, et ce n'est ni votre imprudence, ni votre avarice, ni votre fausse sagesse, qui vous l'ont fait perdre, mais Dieu même, qui a employé les passions d'autrui pour vous ôter l'objet de votre amour; Dieu, de qui vous tenez tout, qui voit tout ce qui vous convient, et dont la sagesse ne vous laisse aucun lieu au repentir et au désespoir qui marchent à la suite des maux dont nous avons été la cause.

"Voilà ce que vous pouvez vous dire dans votre infortune: Je ne l'ai pas méritée. Est-ce donc le malheur de Virginie, sa fin, son état présent, que vous déplorez? Elle a subi le sort réservé à la naissance, à la beauté et aux empires même. La vie de l'homme, avec tous ses projets, s'élève comme une petite tour dont la mort est le couronnement. En naissant, elle était condamnée à mourir. Heureuse d'avoir dénoué les liens de la vie avant sa mère, avant la vôtre, avant vous, c'est-à-dire de n'être pas morte plusieurs fois avant la dernière!

"La mort, mon fils, est un bien pour tous les hommes; elle est la nuit de ce jour inquiet qu'on appelle la vie. C'est dans le sommeil de la mort que reposent pour jamais les maladies, les douleurs, les chagrins, les craintes, qui agitent sans cesse les malheureux vivants. Examinez les hommes qui paraissent le plus heureux:

vous verrez qu'ils ont acheté leur prétendu bonheur bien chèrement: la considération publique, par des maux domestiques; la fortune, par la perte de la santé; le plaisir si rare d'être aimé, par des sacrifices continuels: et souvent, à la fin d'une vie sacrifiée aux intérêts d'autrui, ils ne voient autour d'eux que des amis faux et des parents ingrats. Mais Virginie a été heureuse jusqu'au dernier moment. Elle l'a été avec nous par les biens de la nature; loin de nous, par ceux de la vertu: et, même, dans le moment terrible où nous l'avons vue périr, elle était encore heureuse; car, soit qu'elle jetât les yeux sur une colonie entière, à qui elle causait une désolation universelle, ou sur vous, qui couriez avec tant d'intrépidité à son secours, elle a vu combien elle nous était chère à tous. Elle s'est fortifiée contre l'avenir par le souvenir de l'innocence de sa vie; et elle a reçu alors le prix que le Ciel réserve à la vertu, un courage supérieur au danger. Elle a présenté à la mort un visage serein.

"Mon fils, Dieu donne à la vertu tous les événements de la vie à supporter, pour faire voir qu'elle seule peut en faire usage, et y trouver du bonheur et de la gloire. Quand il lui réserve une réputation illustre, il l'élève sur un grand théâtre, et la met aux prises avec la mort; alors son courage sert d'exemple, et le souvenir de ses malheurs reçoit à jamais un tribut de larmes de la postérité. Voilà le monument immortel qui lui est réservé sur une terre où tout passe, et où la mémoire même de la plupart des rois est bientôt ensevelie dans un éternel oubli.

"Mais Virginie existe encore. Mon fils, voyez que tout change sur la terre, et que rien ne s'y perd. Aucun art humain ne pourrait anéantir la plus petite particule de matière; et ce qui fut raisonnable, sensible, aimant, vertueux, religieux, aurait péri, lorsque les éléments dont il était revêtu sont indestructibles! Ah! si Virginie a été heureuse avec nous, elle l'est maintenant bien davantage. Il y a un Dieu, mon fils: toute la nature l'annonce; je n'ai pas besoin de vous le prouver. Il n'y a que la méchanceté des hommes qui leur fasse nier une justice qu'ils craignent. Son sentiment est dans votre cœur, ainsi que ses ouvrages sont sous vos yeux. Croyez-vous donc qu'il laisse Virginie sans récompense? Croyez-vous que cette même puissance, qui avait revêtu cette âme si noble d'une forme si belle, où vous sentiez un art divin, n'aurait pu la tirer des flots? que celui qui a arrangé le bonheur actuel des hommes par des lois que vous ne connaissez pas, ne puisse en préparer un autre à Virginie par des lois qui vous sont également inconnues? Quand nous étions dans le néant, si nous eussions été capables de penser, aurions-nous pu nous former une idée de notre existence? Et maintenant que nous sommes dans cette existence ténébreuse et fugitive, pouvons-nous prévoir ce qu'il y a au delà de la mort, par où nous en devons sortir? Dieu a-t-il besoin, comme l'homme, du petit globe de notre terre pour servir de théâtre à son intelligence et à sa bonté; et n'a-t-il pu propager la vie humaine que dans les champs de la mort? Il n'y a pas dans l'Océan une seule goutte d'eau qui ne soit pleine d'êtres vivants qui ressortissent à nous; et il n'existerait rien pour nous parmi tant d'astres qui roulent sur nos têtes! Quoi! il n'y aurait d'intelligence suprême et de bonté divine, précisément que là où nous sommes! et dans ces globes rayonnants et innombrables, dans ces champs infinis de lumière qui les environnent, que ni les orages ni les nuits n'obscurcissent jamais, il n'y aurait qu'un espace vain et un néant éternel! Si nous, qui ne nous sommes rien donné, osions assigner des bornes à la puissance de laquelle nous avons tout reçu, nous pourrions croire que nous sommes ici sur les limites de son empire, où la vie se débat avec la mort, et l'innocence avec la tyrannie!

"Sans doute, il est quelque part un lieu où la vertu reçoit sa récompense. Virginie maintenant est heureuse. Ah! si du séjour des anges elle pouvait se communiquer à vous, elle vous dirait, comme dans ses adieux: O Paul! la vie n'est qu'une épreuve. J'ai été trouvée fidèle aux lois de la nature, de l'amour et de la vertu. J'ai traversé les mers pour obéir à mes parents, j'ai renoncé aux richesses pour conserver ma foi, et j'ai mieux aimé perdre la vie que de violer la pudeur. Le ciel a trouvé ma carrière suffisamment remplie. J'ai échappé pour toujours à la pauvreté, à la calomnie, aux tempêtes, au spectacle des douleurs d'autrui. Aucun des maux qui effrayant les hommes ne peut plus désormais m'atteindre; et vous me plaignez! Je suis pure et inaltérable comme une particule de lumière; et vous me rappelez dans la nuit de la vie! O Paul! ô mon ami, souviens-toi de ces jours de bonheur, où dès le matin nous goûtions la volupté des cieux, se levant avec le soleil sur les pitons de ces rochers, et se répandant avec ses rayons au sein de nos forêts. Nous éprouvions un ravissement dont nous ne pouvions comprendre la cause. Dans nos souhaits innocents, nous désirions être tout vue, pour jouir des riches couleurs de l'aurore; tout odorat, pour sentir les parfums de nos plantes; tout ouïe, pour entendre les concerts de nos oiseaux; tout cœur, pour reconnaître ces bienfaits. Maintenant à la source de la beauté d'où découle tout ce qui est agréable sur la terre, mon âme voit, goûte, entend, touche immédiatement ce qu'elle ne pouvait sentir alors que par de faibles organes. Ah! quelle langue pourrait décrire ces rivages d'un orient éternel, que j'habite pour toujours? Tout ce qu'une puissance infinie et une bonté céleste ont pu créer pour consoler un être malheureux; tout ce que l'amitié d'une infinité d'êtres, réjouis de la même félicité, peut mettre d'harmonie dans des transports communs, nous l'éprouvons sans mélange. Soutiens donc l'épreuve qui t'est donnée, afin d'accroître le bonheur de ta Virginie par des amours qui n'auront plus de terme, par un hymen dont les flambeaux ne pourront plus s'éteindre. Là, j'apaiserai tes regrets; là, j'essuierai tes larmes. O mon ami! mon jeune époux! élève ton âme vers l'infini pour supporter des peines d'un moment."

Ma propre émotion mit fin à mon discours. Pour Paul, me regardant fixement, il s'écria: "Elle n'est plus! elle n'est plus!" et une longue faiblesse succéda à ces douloureuses paroles. Ensuite, revenant à lui, il dit: "Puisque la mort est un bien, et que Virginie est heureuse, je veux aussi mourir pour me rejoindre à Virginie." Ainsi mes motifs de consolations ne servirent qu'à nourrir son désespoir. J'étais comme un homme qui veut sauver son ami coulant à fond au milieu d'un fleuve sans vouloir nager. La douleur l'avait submergé. Hélas! les malheurs du premier âge préparent l'homme à entrer dans la vie, et Paul n'en avait jamais éprouvé.

Je le ramenai à son habitation. J'y trouvai sa mère et Mme. de La Tour dans un état de langueur qui avait encore augmenté. Marguerite était la plus abattue. Les caractères vifs, sur lesquels glissent les peines légères, sont ceux qui résistent le moins aux grands chagrins.

Elle me dit: "O mon bon voisin! il m'a semblé, cette nuit, voir Virginie vêtue de blanc, au milieu de bocages et de jardins délicieux. Elle m'a dit: Je jouis d'un bonheur digne d'envie. Ensuite, elle s'est approchée de Paul d'un air riant, et l'a enlevé avec elle. Comme je m'efforçais de retenir mon fils, j'ai senti que je quittais moi-même la terre, et que je le suivais avec un bonheur inexprimable. Alors j'ai voulu dire adieu à mon amie; aussitôt je l'ai vue qui nous suivait avec Marie et Domingue. Mais ce que je trouve encore de plus étrange, c'est que Mme. de La Tour a fait, cette même nuit, un songe accompagné des mêmes circonstances."

Je lui répondis: "Mon amie, je crois que rien n'arrive dans le monde sans la permission de Dieu. Les songes annoncent quelquefois la vérité."

Mme. de La Tour me fit le récit d'un songe tout à fait semblable, qu'elle avait eu cette même nuit. Je n'avais jamais remarqué dans ces deux dames aucun penchant à la superstition; je fus donc frappé de la concordance de leur songe, et je ne doutai pas en moi-même qu'il ne vînt à se réaliser. Cette opinion, que la vérité se présente quelquefois à nous pendant le sommeil, est répandue chez tous les peuples de la terre. Les plus grands hommes de l'antiquité y ont ajouté foi; entres autres Alexandre, César, les Scipions, les deux Catons et Brutus, qui n'étaient pas des esprits faibles. L'Ancien et le Nouveau Testament nous fournissent quantité d'exemples de songes qui se sont réalisés. Pour moi, je n'ai besoin, à cet égard, que de ma propre expérience; et j'ai éprouvé plus d'une fois que les songes sont des avertissements que nous donne quelque intelligence qui s'intéresse à nous. Que si l'on veut combattre ou défendre, avec des raisonnements, des choses qui surpassent la lumière de la raison humaine, c'est ce qui n'est pas possible. Cependant, si la raison de l'homme n'est qu'une image de celle de Dieu, puisque l'homme a bien le pouvoir de faire parvenir ses intentions jusqu'au bout du monde par des moyens secrets et cachés, pourquoi l'intelligence qui gouverne l'univers n'en emploierait-elle pas de semblables pour la même fin? Un ami console son ami par une lettre qui traverse une multitude de royaumes, circule au milieu des haines des nations, et vient apporter de la joie et de l'espérance à un seul homme; pourquoi le souverain protecteur de l'innocence ne peut-il venir, par quelque voie secrète, au secours d'une âme vertueuse qui ne met sa confiance qu'en lui seul? A-t-il besoin d'employer quelque signe extérieur pour exécuter sa volonté, lui qui agit sans cesse dans tous ses ouvrages par un travail intérieur?

Pourquoi douter des songes? La vie, remplie de tant de projets passagers et vains, est-elle autre chose qu'un songe?

Quoi qu'il en soit, celui de mes amies infortunées se réalisa bientôt. Paul mourut deux mois après la mort de sa chère Virginie, dont il prononçait sans cesse le nom. Marguerite vit venir sa fin huit jours après celle de son fils, avec une joie qu'il n'est donné qu'à la vertu d'éprouver. Elle fit les plus tendres adieux à Mme. de La Tour, "dans l'espérance, lui dit-elle, d'une douce et éternelle réunion. La mort est le plus grand des biens, ajouta-t-elle; on doit la désirer. Si la vie est une punition, on doit en souhaiter la fin; si c'est une épreuve, on doit la demander courte."

Le gouvernement prit soin de Domingue et de Marie, qui n'étaient plus en état de servir, et qui ne survécurent pas longtemps à leurs maîtresses.

Pour le pauvre Fidèle, il était mort de langueur à peu près dans le même temps que son maître.

J'emmenai chez moi Mme. de La Tour, qui se soutenait au milieu de si grandes pertes avec une grandeur d'âme incroyable. Elle avait consolé Paul et Marguerite jusqu'au dernier instant, comme si elle n'avait eu que le malheur à supporter. Quand elle ne les vit plus, elle m'en parlait chaque jour comme d'amis chéris qui étaient dans le voisinage. Cependant, elle ne leur survécut que d'un mois. Quant à sa tante, loin de lui reprocher ses maux, elle priait Dieu de les lui pardonner, et d'apaiser les troubles affreux d'esprit où nous apprîmes qu'elle était tombée immédiatement après qu'elle eut renvoyé Virginie avec tant d'inhumanité.

Cette parente dénaturée ne porta pas loin la punition de sa dureté. J'appris, par l'arrivée successive de plusieurs vaisseaux qu'elle était agitée de vapeurs qui lui rendaient la vie et la mort également insupportables. Tantôt elle se reprochait la fin prématurée de sa charmante petite-nièce, et la perte de sa mère qui s'en était suivie. Tantôt elle s'applaudissait d'avoir repoussé loin d'elle deux malheureuses qui, distait-elle, avaient déshonoré sa maison par la bassesse de leurs inclinations. Quelquefois, se mettant en fureur à la vue de ce grand nombre de misérables dont Paris est rempli: "Que n'envoie-t-on, s'écriait-elle, ces fainéants périr dans nos colonies?" Elle ajoutait que les idées d'humanité, de vertu, de religion, adoptées par tous les peuples, n'étaient que des inventions de la politique de leurs princes. Puis, se jetant tout à coup dans une extrémité opposée, elle s'abandonnait à des terreurs superstitieuses qui la remplissaient de frayeurs mortelles. Elle courait porter d'abondantes aumônes à de riches moines qui la dirigeaient, les suppliant d'apaiser la Divinité par le sacrifice de sa fortune: comme si des biens qu'elle avait refusés aux malheureux pouvaient plaire au Père des hommes! Souvent son imagination lui représentait des campagnes de feu, des montagnes ardentes, où des spectres hideux erraient en l'appelant à grands cris. Elle se jetait aux pieds de ses directeurs, et elle imaginait contre elle-même des tortures et des supplices; car le ciel, le juste ciel, envoie aux âmes cruelles des religions effroyables.

Ainsi elle passa plusieurs années, tour à tour athée et superstitieuse, ayant également en horreur la mort et la vie. Mais ce qui acheva la fin d'une si déplorable existence, fut le sujet même auquel elle avait sacrifié les sentiments de la nature. Elle eut le chagrin de voir que sa fortune passerait, après elle, à des parents qu'elle haissait. Elle chercha donc à en aliéner la meilleure partie; mais ceux-ci profitant des accès de vapeurs auxquels elle était sujette, la firent enfermer comme folle, et mettre ses biens en direction. Ainsi ses richesses mêmes achevèrent sa perte; et, comme elles avaient endurci le cœur de celle qui les possédait, elles dénaturèrent de même le cœur de ceux qui les désiraient. Elle mourut donc, et ce qui est le comble du malheur, avec assez d'usage de sa raison pour connaître qu'elle était dépouillée et méprisée par les mêmes personnes dont l'opinion l'avait dirigée toute sa vie.

On a mis auprès de Virginie, au pied des mêmes roseaux, son ami Paul, et autour d'eux leurs tendres mères et leurs fidèles serviteurs. On n'a point élevé de marbres sur leurs humbles tertres, ni gravé d'inscriptions à leur vertus; mais leur mémoire est resté ineffaçable dans le cœur de ceux qu'ils ont obligés. Leurs ombres n'ont pas besoin de l'éclat qu'ils ont fui pendant leur vie; mais si elles s'intéressent encore à ce qui se passe sur la terre, sans doute elles aiment à errer sous les toits de chaume qu'habite la vertu laborieuse; à consoler la pauvreté mécontente de son sort; à nourrir dans les jeunes amants une flamme durable, le goût des biens naturels, l'amour du travail et la crainte des richesses.

La voix du peuple, qui se tait sur les monuments élevés à la gloire des rois, a donné à quelques parties de cette île des noms qui éterniseront la perte de Virginie. On voit près de l'île d'Ambre, au milieu des écueils, un lieu appelé la PASSE DU SAINT-GÉRAN, du nom de ce vaisseau qui y périt en la ramenant d'Europe.

L'extrémité de cette longue pointe de terre que vous apercevez à trois lieues d'ici, à demi couverte des flots de la mer, que le *Saint-Géran* ne put doubler, la veille de l'ouragan, pour entrer dans le port, s'appelle le Cap Malheureux; et voici devant nous, au bout de ce vallon, la Baie du Tombeau, où Virginie fut trouvée ensevelie dans le sable; comme si la mer eût voulu rapporter son corps à sa famille, et rendre les derniers devoirs à sa pudeur sur les mêmes rivages qu'elle avait honorés de son innocence.

Jeunes gens si tendrement unis! mères infortunées! chère famille! ces bois qui vous donnaient leurs ombrages, ces fontaines qui coulaient pour vous, ces coteaux où vous reposiez ensemble, déplorent encore votre perte. Nul, depuis vous, n'a osé cultiver cette terre désolée, ni relever ces humbles cabanes. Vos chèvres sont devenues sauvages; vos vergers sont détruits; vos oiseaux sont enfuis, et on n'entend plus que les cris des éperviers qui volent en rond au haut de ce bassin de rochers. Pour moi, depuis que je ne vous vois plus, je suis comme un ami qui n'a plus d'amis, comme un père qui a perdu ses enfants, comme un voyageur qui erre sur la terre, où je suis resté seul.

En disant ces mots, ce bon vieillard s'éloigna en versant des larmes; et les miennes avaient coulé plus d'une fois pendant ce funeste récit.

OBERMANN

ÉTIENNE DE SENANCOUR

ÉTIENNE DE SENANCOUR

1770-1846

Senancour was destined by his father for the Church. During the Revolution he took refuge, as an *émigré*, in Switzerland. Under the Directory he returned to Paris, and, while living in comparative retirement, published in 1799 the first of his *Rêveries sur la nature primitive de l'homme*, *Obermann* in 1804, and *De l'amour selon les lois primordiales et selon les convenances des sociétés modernes* in 1806, followed by other works of lesser literary importance.

Senancourt is perhaps the French writer who most completely reflects the darker mood of Romanticism. His works contain material of the most varied sort, but the tone is quite constantly melancholy, pessimistic and hopeless of the future. Concerned only with his own happiness and welfare, he remained an eighteenth century skeptic without religious faith to support him. The passage selected is the forty-first of the letters of which *Obermann* is composed, and contains a fairly clear defense of suicide as the best "way out."

Chief literary works:

Rêveries, 1799.
Obermann, 1804.
De l'Amour, 1806.
Libres Méditations d'un solitaire inconnu, 1819.

For Biography and Criticism:

J. Levallois: *Un précurseur, Senancour, avec des documents inédits*, 1897.

J. Merlant: *Senancour, poète, penseur religieux et publiciste, sa vie, son œuvre, son influence, documents inconnus et inédits,* 1907.

G. Michaut: *Senancour, ses amis et ses ennemis, études et documents,* 1909.

R. Bouyer: *Un contemporain de Beethoven, Obermann précurseur et musicien,* 1907.

OBERMANN

LETTRE XLI.

Lyon, 18 mai, VI.

On dirait que le sort s'attache à ramener l'homme sous la chaîne qu'il a voulu secourer malgré le sort. Que m'a-t-il servi de tout quitter pour chercher une vie plus libre? Si j'ai vu des choses selon ma nature, ce ne fut qu'en passant, sans en jouir, et comme pour redoubler en moi l'impatience de les posséder.

Je ne suis point l'esclave des passions, je suis plus malheureux: leur vanité ne me trompera point; mais enfin ne faut-il-pas que la vie soit remplie par quelque chose? Quand l'existence est vide, peut-elle satisfaire? Si la vie du cœur n'est qu'un néant agité, ne vaut-il pas mieux la laisser pour un néant plus tranquille? Il me semble que l'intelligence cherche un résultat; je voudrais que l'on me dît quel est celui de ma vie. Je veux quelque chose qui voile et entraîne mes heures; je ne saurais toujours les sentir rouler si pesamment sur moi, seules et lentes, sans désirs, sans illusions, sans but. Si je ne puis connaître de la vie que ses misères, est-ce un bien de l'avoir reçue? est-ce une sagesse de la conserver?

Vous ne pensez pas que, trop faible contre les maux de l'humanité, je n'ose même en soutenir la crainte: vous me connaissez mieux. Ce n'est point dans le malheur que je songerais à rejeter la vie. La résistance éveille l'âme et lui done une attitude plus fière; l'on se retrouve enfin quand il faut lutter contre de grandes douleurs; on peut se plaire dans son énergie, on a du moins quelque chose à faire. Mais ce sont les embarras, les ennuis, les contraintes, l'insipidité de la vie, qui me fatiguent et me rebutent. L'homme passionné peut se résoudre à souffrir, puisqu'il prétend jouir un jour; mais quelle considération peut soutenir l'homme qui n'attend rien? Je suis las de mener une vie si vaine. Il est vrai que je pourrais prendre patience encore; mais ma vie passe sans que je fasse rien d'utile, et sans que je jouisse, sans espoir, comme sans paix. Pensez-vous qu'avec une âme indomptable, tout cela puisse durer de longues années?

Je croirais qu'il y a aussi une raison des choses physiques, et que la nécessité elle-même a une marche suivie, une sorte de fin que l'intelligence peut pressentir. Je me demande quelquefois où me conduira cette contrainte qui m'enchaîne à l'ennui, cette apathie d'où je ne puis jamais sortir; cet ordre de choses nul et insipide dont je ne saurais me débarrasser, où tout manque, diffère, s'éloigne; où toute probabilité s'évanouit; où l'effort est détourné; où tout changement avorte; où l'attente est toujours trompée, même celle d'un malheur du moins énergique; où l'on dirait qu'une volonté ennemie, s'attache à me retenir dans un état de suspension et d'entraves, à me leurrer par des choses vagues et des espérances évasives, afin de consumer ma durée entière sans qu'elle ait rien atteint, rien produit, rien possédé.

Je revois le triste souvenir des longues années perdues. J'observe comment cet avenir, qui séduit toujours, change et s'amoindrit en s'approchant. Frappé d'un souffle de mort à la lueur funèbre du présent, il se décolore dès l'instant où l'on veut jouir; et laissant derrière lui les séductions qui le masquaient et le prestige déjà vieilli, il passe seul, abandonné, traînant avec pesanteur son sceptre épuisé et hideux, comme s'il insultait à la fatigue que donne le glissement sinistre de sa chaîne éternelle. Lorsque je pressens cet espace désenchanté où vont se traîner les restes de ma jeunesse et de ma vie, lorsque ma pensée cherche à suivre d'avance la pente uniforme où tout coule et se perd, que trouvez-vous que je puisse attendre à son terme, et qui pourrait me cacher l'abîme où tout cela va finir? Ne faudra-t-il pas bien que, las et rebuté, quand je suis assuré de ne pouvoir rien, je cherche au moins du repos? Et quand une force inévitable pèse sur moi sans relâche, comment reposerai-je, si ce n'est en me précipitant moi-même?

Il faut que toute chose ait une fin selon sa nature. Puisque ma vie relative est retranchée du cours du monde, pourquoi végéter long-temps encore inutile au monde et fatigant à moi-même? Pour le vain instinct d'exister! pour respirer et avancer en âge! pour m'éveiller amèrement quand tout repose, et chercher des ténèbres quand la terre fleurit; pour n'avoir que le besoin des désirs, et ne connaître que le songe de l'existence; pour rester déplacé, isolé sur la scène des afflictions humaines, quand nul n'est heureux par moi, quand je n'ai que l'idée du rôle d'un homme; pour tenir à une vie perdue, lâche esclave, que la vie repousse et qui s'attache à son ombre, avide de l'existence, comme si l'existence réelle lui était laissée, et voulant être misérablement, faute d'oser n'être plus!

Que me feront les sophismes d'une philosophie douce et flatteuse, vain déguisement d'un instinct pusillanime, vaine sagesse des patiens qui perpétue les maux si bien supportés, et qui légitime notre servitude par une nécessité imaginaire?

Attendez, me dira-t-on; le mal moral s'épuise par la durée même: attendez; les temps changeront, et vous serez satisfait; ou s'ils restent semblables, vous serez changé vous-même. En usant du présent tel qu'il est, vous aurez affaibli le sentiment trop impétueux d'un avenir meilleur; et quand vous aurez toléré la vie, elle deviendra bonne à votre cœur plus tranquille.—Une passion cesse, une perte s'oublie, un malheur se répare: moi je n'ai point de passions, je ne plains ni perte ni malheur, rien qui puisse cesser, qui puisse être oublié, qui puisse être réparé. Une passion nouvelle peut distraire de celle qui vieillit; mais où trouverai-je un aliment pour mon cœur quand il aura perdu cette soif qui le consume? Il désire tout, il veut tout, il contient tout. Que mettre à la place de cet infini qu'exige ma pensée? Les regrets s'oublient, d'autres biens les effacent; mais quels biens pourront tromper des regrets universels? Tout ce qui est propre à la nature humaine appartient à mon être; il a voulu s'en nourrir selon sa nature, il s'est épuisé sur une ombre impalpable: savez-vous quelque bien qui console du regret du monde? Si mon malheur est dans le néant de ma vie, le temps calmera-t-il des maux que le temps aggrave, et dois-je espérer qu'ils cessent, quand c'est par leur durée même qu'ils sont intolérables?—Attendez, des temps meilleurs produiront peut-être ce que semble vous interdire votre destinée présente.—Hommes d'un jour, qui projetez en vieillissant, et qui raisonnez, pour un avenir reculé quand la mort est sur vos pas, en rêvant des illusions consolantes dans l'instabilité des choses, n'en sentirez-vous jamais le cours rapide? ne verrez-vous point que votre vie s'endort en se balançant, et que cette vicissitude qui soutient votre cœur trompé ne l'agite que pour l'éteindre dans une secousse dernière et prochaine? Si la vie de l'homme était perpétuelle, si seulement elle était plus longue, si seulement elle restait semblable jusque près de sa dernière heure, alors l'espérance pourrait me séduire, et j'attendrais peut-être ce qui du moins serait possible. Mais y a-t-il quelque permanence dans la vie? Le jour futur peut-il avoir les besoins du jour présent, et ce qu'il fallait aujourd'hui sera-t-il bon demain? Notre cœur change plus rapidement que les saisons annuelles; leurs vicissitudes souffrent du moins quelque constance, puisqu'elles se répètent dans l'étendue des siècles. Mais nos jours, que rien ne renouvelle, n'ont pas deux heures qui puissent être semblables: leurs saisons, qui ne se réparent pas, ont chacune leurs besoins; s'il en est une qui ait perdu ce qui lui était propre, elle l'a perdu sans retour, et nul autre âge ne saurait posséder ce que l'âge puissant n'a pas atteint.—C'est le propre de l'insensé de prétendre lutter contre la nécessité. Le sage reçoit les choses telles que la destinée les donne; il ne s'attache qu'à les considérer sous les rapports qui peuvent les lui rendre heureuses: sans s'inquiéter inutilement dans quelles voies il erre sur ce globe, il sait posséder, à chaque gîte qui marque sa course, et les douceurs de convenances et la sécurité du repos; et devant sitôt trouver le terme de sa marche, il va sans effort, il s'égare même sans inquiétude. Que lui servirait de vouloir davantage, de résister à la force du monde et de chercher à éviter des chaînes et une ruine inévitable? Nul individu ne saurait arrêter le cours universel, et rien n'est plus vain que la plainte des maux attachés nécessairement à notre nature.—Si tout est nécessaire, que prétendez-vous opposer à mes ennuis? Pourquoi les blâmer? puis-je sentir autrement? Si au contraire, notre sort particulier est dans nos mains, si l'homme peut choisir et vouloir, il existera pour lui des obstacles qu'il ne saurait vaincre et des misères auxquelles il ne pourra soustraire sa vie; mais tout l'effort du genre humain ne pourrait faire plus contre lui que de l'anéantir. Celui-là seul peut être soumis à tout qui veut absolument vivre; mais celui qui ne prétend à rien ne peut être soumis à rien. Vous exigez que je me résigne à des maux inévitables; je

Je veux bien aussi; mais quand je consens à tout quitter, il n'y a plus pour moi de maux inévitables.

Les biens nombreux qui restent à l'homme dans le malheur même ne sauraient me retenir. Il y a plus de biens que de maux; cela est vrai dans le sens absolu, et pourtant ce serait s'abuser étrangement que de compter ainsi. Un seul mal que nous ne pouvons oublier anéantit l'effet de vingt biens dont nous paraissons jouir; et malgré les promesses du raisonnement, il est beaucoup de maux que l'on ne saurait cesser de sentir qu'avec des efforts et du temps, si du moins l'on n'est sectaire et un peu fanatique. Le temps, il est vrai, dissipe ces maux, et la résistance du sage les use plus vite encore; mais l'industrieuse imagination des autres hommes les a tellement multipliés, qu'ils seront toujours remplacés avant leur terme: et comme les biens passent ainsi que les douleurs, y eût-il dans l'homme dix plaisirs pour une seule peine, si l'amertume d'une seule peine corrompt cent plaisirs pendant toute sa durée, la vie sera au moins indifférente et inutile à qui n'a plus d'illusions. Le mal reste, le bien n'est plus: par quel prestige, pour quelle fin porterais-je la vie? Le dénouement est connu; qu'y a-t-il à faire encore? La perte vraiment irréparable est celle des désirs.

Je sais qu'un penchant naturel attache l'homme à la vie; mais c'est en quelque sorte un instinct d'habitude, il ne prouve nullement que la vie soit bonne. L'être, par cela qu'il existe, doit tenir à l'existence; la raison seule peut lui faire voir le néant sans effroi. Il est remarquable que l'homme, dont la raison affecte tant de mépriser l'instinct, s'autorise de ce qu'il a de plus aveugle pour justifier les sophismes de cette même raison.

On objectera que l'impatience habituelle tient à l'impétuosité des passions, et que le vieillard s'attache à la vie à mesure que l'âge le calme et l'éclaire. Je ne veux pas examiner en ce moment si la raison de l'homme qui s'éteint vaut plus que celle de l'homme dans sa force si chaque âge n'a pas sa manière de sentir convenable alors, et déplacée dans d'autres temps; si enfin nos institutions stériles, si nos vertus de vieillards, ouvrage de la caducité, du mins dans leur principe, prouvent solidement en faveur de l'âge refroidi. Je répondrais seulement: Toute chose mélangée est regrettée au moment de sa perte; une perte sans retour n'est jamais vue froidement après une longue possession: notre imagination, que nous voyons toujours dans la vie abandonner un bien dès qu'il est acquis, pour fixer nos efforts sur celui qui nous reste à acquérir, ne s'arrête dans ce qui finit que sur le bien qui nous est enlevé, et non sur le mal dont nous sommes délivrés.

Ce n'est pas ainsi que l'on doit estimer la valeur de la vie effective pour la plupart des hommes. Mais chaque jour de cette existence dont ils espèrent sans cesse, demandez-leur si le moment présent les satisfait, les mécontente, ou leur est indifférent; vos résultats seront sûrs alors. Toute autre estimation n'est qu'un moyen de s'en imposer à soi-même; et je veux mettre une vérité claire et simple à la place des idées confuses et des sophismes rebattus.

L'on me dira sérieusement: Arrêtez vos désirs; bornez ces besoins trop avides; mettez vos affections dans les choses faciles. Pourquoi chercher ce que les circonstances éloignent? Pourquoi exiger ce dont les hommes se passent si bien? Pourquoi vouloir des choses utiles? tant d'autres n'y pensent même pas! Pourquoi vous plaindre des douleurs publiques? Voyez-vous qu'elles troublent le sommeil d'un seul heureux? Que servent ces pensers d'une âme forte, et cet instinct des choses sublimes? Ne sauriez-vous rêver la perfection sans y prétendre amener la foule qui s'en rit, tout en gémissant; et vous faut-il, pour jouir de votre vie, une existence grande ou simple, des circonstances énergiques, des lieux choisis, des hommes et des choses selon votre cœur? Tout est bon à l'homme, pourvu qu'il existe; et partout où il peut vivre, il peut vivre content. S'il a une bonne réputation, quelques connaissances qui lui veuillent du bien, une maison et de quoi se présenter dans le monde, que lui faut-il davantage?—Certes je n'ai rien à répondre à ces conseils qu'un homme mûr me donnerait, et je les crois très-bons en effet pour ceux qui les trouvent tels.

Cependant je suis plus calme maintenant, et je commence à me lasser de mon impatience même. Des idées sombres, mais tranquilles, me deviennent plus familières. Je songe volontiers à ceux qui, le matin de leurs jours, ont trouvé leur éternelle nuit; ce sentiment me repose et me console, c'est l'instinct du soir. Mais pourquoi ce besoin des ténèbres? pourquoi la lumière m'est-elle pénible? Ils le sauront un jour; quand ils auront changé, quand je ne serai plus.

Quand vous ne serez plus!—Méditez-vous un crime? —Si, fatigué des maux de la vie, et surtout désabusé de ses biens, déjà suspendu sur l'abîme, marqué pour le moment suprême, retenu par l'ami, accusé par le moraliste, condamné par ma patrie, coupable aux yeux de l'homme social, j'avais à répondre à ses efforts, à ses reproches, voici, ce me semble, ce que je pourrais dire:

J'ai tout examiné, tout connu; si je n'ai pas tout éprouvé, j'ai du moins tout pressenti. Vos douleurs ont flétri mon âme; elles sont intolérables parce qu'elles sont sans but. Vos plaisirs sont illusoires, fugitifs, un jour suffit pour les connaître et les quitter. J'ai cherché en moi le bonheur, mais sans fanatisme; j'ai vu qu'il n'était pas fait pour l'homme seul: je le proposai à

ceux qui m’environnaient, ils n’avaient pas le loisir d’
songer. J’interrogeai la multitude que flétrit la misèr
et les privilégiés que l’ennui opprime; ils m’ont dit
Nous souffrons aujourd’hui, mais nous jouirons demai
Pour moi, je sais que le jour qui se prépare va marche
sur la trace du jour qui s’écoule. Vivez, vous que peu
tromper encore un prestige heureux; mais moi, fatigu
de ce qui peut égarer l’espoir, sans attente et presqu
sans désir, je ne dois plus vivre. Je juge la vie comm
l’homme qui descend dans la tombe; qu’elle s’ouvre don
pour moi: reculerais-je le terme quand il est déjà at
teint? La nature offre des illusions à croire et à aimer
elle ne lève le voile qu’au moment marqué pour l
mort: elle ne l’a pas levé pour vous, vivez; elle l’
levé pour moi, ma vie n’est déjà plus.

Il se peut que le vrai bien de l’homme soit son in
dépendance morale, et que ses misères ne soient que l
sentiment de sa propre faiblesse dans des situation
multipliées; que tout devienne songe hors de lui, et qu
la paix soit dans le cœur inaccessible aux illusions. Mai
sur quoi se reposera la pensée désabusée? Que faire dan
la vie quand on est indifférent à tout ce qu’elle renferme? Quand la passion de toutes choses, quand c
besoin universel des âmes fortes a consumé nos cœurs
le charme abandonne nos désirs détrompés, et l’irrémédiable ennui naît de ces cendres refroidies. Funèbre
sinistre, il absorbe tout espoir, il règne sur les ruines
il dévore, il éteint; d’un effort invincible, il creuse notre
tombe, asile qui donnera du moins le repos par l’oubli
le calme dans le néant.

Sans les désirs, que faire de la vie? Végéter stupide-
ment; se traîner sur la trace inanimée des soins et des
affaires; ramper énervé dans la bassesse de l’esclave ou
la nullité de la foule; penser sans servir l’ordre universel; sentir sans vivre! Ainsi, jouet lamentable d’une

destinée que rien n'explique, l'homme abandonnera sa vie aux hasards et des choses et des temps. Ainsi, trompé par l'opposition de ses vœux, de sa raison, de ses lois, de sa nature, il se hâte d'un pas riant et plein d'audace vers la nuit sépulcrale. L'œil ardent, mais inquiet au milieu des fantômes, et le cœur chargé de douleurs, il cherche et s'égare, il végète et s'endort.

Harmonie du monde, rêve sublime! Fin morale, reconnaissance sociale, lois, devoirs, mots sacrés parmi les hommes! je ne puis vous braver qu'aux yeux de la foule trompée.

A la vérité, j'abandonne des amis que je vais affliger, ma patrie dont je n'ai point assez payé les bienfaits, tous les hommes que je devais servir: ce sont des regrets et non pas des remords. Qui, plus que moi, pourra sentir le prix de l'union, l'autorité des devoirs, le bonheur d'être utile? J'espérais faire quelque bien; ce fut le plus flatteur, le plus insensé de mes rêves. Dans la perpétuelle incertitude d'une existence toujours agitée, précaire, asservie, vous suivez tous, aveugles et dociles, la trace battue de l'ordre établi; abandonnant ainsi votre vie à vos habitudes, et la perdant sans peine comme vous perdriez un jour. Je pourrais, entraîné de même par cette déviation universelle, laisser quelques bienfaits dans ces voies d'erreur; mais ce bien, facile à tous, sera fait sans moi par les hommes bons. Il en est; qu'ils vivent, et qu'utiles à quelque chose, ils se trouvent heureux. Pour moi, dans cet abîme de maux, je ne serai point consolé, je l'avoue, si je ne fais pas plus. Un infortuné près de moi sera peut-être soulagé, cent mille gémiront; et moi, impuissant au milieu d'eux, je verrai sans cesse attribuer à la nature des choses les fruits amers de l'égarement humain, et se perpétuer, comme l'œuvre inévitable de la nécessité, ces misères où je crois sentir le caprice accidentel d'une perfectibilité qui s'essaie! Que l'on me condamne sévèrement, si je refuse le sacrifice d'une vie heureuse au bien général; mais lorsque, devant rester inutile, j'appelle un repos trop long-temps attendu, j'ai des regrets, je le répète, et non pas des remords.

Sous le poids d'un malheur passager, considérant la mobilité des impressions et des événemens, sans doute je devrais attendre des jours plus favorables. Mais le mal qui pèse sur mes ans n'est point un mal passager. Ce vide dans lequel ils s'écoulent lentement, qui le remplira? Qui rendra des désirs à ma vie, et une attente à ma volonté? C'est le bien lui-même que je trouve inutile; fassent les hommes qu'il n'y ait plus que des maux à déplorer! Durant l'orage, l'espoir soutient, et l'on s'affermit contre le danger parce qu'il peut finir; mais si le calme lui-même vous fatigue, qu'espérerez-vous alors? Si demain peut être bon, je veux bien attendre; mais si ma destinée est telle que demain, ne pouvant être meilleur, puisse être plus malheureux encore, je ne verrai pas ce jour funeste.

Si c'est un devoir réel d'achever la vie qui m'a été donnée, sans doute j'en braverai les misères; le temps rapide les entraînera bientôt. Quelques opprimés que puissent être nos jours, ils sont tolérables, puisqu'ils sont bornés. La mort et la vie sont en mon pouvoir; je ne tiens pas à l'une, je ne désire point l'autre: que la raison décide si j'ai le droit de choisir entre elles.

C'est un crime, me dit-on, de déserter la vie.—Mais ces mêmes sophistes qui me défendent la mort m'exposent ou m'envoient à elle. Leurs innovations la multiplient autour de moi, leurs préceptes m'y conduisent, ou leurs lois me la donnent. C'est une gloire de renoncer à la vie quand elle est bonne, c'est une justice de tuer celui qui veut vivre; et cette mort que l'on doit chercher quand on la redoute, ce serait un crime de s'y livrer quand on la désire! Sous cent prétextes, ou spécieux, ou ridicules, vous vous jouez de mon existence; moi seul je n'aurais plus de droits sur moi-même! Quand j'aime la vie, je dois la mépriser; quand je suis heureux, vous m'envoyez mourir: et si je veux la mort, c'est alors que vous me la défendez; vous m'imposez la vie quand je l'abhorre!

Si je ne puis m'ôter la vie, je ne puis non plus m'exposer à une mort probable. Est-ce là cette prudence que vous demandez de vos sujets? Sur le champ de bataille, ils devraient calculer les probabilités avant de marcher à l'ennemi, et vos héros sont tous des criminels. L'ordre que vous leur donnez ne les justifie point; vous n'avez pas eu le droit de les envoyer à la mort, s'ils n'ont pas eu le droit de consentir à y être envoyés. Une même démence autorise vos fureurs et dicte vos préceptes, et tant d'inconséquence pourrait justifier tant d'injustice!

Si je n'ai point sur moi-même ce droit de mort, qui l'a donné à la société? ai-je cédé ce que je n'avais point? Quel principe social avez-vous inventé, qui m'explique comment un corps acquiert un pouvoir interne et réciproque que ses membres n'avaient pas, et comment j'ai donné pour m'opprimer un droit que je n'avais pas même pour échapper à l'oppression! Dira-t-on que si l'homme isolé jouit de ce droit naturel, il l'aliène en devenant membre de la société? Mais ce droit est inaliénable par sa nature, et nul ne saurait faire une convention qui lui ôte tout pouvoir de la rompre quand on la fera servir à son préjudice. On a prouvé, avant moi, que l'homme n'a pas le droit de renoncer à sa liberté, ou, en d'autres termes, de cesser d'être homme: comment perdrait-il le droit le plus essentiel, le plus sûr, le plus irrésistible de cette même liberté, le seul qui garantisse son indépendance, et qui lui reste toujours contre le malheur? Jusques à quand de palpables absurdités asserviront-elles les hommes?

Si ce pouvait être un crime d'abandonner la vie, c'est vous que j'accuserais, vous dont les innovations funestes m'ont conduit à vouloir la mort, que sans vous j'eusse éloignée; cette mort, perte universelle que rien ne répare, triste et dernier refuge que même vous osez m'interdire, comme s'il vous restait quelque prise sur ma dernière heure, et que là aussi les formes de votre législation pussent limiter des droits placés hors du monde qu'elle gouverne. Opprimez ma vie, la loi est souvent aussi le droit du plus fort; mais la mort est la borne que je veux poser à votre pouvoir. Ailleurs vous commanderez, ici il faut prouver.

Dites-moi clairement, sans vos détours habituels, sans cette vaine éloquence des mots qui ne me trompera pas, sans ces grands noms mal entendus de force, de vertu, d'ordre éternel, de destination morale; dites-moi simplement si les lois de la société sont faites pour le monde actuel et visible, ou pour une vie future, éloignée de nous? Si elles sont faites pour le monde positif, dites-moi comment des lois relatives à un ordre de choses peuvent m'obliger quand cet ordre n'est plus; comment ce qui règle la vie peut s'étendre au-delà; comment le mode selon lequel nous avons déterminé nos rapports peut subsister quand ces rapports ont fini; et comment j'ai pu jamais consentir que nos conventions me retinssent quand je n'en voudrais plus? Quel est le fondement, je veux dire le prétexte, de vos lois? N'ont-elles pas promis *le bonheur de tous?* Quand je veux la mort, apparemment je ne me sens pas heureux. Le pacte qui m'opprime doit-il être irrévocable? Un engagement onéreux dans les choses particulières de la vie peut trouver au moin des compensations, et on peut sacrifier un avantage quand il nous reste la faculté d'en posséder d'autres; mais l'abnégation totale peut-elle entrer dans l'idée d'un homme qui conserve quelque notion de droit et de vérité? Toute société est fondée sur une réunion de facultés, un échange de services; mais quand je nuis à la société, ne refuse-t-elle pas de me protéger? Si donc elle ne fait rien pour moi, ou si elle fait beaucoup contre moi, j'ai aussi le droit de refuser de la servir. Notre pacte ne lui convient plus, elle le rompt; il ne me convient plus, je le romps aussi: je ne me révolte pas, je sors.

C'est un dernier effort de votre tyrannie jalouse. Trop de victimes vous échapperaient; trop de preuves de la misère publique s'élèveraient contre le vain bruit de vos promesses, et découvriraient vos codes astucieux dans leur nudité aride et leur corruption financière. J'étais simple de vous parler de justice! j'ai vu le sourire de la pitié dans votre regard paternel. Il me dit que c'est la force et l'intérêt qui mènent les hommes. Vous l'avez voulu; eh bien; comment votre loi sera-t-elle maintenue? Qui punira-t-elle de son infraction? Atteindra-t-elle celui qui n'est plus? Vengera-t-elle sur les siens un effort méprisé? Quelle démence inutile! Multipliez nos misères, il le faut pour les grandes choses que vous projetez, il le faut pour le genre de gloire que vous cherchez; asservissez, tourmentez, mais du moins ayez un but; soyez iniques et froidement atroces, mais du moins ne le soyez pas en vain. Quelle dérision, qu'une loi de servitude qui ne sera ni obéie ni vengée!

Où votre force finit, vos impostures commencent; tant il est nécessaire à votre empire que vous ne cessiez pas de vous jouer des hommes! C'est la nature, c'est l'intelligence suprême qui veulent que je plie ma tête sous le joug insultant et lourd. Elles veulent que je m'attache à ma chaîne, et que je la traîne docilement, jusqu'à l'instant où il vous plaira de la briser sur ma tête. Quoi que vous fassiez, un Dieu vous livre ma vie, et l'ordre du monde serait interverti si votre esclave échappait.

L'Éternel m'a donné l'existence et m'a chargé de mon rôle, dites-vous, dans l'harmonie de ses œuvres; je dois le remplir jusqu'à la fin, et je n'ai pas le droit de me soustraire à son empire.—Vous oubliez trop tôt l'âme que vous m'avez donnée. Ce corps terrestre n'est que poussière, ne vous en souvient-il plus? Mais mon intelligence, souffle impérissable émané de l'intelligence universelle, ne pourra jamais se soustraire à sa loi. Comment quitterais-je l'empire du maître de toutes choses? Je ne change que de lieu: les lieux ne sont rien pour celui qui contient et gouverne tout. Il ne m'a pas placé plus exclusivement sur la terre que dans la contrée où il m'a fait naître.

La nature veille à ma conservation; je dois aussi me conserver pour obéir à ses lois, et puisqu'elle m'a donné la crainte de la mort, elle me défend de la chercher.—C'est une belle phrase; mais la nature me conserve ou m'immole à son gré: du moins le cours des choses n'a point en cela de loi connue. Lorsque je veux vivre, un gouffre s'entr'ouvre pour m'engloutir, la foudre descend me consumer. Si la nature m'ôte la vie qu'elle m'a fait aimer, je me l'ôte quand je ne l'aime plus; si elle m'arrache un bien, je rejette un mal; si elle livre mon existence au cours arbitraire des événemens, je la quitte ou la conserve avec choix. Puisqu'elle m'a donné la faculté de vouloir et de choisir, j'en use dans la circonstance où j'ai à décider entre les plus grands intérêts; et je ne saurais comprendre que faire servir la liberté reçue d'elle à choisir ce qu'elle m'inspire, ce soit l'outrager. Ouvrage de la nature, j'interroge ses lois, j'y trouve ma liberté. Placé dans l'ordre social, je réponds aux préceptes erronés des moralistes, et je rejette des lois que nul législateur n'avait le droit de faire.

Dans tout ce que n'interdit pas une loi supérieure et évidente, mon désir est ma loi, puisqu'il est le signe de l'impulsion naturelle; il est mon droit par cela seul qu'il est mon désir. La vie n'est pas bonne pour moi si, désabusé de ses biens, je n'ai plus d'elle que ses maux: elle m'est funeste alors; je la quitte, c'est le droit de l'être qui choisit et qui veut.

Si j'ose prononcer où tant d'hommes ont douté, c'est d'après une conviction intime. Si ma décision se trouve conforme à mes besoins, elle n'est dictée du moins par aucune partialité; si je suis égaré, j'ose affirmer que je ne suis pas coupable, ne concevant pas comment je pourrais l'être.

J'ai voulu savoir ce que je pouvais faire; je ne dis point ce que je ferai. Je n'ai ni désespoir ni passion; il suffit à ma sécurité d'être certain que le poids inutile pourra être secoué quand il me pressera trop. Dès longtemps la vie me fatigue, et elle me fatigue tous les jours davantage; mais je ne suis point exaspéré. Je trouve aussi quelque répugnance à perdre irrévocablement mon être. S'il fallait choisir à l'instant, ou de briser tous les liens, ou d'y rester nécessairement attaché pendant quarante ans encore, je crois que j'hésiterais peu; mais je me hâte moins, parce que dans quelques mois je le pourrai comme aujourd'hui, et que les Alpes sont le seul lieu qui convienne à la manière dont je voudrais m'éteindre.

ATALA AND RENÉ

FRANÇOIS-RENÉ DE CHATEAUBRIAND

FRANÇOIS-RENÉ DE CHATEAUBRIAND

1768-1848

Both *Atala* and *René* were originally intended to be illustrative episodes in *Le Génie du Christianisme* (1802), but *Atala* was published separately in 1801, before the complete work, and *René* was published alone later, in 1805. In subsequent editions they are published separately, but give immediate evidence of their common purpose: to contrast the Old World with the New, civilized man with man in a state of Nature. They are complementary. For these two little works and for *Les Natchez* (1826-1831), as for his great artistic creation, *Les Martyrs* (1809), Chateaubriand made elaborate preparation by travel and reading. He spent about seven months in North America in 1791 when, with the meagre facilities for travel then existent, he could not possibly have covered the territory which he describes in *Atala*. One can hardly imagine how great was the charm of this book for those who here first read of the scenes and alleged customs of the New World savages. There is much that is inaccurate in this exotic detail, but the *ensemble* is still impressive for the beauty of the poetic prose. The reader will not fail to note the large place which the Church with its rites occupies in both *Atala* and *René:* this place was prescribed by the original purpose of these episodes. Incidentally, Père Aubry in *Atala* became the forerunner of a long line of benevolent priests in modern French fiction.

As for *René,* its importance has been indicated in the *Introduction*. Its interest for us is quite different from that of *Atala*. The work has an autobiographical foundation. René is the great sufferer in contemporary society, the ancestor of all the later French romantic sufferers. With him everything goes wrong. The description of his sister taking the veil and of his presence at this scene is in the highest degree romantic. Both his sister Amélie and Père Souël gave René good advice, but it was not heeded. He belonged to the sensitive group of those who believe they are born to suffer and that in suffering they are well employed.

Chief literary works:

Atala, 1801.
Le Génie du Christianisme, 1802.
René, 1805.
Les Martyrs, 1809.
Itinéraire de Paris à Jérusalem, 1811.
Les Natchez (first published in the *Œuvres complètes of* 1826-31).
Mémoires d'Outre-Tombe, 1848.

For Biography and Criticism:

J. Bédier: *Chateaubriand en Amérique* in *Études critiques,* 1903.
G. Chinard: *Chateaubriand en Amérique* in *Modern Philology* (Chicago), 1911.
Sainte-Beuve: *Chateaubriand et son groupe littéraire sous l'Empire,* 2 vols., 1861; also *passim* in *Premiers Lundis, Lundis, Nouveaux Lundis* and *Portraits Contemporains.*
A. Vinet: *Études sur la littérature française, Mme. de Staël et Chateaubriand,* 2 vols., 1849.
E. Faguet: *Dix-neuvième siècle, Études littéraires,* 1887.
J. Lemaître: *Chateaubriand,* 1912.
A. Lescure: *Chateaubriand,* 1892.

ATALA

Prologue

La France possédait autrefois dans l'Amérique septentrionale un vaste empire, qui s'étendait depuis le Labrador jusqu'aux Florides, et depuis les rivages de l'Atlantique jusqu'aux lacs les plus reculés du haut Canada.

Quatre grands fleuves, ayant leurs sources dans les mêmes montagnes, divisaient ces régions immenses: le fleuve Saint-Laurent, qui se perd à l'est dans le golfe de son nom; la rivière de l'Ouest, qui porte ses eaux à des mers inconnues; le fleuve Bourbon, qui se précipite du midi au nord dans la baie d'Hudson, et le Meschacebé, qui tombe du nord au midi dans le golfe du Mexique.

Ce dernier fleuve, dans un cours de plus de mille lieues, arrose une délicieuse contrée, que les habitants des États-Unis appellent le *nouvel Éden*, et à laquelle les Français ont laissé le doux nom de *Louisiane*. Mille autres fleuves, tributaires du Meschacebé, le Missouri, l'Illinois, l'Akanza, l'Ohio, le Wabache, le Tenase, l'engraissent de leur limon et la fertilisent de leurs eaux. Quand tous ces fleuves se sont gonflés des déluges de l'hiver, quand les tempêtes ont abattu des pans entiers de forêts, les arbres déracinés s'assemblent sur les sources. Bientôt la vase les cimente, les lianes les enchaînent, et des plantes, y prenant racine de toutes parts, achèvent de consolider ces débris. Charriés par les vagues écumantes, ils descendent au Meschacebé: le fleuve s'en empare, les pousse au golfe Mexicain, les échoue sur des bancs de sable, et accroît ainsi le nombre de ses embouchures. Par intervalles, il élève sa voix en passant sur les monts, et répand ses eaux débordées autour des colonnades des forêts et des pyramides des tombeaux indiens; c'est le Nil des déserts. Mais la grâce est toujours unie à la magnificence dans les scènes de la nature: tandis que le courant du milieu entraîne vers la mer les cadavres des pins et des chênes, on voit sur les deux courants latéraux remonter, le long des rivages, des îles flottantes de pistia et de nénufar, dont les roses jaunes s'élèvent comme de petits pavillons. Des serpents verts, des hérons bleus, des flamants roses, de jeunes crocodiles, s'embarquent passagers sur ces vaisseaux de fleurs, et la colonie, déployant au vent ses voiles d'or, va aborder endormie dans quelque anse retirée du fleuve.

Les deux rives de Meschacebé présentent le tableau le plus extraordinaire. Sur le bord occidental, des savanes se déroulent à perte de vue; leurs flots de verdure, en s'éloignant, semblent monter dans l'azur du ciel, où ils s'évanouissent. On voit dans ces prairies sans bornes errer à l'aventure des troupeaux de trois ou quatre buffles sauvages. Quelquefois un bison chargé d'années, fendant les flots à la nage, se vient coucher, parmi de hautes herbes, dans une île du Meschacebé. A son front orné de deux croissants, à sa barbe antique et limoneuse, vous le prendriez pour le dieu du fleuve, qui jette un œil satisfait sur la grandeur de ses ondes et la sauvage abondance de ses rives.

Telle est la scène sur le bord occidental; mais elle change sur le bord opposé, et forme avec la première un admirable contraste. Suspendus sur le cours des eaux, groupés sur les rochers et sur les montagnes, dispersés dans les vallées, des arbres de toutes les formes, de toutes les couleurs, de tous les parfums, se mêlent, croissent ensemble, montent dans les airs à des hauteurs qui fatiguent les regards. Les vignes sauvages, les bignonias, les coloquintes, s'entrelacent au pied de ces arbres, escaladent leurs rameaux, grimpent à l'extrémité des branches, s'élancent de l'érable au tulipier, du tulipier à l'alcée, en formant mille grottes, mille voûtes, mille portiques. Souvent, égarées d'arbre en arbre, ces lianes traversent des bras de rivière sur lesquels elles jettent des ponts de fleurs. Du sein de ces massifs le magnolia élève son cône immobile; surmonté de ses larges roses blanches, il domine toute la forêt, et n'a d'autre rival que le palmier, qui balance légèrement auprès de lui ses éventails de verdure.

Une multitude d'animaux placés dans ces retraites par la main du créateur y répandent l'enchantement et la vie. De l'extrémité des avenues on aperçoit des ours, enivrés de raisins, qui chancellent sur les branches des ormeaux; des cariboux se baignent dans un las; des écureuils noirs se jouent dans l'épaisseur des feuillages; des oiseaux moqueurs, des colombes de Virginie, de la grosseur d'un passereau, descendent sur les gazons rougis par les fraises; des perroquets verts à têtes jaunes, des piverts empourprés, des cardinaux de feu, grimpent en circulant au haut des cyprès; des colibris étincellent sur le jasmin des Florides, et des serpents-oiseleurs sifflent suspendus aux dômes des bois en s'y balançant comme des lianes.

Si tout est silence et repos dans les savanes de l'autre côté du fleuve, tout, ici, au contraire, est mouvement et murmure: des coups de bec contre le tronc des chênes, des froissements d'animaux qui marchent, broutent ou broient entre leurs dents les noyaux de fruits; des bruissements d'ondes, de faibles gémissements, de sourds meuglements, de doux roucoulements, remplissent ces déserts d'une tendre et sauvage harmonie. Mais quand une brise vient à animer ces solitudes, à balancer ces corps flottants, à confondre ces masses de blanc, d'azur, de vert, de rose, à mêler toutes les couleurs, à réunir tous les murmures, alors il sort de tels bruits du fond des forêts, il se passe de telles choses aux yeux, que j'essayerais en vain de les décrire à ceux qui n'ont point parcouru ces champs primitifs de la nature.

Après la découverte du Meschacebé par le père Marquette et l'infortuné La Salle, les premiers Français qui s'établirent au Biloxi et à la Nouvelle-Orléans firent alliance avec les Natchez, nation indienne dont la puissance était redoutable dans ces contrées. Des querelles et des jalousies ensanglantèrent dans la suite la terre de l'hospitalité. Il y avait parmi ces sauvages un vieillard nommé *Chactas* qui, par son âge, sa sagesse et sa science dans les choses de la vie, était le patriarche et l'amour des déserts. Comme tous les hommes, il avait acheté la vertu par l'infortune. Non-seulement les forêts du Nouveau-Monde furent remplies de ses malheurs, mais il les porta jusque sur les rivages de la France. Retenu aux galères à Marseille par une cruelle injustice, rendu à la liberté, présenté à Louis XIV, il avait conversé avec les grands hommes de ce siècle et assisté aux fêtes de Versailles, aux tragédies de Racine, aux oraisons funèbres de Bossuet; en un mot, le sauvage avait contemplé la société à son plus haut point de splendeur.

Depuis plusieurs années, rentré dans le sein de sa patrie, Chactas jouissait du repos. Toutefois le ciel lui vendait encore cher cette faveur: le vieillard était devenu aveugle. Une jeune fille l'accompagnait sur les coteaux du Meschacebé, comme Antigone guidait les pas d'Œdipe sur le Cythéron, ou comme Malvina conduisait Ossian sur les rochers de Morven.

Malgré les nombreuses injustices que Chactas avait éprouvées de la part des Français, il les aimait. Il se souvenait toujours de Fénelon, dont il avait été l'hôte, et désirait pouvoir rendre quelque service aux compatriotes de cet homme vertueux. Il s'en présenta une occasion favorable. En 1725, une Français nommé *René,* poussé par des passions et des malheurs, arriva à la Louisiane. Il remonta le Meschacebé jusqu'aux Natchez, et demanda à être reçu guerrier de cette nation. Chactas l'ayant interrogé, et le trouvant inébranlable dans sa résolution l'adopta pour fils, et lui donna pour épouse une Indienne appelée *Céluta.* Peu de temps après ce mariage, les sauvages se préparèrent à la chasse du castor.

Chactas, quoique aveugle, est désigné par le conseil des Sachems pour commander l'expédition, à cause du respect que les tribus indiennes lui portaient. Les prières et les jeûnes commencent; les Jongleurs interprètent les songes; on consulte les Manitous; on fait des sacrifices de petun; on brûle des filets de langue d'original; on examine s'ils pétillent dans la flamme, afin de découvrir la volonté des Génies; on part enfin, après avoir mangé le chien sacré. René est de la troupe. A l'aide de contre-courants, les pirogues remontent le Meschacebé, et entrent dans le lit de l'Ohio. C'est en automne. Les magnifiques déserts du Kentucky se déploient aux yeux étonnés du jeune Français. Une nuit, à la clarté de la lune, tandis que tous les Natchez dorment au fond de leurs pirogues, et que la flotte indienne, élevant ses voiles de peaux de bêtes, fuit devant une légère brise, René, demeuré seul avec Chactas, lui demande le récit de ses aventures. Le vieillard consent à le satisfaire, et, assis avec lui sur la poupe de la pirogue, il commence en ces mots:

LE RÉCIT

Les Chasseurs

"C'est une singulière destinée, mon cher fils, que celle qui nous réunit. Je vois en toi l'homme civilisé qui s'est fait sauvage; tu vois en moi l'homme sauvage que le grand Esprit (j'ignore pour quel dessein) a voulu civiliser. Entrés l'un et l'autre dans la carrière de la vie par les deux bouts opposés, tu es venu te reposer à ma place, et j'ai été m'asseoir à la tienne: ainsi nous avons dû avoir des objets une vue totalement différente. Qui, de toi ou de moi, a le plus gagné ou le plus perdu à ce changement de position? C'est ce que savent les Génies, dont le moins savant a plus de sagesse que tous les hommes ensemble.

"A la prochaine lune des fleurs, il y aura sept fois dix neiges, et trois neiges de plus, que ma mère me mit au monde sur les bords du Meschacebé. Les Espagnols s'étaient depuis peu établis dans la baie de Pensacola, mais aucun blanc n'habitait encore la Louisiane. Je comptais à peine dix-sept chutes de feuilles lorsque je marchai avec mon père, le guerrier Outalissi, contre les Muscogulges, nation puissante des Florides. Nous nous joignîmes aux Espagnols nos alliés, et le combat se donna sur une des branches de la Maubile. Areskoui et les Manitous ne nous furent pas favorables. Les ennemis triomphèrent: mon père perdit la vie; je fus blessé deux fois en le défendant. Oh! que ne descendis-je alors dans le pays des âmes! J'aurais évité les malheurs qui m'attendaient sur la terre. Les Esprits en ordonnèrent autrement: je fus entraîné par les fuyards à Saint-Augustin.

"Dans cette ville, nouvellement bâtie par les Espagnols, je courais le risque d'être enlevé pour les mines de Mexico, lorsqu'un vieux Castillan nommé *Lopez*, touché de ma jeunesse et de ma simplicité, m'offrit un asile et me présenta à une sœur avec laquelle il vivait sans épouse.

"Tous les deux prirent pour moi les sentiments les plus tendres. On m'éleva avec beaucoup de soin; on me donna toutes sortes de maîtres. Mais, après avoir passé trente lunes à Saint-Augustin, je fus saisi du dégoût de la vie des cités. Je dépérissais à vue d'œil: tantôt je demeurais immobile pendant des heures à contempler la cime de lointaines forêts; tantôt on me trouvait assis au bord d'un fleuve, que je regardais tristement couler. Je me peignais les bois à travers lesquels cette onde avait passé, et mon âme était tout entière à la solitude.

"Ne pouvant plus résister à l'envie de retourner au désert, un matin je me présentai à Lopez, vêtu de mes habits de sauvage, tenant d'une main mon arc et mes flèches et de l'autre mes vêtements européens. Je les remis à mon généreux protecteur, aux pieds duquel je tombai en versant des torrents de larmes. Je me donnai des noms odieux; je m'accusais d'ingratitude: 'Mais enfin, lui dis-je, ô mon père! tu le vois toi-même: je meurs si je ne reprends la vie de l'Indien.'

"Lopez, frappé d'étonnement, voulut me détourner de mon dessein. Il me représenta les dangers que j'allais courir en m'exposant à tomber de nouveau entre les mains des Muscogulges. Mais, voyant que j'étais résolu à tout entreprendre, fondant en pleurs et me serrant dans ses bras: 'Va, s'écria-t-il, enfant de la nature! Reprends cette indépendance de l'homme que Lopez ne te veut point ravir. Si j'étais plus jeune moi-même, je t'accompagnerais au désert (où j'ai aussi de doux souvenirs!), et je te remettrais dans les bras de ta mère. Quand tu seras dans tes forêts, songe quelquefois à ce vieil Espagnol qui te donna l'hospitalité, et rappelle-toi, pour te porter à l'amour de tes semblables, que la première expérience que tu as faite du cœur humain a été toute en sa faveur.' Lopez finit par une prière au Dieu des chrétiens, dont j'avais refusé d'embrasser le culte, et nous nous quittâmes avec des sanglots.

"Je ne tardai pas à être puni de mon ingratitude. Mon inexpérience m'égara dans les bois, et je fus pris par un parti de Muscogulges et de Siminoles, comme Lopez me l'avait prédit. Je fus reconnu pour Natchez à mon vêtement et aux plumes qui ornaient ma tête. On m'enchaîna, mais légèrement, à cause de ma jeunesse. Simaghan, le chef de la troupe, voulut savoir mon nom; je répondis: 'Je m'appelle *Chactas,* fils d'Outalissi, fils de Miscou, qui ont enlevé plus de cent chevelures aux héros muscogulges.' Simaghan me dit: 'Chactas, fils d'Outalissi, fils de Miscou, réjouis-toi: tu seras brûlé au grand village.' Je repartis: 'Voilà qui va bien;' et j'entonnai ma chanson de mort.

"Tout prisonnier que j'étais, je ne pouvais, durant les premiers jours, m'empêcher d'admirer mes ennemis. Le Muscogulge, et surtout son allié, le Siminole, respire la gaieté, l'amour, le contentement. Sa démarche est légère, son abord ouvert et serein. Il parle beaucoup et avec volubilité; son langage est harmonieux et facile. L'âge même ne peut ravir aux Sachems cette simplicité joyeuse: comme les vieux oiseaux de nos bois, ils mêlent encore leurs vieilles chansons aux airs nouveaux de leur jeune postérité.

"Les femmes qui accompagnaient la troupe témoignaient pour ma jeunesse une pitié tendre et une curiosité aimable. Elles me questionnaient sur ma mère, sur les premiers jours de ma vie; elles voulaient savoir si l'on suspendait mon berceau de mousse aux branches fleuries des érables, si les brises m'y balançaient auprès du nid des petits oiseaux. C'étaient ensuite mille autres questions sur l'état de mon cœur: elles me demandaient si j'avais vu une biche blanche dans mes songes et si les arbres de la vallée secrète m'avaient conseillé d'aimer. Je répondais avec naïveté aux mères, aux filles et aux épouses des hommes. Je leur disais: 'Vous êtes les grâces du jour, et la nuit vous aime comme la rosée. L'homme sort de votre sein pour se suspendre à votre mamelle et à votre bouche; vous savez des paroles magiques qui endorment toutes les douleurs. Voilà ce que m'a dit celle qui m'a mis au monde, et qui ne me reverra plus! Elle m'a dit encore que les vierges étaient des fleurs mystérieuses, qu'on trouve dans les lieux solitaires.'

"Ces louanges faisaient beaucoup de plaisir aux femmes: elles me comblaient de toutes sortes de dons; elles m'apportaient de la crème de noix, du sucre d'érable, de la sagamité, des jambons d'ours, des peaux de castor, des coquillages pour me parer et des mousses pour ma couche. Elles chantaient, elles riaient avec moi, et puis elles se prenaient à verser des larmes en songeant que je serais brûlé.

"Une nuit que les Muscogulges avaient placé leur camp sur le bord d'une forêt, j'étais assis auprès du *feu de la guerre,* avec le chasseur commis à ma garde. Tout à coup j'entendis le murmure d'un vêtement sur l'herbe, et une femme à demi voilée vint s'asseoir à mes côtés. Des pleurs roulaient sous sa paupière; à la lueur du feu, un petit crucifix d'or brillait sur son sein. Elle était régulièrement belle; l'on remarquait sur son visage je ne sais quoi de vertueux et de passionné dont l'attrait était irrésistible. Elle joignait à cela des grâces plus tendres: une extrême sensibilité unie à une mélancolie profonde respirait dans ses regards; son sourire était céleste.

"Je crus que c'était la *Vierge des dernières amours,* cette vierge qu'on envoie au prisonnier de guerre pour enchanter sa tombe. Dans cette persuasion, je lui dis en balbutiant et avec un trouble qui pourtant ne venait pas de la crainte du bûcher: 'Vierge, vous êtes digne des premières amours, et vous n'êtes pas faite pour les dernières. Les mouvements d'un cœur qui va bientôt cesser de battre répondraient mal aux mouvements du vôtre. Comment mêler la mort et la vie? Vous me feriez trop regretter le jour. Qu'un autre soit plus heureux que moi, et que de longs embrassements unissent la liane et le chêne!'

"La jeune fille me dit alors: 'Je ne suis point la *Vierge des dernières amours.* Es-tu chrétien?' Je répondis que je n'avais point trahi les Génies de ma cabane. A ces mots l'Indienne fit un mouvement involontaire. Elle me dit: 'Je te plains de n'être qu'un méchant idolâtre. Ma mère m'a faite chrétienne; je me nomme *Atala,* fille de Simaghan aux bracelets d'or et chef des guerriers de cette troupe. Nous nous rendons à Apalachucla, où tu seras brûlé.' En prononçant ces mots, Atala se lève et s'éloigne."

Ici Chactas fut contraint d'interrompre son récit. Les souvenirs se pressèrent en foule dans son âme; ses yeux éteints inondèrent de larmes ses joues flétries: telles deux sources cachées dans la profonde nuit de la terre se décèlent par les eaux qu'elles laissent filtrer entre les rochers.

"O mon fils! reprit-il enfin: tu vois que Chactas est bien peu sage, malgré sa renommée de sagesse! Hélas! mon cher enfant, les hommes ne peuvent déjà plus voir, qu'ils peuvent encore pleurer! Plusieurs jours s'écoulèrent; la fille du Sachem revenait chaque soir me parler. Le sommeil avait fui de mes yeux, et Atala était dans mon cœur comme le souvenir de la couche de mes pères.

"Le dix-septième jour de marche, vers le temps où l'éphémère sort des eaux, nous entrâmes sur la grande savane Alachua. Elle est environnée de coteaux qui fuyant les uns derrière les autres, portent, en s'élevant jusqu'aux nues, des forêts étagées de copalmes, de citronniers, de magnolias et de chênes verts. Le chef poussa le cri d'arrivée, et la troupe campa aux pieds des collines. On me relégua à quelque distance, au bord d'un de ces *puits naturels* si fameux dans les Florides J'étais attaché au pied d'un arbre; un guerrier veillait impatiemment auprès de moi. J'avais à peine passé quelques instants dans ce lieu, qu'Atala parut sous les liquidambars de la fontaine. 'Chasseur, dit-elle au héros muscogulge, si tu veux poursuivre le chevreuil, je garderai le prisonnier.' Le guerrier bondit de joie à cette parole de la fille du chef; il s'élance du sommet de la colline, et allonge ses pas dans la plaine.

"Étrange contradiction du cœur de l'homme! Moi qui avais tant désiré de dire les choses du mystère à celle que j'aimais déjà comme le soleil, maintenant interdit et confus, je crois que j'eusse préféré d'être jeté aux crocodiles de la fontaine à me trouver seul ainsi avec Atala. La fille du désert était aussi troublée que son prisonnier; nous gardions un profond silence; les Génies de l'amour avaient dérobé nos paroles. Enfin Atala, faisant un effort, dit ceci: 'Guerrier, vous êtes retenu faiblement; vous pouvez aisément vous échapper.' A ces mots, la hardiesse revint sur ma langue; je répondis: 'Faiblement retenu, ô femme!' Je ne sus comment achever. Atala hésita quelques moments, puis elle dit: 'Sauvez-vous.' Et elle me détacha du tronc de l'arbre. Je saisis la corde, je la remis dans la main de la fille étrangère, en forçant ses beaux doigts à se fermer sur ma chaîne. 'Reprenez-la! reprenez-la!' m'écriai-je. —'Vous êtes un insensé, dit Atala d'une voix émue.

Malheureux! ne sais-tu pas que tu seras brûlé? Que prétends-tu? Songes-tu bien que je suis la fille d'un redoutable Sachem?'—'Il fut un temps, répliquai-je avec des larmes, que j'étais aussi porté dans une peau de castor aux épaules d'une mère. Mon père avait aussi une belle hutte, et ses chevreuils buvaient les eaux de mille torrents; mais j'erre maintenant sans patrie. Quand je ne serai plus, aucun ami ne mettra un peu d'herbe sur mon corps pour le garantir des mouches. Le corps d'un étranger malheureux n'intéresse personne.'

"Ces mots attendrirent Atala. Ses larmes tombèrent dans la fontaine. 'Ah! repris-je avec vivacité, si votre cœur parlait comme le mien! Le désert n'est-il pas libre? Les forêts n'ont-elles point de replis où nous cacher? Faut-il donc, pour être heureux, tant de choses aux enfants des cabanes! O fille plus belle que le premier songe de l'époux! ô ma bien-aimée! ose suivre mes pas.' Telles furent mes paroles. Atala me répondit d'une voix tendre: 'Mon jeune ami, vous avez appris le langage des blancs; il est aisé de tromper une Indienne.'—'Quoi! m'écriai-je, vous m'appelez votre jeune ami! Ah! si un pauvre esclave. . .'—'Eh bien, dit-elle en se penchant sur moi, un pauvre esclave. . .' Je repris avec ardeur: 'Qu'un baiser l'assure de ta foi!' Atala écouta ma prière. Comme un faon semble pendre aux fleurs de lianes roses, qu'il saisit de sa langue délicate dans l'escarpement de la montagne, ainsi je restai suspendu aux lèvres de ma bien-aimée.

"Hélas! mon cher fils, la douleur touche de près au plaisir! Qui eût pu croire que le moment où Atala me donnait le premier gage de son amour serait celui-là même où elle détruirait mes espérances? Cheveux blanchis du vieux Chactas, quel fut votre étonnement lorsque la fille du Sachem prononça ces paroles: 'Beau prisonnier, j'ai follement cédé à ton désir; mais où nous conduira cette passion? Ma religion me sépare de toi pour toujours. . . . O ma mère! qu'as-tu fait?. . . Atala se tut tout à coup, et retint je ne sus quel fatal secret près d'échapper à ses lèvres. Ses paroles me plongèrent dans le désespoir. 'Eh bien! m'écriai-je, je serai aussi cruel que vous: je ne fuirai point. Vous me verrez dans le cadre de feu; vous entendrez les gémissements de ma chair et vous serez pleine de joie.' Atala saisit mes mains entre les deux siennes. 'Pauvre jeune idolâtre, s'écria-t-elle, tu me fais réellement pitié! Tu veux donc que je pleure tout mon cœur? Quel dommage que je ne puisse fuir avec toi! Malheureux a été le ventre de ta mère, ô Atala! Que ne te jettes-tu au crocodile de la fontaine?'

"Dans ce moment même, les crocodiles, aux approches du coucher du soleil, commençaient à faire entendre leurs rugissements. Atala me dit: 'Quittons ces lieux.' J'entraînai la fille de Simaghan au pied des coteaux qui formaient des golfes de verdure en avançant leurs promontoires dans la savane. Tout était calme et superbe au désert. La cigogne criait sur son nid; les bois retentissaient du chant monotone des cailles, du sifflement des perruches, du mugissement des bisons et du hennissement des cavales siminoles.

"Notre promenade fut presque muette. Je marchais à côté d'Atala; elle tenait le bout de la corde que je l'avais forcée de reprendre. Quelquefois nous versions des pleurs, quelquefois nous essayions de sourire. Un regard tantôt levé vers le ciel, tantôt attaché à la terre, une oreille attentive au chant de l'oiseau, un geste vers le soleil couchant, une main tendrement serrée, un sein tour à tour palpitant, tour à tour tranquille, les noms de Chactas et d'Atala doucement répétés par intervalles. . . . O première promenade de l'amour! il faut que votre souvenir soit bien puissant, puisque après tant d'années d'infortune vous remuez encore le cœur du vieux Chactas !

"Qu'ils sont incompréhensibles les mortels agités par des passions ! Je venais d'abandonner le généreux Lopez, je venais de m'exposer à tous les dangers pour être libre : dans un instant le regard d'une femme avait changé mes goûts, mes résolutions, mes pensées ! Oubliant mon pays, ma mère, ma cabane et la mort affreuse qui m'attendait, j'étais devenu indifférent à tout ce qui n'était pas Atala. Sans force pour m'élever à la raison de l'homme, j'étais retombé tout à coup dans une espèce d'enfance ; et loin de pouvoir rien faire pour me soustraire aux maux qui m'attendaient, j'aurais eu presque besoin qu'on s'occupât de mon sommeil et de ma nourriture.

"Ce fut donc vainement qu'après nos courses dans la savane, Atala, se jetant à mes genoux, m'invita de nouveau à la quitter. Je lui protestai que je retournerais seul au camp si elle refusait de me rattacher au pied de mon arbre. Elle fut obligée de me satisfaire, espérant me convaincre une autre fois.

"Le lendemain de cette journée, qui décida du destin de ma vie, on s'arrêta dans une vallée, non loin de Culcowila, capitale des Siminoles. Ces Indiens, unis aux Muscogulges, forment avec eux la confédération des Creecks. La fille du pays des palmiers vint me trouver au milieu de la nuit. Elle me conduisit dans une grande forêt de pins, et renouvela ses prières pour m'engager à la fuite. Sans lui répondre, je pris sa main dans ma main, et je forçai cette biche altérée d'errer avec moi dans la forêt. La nuit était délicieuse. Le Génie des airs secouait sa chevelure bleue, embaumée de la senteur des pins, et l'on respirait la faible odeur d'ambre qu'exalaient les crocodiles couchés sous les tamarins des fleuves. La lune brillait au milieu d'un azur sans tache, et sa lumière gris de perle descendait sur la cime indéter minée des forêts. Aucun bruit ne se faisait entendre, hor je ne sais quelle harmonie lointaine qui régnait dans l profondeur des bois: on eût dit que l'âme de la solitud soupirait dans toute l'étendue du désert.

"Nous aperçûmes à travers les arbres un jeune homm qui, tenant à la main un flambeau, ressemblait au Géni du printemps parcourant les forêts pour ranimer l nature; c'était un amant qui allait s'instruire de son sor à la cabane de sa maîtresse.

"Si la vierge éteint le flambeau, elle accepte les vœux offerts; si elle se voile sans l'éteindre, elle rejette u époux.

"Le guerrier, en se glissant dans les ombres, chantait à demi-voix ces paroles:

" 'Je devancerai les pas du jour sur le sommet des montagnes pour chercher ma colombe solitaire parmi les chênes de la forêt.

" 'J'ai attaché à son cou un collier de porcelaines; on y voit trois grains rouges pour mon amour, trois violets pour mes craintes, trois bleus pour mes espérances.

" 'Mila a les yeux d'une hermine et la chevelure légère d'un champ de riz; sa bouche est un coquillage rose garni de perles; ses deux seins sont comme deux petits chevreaux sans tache, nés au même jour, d'une seule mère.

" 'Puisse Mila éteindre ce flambeau! Puisse sa bouche verser sur lui une ombre voluptueuse! Je fertiliserai son sein. L'espoir de la patrie pendra à sa mamelle féconde, et je fumerai mon calumet de paix sur le berceau de mon fils.

" 'Ah! laissez-moi devancer les pas du jour sur le sommet des montagnes pour chercher ma colombe solitaire parmi les chênes de la forêt!'

"Ainsi chantait ce jeune homme, dont les accents portèrent le trouble jusqu'au fond de mon âme et firent changer de visage à Atala. Nos mains unies frémirent l'une dans l'autre. Mais nous fûmes distraits de cette scène par une scène non moins dangereuse pour nous.

"Nous passâmes auprès du tombeau d'un enfant, qui servait de limites à deux nations. On l'avait placé au bord du chemin, selon l'usage, afin que les jeunes femmes, en allant à la fontaine, pussent attirer dans leur sein l'âme de l'innocente créature et la rendre à la patrie. On y voyait dans ce moment des épouses nouvelles qui, désirant les douceurs de la maternité, cherchaient en entr'ouvrant leurs lèvres, à recueillir l'âme du petit enfant, qu'elles croyaient voir errer sur les fleurs. La véritable mère vint ensuite déposer une gerbe de maïs et des fleurs de lis blanc sur le tombeau. Elle arrosa la terre de son lait, s'assit sur le gazon humide et parla à son enfant d'une voie attendrie:

"'Pourquoi te pleuré-je dans ton berceau de terre, ô mon nouveau-né! Quand le petit oiseau devient grand, il faut qu'il cherche sa nourriture, et il trouve dans le désert bien des graines amères. Du moins tu as ignoré les pleurs; du moins ton cœur n'a point été exposé au souffle dévorant des hommes. Le bouton qui sèche dans son enveloppe passe avec tous ses parfums, comme toi, ô mon fils! avec toute ton innocence. Heureux ceux qui meurent au berceau; ils n'ont connu que les baisers et les sourires d'une mère!'

"Déjà subjugués par notre propre cœur, nous fûmes accablés par ces images d'amour et de maternité, qui semblaient nous poursuivre dans ces solitudes enchantées. J'emportai Atala dans mes bras au fond de la forêt, et je lui dis des choses qu'aujourd'hui je chercherais en vain sur mes lèvres. Le vent du midi, mon cher fils, perd sa chaleur en passant sur des montagnes de glace. Les souvenirs de l'amour dans le cœur d'un vieillard sont comme les feux du jour réfléchis par l'orbe paisible de la lune, lorsque le soleil est couché et que le silence plane sur la hutte des sauvages.

"Qui pouvait sauver Atala? qui pouvait l'empêcher de succomber à la nature? Rien qu'un miracle, sans doute; et ce miracle fut fait! La fille de Simaghan eut recours au Dieu des chrétiens; elle se précipita sur la terre, et prononça une fervente oraison, adressée à sa mère et à la Reine des vierges. C'est de ce moment, ô René! que j'ai conçu une merveilleuse idée de cette religion qui dans les forêts, au milieu de toutes les privations de la vie, peut remplir de mille dons les infortunés; de cette religion qui, opposant sa puissance au torrent des passions, suffit seule pour les vaincre, lorsque tout les favorise, et le secret des bois, et l'absence des hommes, et la fidélité des ombres. Ah! qu'elle me parut divine, la simple sauvage, l'ignorante Atala, qui à genoux devant un vieux pin tombé, comme au pied d'un autel, offrait à son Dieu des vœux pour un amant idolâtre! Ses yeux levés vers l'astre de la nuit, ses joues brillantes des pleurs de la religion et de l'amour, étaient d'une beauté immortelle. Plusieurs fois il me sembla qu'elle allait prendre son vol vers les cieux, plusieurs fois je crus voir descendre sur les rayons de la lune et entendre dans les branches des arbres ces Génies que le Dieu des chrétiens envoie aux ermites des rochers, lorsqu'il se dispose à les rappeler à lui. J'en fus affligé, car je craignis qu'Atala n'eût que peu de temps à passer sur la terre.

"Cependant elle versa tant de larmes, elle se montra si malheureuse, que j'allais peut-être consentir à m'éloigner, lorsque le cri de mort retentit dans la forêt. Quatre hommes armés se précipitent sur moi: nous avions été découverts, le chef de guerre avait donné l'ordre de nous poursuivre.

"Atala, qui ressemblait à une reine pour l'orgueil de

la démarche, dédaigna de parler à ces guerriers. Elle leur lança un regard superbe, et se rendit auprès de Simaghan.

"Elle ne put rien obtenir. On redoubla mes gardes, on multiplia mes chaînes, on écarta mon amante. Cinq nuits s'écoulent, et nous apercevons Apalachucla, situé au bord de la rivière Chata-Uche. Aussitôt on me couronne de fleurs; on me peint le visage d'azur et de vermillon; on m'attache des perles au nez et aux oreilles et l'on me met à la main un chichikoué.

"Ainsi paré pour le sacrifice, j'entre dans Apalachucla aux cris répétés de la foule. C'en était fait de ma vie, quand tout à coup le bruit d'une conque se fait entendre, et le Mico, ou chef de la nation, ordonne de s'assembler.

"Tu connais, mon fils, les tourments que les sauvages font subir aux prisonniers de guerre. Les missionnaires chrétiens, au péril de leurs jours et avec une charité infatigable, étaient parvenus chez plusieurs nations à faire substituer un esclavage assez doux aux horreurs du bûcher. Les Muscogulges n'avaient point encore adopté cette coutume, mais un parti nombreux s'était déclaré en sa faveur. C'était pour prononcer sur cette importante affaire que le Mico convoquait les Sachems. On me conduit au lieu des délibérations.

"Non loin d'Apalachucla s'élevait, sur un tertre isolé, le pavillon du conseil. Trois cercles de colonnes formaient l'élégante architecture de cette rotonde. Les colonnes étaient de cyprès poli et sculpté; elles augmentaient en hauteur et en épaisseur et diminuaient en nombre à mesure qu'elles se rapprochaient du centre, marqué par un pilier unique. Du sommet de ce pilier partaient des bandes d'écorce, qui, passant sur le sommet des autres colonnes, couvraient le pavillon en forme d'éventail à jour.

"Le conseil s'assemble. Cinquante vieillards, en manteau de castor, se rangent sur des espèces de gradins faisant face à la porte du pavillon. Le grand chef est assis au milieu d'eux, tenant à la main le calumet de paix à demi coloré pour la guerre. A la droite des vieillards se placent cinquante femmes couvertes d'une robe de plumes de cygne. Les chefs de guerre, le tomahawk à la main, le pennage en tête, les bras et la poitrine teints de sang, prennent la gauche.

Au pied de la colonne centrale brûle le feu du conseil. Le premier Jongleur, environné des huit gardiens du temple, vêtu de longs habits et portant un hibou empaillé sur la tête, verse du baume de copalme sur la flamme et offre un sacrifice au soleil. Ce triple rang de vieillards, de matrones, de guerriers; ces prêtres, ces nuages d'encens, ce sacrifice, tout sert à donner à ce conseil un appareil imposant.

"J'étais debout enchaîné au milieu de l'assemblée. Le sacrifice achevé, le Mico prend la parole et expose avec simplicité l'affaire qui rassemble le conseil. Il jette un collier bleu dans la salle en témoignage de ce qu'il vient de dire.

"Alors un Sachem de la tribu de l'Aigle se lève et parle ainsi.

" 'Mon père le Mico, Sachems, matrones, guerriers des quatre tribus de l'Aigle, du Castor, du Serpent et de la Tortue, ne changeons rien aux mœurs de nos aïeux; brûlons le prisonnier, et n'amollissons point nos courages. C'est une coutume des blancs qu'on vous propose, elle ne peut être que pernicieuse. Donnez un collier rouge qui contienne mes paroles. J'ai dit.'

"Et il jette un collier rouge dans l'assemblée.

"Une matrone se lève et dit:

" 'Mon père l'Aigle, vous avez l'esprit d'un renard et la prudente lenteur d'une tortue. Je veux polir avec vous la chaîne d'amitié, et nous planterons ensemble l'arbre de paix. Mais changeons les coutumes de nos aïeux en ce qu'elles ont de funeste. Ayons des esclaves qui cultivent nos champs, et n'entendons plus les cris des prisonniers, qui troublent le sein des mères. J'ai dit.'

"Comme on voit les flots de la mer se briser pendant un orage, comme en automne les feuilles séchées sont enlevées par un tourbillon, comme les roseaux du Meschacebé plient et se relèvent dans une inondation subite, comme un grand troupeau de cerfs brame au fond d'une forêt, ainsi s'agitait et murmurait le conseil. Des Sachems, des guerriers, des matrones parlent tour à tour ou tous ensemble. Les intérêts se choquent, les opinions se divisent, le conseil va se dissoudre, mais enfin l'usage antique l'emporte et je suis condamné au bûcher.

"Une circonstance vint retarder mon supplice: la *Fête des morts* ou *Festin des âmes* approchait. Il est d'usage de ne faire mourir aucun captif pendant les jours consacrés à cette cérémonie. On me confia à une garde sévère, et sans doute les Sachems éloignèrent la fille de Simaghan, car je ne la revis plus.

"Cependant les nations de plus de trois cents lieues à la ronde arrivaient en foule pour célébrer le *Festin des âmes.* On avait bâti une longue hutte sur un site écarté. Au jour marqué, chaque cabane exhuma les restes de ses pères de leurs tombeaux particuliers, et l'on suspendit les squelettes, par ordre et par famille, aux murs de la *Salle commune des aïeux.* Les vents (une tempête s'était élevée), les forêts, les cataractes mugissaient au dehors, tandis que les vieillards des diverses nations concluaient entre eux des traités de paix et d'alliance sur les os de leurs pères.

"On célèbre les jeux funèbres, la course, la balle, les osselets. Deux vierges cherchent à s'arracher une baguette de saule. Les boutons de leurs seins viennent se toucher; leurs mains voltigent sur la baguette, qu'elles élèvent au-dessus de leurs têtes. Leurs beaux pieds nus s'entrelacent, leurs bouches se rencontrent, leurs douces haleines se confondent; elles se penchent et mêlent leurs chevelures; elles regardent leurs mères, rougissent: on applaudit. Le Jongleur invoque Michabou, génie des eaux. Il raconte les guerres du grand Lièvre contre Matchimanitou, dieu du mal. Il dit le premier homme et Atahensic la première femme précipités du ciel pour avoir perdu l'innocence, la terre rougie du sang fraternel, Jouskeka l'impie immolant le juste Tahouistsaron, le déluge descendant à la voix du grand Esprit, Massou sauvé seul dans son canot d'écorce, et le corbeau envoyé à la découverte de la terre; il dit encore la belle Endaé, retirée de la contrée des âmes par les douces chansons de son époux.

"Après ces jeux et ces cantiques, on se prépare à donner aux aïeux une éternelle sépulture.

"Sur les bords de la rivière Chata-Uche se voyait un figuier sauvage, que le culte des peoples avait consacré. Les vierges avaient accoutumé de laver leurs robes d'écorce dans ce lieu et de les exposer au souffle du désert, sur les rameaux de l'arbre antique. C'était là qu'on avait creusé un immense tombeau. On part de la salle funèbre en chantant l'hymne à la mort, chaque famille porte quelques débris sacrés. On arrive à la tombe, on y descend les reliques; on les y étend par couches, on les sépare avec des peaux d'ours et de castor; le mont du tombeau s'élève, et l'on y plante l'*Arbre des pleurs et du sommeil.*

"Plaignons les hommes, mon cher fils! Ces mêmes Indiens dont les coutumes sont si touchantes, ces mêmes femmes qui m'avaient témoigné un intérêt si tendre, demandaient maintenant mon supplice à grands cris, et des nations entières retardaient leur départ pour avoir le plaisir de voir un jeune homme souffrir des tourments épouvantables.

Dans une vallée au nord, à quelque distance du grand village, s'élevait un bois de cyprès et de sapins, appelé le *Bois du sang.* On y arrivait par les ruines d'un de ces monuments dont on ignore l'origine, et qui sont l'ouvrage d'un peuple maintenant inconnu. Au centre de ce bois s'étendait une arène où l'on sacrifiait les prisonniers de guerre. On m'y conduit en triomphe. Tout se prépare pour ma mort: on plante le poteau d'Areskoui; les pins, les ormes, les cyprès tombent sous la cognée; le bûcher s'élève; les spectateurs bâtissent des amphithéâtres avec des branches et des troncs d'arbres. Chacun invente un supplice: l'un se propose de m'arracher la peau du crâne, l'autre de me brûler les yeux avec des haches ardentes. Je commence ma chanson de mort:

" 'Je ne crains point les tourments: je suis brave, ô Muscogulges! Je vous défie; je vous méprise plus que des femmes. Mon père Outalissi, fils de Miscou, a bu dans le crâne de vos plus fameux guerriers; vous n'arracherez pas un soupir de mon cœur.'

"Provoqué par ma chanson, un guerrier me perça le bras d'une flèche; je dis: 'Frère, je te remercie.'

"Malgré l'activité des bourreaux, les préparatifs du supplice ne purent être achevés avant le coucher du soleil. On consulta le Jongleur, qui défendit de troubler les Génies des ombres, et ma mort fut encore suspendue jusqu'au lendemain. Mais, dans l'impatience de jouir du spectacle et pour être plus tôt prêts au lever de l'aurore, les Indiens ne quittèrent point le *Bois du sang;* ils allumèrent de grands feux et commencèrent des festins et des danses.

"Cependant on m'avait étendu sur le dos. Des cordes partant de mon cou, de mes pieds, de mes bras, allaient s'attacher à des piquets enfoncés en terre. Des guerriers étaient couchés sur ces cordes, et je ne pouvais faire un mouvement sans qu'ils n'en fussent avertis. La nuit s'avance: les chants et les danses cessent par degrés; les feux ne jettent plus que des lueurs rougeâtres, devant lesquelles on voit encore passer les ombres de quelques sauvages; tout s'endort: à mesure que le bruit des hommes s'affaiblit, celui du désert augmente, et au tumulte des voix succèdent les plaintes du vent dans la forêt.

"C'était l'heure où une jeune Indienne qui vient d'être mère se réveille en sursaut au milieu de la nuit, car elle a cru entendre les cris de son premier-né, qui lui demande la douce nourriture. Les yeux attachés au ciel, où le croissant de la nuit errait dans les nuages, je réfléchissais sur ma destinée. Atala me semblait un monstre d'ingratitude: m'abandonner au moment du supplice, moi qui m'étais dévoué aux flammes plutôt que de la quitter! Et pourtant je sentais que je l'aimais toujours et que je mourrais avec joie pour elle.

"Il est dans les extrêmes plaisirs un aiguillon qui nous éveille, comme pour nous avertir de profiter de ce moment rapide; dans les grandes douleurs, au contraire, je ne sais quoi de pesant nous endort: des yeux fatigués par les larmes cherchent naturellement à se fermer, et la bonté de la Providence se fait ainsi remarquer jusque dans nos infortunes. Je cédai malgré moi à ce lourd sommeil que goûtent quelquefois les misérables. Je rêvais qu'on m'ôtait mes chaînes; je croyais sentir ce soulagement qu'on éprouve lorsque, après avoir été fortement pressé, une main secourable relâche nos fers.

"Cette sensation devint si vive qu'elle me fit soulever les paupières. A la clarté de la lune, dont un rayon s'échappait entre deux nuages, j'entrevois une grande figure blanche penchée sur moi et occupée à dénouer silencieusement mes liens. J'allais pousser un cri, lorsqu'une main, que je reconnus à l'instant, me ferma la bouche. Une seule corde restait, mais il paraissait impossible de la couper sans toucher un guerrier qui la couvrait tout entière de son corps. Atala y porte la main; le guerrier s'éveille à demi, et se dresse sur son séant. Atala reste immobile et le regarde. L'Indien croit voir l'Esprit des ruines; il se recouche en fermant les yeux et en invoquant son Manitou. Le lien est brisé. Je me lève; je suis ma libératrice, qui me tend le bout d'un arc dont elle tient l'autre extrémité. Mais que de dangers nous environnent! Tantôt nous sommes prêts de heurter des sauvages endormis; tantôt une garde nous interroge, et Atala répond en changeant sa voix. Des enfants poussent des cris, des dogues aboient. A peine sommes-nous sortis de l'enceinte funeste, que des hurlements ébranlent la forêt. Le camp se réveille, mille feux s'allument, on voit courir de tous côtés des sauvages avec des flambeaux: nous précipitons notre course.

"Quand l'aurore se leva sur les Apalaches, nous étions déjà loin. Quelle fut ma félicité lorsque je me trouvai encore une fois dans la solitude avec Atala, avec Atala ma libératrice, avec Atala qui se donnait à moi pour toujours! Les paroles manquèrent à ma langue; je tombai à genoux, et je dis à la fille de Simaghan: 'Les hommes sont bien peu de chose; mais quand les Génies les visitent, alors ils ne sont rien du tout. Vous êtes un Génie, vous m'avez visité, et je ne puis parler devant vous.' Atala me tendit la main avec un sourire: 'Il faut bien, dit-elle, que je vous suive, puisque vous ne voulez pas fuir sans moi. Cette nuit, j'ai séduit le Jongleur par des présents, j'ai enivré vos bourreaux avec de l'essence de feu, et j'ai dû hasarder ma vie pour vous, puisque vous aviez donné la vôtre pour moi. Oui, jeune idolâtre, ajouta-t-elle avec un accent qui m'effraya, le sacrifice sera réciproque.'

"Atala me remit les armes qu'elle avait eu soin d'apporter, ensuite elle pansa ma blessure. En l'essuyant avec une feuille de papaya, elle la mouillait de ses larmes. 'C'est un baume, lui dis-je, que tu répands sur ma plaie.—Je crains plutôt que ce ne soit un poison,' répondit-elle. Elle déchira un des voiles de son sein, dont elle fit une première compresse, qu'elle attacha avec une boucle de ses cheveux.

"L'ivresse, qui dure longtemps chez les sauvages et qui est pour eux une espèce de maladie, les empêcha sans doute de nous poursuivre durant les premières journées. S'ils nous cherchèrent ensuite, il est probable que ce fut du côté du couchant, persuadés que nous aurions essayé de nous rendre au Meschacebé; mais nous avions pris notre route vers l'étoile immobile, en nous dirigeant sur la mousse du tronc des arbres.

"Nous ne tardâmes pas à nous apercevoir que nous avions peu gagné à ma délivrance. Le désert déroulait maintenant devant nous ses solitudes démesurées. Sans expérience de la vie des forêts, détournés de notre vrai chemin et marchant à l'aventure, qu'allions-nous devenir? Souvent, en regardant Atala, je me rappelais cette antique histoire d'Agar, que Lopez m'avait fait lire, et qui est arrivée dans le désert de Bersabée, il y a bien longtemps, alors que les hommes vivaient trois âges de chêne.

"Atala me fit un manteau avec la seconde écorce du frêne, car j'étais presque nu. Elle me broda des mocassines de peau de rat musqué avec du poil de porc-épic. Je prenais soin à mon tour de sa parure. Tantôt je lui mettais sur la tête une couronne de ces mauves bleues que nous trouvions sur notre route dans des cimetières indiens abandonnés; tantôt je lui faisais des colliers avec des graines rouges d'azalea, et puis je me prenais à sourire en contemplant sa merveilleuse beauté.

"Quand nous rencontrions un fleuve, nous le passions sur un radeau ou à la nage. Atala appuyait une de ses mains sur mon épaule, et, comme deux cygnes voyageurs, nous traversions ces ondes solitaires.

"Souvent, dans les grandes chaleurs du jour, nous cherchions un abri sous les mousses des cèdres. Presque tous les arbres de la Floride, en particulier le cèdre et le chêne vert, sont couverts d'une mousse blanche qui descend de leurs rameaux jusqu'à terre. Quand la nuit, au clair de la lune, vous apercevez sur la nudité d'une savane une yeuse isolée revêtue de cette draperie, vous croiriez voir un fantôme traînant après lui ses longs voiles. La scène n'est pas moins pittoresque au grand jour, car une foule de papillons, de mouches brillantes, de colibris, de perruches vertes, de geais d'azur, vient s'accrocher à ces mousses, qui produisent alors l'effet d'une tapisserie en laine blanche où l'ouvrier européen aurait brodé des insectes et des oiseaux éclatants.

"C'était dans ces riantes hôtelleries, préparées par le grand Esprit, que nous nous reposions à l'ombre. Lorsque les vents descendaient du ciel pour balancer ce grand cèdre, que le château aérien bâti sur ses branches allait flottant avec les oiseaux et les voyageurs endormis sous ses abris, que mille soupirs sortaient des corridors et des voûtes du mobile édifice, jamais les merveilles de l'ancien Monde n'ont approché de ce monument du désert.

"Chaque soir nous allumions un grand feu et nous bâtissions la hutte de voyage avec une écorce élevée sur quatre piquets. Si j'avais tué une dinde sauvage, un ramier, un faisan des bois, nous le suspendions devant le chêne embrasé, au bout d'une gaule plantée en terre, et nous abandonnions au vent le soin de tourner la proie du chasseur. Nous mangions des mousses appelées *tripes de roche,* des écorces sucrées de bouleau, et des pommes de mai, qui ont le goût de la pêche et de la framboise. Le noyer noir, l'érable, le sumac, fournissaient le vin à notre table. Quelquefois j'allais chercher parmi les roseaux une plante dont la fleur allongée en cornet contenait un verre de la plus pure rosée. Nous bénissions la Providence qui, sur la faible tige d'une fleur, avait placé cette source limpide au milieu des marais corrompus, comme elle a mis l'espérance au fond des cœurs ulcérés par le chagrin, comme elle a fait jaillir la vertu du sein des misères de la vie!

"Hélas! je découvris bientôt que je m'étais trompé sur le calme apparent d'Atala. A mesure que nous avancions, elle devenait triste. Souvent elle tressaillait sans cause et tournait précipitamment la tête. Je la surprenais attachant sur moi un regard passionné qu'elle reportait vers le ciel avec une profonde mélancolie. Ce qui m'effrayait surtout était un secret, une pensée cachée au fond de son âme, que j'entrevoyais dans ses yeux. Toujours m'attirant et me repoussant, ranimant et détruisant mes espérances quand je croyais avoir fait un peu de chemin dans son cœur, je me retrouvais au même point. Que de fois elle m'a dit: 'O mon jeune amant! je t'aime comme l'ombre des bois au milieu du jour! Tu es beau comme le désert avec toutes ses fleurs et toutes ses brises. Si je me penche sur toi, je frémis; si ma main tombe sur la tienne, il me semble que je vais mourir. L'autre jour le vent jeta tes cheveux sur mon visage tandis que tu te délassais sur mon sein, je crus sentir le léger toucher des Esprits invisibles. Oui, j'ai vu les chevrettes de la montagne d'Occone, j'ai entendu les propos des hommes rassasiés de jours: mais la douceur des chevreaux et la sagesse des vieillards sont moins plaisantes et moins fortes que tes paroles. Eh bien, pauvre Chactas, je ne serai jamais ton épouse!'

"Les perpétuelles contradictions de l'amour et de la religion d'Atala, l'abandon de sa tendresse et la chasteté de ses mœurs, la fierté de son caractère et sa profonde sensibilité, l'élévation de son âme dans les grandes choses, sa susceptibilité dans les petites, tout en faisait pour moi un être incompréhensible. Atala ne pouvait pas prendre sur un homme un faible empire: pleine de passion, elle était pleine de puissance; il fallait ou l'adorer ou la haïr.

"Après quinze nuits d'une marche précipitée, nous entrâmes dans la chaîne des monts Alléganys et nous atteignîmes une des branches du Tenase, fleuve qui se jette dans l'Ohio. Aidé des conseils d'Atala, je bâtis un canot, que j'enduisis de gomme de prunier, après en avoir recousu les écorces avec des racines de sapin. Ensuite je m'embarquai avec Atala, et nous nous abandonnâmes au cours du fleuve.

"Le village indien de Sticoé, avec ses tombes pyramidales et ses huttes en ruine, se montrait à notre gauche, au détour d'un promontoire; nous laissions à droite la vallée de Keow, terminée par la perspective des cabanes de Jore, suspendues au front de la montagne du même nom. Le fleuve qui nous entraînait coulait entre de hautes falaises, au bout desquelles on apercevait le soleil couchant. Ces profondes solitudes n'étaient point troublées par la présence de l'homme. Nous ne vîmes qu'un chasseur indien qui, appuyé sur son arc et immobile sur la pointe d'un rocher, ressemblait à une statue élevée dans la montagne au Génie de ces déserts.

"Atala et moi nous joignions notre silence au silence de cette scène. Tout à coup la fille de l'exil fit éclater dans les airs une voix pleine d'émotion et de mélancolie; elle chantait la patrie absente:

" 'Heureux ceux qui n'ont point vu la fumée des fêtes de l'étranger et qui ne se sont assis qu'aux festins de leurs pères!

"Si le geai bleu du Meschacebé disait à la nonpareille des Florides: Pourquoi vous plaignez-vous si tristement? n'avez-vous pas ici de belles eaux et de beaux ombrages, et toutes sortes de pâtures comme dans vos forêts? Oui, répondrait la nonpareille fugitive, mais mon nid est dans le jasmin: qui me l'apportera? Et le soleil de ma savane, l'avez-vous?

" 'Heureux ceux qui n'ont point vu la fumée des fêtes de l'étranger et qui ne se sont assis qu'aux festins de leurs pères!

" 'Après les heures d'une marche pénible, le voyageur s'assied tranquillement. Il contemple autour de lui les toits des hommes; le voyageur n'a pas un lieu où reposer sa tête. Le voyageur frappe à la cabane, il met son arc derrière la porte, il demande l'hospitalité; le maître fait un geste de la main; le voyageur reprend son arc, et retourne au désert!

" 'Heureux ceux qui n'ont point vu la fumée des fêtes de l'étranger et qui ne se sont assis qu'aux festins de leurs pères!

" 'Merveilleuses histoires racontées autour du foyer, tendres épanchements du cœur, longues habitudes d'aimer si nécessaires à la vie, vous avez rempli les journées de ceux qui n'ont point quitté leur pays natal! Leurs tombeaux sont dans leur patrie, avec le soleil couchant, les pleurs de leurs amis et les charmes de la religion.

" 'Heureux ceux qui n'ont point vu la fumée des fêtes de l'étranger et qui ne se sont assis qu'aux festins de leurs pères!'

"Ainsi chantait Atala. Rien n'interrompait ses plaintes, hors le bruit insensible de notre canot sur les ondes. En deux ou trois endroits seulement elles furent recueillies par un faible écho, qui les redit à un second plus faible, et celui-ci à un troisième plus faible encore: on eût cru que les âmes de deux amants jadis infortunés comme nous, attirées par cette mélodie touchante, se plaisaient à en soupirer les derniers sons dans la montagne.

"Cependant la solitude, la présence continuelle de l'objet aimé, nos malheurs mêmes, redoublaient à chaque instant notre amour. Les forces d'Atala commencaient à l'abandonner, et les passions en abattant son corps, allaient triompher de sa vertu. Elle priait continuellement sa mère, dont elle avait l'air de vouloir apaiser l'ombre irritée. Quelquefois elle me demandait si je n'entendais pas une voix plaintive, si je ne voyais pas des flammes sortir de la terre. Pour moi, épuisé de fatigue, mais toujours brûlant de désir, songeant que j'étais peut-être perdu sans retour au milieu de ces forêts, cent fois je fus prêt à saisir mon épouse dans mes bras, cent fois je lui proposai de bâtir une hutte sur ces rivages et de nous y ensevelir ensemble. Mais elle me résista toujours: 'Songez, me disait-elle, mon jeune ami, qu'un guerrier se doit à sa patrie. Qu'est-ce qu'une femme auprès des devoirs que tu as à remplir? Prends courage, fils d'Outalissi; ne murmure point contre ta destinée. Le cœur de l'homme est comme l'éponge du fleuve, qui tantôt boit une onde pure dans les temps de sérénité, tantôt s'enfle d'une eau bourbeuse quand le ciel a troublé les eaux. L'éponge a-t-elle le droit de dire: Je croyais qu'il n'y aurait jamais d'orages, que le soleil ne serait jamais brûlant?'

"O René! si tu crains les troubles du cœur, défie-toi de la solitude: les grandes passions sont solitaires, et les transporter au désert, c'est les rendre à leur empire. Accablés de soucis et de craintes, exposés à tomber entre les mains des Indiens ennemis, à être engloutis dans les eaux, piqués des serpents, dévorés des bêtes, trouvant difficilement une chétive nourriture, et ne sachant plus de quel côté tourner nos pas, nos maux semblaient ne pouvoir plus s'accroître, lorsqu'un accident y vint mettre le comble.

"C'était le vingt-septième soleil, depuis notre départ des cabanes, la *lune de feu* avait commencé son cours, et tout annonçait un orage. Vers l'heure où les matrones indiennes suspendent la crosse du labour aux branches du savinier et où les perruches se retirent dans le creux des cyprès, le ciel commença à se couvrir. Les voix de la solitude s'éteignirent, le désert fit silence et les forêts demeurèrent dans un calme universel. Bientôt les roulements d'un tonnerre lointain, se prolongeant dans ces bois aussi vieux que le monde, en firent sortir des bruits sublimes. Craignant d'être submergés, nous nous hâtames de gagner le bord du fleuve et de nous retirer dans une forêt.

"Ce lieu était un terrain marécageux. Nous avancions avec peine sous une voûte de smilax, parmi des ceps de vigne, des indigos, des faséoles, des lianes rampantes, qui entravaient nos pieds comme des filets. Le sol spongieux tremblait autour de nous, et à chaque instant nous étions près d'être engloutis dans des fondrières. Des insectes sans nombre, d'énormes chauves-souris, nous aveuglaient; les serpents à sonnettes bruissaient de toutes parts, et les loups, les ours, les carcajous, les petits tigres, qui venaient se cacher dans ces retraites, les remplissaient de leurs rugissements.

"Cependant l'obscurité redouble: les nuages abaissés entrent sous l'ombrage des bois. La nue se déchire, et l'éclair trace un rapide losange de feu. Un vent impétueux, sorti du couchant, roule les nuages sur les nuages; les forêts plient, le ciel s'ouvre coup sur coup, et à travers ses crevasses on aperçoit de nouveaux cieux et des campagnes ardentes. Quel affreux, quel magnifique spectacle! La foudre met le feu dans les bois; l'incendie s'étend comme une chevelure de flammes; des colonnes d'étincelles et de fumée assiègent les nues, qui vomissent leurs foudres dans le vaste embrasement. Alors le grand Esprit couvre les montagnes d'épaisses ténèbres; du milieu de ce vaste chaos s'élève un mugissement confus formé par le fracas des vents, le gémissement des arbres, le hurlement des bêtes féroces, le bourdonnement de l'incendie et la chute répétée du tonnerre qui siffle en s'éteignant dans les eaux.

"Le grand Esprit lc sait! Dans ce moment je ne vis qu'Atala, je ne pensai qu'à elle. Sous le tronc penché d'un bouleau, je parvins à la garantir des torrents de la pluie. Assis moi-même sous l'arbre, tenant ma bien-aimée sur mes genoux, et réchauffant ses pieds nus entre mes mains, j'étais plus heureux que la nouvelle épouse qui sent pour la première fois son fruit tressaillir dans son sein.

"Nous prêtions l'oreille au bruit de la tempête; tout à coup je sentis une larme d'Atala tomber sur mon sein: 'Orage du cœur, m'écriai-je, est-ce une goutte de votre pluie?' Puis, embrassant étroitement celle que j'aimais: 'Atala, lui dis-je, vous me cachez quelque chose. Ouvre-moi ton cœur, ô ma beauté! Cela fait tant de bien quand un ami regarde dans notre âme! Raconte-moi cet autre secret de la douleur, que tu t'obstines à taire. Ah! je le vois, tu pleures ta patrie.' Elle repartit aussitôt: 'Enfant des hommes, comment pleurerais-je ma patrie, puisque mon père n'était pas du pays des palmiers?—Quoi! répliquai-je avec un profond étonnement, votre père n'était point du pays des palmiers! Quel est donc celui qui vous a mise sur cette terre? Répondez.' Atala dit ces paroles:

"Avant que ma mère eût apporté en mariage au guerrier Simaghan trente cavales, vingt buffles, cent mesures d'huile de glands, cinquante peaux de castors et beaucoup d'autres richesses, elle avait connu un homme de la chair blanche. Or, la mère de ma mère lui jeta de l'eau au visage, et la contraignit d'épouser le magnanime Simaghan, tout semblable à un roi et honoré des peuples comme un Génie. Mais ma mère dit à son nouvel époux: 'Mon ventre a conçu, tuez-moi.' Simaghan lui répondit: 'Le grand Esprit me garde d'une si mauvaise action! Je ne vous mutilerai point, je ne vous couperai point le nez ni les oreilles, parce que vous avez été sincère et que vous n'avez point trompé ma couche. Le fruit de vos entrailles sera mon fruit, et je ne vous visiterai qu'après le départ de l'oiseau de rizière, lorsque la treizième lune aura brillé.' En ce temps-là je brisai le sein de ma mère et je commençai à croître, fière comme une Espagnole et comme une sauvage. Ma mère me fit chrétienne, afin que son Dieu et le Dieu de mon père fût aussi mon Dieu. Ensuite le chagrin d'amour vint la chercher, et elle descendit dans la petite cave garnie de peaux d'où l'on ne sort jamais."

"Telle fut l'histoire d'Atala. 'Et quel était donc ton père, pauvre orpheline? lui dis-je; comment les hommes l'appelaient-ils sur la terre et quel nom portait-il parmi les Génies?—Je n'ai jamais lavé les pieds de mon père, dit Atala; je sais seulement qu'il vivait avec sa sœur à Saint-Augustin et qu'il a toujours été fidèle à ma mère: *Philippe* était son nom parmi les anges, et les hommes le nommaient *Lopez*.'

"A ces mots je poussai un cri qui retentit dans toute la solitude; le bruit de mes transports se mêla au bruit de l'orage. Serrant Atala sur mon cœur, je m'écriai avec des sanglots: 'O ma sœur! ô fille de Lopez! fille de mon bienfaiteur!' Atala, effrayée, me demanda d'où venait mon trouble; mais quand elle sut que Lopez était cet hôte généreux qui m'avait adopté à Saint-Augustin, et que j'avais quitté pour être libre, elle fut saisie elle-même de confusion et de joie.

"C'en était trop pour nos cœurs que cette amitié fraternelle qui venait nous visiter et joindre son amour à notre amour. Désormais les combats d'Atala allaient devenir inutiles! En vain je la sentis porter une main à son sein et faire un mouvement extraordinaire: déjà je l'avais saisie, déjà je m'étais enivré de son souffle, déjà j'avais bu toute la magie de l'amour sur ses lèvres. Les yeux levés vers le ciel, à la lueur des éclairs, je tenais mon épouse dans mes bras en présence de l'Éternel. Pompe nuptiale, digne de nos malheurs et de la grandeur de nos amours; superbes forêts qui agitiez vos lianes et vos dômes comme les rideaux et le ciel de notre couche, pins embrasés qui formiez les flambeaux de notre hymen, fleuve débordé, montagnes mugissantes, affreuse et sublime nature, n'étiez-vous donc qu'un appareil préparé pour nous tromper, et ne pûtes-vous cacher un moment dans vos mystérieuses horreurs la félicité d'un homme?

"Atala n'offrait plus qu'une faible résistance, je touchais au moment du bonheur quand tout à coup un impétueux éclair, suivi d'un éclat de la foudre, sillonne l'épaisseur des ombres, remplit la forêt de soufre et de lumière et brise un arbre à nos pieds. Nous fuyons. O surprise! . . . dans le silence qui succède nous entendons le son d'une cloche! Tous deux interdits, nous prêtons l'oreille à ce bruit si étrange dans un désert. A l'instant un chien aboie dans le lointain; il approche, il redouble ses cris, il arrive, il hurle de joie à nos pieds; un vieux solitaire portant une petite lanterne le suit à travers les ténèbres de la forêt. 'La Providence soit bénie! s'écria-t-il aussitôt qu'il nous aperçut. Il y a bien longtemps que je vous cherche! Notre chien vous a sentis dès le commencement de l'orage, et il m'a conduit ici. Bon Dieu! comme ils sont jeunes; pauvres enfants! comme ils ont dû souffrir! Allons! j'ai apporté une peau d'ours, ce sera pour cette jeune femme; voici un peu de vin dans notre calebasse. Que Dieu soit loué dans toutes ses œuvres! sa miséricorde est bien grande, et sa bonté est infinie!'

"Atala était aux pieds du religieux: 'Chef de la prière, lui disait-elle, je suis chrétienne. C'est le ciel qui t'envoie pour me sauver.—Ma fille, dit l'ermite en la relevant, nous sonnons ordinairement la cloche de la mission pendant la nuit et pendant les tempêtes pour appeler les étrangers, et, à l'exemple de nos frères des Alpes et du Liban, nous avons appris à notre chien à découvrir les voyageurs égarés.' Pour moi, je comprenais à peine l'ermite; cette charité me semblait si fort au-dessus de l'homme, que je croyais faire un songe. A la lueur de la petite lanterne que tenait le religieux, j'entrevoyais sa barbe et ses cheveux tout trempés d'eau; ses pieds, ses mains et son visage étaient ensanglantés par les ronces. 'Vieillard, m'écriai-je enfin, quel cœur as-tu donc, toi qui n'as pas craint d'être frappé par la foudre?—Craindre! repartit le père avec une sorte de chaleur: craindre lorsqu'il y a des hommes en péril et que je leur puis être utile! je serais donc un bien indigne serviteur de Jésus-Christ!—Mais sais-tu, lui dis-je, que je ne suis pas chrétien?—Jeune homme, répondit l'ermite, vous ai-je demandé votre religion? Jésus-Christ n'a pas dit: "Mon sang lavera celui-ci, et non celui-là." Il est mort pour le Juif et le gentil, et il n'a vu dans tous les hommes que des frères et des infortunés. Ce que je fais ici pour vous est fort peu de chose, et vous trouveriez ailleurs bien d'autres secours; mais la gloire n'en doit point retomber sur les prêtres. Que sommes-nous, faibles solitaires, sinon de grossiers instruments d'une œuvre céleste? Eh! quel serait le soldat assez lâche pour reculer lorsque son chef, la croix à la main et le front couronné d'épines, marche devant lui au secours des hommes?'

"Ces paroles saisirent mon cœur, des larmes d'admiration et de tendresse tombèrent de mes yeux. 'Mes chers enfants, dit le missionnaire, je gouverne dans ces forêts un petit troupeau de vos frères sauvages. Ma grotte est assez près d'ici dans la montagne: venez vous réchauffer chez moi; vous n'y trouverez pas les commodités de la vie, mais vous y aurez un abri, et il faut encore en remercier la bonté divine, car il y a bien des hommes qui en manquent.'

LES LABOUREURS

"Il y a des justes dont la conscience est si tranquille, qu'on ne peut approcher d'eux sans participer à la paix qui s'exhale pour ainsi dire de leur cœur et de leurs discours. A mesure que le solitaire parlait, je sentais les passions s'apaiser dans mon sein, et l'orage même du ciel semblait s'éloigner à sa voix. Les nuages furent bientôt assez dispersés pour nous permettre de quitter notre retraite. Nous sortîmes de la forêt et nous commençâmes à gravir le revers d'une haute montagne. Le chien marchait devant nous en portant au bout d'un bâton la lanterne éteinte. Je tenais la main d'Atala, et nous suivions le missionnaire. Il se détournait souvent pour nous regarder, contemplant avec pitié nos malheurs et notre jeunesse. Un livre était suspendu à son cou; il s'appuyait sur un bâton blanc. Sa taille était élevée, sa figure pâle et maigre, sa physionomie simple et sincère. Il n'avait pas les traits morts et effacés de l'homme né sans passions, on voyait que ses jours avaient été mauvais, et les rides de son front montraient les belles cicatrices des passions guéries par la vertu et par l'amour de Dieu et des hommes. Quand il nous parlait debout et immobile, sa longue barbe, ses yeux modestement baissés, le son affectueux de sa voix, tout en lui avait quelque chose de calme et de sublime. Quiconque a vu, comme moi, le père Aubry cheminant seul avec son bâton et son bréviaire dans le désert, a une véritable idée du voyageur chrétien sur la terre.

"Après une demi-heure d'une marche dangereuse par les sentiers de la montagne, nous arrivâmes à la grotte du missionnaire. Nous y entrâmes à travers les lierres et les giraumonts humides, que la pluie avait abattus des rochers. Il n'y avait dans ce lieu qu'une natte de feuille de papaya, une calebasse pour puiser de l'eau, quelques vases, une bêche, un serpent familier et, sur une pierre qui servait de table, un crucifix et le livre des chrétiens.

"L'homme des anciens jours se hâta d'allumer du feu avec des lianes sèches; il brisa du maïs entre deux pierres, et, en ayant fait un gâteau, il le mit cuire sous la cendre. Quand ce gâteau eut pris au feu une belle couleur dorée, il nous le servit tout brûlant, avec de la crème de noix dans un vase d'érable. Le soir ayant ramené la sérénité, le serviteur du grand Esprit nous proposa d'aller nous asseoir à l'entrée de la grotte. Nous le suivîmes dans ce lieu, qui commandait une vue immense. Les restes de l'orage étaient jetés en désordre vers l'orient; les feux de l'incendie allumé dans les forêts par la foudre brillaient encore dans le lointain; au pied de la montagne, un bois de pins tout entier était renversé dans la vase, et le fleuve roulait pêle-mêle les argiles détrempées, les troncs des arbres, les corps des animaux et les poissons morts, dont on voyait le ventre argenté flotter à la surface des eaux.

"Ce fut au milieu de cette scène qu'Atala raconta notre histoire au grand Génie de la montagne. Son cœur parut touché, et des larmes tombèrent sur sa barbe. 'Mon enfant, dit-il à Atala, il faut offrir vos souffrances à Dieu, pour la gloire de qui vous avez déjà fait tant de choses, il vous rendra le repos. Voyez fumer ces forêts, sécher ces torrents, se dissiper ces nuages: croyez-vous que celui qui peut calmer une pareille tempête ne pourra pas apaiser les troubles du cœur de l'homme? Si vous n'avez pas de meilleure retraite ma chère fille, je vous offre une place au milieu du troupeau que j'ai eu le bonheur d'appeler à Jésus-Christ. J'instruirai Chactas, et je vous le donnerai pour époux quand il sera digne de l'être.'

"A ces mots je tombai aux genoux du solitaire en versant des pleurs de joie; mais Atala devint pâle comme la mort. Le vieillard me releva avec bénignité, et je m'aperçus alors qu'il avait les deux mains mutilées. Atala comprit sur-le-champ ses malheurs. 'Les barbares!' s'écria-t-elle.

" 'Ma fille, reprit le père avec un doux sourire, qu'est-ce que cela auprès de ce qu'a enduré mon divin Maître? Si les Indiens idolâtres m'ont affligé, ce sont de pauvres aveugles que Dieu éclairera un jour. Je les chéris même davantage en proportion des maux qu'ils m'ont faits. Je n'ai pu rester dans ma patrie, ou j'étais retourné, et où une illustre reine m'a fait l'honneur de vouloir contempler ces faibles marques de mon apostolat. Et quelle récompense plus glorieuse pouvais-je recevoir de mes travaux que d'avoir obtenu du chef de notre religion la permission de célébrer le divin sacrifice avec ces mains mutilées? Il ne me restait plus, après un tel honneur, qu'à tâcher de m'en rendre digne: je suis revenu au Nouveau-Monde consumer le reste de ma vie au service de mon Dieu. Il y a bientôt trente ans que j'habite cette solitude, et il y en aura demain vingt-deux que j'ai pris possession de ce rocher. Quand j'arrivai dans ces lieux, je n'y trouvai que des familles vagabondes, dont les mœurs étaient féroces et la vie fort misérable. Je leur ai fait entendre la parole de paix, et leurs mœurs se sont graduellement adoucies. Ils vivent maintenant rassemblés au bas de cette montagne. J'ai tâché, en leur apprenant les voies du salut, de leur apprendre les premiers arts de la vie, mais sans les porter trop loin, et en retenant ces honnêtes gens dans cette simplicité qui fait le bonheur. Pour moi, craignant de les gêner par ma présence, je me suis retiré sous cette grotte, où ils viennent me consulter. C'est ici que, loin des hommes, j'admire Dieu dans la grandeur de ces solitudes et que je me prépare à la mort, que m'annoncent mes vieux jours.'

"En achevant ces mots, le solitaire se mit à genoux, et nous imitâmes son exemple. Il commença à haute voix une prière, à laquelle Atala répondait. De muets éclairs couvraient encore les cieux dans l'orient, et sur les nuages du couchant trois soleils brillaient ensemble. Quelques renards dispersés par l'orage allongeaient leurs museaux noirs au bord des précipices, et l'on entendait le frémissement des plantes qui, séchant à la brise du soir, relevaient de toutes parts leurs tiges abattues.

"Nous rentrâmes dans la grotte, où l'ermite étendit un lit de mousse de cyprès pour Atala. Une profonde langueur se peignait dans les yeux et dans les mouvements de cette vierge; elle regardait le père Aubry, comme si elle eût voulu lui communiquer un secret, mais quelque chose semblait la retenir, soit ma présence, soit une certaine honte, soit l'inutilité de l'aveu. Je l'entendis se lever au milieu de la nuit; elle cherchait le solitaire, mais comme il lui avait donné sa couche, il était allé contempler la beauté du ciel et prier Dieu sur le sommet de la montagne. Il me dit le lendemain que c'était assez sa coutume, même pendant l'hiver, aimant à voir les forêts balancer leurs cimes dépouillées, les nuages voler dans les cieux, et à entendre les vents et les torrents gronder dans la solitude. Ma sœur fut donc obligée de retourner à sa couche, où elle s'assoupit. Hélas! comblé d'espérance, je ne vis dans la faiblesse d'Atala que des marques passagères de lassitude!

"Le lendemain, je m'éveillai aux chants des cardinaux et des oiseaux moqueurs nichés dans les acacias et les lauriers qui environnaient la grotte. J'allai cueillir une rose de magnolia, et je la déposai, humectée des larmes du matin, sur la tête d'Atala endormie. J'espérais, selon la religion de mon pays, que l'âme de quelque enfant mort à la mamelle serait descendue sur cette fleur dans une goutte de rosée, et qu'un heureux songe la porterait au sein de ma future épouse. Je cherchai ensuite mon hôte; je le trouvai la robe relevée dans ses deux poches, un chapelet à la main et m'attendant assis sur le tronc d'un pin tombé de vieillesse. Il me proposa d'aller avec lui à la Mission, tandis qu'Atala reposait encore; j'acceptai son offre, et nous nous mîmes en route à l'instant.

"En descendant la montagne, j'aperçus des chênes où les Génies semblaient avoir dessiné des caractères étrangers. L'ermite me dit qu'il les avait tracés lui-même, que c'étaient des vers d'un ancien poète appelé *Homère* et quelques sentences d'un autre poète plus ancien encore, nommé *Salomon*. Il y avait je ne sais quelle mystérieuse harmonie entre cette sagesse des temps, ces vers rongés de mousse, ce vieux solitaire qui les avait gravés et ces vieux chênes qui lui servaient de livres.

"Son nom, son âge, la date de sa mission étaient aussi marqués sur un roseau de savane, au pied de ces arbres. Je m'étonnai de la fragilité du dernier monument: 'Il durera encore plus que moi, me répondit le père, et aura toujours plus de valeur que le peu de bien que j'ai fait.'

"De là nous arrivâmes à l'entrée d'une vallée, où je vis un ouvrage merveilleux: c'était un pont naturel, semblable à celui de la Virginie, dont tu as peut-être entendu parler. Les hommes, mon fils, surtout ceux de ton pays, imitent souvent la nature, et leurs copies sont toujours petites; il n'en est pas ainsi de la nature quand elle a l'air d'imiter les travaux des hommes, en leur offrant en effet des modèles. C'est alors qu'elle jette des ponts du sommet d'une montagne au sommet d'une autre montagne, suspend des chemins dans les nues, répand des fleuves pour canaux, sculpte des monts pour colonnes et pour bassins creuse des mers.

"Nous passâmes sous l'arche unique de ce pont, et nous nous trouvâmes devant une autre merveille: c'était le cimetière des Indiens de la Mission, ou *les Bocages de la mort.* Le père Aubry avait permis à ses néophytes d'ensevelir leurs morts à leur manière et de conserver au lieu de leurs sépultures son nom sauvage; il avait seulement sanctifié ce lieu par une croix. Le sol en était divisé, comme le champ commun des moissons, en autant de lots qu'il y avait de familles. Chaque lot faisait à lui seul un bois qui variait selon le goût de ceux qui l'avaient planté. Un ruisseau serpentait sans bruit au milieu de ces bocages, on l'appelait *le Ruisseau de la paix.* Ce riant asile des âmes était fermé à l'orient par le pont sous lequel nous avions passé; deux collines le bornaient au septentrion et au midi; il ne s'ouvrait qu'à l'occident, où s'élevait un grand bois de sapins. Les troncs de ces arbres, rouge marbré de vert, montant sans branches jusqu'à leurs cimes, ressemblaient à de hautes colonnes et formaient le péristyle de ce temple de la mort; il y régnait un bruit religieux, semblable au sourd mugissement de l'orgue sous les voûtes d'une église; mais lorsqu'on pénétrait au fond du sanctuaire, on n'entendait plus que les hymnes des oiseaux qui célébraient à la mémoire des morts une fête éternelle.

"En sortant de ce bois nous découvrîmes le village de la Mission, situé au bord d'un lac, au milieu d'une savane semée de fleurs. On y arrivait par une avenue de magnolias et de chênes verts, qui bordaient une de ces anciennes routes que l'on trouve vers les montagnes qui divisent le Kentucky des Florides. Aussitôt que les Indiens aperçurent leur pasteur dans la plaine, ils abandonnèrent leurs travaux, et accoururent au-devant de lui. Les uns baisaient sa robe, les autres aidaient ses pas; les mères élevaient dans leurs bras leurs petits enfants pour leur faire voir l'homme de Jésus-Christ, qui répandait des larmes. Il s'informait en marchant de ce qui se passait au village; il donnait un conseil à celui-ci, réprimandait doucement celui-là; il parlait des moissons à recueillir, des enfants à instruire, des peines à consoler, et il mêlait Dieu à tous ses discours.

"Ainsi escortés, nous arrivâmes au pied d'une grande croix qui se trouvait sur le chemin. C'était là que le serviteur de Dieu avait accoutumé de célébrer les mystères de sa religion: 'Mes chers néophytes, dit-il en se tournant vers la foule, il vous est arrivé un frère et une sœur, et, pour surcroît de bonheur, je vois que la divine Providence a épargné hier vos moissons; voilà deux grandes raisons de la remercier. Offrons donc le saint sacrifice, et que chacun y apporte un recueillement profond, une foi vive, une reconnaissance infinie et un cœur humilié.'

"Aussitôt le prêtre divin revêt une tunique blanche d'écorce de mûrier, les vases sacrés sont tirés d'un tabernacle au pied de la croix, l'autel se prépare sur un quartier de roche, l'eau se puise dans le torrent voisin, et une grappe de raisin sauvage fournit le vin du sacrifice. Nous nous mettons tous à genoux dans les hautes herbes, le mystère commence.

"L'aurore, paraissant derrière les montagnes, enflammait l'orient. Tout était d'or ou de rose dans la solitude. L'astre annoncé par tant de splendeur sortit enfin d'un abîme de lumière, et son premier rayon rencontra l'hostie consacrée, que le prêtre en ce moment même élevait dans les airs. O charme de la religion! O magnificence du culte chrétien! Pour sacrificateur un vieil ermite, pour autel un rocher, pour église le désert, pour assistance d'innocents sauvages! Non, je ne doute point qu'au moment où nous nous prosternâmes le grand mystère ne s'accomplît et que Dieu ne descendît sur la terre, car je le sentis descendre dans mon cœur.

"Après le sacrifice, où il ne manqua pour moi que la fille de Lopez, nous nous rendîmes au village. Là régnait le mélange le plus touchant de la vie sociale et de la vie de la nature: au coin d'une cyprière de l'antique désert on découvrait une culture naissante; les épis roulaient à flots d'or sur le tronc du chêne abattu, et la gerbe d'un été remplaçait l'arbre de trois siècles. Partout on voyait les forêts livrées aux flammes pousser de grosses fumées dans les airs, et la charrue se promener lentement entre les débris de leurs racines. Des arpenteurs avec de longues chaînes allaient mesurant le terrain; des arbitres établissaient les premières propriétés; l'oiseau cédait son nid; le repaire de la bête féroce se changeait en une cabane; on entendait gronder des forges, et les coups de la cognée faisaient pour la dernière fois mugir des échos, expirant eux-mêmes avec les arbres qui leur servaient d'asile.

"J'errais avec ravissement au milieu de ces tableaux, rendus plus doux par l'image d'Atala et par les rêves de félicité dont je berçais mon cœur. J'admirais le triomphe du christianisme sur la vie sauvage; je voyais l'Indien se civilisant à la voix de la religion; j'assistais aux noces primitives de l'homme et de la terre: l'homme, par ce grand contrat, abandonnant à la terre l'héritage de ses sueurs, et la terre s'engageant en retour à porter fidèlement les moissons, les fils et les cendres de l'homme.

"Cependant on présenta un enfant au missionnaire qui le baptisa parmi les jasmins en fleurs, au bord d'une source, tandis qu'un cercueil, au milieu des jeux et des travaux, se rendait aux Bocages de la mort. Deux époux reçurent la bénédiction nuptiale sous un chêne, et nous allâmes ensuite les établir dans un coin du désert. Le pasteur marchait devant nous, bénissant çà et là, et le rocher, et l'arbre, et la fontaine, comme autrefois, selon le livre des chrétiens, Dieu bénit la terre inculte en la donnant en héritage à Adam. Cette procession, qui pêle-mêle avec ses troupeaux suivait de rocher en rocher son chef vénérable, représentait à mon cœur attendri ces migrations des premières familles, alors que Sem, avec ses enfants s'avançait à travers le monde inconnu, en suivant le soleil qui marchait devant lui.

"Je voulus savoir du saint ermite comment il gouvernait ses enfants; il me répondit avec une grande complaisance: 'Je ne leur ai donné aucune loi; je leur ai seulement enseigné à s'aimer, à prier Dieu et à espérer une meilleure vie: toutes les lois du monde sont là-dedans. Vous voyez au milieu du village une cabane plus grande que les autres: elle sert de chapelle dans la saison des pluies. On s'y assemble soir et matin pour louer le Seigneur, et quand je suis absent, c'est un vieillard qui fait la prière, car la vieillesse est, comme la maternité, une espèce de sacerdoce. Ensuite on va travailler dans les champs, et si les propriétés sont divisées, afin que chacun puisse apprendre l'économie sociale, les moissons sont déposées dans des greniers communs, pour maintenir la charité fraternelle. Quatre vieillards distribuent avec égalité le produit du labeur. Ajoutez à cela des cérémonies religieuses, beaucoup de cantiques, la croix où j'ai célébré les mystères, l'ormeau sous lequel je prêche dans les bons jours, nos tombeaux tout près de nos champs de blé, nos fleuves, où je plonge les petits enfants et les saints Jean de cette nouvelle Béthanie, vous aurez une idée complète de ce royaume de Jésus-Christ.'

"Les paroles du solitaire me ravirent, et je sentis la supériorité de cette vie stable et occupée sur la vie errante et oisive du sauvage.

"Ah! René, je ne murmure point contre la Providence, mais j'avoue que je ne me rappelle jamais cette société évangélique sans éprouver l'amertume des regrets. Qu'une hutte avec Atala sur ces bords eût rendu ma vie heureuse! Là finissaient toutes mes courses; là, avec une épouse, inconnu des hommes, cachant mon bonheur au fond des forêts, j'aurais passé comme ces fleuves qui n'ont pas même un nom dans le désert. Au lieu de cette paix que j'osais alors me promettre, dans quel trouble n'ai-je point coulé mes jours! Jouet continuel de la fortune, brisé sur tous les rivages, longtemps exilé de mon pays, et n'y trouvant à mon retour qu'une cabane en ruine et des amis dans la tombe, telle devait être la destinée de Chactas."

LE DRAME

"Si mon songe de bonheur fut vif, il fut aussi d'une courte durée, et le réveil m'attendait à la grotte du solitaire. Je fus surpris, en y arrivant au milieu du jour, de ne pas voir Atala accourir au-devant de nos pas. Je ne sais quelle soudaine horreur me saisit. En approchant de la grotte, je n'osais appeler la fille de

Lopez: mon imagination était également épouvantée, ou du bruit, ou du silence qui succéderait à mes cris. Encore plus effrayé de la nuit qui régnait à l'entrée du rocher, je dis au missionnaire: 'O vous que le ciel accompagne et fortifie, pénétrez dans ces ombres.'

"Qu'il est faible celui que les passions dominent! qu'il est fort celui qui se repose en Dieu! Il y avait plus de courage dans ce cœur religieux, flétri par soixante-seize années, que dans toute l'ardeur de ma jeunesse. L'homme de paix entra dans la grotte, et je restai au dehors, plein de terreur. Bientôt un faible murmure semblable à des plaintes sortit du fond du rocher et vint frapper mon oreille. Poussant un cri et retrouvant mes forces, je m'élançai dans la nuit de la caverne—Esprits de mes pères, vous savez seuls le spectacle qui frappa mes yeux!

"Le solitaire avait allumé un flambeau de pin; il le tenait d'une main tremblante au-dessus de la couche d'Atala. Cette belle et jeune femme, à moitié soulevée sur le coude, se montrait pâle et échevelée. Les gouttes d'une sueur pénible brillaient sur son front; ses regards à demi éteints cherchaient encore à m'exprimer son amour, et sa bouche essayait de sourire. Frappé comme d'un coup de foudre, les yeux fixés, les bras étendus, les lèvres entr'ouvertes, je demeurai immobile. Un profond silence règne un moment parmi les trois personnages de cette scène de douleur. Le solitaire le rompt le premier: 'Ceci, dit-il, ne sera qu'une fièvre occasionnée par la fatigue, et si nous nous résignons à la volonté de Dieu, il aura pitié de nous.'

"A ces paroles, le sang suspendu reprit son cours dans mon cœur, et, avec la mobilité du sauvage, je passai subitement de l'excès de la crainte à l'excès de la confiance. Mais Atala ne m'y laissa pas longtemps. Balançant tristement la tête, elle nous fit signe de nous approcher de sa couche.

"'Mon père, dit-elle d'une voix affaiblie en s'adressant au religieux, je touche au moment de la mort. O Chactas! écoute sans désespoir le funeste secret que je t'ai caché, pour ne pas te rendre trop misérable et pour obéir à ma mère. Tâche de ne pas m'interrompre par des marques d'une douleur qui précipiterait le peu d'instants que j'ai à vivre. J'ai beaucoup de choses à raconter, et aux battements de ce cœur, qui se ralentissent—à je ne sais quel fardeau glacé que mon sein soulève à peine—je sens que je ne me saurais trop hâter.'

"Après quelques moments de silence, Atala poursuivit ainsi:

"'Ma triste destinée a commencé presque avant que j'eusse vu la lumière. Ma mère m'avait conçue dans le malheur; je fatiguais son sein, elle me mit au monde avec de grands déchirements d'entrailles; on désespéra de ma vie. Pour sauver mes jours, ma mère fit un vœu, elle promit à la Reine des Anges que je lui consacrerais ma virginité, si j'échappais à la mort—Vœu fatal, qui me précipite au tombeau!

"'J'entrais dans ma seizième année lorsque je perdis ma mère. Quelques heures avant de mourir elle m'appela au bord de sa couche. "Ma fille, me dit-elle en présence d'un missionnaire qui consolait ses derniers instants; ma fille, tu sais le vœu que j'ai fait pour toi. Voudrais-tu démentir ta mère? O mon Atala! je te laisse dans un monde qui n'est pas digne de posséder une chrétienne, au milieu d'idolâtres qui persécutent le Dieu de ton père et le mien, le Dieu qui, après t'avoir donné le jour, te l'a conservé par un miracle. Eh! ma chère enfant, en acceptant le voile des vierges, tu ne fais que renoncer aux soucis de la cabane et aux funestes passions qui ont troublé le sein de ta mère. Viens donc, ma bien-aimée, viens, jure sur cette image de la Mère du Sauveur, entre les mains de ce saint prêtre et de ta mère expirante, que tu ne me trahiras point à la face du ciel. Songe que je me suis engagée pour toi, afin de te sauver la vie, et que si tu ne tiens ma promesse, tu plongeras l'âme de ta mère dans des tourments éternels."

"'O ma mère! pourquoi parlâtes-vous ainsi? O religion qui fais à la fois mes maux et ma félicité, qui me perds et qui me consoles! Et toi, cher et triste objet d'une passion qui me consume jusque dans les bras de la mort, tu vois maintenant, ô Chactas, ce qui a fait la rigueur de notre destinée!—Fondant en pleurs et me précipitant dans le sein maternel, je promis tout ce qu'on me voulut faire promettre. Le missionnaire prononça sur moi les paroles redoutables, et me donna le scapulaire qui me lie pour jamais. Ma mère me menaça de sa malédiction si jamais je rompais mes vœux, et après m'avoir recommandé un secret inviolable envers les païens, persécuteurs de ma religion, elle expira en me tenant embrassée.

"'Je ne connus pas d'abord le danger de mes serments. Pleine d'ardeur et chrétienne véritable, fière du sang espagnol qui coule dans mes veines, je n'aperçus autour de moi que des hommes indignes de recevoir ma main; je m'applaudis de n'avoir d'autre époux que le Dieu de ma mère. Je te vis, jeune et beau prisonnier, je m'attendris sur ton sort, je t'osai parler au bûcher de la forêt: alors je sentis tout le poids de mes vœux.'

"Comme Atala achevait de prononcer ces paroles, serrant les poings et regardant le missionnaire d'un air menaçant, je m'écriai: 'La voilà donc cette religion que vous m'avez tant vantée. Périsse le serment qui m'enlève

Atala! Périsse le Dieu qui contrarie la nature! Homme prêtre, qu'es-tu venu faire dans ces forêts?'

" '—Te sauver, dit le vieillard d'une voix terrible, dompter tes passions et t'empêcher, blasphémateur, d'attirer sur toi la colère céleste! Il te sied bien, jeune homme à peine entré dans la vie, de te plaindre de tes douleurs! Où sont les marques de tes souffrances? Où sont les injustices que tu as supportées? Où sont tes vertus, qui seules pourraient te donner quelques droits à la plainte? Quel service as-tu rendu? Quel bien as-tu fait? Eh, malheureux! tu ne m'offres que des passions, et tu oses accuser le ciel! Quand tu auras, comme le père Aubry, passé trente années exilé sur les montagnes, tu seras moins prompt à juger des desseins de la Providence: tu comprendras alors que tu ne sais rien, que tu n'es rien, et qu'il n'y a point de châtiments si rigoureux, point de maux si terribles, que la chair corrompue ne mérite de souffrir.'

"Les éclairs qui sortaient des yeux du vieillard, sa barbe, qui frappait sa poitrine, ses paroles foudroyantes, le rendaient semblable à un dieu. Accablé de sa majesté, je tombai à ses genoux, et lui demandai pardon de mes emportements. 'Mon fils, me répondit-il avec un accent si doux que le remords entra dans mon âme, mon fils, ce n'est pas pour moi-même que je vous ai réprimandé. Hélas! vous avez raison, mon cher enfant: je suis venu faire bien peu de chose dans ces forêts, et Dieu n'a pas de serviteur plus indigne que moi. Mais, mon fils, le ciel, le ciel, voilà ce qu'il ne faut jamais accuser! Pardonnez-moi si je vous ai offensé, mais écoutons votre sœur. Il y a peut-être du remède, ne nous lassons point d'espérer. Chactas, c'est une religion bien divine que celle-là qui a fait une vertue de l'espérance!'

" '—Mon jeune ami, reprit Atala, tu as été témoin de mes combats, et cependant tu n'en as vu que la

ıoindre partie; je te cachais le reste. Non, l'esclave noir
ui arrose de ses sueurs les sables ardents de la Floride
st moins misérable que n'a été Atala. Te sollicitant à
a fuite, et pourtant certaine de mourir si tu t'éloignais
e moi; craignant de fuir avec toi dans les déserts, et
ependant haletant après l'ombrage des bois—Ah! s'il
'avait fallu que quitter parents, amis, patrie; si même
chose affreuse!) il n'y eût eu que la perte de mon âme!
—Mais ton ombre, ô ma mère! ton ombre était toujours
à, me reprochant ses tourments! J'entendais tes
laintes, je voyais les flammes de l'enfer te consumer.
Ies nuits étaient arides et pleines de fantômes, mes
ours étaient désolés; la rosée du soir séchait en tom-
ant sur ma peau brûlante; j'entr'ouvrais mes lèvres
ux brises, et les brises, loin de m'apporter la fraîcheur,
'embrasaient du feu de mon souffle. Quel tourment de
e voir sans cesse auprès de moi, loin de tous les
ommes, dans de profondes solitudes, et de sentir entre
oi et moi une barrière invincible! Passer ma vie à tes
ieds, te servir comme ton esclave, apprêter ton repas
t ta couche dans quelque coin ignoré de l'univers, eût
té pour moi le bonheur suprême; ce bonheur, j'y tou-
hais et je ne pouvais en jouir. Quel dessein n'ai-je
oint rêvé! Quel songe n'est point sorti de ce cœur si
riste! Quelquefois, en attachant mes yeux sur toi, j'al-
ais jusqu'à former des désirs aussi insensés que coupa-
les: tantôt j'aurais voulu être avec toi la seule créa-
ure vivante sur la terre; tantôt, sentant une divinité qui
n'arrêtait dans mes horribles transports, j'aurais désiré
ue cette divinité se fût anéantie, pourvu que, serrée
lans tes bras, j'eusse roulé d'abîme en abîme avec les
lébris de Dieu et du monde! A présent même—, le dirai-
e! à présent que l'éternité va m'engloutir, que je vais
paraître devant le Juge inexorable, au moment où, pour
béir à ma mère, je vois avec joie ma virginité dévorer

ma vie, eh bien! par une affreuse contradiction, j'en porte le regret de n'avoir pas été à toi!—'

" '—Ma fille, interrompit le missionnaire, votre dou leur vous égare. Cet excès de passion auquel vous vou livrez est rarement juste, il n'est pas même dans l nature; et en cela il est moins coupable aux yeux d Dieu, parce que c'est plutôt quelque chose de faux dan l'esprit que de vicieux dans le cœur. Il faut donc éloig ner de vous ces emportements, qui ne sont pas digne de votre innocence. Mais aussi, ma chère enfant, votr imagination impétueuse vous a trop alarmée sur vo vœux. La religion n'exige point de sacrifice plus qu'hu main. Ses sentiments vrais, ses vertus temperées sont bie au-dessus des sentiments exaltés et des vertus forcée d'un prétendu héroïsme. Si vous aviez succombé, eh bien pauvre brebis égarée, le bon Pasteur vous aurait cher chée pour vous ramener au troupeau. Les trésors d repentir vous étaient ouverts: il faut des torrents d sang pour effacer nos fautes aux yeux des hommes une seule larme suffit à Dieu. Rassurez-vous donc, m chère fille, votre situation exige du calme; adressons nous à Dieu, qui guérit toutes les plaies de ses serviteurs Si c'est sa volonté, comme je l'espère, que vous échap piez à cette maladie, j'écrirai à l'évêque de Québec il a les pouvoirs nécessaires pour vous relever de vo vœux, qui ne sont que des vœux simples, et vous achève rez vos jours près de moi avec Chactas votre époux.'

"A ces paroles du vieillard, Atala fut saisie d'un longue convulsion, dont elle ne sortit que pour donne des marques d'une douleur effrayante. 'Quoi! dit-elle e joignant les deux mains avec passion, il y avait d remède? Je pouvais être relevée de mes vœux!'—'Oui ma fille, répondit le père, et vous le pouvez encore.'—'I est trop tard, il est trop tard! s'écria-t-elle. Faut-i mourir au moment où j'apprends que j'aurais pu êtr heureuse! Que n'ai-je connu plus tôt ce saint vieillard! Aujourd'hui, de quel bonheur je jouirais avec toi, avec Chactas chrétien—consolée, rassurée par ce prêtre auguste—dans ce désert—pour toujours—oh! c'eût été trop de félicité!'—'Calme-toi, lui dis-je en saisissant une des mains de l'infortunée; calme-toi, ce bonheur, nous allons le goûter.'—'Jamais! jamais!' dit Atala.—'Comment?' repartis-je.—'Tu ne sais pas tout, s'écria la vierge, c'est hier—pendant l'orage—J'allais violer mes vœux: j'allais plonger ma mère dans les flammes de l'abîme; déjà sa malédiction était sur moi, déjà je mentais au Dieu qui m'a sauvé la vie—Quand tu baisais mes lèvres tremblantes, tu ne savais pas que tu n'embrassais que la mort!'—'O ciel! s'écria le missionnaire, chère enfant, qu'avez-vous fait?'—'Un crime, mon père, dit Atala les yeux égarés; mais je ne perdais que moi, et je sauvais ma mère.'—'Achève donc,' m'écriai-je plein d'épouvante.—'Eh bien! dit-elle, j'avais prévu ma faiblesse; en quittant les cabanes, j'ai emporté avec moi—'—'Quoi?' repris-je avec horreur.—'Un poison?' dit le père.—'Il est dans mon sein,' s'écria Atala.

"Le flambeau échappe de la main du solitaire, je tombe mourant près de la fille de Lopez; le vieillard nous saisit l'un et l'autre dans ses bras, et tous trois, dans l'ombre, nous mêlons un moment nos sanglots sur cette couche funèbre.

" 'Réveillons-nous, réveillons-nous! dit bientôt le courageux ermite en allumant une lampe. Nous perdons des moments précieux: intrépides chrétiens, bravons les assauts de l'adversité: la corde au cou, la cendre sur la tête, jetons-nous aux pieds du Très-Haut pour implorer sa clémence, pour nous soumettre à ses décrets. Peut-être est-il temps encore. Ma fille, vous eussiez dû m'avertir hier au soir.'

—" 'Hélas! mon père, dit Atala, je vous ai cherché

la nuit dernière, mais le ciel, en punition de mes fautes vous a éloigné de moi. Tout secours eût d'ailleurs été inutile, car les Indiens mêmes, si habiles dans ce qui regarde les poisons, ne connaissent point de remède à celui que j'ai pris. O Chactas! juge de mon étonnement quand j'ai vu que le coup n'était pas aussi subit que je m'y attendais! Mon amour a redoublé mes forces, mon âme n'a pu si vite se séparer de toi.'

"Ce ne fut plus ici par des sanglots que je troublai le récit d'Atala, ce fut par ces emportements qui ne sont connus que des sauvages. Je me roulai furieux sur la terre en me tordant les bras et en me dévorant les mains. Le vieux prêtre, avec une tendresse merveilleuse courait du frère à la sœur, et nous prodiguait mille secours. Dans le calme de son cœur et sous le fardeau des ans, il savait se faire entendre à notre jeunesse et sa religion lui fournissait des accents plus tendres et plus brûlants que nos passions mêmes. Ce prêtre, qui depuis quarante années s'immolait chaque jour au service de Dieu et des hommes dans ces montagnes, ne te rappelle-t-il pas ces holocaustes d'Israël fumant perpétuellement sur les hauts lieux, devant le Seigneur?

"Hélas! ce fut en vain qu'il essaya d'apporter quelque remède aux maux d'Atala. La fatigue, le chagrin, le poison, et une passion plus mortelle que tous les poisons ensemble, se réunissaient pour ravir cette fleur à la solitude. Vers le soir, des symptômes effrayants se manifestèrent; un engourdissement général saisit les membres d'Atala, et les extrémités de son corps commencèrent à refroidir: 'Touche mes doigts, me disait-elle: ne les trouves-tu pas bien glacés?' Je ne savais que répondre, et mes cheveux se hérissaient d'horreur; ensuite elle ajoutait: 'Hier encore, mon bien-aimé, ton seul toucher me faisait tressaillir, et voilà que je ne sens plus ta main, je n'entends presque plus ta voix, les objets de la grotte disparaissent tour à tour. Ne sont-ce pas les oiseaux qui chantent? Le soleil doit être près de se coucher maintenant; Chactas, ses rayons seront bien beaux au désert, sur ma tombe!'

"Atala, s'apercevant que ces paroles nous faisaient fondre en pleurs, nous dit: 'Pardonnez-moi, mes bons amis; je suis bien faible, mais peut-être que je vais devenir plus forte. Cependant mourir si jeune, tout à la fois, quand mon cœur était si plein de vie! Chef de la prière, aie pitié de moi; soutiens-moi. Crois-tu que ma mère soit contente et que Dieu me pardonne ce que j'ai fait?'

—" 'Ma fille,' répondit le bon religieux en versant des larmes et les essuyant avec ses doigts tremblants et mutilés; ma fille, tous vos malheurs viennent de votre ignorance; c'est votre éducation sauvage et le manque d'instruction nécessaire qui vous ont perdue; vous ne saviez pas qu'une chrétienne ne peut disposer de sa vie. Consolez-vous donc, ma chère brebis; Dieu vous pardonnera à cause de la simplicité de votre cœur. Votre mère et l'imprudent missionnaire qui la dirigeait ont été plus coupables que vous; ils ont passé leurs pouvoirs en vous arrachant un vœu indiscret; mais que la paix du Seigneur soit avec eux! Vous offrez tous trois un terrible exemple des dangers de l'enthousiasme et du défaut de lumières en matière de religion. Rassurez-vous, mon enfant: celui qui sonde les reins et les cœurs vous jugera sur vos intentions, qui étaient pures, et non sur votre action, qui est condamnable.

" 'Quant à la vie, si le moment est arrivé de vous endormir dans le Seigneur, ah! ma chère enfant, que vous perdez peu de chose en perdant ce monde! Malgré la solitude où vous avez vécu, vous avez connu les chagrins: que penseriez-vous donc si vous eussiez été témoin des maux de la société? si, en abordant sur les rivages de l'Europe, votre oreille eût été frapée de ce long cri de douleur qui s'élève de cette vieille terre? L'habitant de la cabane et celui des palais, tout souffre, tout gémit ici-bas; les reines ont été vues pleurant comme de simples femmes, et l'on s'est étonné de la quantité de larmes que contiennent les yeux des rois!

" 'Est-ce votre amour que vous regrettez? Ma fille, il faudrait autant pleurer un songe. Connaissez-vous le cœur de l'homme, et pourriez-vous compter les inconstances de son désir? Vous calculeriez plutôt le nombre des vagues que la mer roule dans une tempête. Atala, les sacrifices, les bienfaits, ne sont pas des liens éternels: un jour peut-être le dégout fût venu avec la satiété, le passé eût été compté pour rien, et l'on n'eût plus aperçu que les inconvénients d'une union pauvre et méprisée. Sans doute, ma fille, les plus belles amours furent celles de cet homme et de cette femme sortis de la main du Créateur. Un paradis avait été formé pour eux, ils étaient innocents et immortels. Parfaits de l'âme et du corps, ils se convenaient en tout. Ève avait été créée pour Adam, et Adam pour Ève. S'ils n'ont pu toutefois se maintenir dans cet état de bonheur, quels couples le pourront après eux? Je ne vous parlerai point des mariages des premiers-nés des hommes, de ces unions ineffables, alors que la sœur était l'épouse du frère, que l'amour et l'amitié fraternelle se confondaient dans le même cœur et que la pureté de l'une augmentait les délices de l'autre. Toutes les unions ont été troublées; la jalousie s'est glissée à l'autel de gazon où l'on immolait le chevreau, elle a régné sous la tente d'Abraham et dans ces couches mêmes où les patriarches goûtaient tant de joie qu'ils oubliaient la mort de leurs mères.

" 'Vous seriez-vous donc flattée, mon enfant, d'être plus innocente et plus heureuse dans vos liens que ces saintes familles dont Jésus-Christ a voulu descendre?

Je vous épargne les détails des soucis du ménage, les disputes, les reproches mutuels, les inquiétudes, et toutes les peines secrètes qui veillent sur l'oreiller du lit conjugal. La femme renouvelle ses douleurs chaque fois qu'elle est mère, et elle se marie en pleurant. Que de maux dans la seule perte d'un nouveau-né à qui l'on donnait le lait et qui meurt sur votre sein! La montagne a été pleine de gémissements; rien ne pouvait consoler Rachel, parce que ses fils n'étaient plus. Ces amertumes attachées aux tendresses humaines sont si fortes, que j'ai vu dans ma patrie de grandes dames, aimées par des rois, quitter la cour pour s'ensevelir dans des cloîtres et mutiler cette chair révoltée dont les plaisirs ne sont que des douleurs.

" 'Mais peut-être direz-vous que ces derniers exemples ne vous regardent pas; que toute votre ambition se réduisait à vivre dans une obscure cabane avec l'homme de votre choix; que vous cherchiez moins les douceurs du mariage que les charmes de cette folie que la jeunesse appelle *amour?* Illusion, chimère, vanité, rêve d'une imagination blessée! Et moi aussi, ma fille, j'ai connu les troubles du cœur; cette tête n'a pas toujours été chauve ni ce sein aussi tranquille qu'il vous les paraît aujourd'hui. Croyez-en mon expérience: si l'homme, constant dans ses affections, pouvait sans cesse fournir à un sentiment renouvelé sans cesse, sans doute la solitude et l'amour l'égaleraient à Dieu même, car ce sont là les deux éternels plaisirs du grand Être. Mais l'âme de l'homme se fatigue, et jamais elle n'aime longtemps le même objet avec plénitude. Il y a toujours quelques points par où deux cœurs ne se touchent pas, et ces points suffisent à la longue pour rendre la vie insupportable.

" 'Enfin, ma chère fille, le grand tort des hommes, dans leur songe de bonheur, est d'oublier cette infirmité de la mort attachée à leur nature: il faut finir Tôt ou tard, quelle qu'eût été votre félicité, ce beau visage se fût changé en cette figure uniforme que le sépulcre donne à la famille d'Adam; l'œil même de Chactas n'aurait pu vous reconnaître entre vos sœurs de la tombe. L'amour n'étend point son empire sur les vers du cercueil. Que dis-je! (ô vanité des vanités!) que parlé-je de la puissance des amitiés de la terre! Voulez-vous, ma chère fille, en connaître l'étendue? Si un homme revenait à la lumière quelques années après sa mort, je doute qu'il fût revu avec joie par ceux-là mêmes qui ont donné le plus de larmes à sa mémoire: tant on forme vite d'autres liaisons, tant on prend facilement d'autres habitudes, tant l'inconstance est naturelle à l'homme, tant notre vie est peu de chose, même dans le cœur de nos amis!

" 'Remerciez donc la bonté divine, ma chère fille, qui vous retire si vite de cette vallée de misère. Déjà le vêtement blanc et la couronne éclatante des vierges se préparent pour vous sur les nuées; déjà j'entends la Reine des Anges qui vous crie: Venez, ma digne servante, venez, ma colombe, venez vous asseoir sur un trône de candeur, parmi toutes ces filles qui ont sacrifié leur beauté et leur jeunesse au service de l'humanité, à l'éducation des enfants et aux chefs-d'œuvre de la pénitence. Venez, rose mystique, vous reposer sur le sein de Jésus-Christ. Ce cercueil, lit nuptial que vous vous êtes choisi, ne sera point trompé, et les embrassements de votre céleste époux ne finiront jamais!'

"Comme le dernier rayon du jour abat les vents et répand le calme dans le ciel, ainsi la parole tranquille du vieillard apaisa les passions dans le sein de mon amante. Elle ne parut plus occupée que de ma douleur et des moyens de me faire supporter sa perte. Tantôt elle disait qu'elle mourrait heureuse si je lui promettais de sécher mes pleurs; tantôt elle me parlait de ma mère, de ma patrie; elle cherchait à me distraire de la douleur présente en réveillant en moi une douleur passée. Elle m'exhortait à la patience, à la vertu. 'Tu ne seras pas toujours malheureux, disait-elle: si le ciel t'éprouve aujourd'hui, c'est seulement pour te rendre plus compatissant aux maux des autres. Le cœur, ô Chactas! est comme ces sortes d'arbres qui ne donnent leur baume pour les blessures des hommes que lorsque le fer les a blessés eux-mêmes.'

"Quand elle avait ainsi parlé, elle se tournait vers le missionnaire, cherchait auprès de lui le soulagement qu'elle m'avait fait éprouver, et, tour à tour consolante et consolée, elle donnait et recevait la parole de vie sur la couche de la mort.

"Cependant l'ermite redoublait de zèle. Ses vieux os s'étaient rallumés par l'ardeur de la charité, et toujours préparant des remèdes, rallumant le feu, rafraîchissant la couche, il faisait d'admirables discours sur Dieu et sur le bonheur des justes. Le flambeau de la religion à la main, il semblait précéder Atala dans la tombe, pour lui en montrer les secrètes merveilles. L'humble grotte était remplie de la grandeur de ce trépas chrétien, et les esprits célestes étaient sans doute attentifs à cette scène où la religion luttait seule contre l'amour, la jeunesse et la mort.

"Elle triomphait, cette religion divine, et l'on s'apercevait de sa victoire à une sainte tristesse qui succédait dans nos cœurs aux premiers transports des passions. Vers le milieu de la nuit, Atala sembla se ranimer pour répéter des prières que le religieux prononçait au bord de sa couche. Peu de temps après elle me tendit la main, et avec une voix qu'on entendait à peine, elle me dit: 'Fils d'Outalissi, te rappelles-tu cette première nuit où tu me pris pour la Vierge des dernières amours?

Singulier présage de notre destinée!' Elle s'arrêta, puis elle reprit: 'Quand je songe que je te quitte pour toujours, mon cœur fait un tel effort pour revivre, que je me sens presque le pouvoir de me rendre immortelle à force d'aimer. Mais, ô mon Dieu, que votre volonté soit faite!' Atala se tut pendant quelques instants; elle ajouta: 'Il ne me reste plus qu'à vous demander pardon des maux que je vous ai causés. Je vous ai beaucoup tourmenté par mon orgueil et mes caprices. Chactas, un peu de terre jeté sur mon corps va mettre tout un monde entre vous et moi et vous délivrer pour toujours du poids de mes infortunes.'

"'—Vous pardonner! répondis-je noyé de larmes: n'est-ce pas moi qui ai causé tous vos malheurs?—Mon ami, dit-elle en m'interrompant, vous m'avez rendue très-heureuse, et si j'étais à recommencer la vie, je préférerais encore le bonheur de vous avoir aimé quelques instants dans un exil infortuné à toute une vie de repos dans ma patrie.'

"Ici la voix d'Atala s'éteignit; les ombres de la mort se répandirent autour de ses yeux et de sa bouche; ses doigts errants cherchaient à toucher quelque chose; elle conversait tout bas avec des esprits invisibles. Bientôt, faisant un effort, elle essaya, mais en vain, de détacher de son cou le petit crucifix; elle me pria de le dénouer moi-même, et elle me dit:

"'Quand je te parlai pour la première fois, tu vis cette croix briller à la lueur du feu sur mon sein; c'est le seul bien que possède Atala. Lopez, ton père et le mien, l'envoya à ma mère peu de jours après ma naissance. Reçois donc de moi cet héritage, ô mon frère! conserve-le en mémoire de mes malheurs. Tu auras recours à ce Dieu des infortunés dans les chagrins de ta vie. Chactas, j'ai une dernière prière à te faire. Ami, notre union aurait été courte sur la terre, mais il est après cette vie une plus longue vie. Qu'il serait affreux d'être séparée de toi pour jamais! Je ne fais que te devancer aujourd'hui, et je te vais attendre dans l'empire céleste. Si tu m'as aimée, fais-toi instruire dans la religion chrétienne, qui préparera notre réunion. Elle fait sous tes yeux un grand miracle, cette religion, puisqu'elle me rend capable de te quitter sans mourir dans les angoisses du désespoir. Cependant, Chactas, je ne veux de toi qu'une simple promesse, je sais trop ce qu'il en coûte pour te demander un serment. Peut-être ce vœu te séparerait-il de quelque femme plus heureuse que moi—O ma mère! pardonne à ta fille. O vierge! retenez votre courroux. Je retombe dans mes faiblesses, et je te dérobe, ô mon Dieu! des pensées qui ne devraient être que pour toi.'

"Navré de douleur, je promis à Atala d'embrasser un jour la religion chrétienne. A ce spectacle, le solitaire se levant d'un air inspiré et étendant les bras vers la voûte de la grotte: 'Il est temps, s'écria-t-il, il est temps d'appeler Dieu ici!'

"A peine a-t-il prononcé ces mots qu'une force surnaturelle me contraint de tomber à genoux et m'incline la tête au pied du lit d'Atala. Le prêtre ouvre un lieu secret où était enfermée une urne d'or couverte d'un voile de soie; il se prosterne, et adore profondément. La grotte parut soudain illuminée; on entendit dans les airs les paroles des anges et les frémissements des harpes célestes, et lorsque le solitaire tira le vase sacré de son tabernacle, je crus voir Dieu lui-même sortir du flanc de la montagne.

"Le prêtre ouvrit le calice; il prit entre ses deux doigts une hostie blanche comme la neige, et s'approcha d'Atala en prononçant des mots mystérieux. Cette sainte avait les yeux levés au ciel, en extase. Toutes ses douleurs parurent suspendues, toute sa vie se rassembla sur sa bouche; ses lèvres s'entr'ouvrirent, et vinrent avec respect chercher le Dieu caché sous le pain mystique. Ensuite le divin vieillard trempe un peu de coton dans une huile consacrée, il en frotte les tempes d'Atala, il regarde un moment la fille mourante, et tout à coup ces fortes paroles lui échappent: 'Partez âme chrétienne, allez rejoindre votre Créateur!' Relevant alors ma tête abattue, je m'écriai en regardant le vase où était l'huile sainte: 'Mon père, ce remède rendra-t-il la vie à Atala? —Oui, mon fils, dit le vieillard en tombant dans mes bras, la vie éternelle!' Atala venait d'expirer."

Dans cet endroit, pour la seconde fois depuis le commencement de son récit, Chactas fut obligé de s'interrompre. Ses pleurs l'inondaient, et sa voix ne laissait échapper que des mots entrecoupés. Le Sachem aveugle ouvrit son sein, il en tira le crucifix d'Atala. "Le voilà, s'écria-t-il, ce gage de l'adversité! O René! ô mon fils! tu le vois, et moi je ne le vois plus! Dis-moi, après tant d'années, l'or n'en est-il point altéré? n'y vois-tu point la trace de mes larmes? Pourrais-tu reconnaître l'endroit qu'une sainte a touché de ses lèvres? Comment Chactas n'est-il point encore chrétien? Quelles frivoles raisons de politique et de patrie l'ont jusqu'à présent retenu dans les erreurs de ses pères? Non, je ne veux pas tarder plus longtemps. La terre me crie: Quand donc descendras-tu dans la tombe, et qu'attends-tu pour embrasser une religion divine?—O terre! vous ne m'attendrez pas longtemps: aussitôt qu'un prêtre aura rajeuni dans l'onde cette tête blanchie par les chagrins, j'espère me réunir à Atala—Mais achevons ce qui me reste à conter de mon histoire.

LES FUNÉRAILLES

"Je n'entreprendrai point, ô René! de te peindre aujourd'hui le désespoir qui saisit mon âme lorsque

Atala eut rendu le dernier soupir. Il faudrait avoir plus de chaleur qu'il ne m'en reste; il faudrait que mes yeux fermés se pussent rouvrir au soleil pour lui demander compte des pleurs qu'ils versèrent à sa lumière. Oui, cette lune qui brille à présent sur nos têtes se lassera d'éclairer les solitudes du Kentucky; oui, le fleuve qui porte maintenant nos pirogues suspendra le cours de ses eaux avant que mes larmes cessent de couler pour Atala! Pendant deux jours entiers je fus insensible aux discours de l'ermite. En essayant de calmer mes peines, cet excellent homme ne se servait point des vaines raisons de la terre, il se contentait de me dire: 'Mon fils, c'est la volonté de Dieu;' et il me pressait dans ses bras. Je n'aurais jamais cru qu'il y eût tant de consolation dans ce peu de mots du chrétien résigné, si je ne l'avais éprouvé moi-même.

"La tendresse, l'onction, l'inaltérable patience du vieux serviteur de Dieu, vainquirent enfin l'obstination de ma douleur. J'eus honte des larmes que je lui faisais répandre. 'Mon père, lui dis-je, c'en est trop: que les passions d'un jeune homme ne troublent plus la paix de tes jours. Laisse-moi emporter les restes de mon épouse; je les ensevelirai dans quelque coin du désert, et si je suis encore condamné à la vie, je tâcherai de me rendre digne de ces noces éternelles qui m'ont été promises par Atala.'

"A ce retour inespéré de courage, le bon père tressaillit de joie; il s'écriait: 'O sang de Jésus-Christ, sang de mon divin Maître, je reconnais là tes mérites! Tu sauveras sans doute ce jeune homme. Mon Dieu! achève ton ouvrage; rends la paix à cette âme troublée, et ne lui laisse de ses malheurs que d'humbles et utiles souvenirs!'

"Le juste refusa de m'abandonner le corps de la fille de Lopez, mais il me proposa de faire venir ses néophytes et de l'enterrer avec toute la pompe chrétienne; je m'y refusai à mon tour. 'Les malheurs et les vertus d'Atala, lui dis-je, ont été inconnus des hommes: que sa tombe, creusée furtivement par nos mains, partage cette obscurité.' Nous convînmes que nous partirions le lendemain, au lever du soleil, pour enterrer Atala sous l'arche du pont naturel, à l'entrée des Bocages de la mort. Il fut aussi résolu que nous passerions la nuit en prière auprès du corps de cette sainte.

"Vers le soir, nous transportâmes ses précieux restes à une ouverture de la grotte qui donnait vers le nord. L'ermite les avait roulés dans une pièce de lin d'Europe, filé par sa mère: c'était le seul bien qui lui restât de sa patrie, et depuis longtemps il le destinait à son propre tombeau. Atala était couchée sur un gazon de sensitives des montagnes; ses pieds, sa tête, ses épaules et une partie de son sein étaient découverts. On voyait dans ses cheveux une fleur de magnolia fanée—celle-là même que j'avais déposée sur le lit de la vierge pour la rendre féconde. Ses lèvres, comme un bouton de rose cueilli depuis deux matins, semblaient languir et sourire. Dans ses joues, d'une blancheur éclatante, on distinguait quelques veines bleues. Ses beaux yeux étaient fermés, ses pieds modestes étaient joints, et ses mains d'albâtre pressaient sur son cœur un crucifix d'ébène; le scapulaire de ses vœux était passé à son cou. Elle paraissait enchantée par l'Ange de la mélancolie et par le double sommeil de l'innocence et de la tombe; je n'ai rien vu de plus céleste. Quiconque eût ignoré que cette jeune fille avait joui de la lumière aurait pu la prendre pour la statue de la Virginité endormie.

"Le religieux ne cessa de prier toute la nuit. J'étais assis en silence au chevet du lit funèbre de mon Atala. Que de fois, durant son sommeil, j'avais supporté sur mes genoux cette tête charmante! Que de fois je m'étais penché sur elle pour entendre et pour respirer son souffle! Mais à présent aucun bruit ne sortait de ce sein immobile, et c'était en vain que j'attendais le réveil de la beauté!

"La lune prêta son pâle flambeau à cette veillée funèbre. Elle se leva au milieu de la nuit, comme une blanche vestale qui vient pleurer sur le cercueil d'une compagne. Bientôt elle répandit dans les bois ce grand secret de mélancolie qu'elle aime à raconter aux vieux chênes et aux rivages antiques des mers. De temps en temps le religieux plongeait un rameau fleuri dans une eau consacrée, puis, secouant la branche humide, il parfumait la nuit des baumes du ciel. Parfois il répétait sur un air antique quelques vers d'un vieux poète nommé *Job;* il disait:

" 'J'ai passé comme une fleur; j'ai séché comme l'herbe des champs.

" 'Pourquoi la lumière a-t-elle été donnée à un misérable et la vie à ceux qui sont dans l'amertume du cœur?'

"Ainsi chantait l'ancien des hommes. Sa voix grave et peu cadencée allait roulant dans le silence des déserts. Le nom de Dieu et du tombeau sortait de tous les échos, de tous les torrents, de toutes les forêts. Les roucoulements de la colombe de Virginie, la chute d'un torrent dans la montagne, les tintements de la cloche qui appelait les voyageurs, se mêlaient à ces chants funèbres, et l'on croyait entendre dans les Bocages de la mort le chœur lointain des décédés, qui répondait à la voix du solitaire.

"Cependant une barre d'or se forma dans l'orient. Les éperviers criaient sur les rochers et les martres rentraient dans le creux des ormes: c'était le signal du convoi d'Atala. Je chargeai le corps sur mes épaules; l'ermite marchait devant moi, une bêche à la main.

Nous commençâmes à descendre de rocher en rocher, la vieillesse et la mort ralentissaient également nos pas. A la vue du chien qui nous avait trouvés dans la forêt, et qui maintenant, bondissant de joie, nous traçait une autre route, je me mis à fondre en larmes. Souvent la longue chevelure d'Atala, jouet des brises matinales, étendait son voile d'or sur mes yeux; souvent pliant sous le fardeau, j'étais obligé de le déposer sur la mousse et de m'asseoir auprès, pour reprendre des forces. Enfin, nous arrivâmes au lieu marqué par ma douleur; nous descendîmes sous l'arche du pont. O mon fils ! il eût fallu voir un jeune sauvage et un vieil ermite à genoux l'un vis-à-vis de l'autre dans un désert, creusant avec leurs mains un tombeau pour une pauvre fille dont le corps était étendu près de là, dans la ravine desséchée d'un torrent.

"Quand notre ouvrage fut achevé, nous transportâmes la beauté dans son lit d'argile. Hélas! j'avais espéré de préparer une autre couche pour elle! Prenant alors un peu de poussière dans ma main et gardant un silence effroyable, j'attachai pour la dernière fois mes yeux sur le visage d'Atala. Ensuite je répandis la terre du sommeil sur un front de dix-huit printemps, je vis graduellement disparaître les traits de ma sœur et ses grâces se cacher sous le rideau de l'éternité; son sein surmonta quelque temps le sol noirci, comme un lis blanc s'élève du milieu d'une sombre argile: 'Lopez, m'écriai-je alors, vois ton fils inhumer ta fille!' et j'achevai de couvrir Atala de la terre du sommeil.

"Nous retournâmes à la grotte, et je fis part au missionnaire du projet que j'avais formé de me fixer près de lui. Le saint, qui connaissait merveilleusement le cœur de l'homme, découvrit ma pensée et la ruse de ma douleur. Il me dit: 'Chactas, fils d'Outalissi, tandis qu'Atala a vécu je vous ai sollicité moi-même de demeurer auprès de moi, mais à présent votre sort est changé, vous vous devez à votre patrie. Croyez-moi, mon fils, les douleurs ne sont point éternelles; il faut tôt ou tard qu'elles finissent, parce que le cœur de l'homme est fini: c'est une de nos grandes misères; nous ne sommes pas même capables d'être longtemps malheureux. Retournez au Meschacebé; allez consoler votre mère, qui vous pleure tous les jours et qui a besoin de votre appui. Faites-vous instruire dans la religion de votre Atala, lorsque vous en trouverez l'occasion, et souvenez-vous que vous lui avez promis d'être vertueux et chrétien. Moi, je veillerai ici sur son tombeau. Partez, mon fils. Dieu, l'âme de votre sœur et le cœur de votre vieil ami vous suivront.'

"Telles furent les paroles de l'homme du rocher; son autorité était trop grande, sa sagesse trop profonde, pour ne lui pas obéir. Dès le lendemain je quittai mon vénérable hôte, qui, me pressant sur son cœur, me donna ses derniers conseils, sa dernière bénédiction et ses dernières larmes. Je passai au tombeau; je fus surpris d'y trouver une petite croix qui se montrait au-dessus de la mort, comme on aperçoit encore le mât d'un vaisseau qui a fait naufrage. Je jugeai que le solitaire était venu prier au tombeau pendant la nuit; cette marque d'amitié et de religion fit couler mes pleurs en abondance. Je fus tenté de rouvrir la fosse et de voir encore une fois ma bien-aimée, une crainte religieuse me retint. Je m'assis sur la terre fraîchement remuée. Un coude appuyé sur mes genoux et la tête soutenue dans ma main, je demeurai enseveli dans la plus amère rêverie. O René! c'est là que je fis pour la première fois des réflexions sérieuses sur la vanité de nos jours et la plus grande vanité de nos projets! Eh, mon enfant! qui ne les a point faites, ces réflexions? Je ne suis plus qu'un vieux cerf blanchi par les hivers; mes ans le disputent à ceux de la corneille: eh bien, malgré tant de jours accumulés sur ma tête, malgré une si longue expérience de la vie, je n'ai point encore rencontré d'homme qui n'eût été trompé dans ses rêves de félicité, point de cœur qui n'entretînt une plaie cachée. Le cœur le plus serein en apparence ressemble au puits naturel de la savane Alachua: la surface en paraît calme et pure, mais quand vous regardez au fond du bassin, vous apercevez un large crocodile, que le puits nourrit dans ses eaux.

"Ayant ainsi vu le soleil se lever et se coucher sur ce lieu de douleur, le lendemain, au premier cri de la cigogne, je me préparai à quitter la sépulture sacrée. J'en partis comme de la borne d'où je voulais m'élancer dans la carrière de la vertu. Trois fois j'évoquai l'âme d'Atala; trois fois le Génie du désert répondit à mes cris sous l'arche funèbre. Je saluai ensuite l'orient, et je découvris au loin, dans les sentiers de la montagne, l'ermite qui se rendait à la cabane de quelque infortuné. Tombant à genoux et embrassant étroitement la fosse, je m'écriai: 'Dors en paix dans cette terre étrangère, fille trop malheureuse! Pour prix de ton amour, de ton exil et de ta mort, tu vas être abandonnée, même de Chactas!' Alors, versant des flots de larmes, je me séparai de la fille de Lopez; alors je m'arrachai de ces lieux, laissant au pied du monument de la nature un monument plus auguste: l'humble tombeau de la vertu."

ÉPILOGUE

Chactas, fils d'Outalissi le Natchez, a fait cette histoire à René l'Européen. Les pères l'ont redite aux enfants, et moi, voyageur aux terres lointaines, j'ai fidèlement rapporté ce que les Indiens m'en ont appris. Je vis dans ce récit le tableau du peuple chasseur et du peuple laboureur, la religion, première législatrice des hommes, les dangers de l'ignorance et de l'enthousiasme religieux opposés aux lumières, à la charité et au véritable esprit de l'Évangile, les combats des passions et des vertus dans un cœur simple, enfin le triomphe du christianisme sur le sentiment le plus fougueux et la crainte la plus terrible, l'amour et la mort.

Quand un Siminole me raconta cette histoire, je la trouvai fort instructive et parfaitement belle, parce qu'il y mit la fleur du désert, la grâce de la cabane et une simplicité à conter la douleur que je ne me flatte pas d'avoir conservées. Mais une chose me restait à savoir. Je demandais ce qu'était devenu le père Aubry, et personne ne me le pouvait dire. Je l'aurais toujours ignoré, si la Providence, qui conduit tout, ne m'avait découvert ce que je cherchais. Voici comme la chose se passa:

J'avais parcouru les rivages du Meschacebé, qui formaient autrefois la barrière méridionale de la Nouvelle-France, et j'étais curieux de voir, au nord, l'autre merveille de cet empire, la cataracte de Niagara. J'étais arrivé tout près de cette chute, dans l'ancien pays des Agannonsioni, lorsqu'un matin, en traversant une plaine, j'aperçus une femme assise sous un arbre et tenant un enfant mort sur ses genoux. Je m'approchai doucement de la jeune mère, et je l'entendis qui disait:

"Si tu étais resté parmi nous, cher enfant, comme ta main eût bandé l'arc avec grâce! Ton bras eût dompté l'ours en fureur, et sur le sommet de la montagne tes pas auraient défié le chevreuil à la course. Blanche hermine du rocher, si jeune être allé dans le pays des âmes! Comment feras-tu pour y vivre? Ton père n'y est point pour t'y nourrir de sa chasse. Tu auras froid, et aucun Esprit ne te donnera des peaux pour te couvrir. Oh! il faut que je me hâte de t'aller rejoindre pour te chanter des chansons et te présenter mon sein."

Et la jeune mère chantait d'une voix tremblante, balançait l'enfant sur ses genoux, humectait les lèvres du lait maternel et prodiguait à la mort tous les soins qu'on donne à la vie.

Cette femme voulait faire sécher le corps de son fils sur les branches d'un arbre, selon la coutume indienne, afin de l'emporter ensuite aux tombeaux de ses pères. Elle dépouilla donc le nouveau-né, et respirant quelques instants sur sa bouche, elle dit: "Ame de mon fils, âme charmante, ton père t'a créée jadis sur mes lèvres par un baiser; hélas! les miens n'ont pas le pouvoir de te donner une seconde naissance." Ensuite elle découvrit son sein, et embrassa ses restes glacés, qui se fussent ranimés au fond du cœur maternel si Dieu ne s'était réservé le souffle qui donne la vie.

Elle se leva, et chercha des yeux un arbre sur les branches duquel elle pût exposer son enfant. Elle choisit un érable à fleurs rouges, festonné de guirlandes d'apios, et qui exhalait les parfums les plus suaves. D'une main elle en abaissa les rameaux inférieurs, de l'autre elle y plaça le corps; laissant alors échapper la branche, la branche retourna à sa position naturelle, emportant la dépouille de l'innocence, cachée dans un feuillage odorant. Oh! que cette coutume indienne est touchante! Je vous ai vus dans vos campagnes désolées, pompeux monuments des Crassus et des Césars, et je vous préfère encore ces tombeaux aériens du sauvage, ces mausolées de fleurs et de verdure que parfume l'abeille, que balance le zéphyr, et où le rossignol bâtit son nid et fait entendre sa plaintive mélodie. Si c'est la dépouille d'une jeune fille que la main d'un amant a suspendue à l'arbre de la mort, si ce sont les restes d'un enfant chéri qu'une mère a placés dans la demeure des petits oiseaux, le charme redouble encore. Je m'approchai de celle qui gémissait au pied de l'érable; je lui imposai les mains sur la tête en poussant les trois cris de douleur. Ensuite, sans lui parler, prenant comme elle un rameau, j'écartai les insectes qui bourdonnaient autour du corps de l'enfant. Mais je me donnai de garde d'effrayer une colombe voisine. L'Indienne lui disait: "Colombe, si tu n'es pas l'âme de mon fils qui s'est envolée, tu es sans doute une mère qui cherche quelque chose pour faire un nid. Prends de ces cheveux, que je ne laverai plus dans l'eau d'esquine; prends-en pour coucher tes petits: puisse le grand Esprit te les conserver!"

Cependant la mère pleurait de joie en voyant la politesse de l'étranger. Comme nous faisions ceci, un jeune homme approcha: "Fille de Céluta, retire notre enfant; nous ne séjournerons pas plus longtemps ici et nous partirons au premier soleil." Je dis alors: "Frère, je te souhaite un ciel bleu, beaucoup de chevreuils, un manteau de castor et l'espérance. Tu n'es donc pas de ce désert?—Non, répondit le jeune homme, nous sommes des exilés et nous allons chercher une patrie." En disant cela le guerrier baissa la tête dans son sein, et avec le bout de son arc il abattait la tête des fleurs. Je vis qu'il y avait des larmes au fond de cette histoire, et je me tus. La femme retira son fils des branches de l'arbre et elle le donna à porter à son époux. Alors je dis: "Voulez-vous me permettre d'allumer votre feu cette nuit?—Nous n'avons point de cabane, reprit le guerrier; si vous voulez nous suivre, nous campons au bord de la chute.—Je le veux bien," répondis-je, et nous partîmes ensemble.

Nous arrivâmes bientôt au bord de la cataracte, qui s'annonçait par d'affreux mugissements. Elle est formée par la rivière Niagara, qui sort du lac Érié et se jette dans le lac Ontario; sa hauteur perpendiculaire est de cent quarante-quatre pieds. Depuis le lac Érié jusqu'au Saut, le fleuve accourt par une pente rapide, et au moment de la chute c'est moins un fleuve qu'une mer dont les torrents se pressent à la bouche béante d'un gouffre. La cataracte se divise en deux branches et se courbe en fer à cheval. Entre les deux chutes s'avance une île creusée en dessous, qui pend avec tous ses arbres sur le chaos des ondes. La masse du fleuve qui se précipite au midi s'arrondit en un vaste cylindre, puis se déroule en nappe de neige et brille au soleil de toutes les couleurs; celle qui tombe au levant descend dans une ombre effrayante; on dirait d'une colonne d'eau du déluge. Mille arcs-en-ciel se courbent et se croisent sur l'abîme. Frappant le roc ébranlé, l'eau rejaillit en tourbillons d'écume, qui s'élèvent au-dessus des forêts comme les fumées d'un vaste embrasement. Des pins, des noyers sauvages, des rochers taillés en forme de fantômes, décorent la scène. Des aigles entraînés par le courant d'air descendent en tournoyant au fond du gouffre, et des carcajous se suspendent par leurs queues flexibles au bout d'une branche abaissée pour saisir dans l'abîme les cadavres brisés des élans et des ours.

Tandis qu'avec un plaisir mêlé de terreur je contemplais ce spectacle, l'Indienne et son époux me quittèrent. Je les cherchai en remontant le fleuve au-dessus de la chute, et bientôt je les trouvai dans un endroit convenable à leur deuil. Ils étaient couchés sur l'herbe, avec des vieillards, auprès de quelques ossements humains enveloppés dans des peaux de bêtes. Étonné de tout ce que je voyais depuis quelques heures, je m'assis auprès de la jeune mère, et lui dis: "Qu'est-ce que tout ceci, ma sœur?" Elle me répondit: "Mon frère, c'est la terre de la patrie, ce sont les cendres de nos aïeux, qui nous suivent dans notre exil.—Et comment, m'écriai-je, avez-vous été réduits à un tel malheur?" La fille de Céluta repartit: "Nous sommes les restes des Natchez. Après le massacre que les Français firent de notre nation pour venger leurs frères, ceux de nos frères qui échappèrent aux vainqueurs trouvèrent un asile chez les Chikassas, nos voisins. Nous y sommes demeurés assez longtemps tranquilles; mais il y a sept lunes que les blancs de la Virginie se sont emparés de nos terres, en disant qu'elles leur ont été données par un roi d'Europe. Nous avons levé les yeux au ciel, et chargés des restes de nos aïeux, nous avons pris notre route à travers le désert. Je suis accouchée pendant la marche et comme mon lait était mauvais, à cause de la douleur, il a fait mourir mon enfant." En disant cela, la jeune mère essuya ses yeux avec sa chevelure; je pleurais aussi.

Or, je dis bientôt: "Ma sœur, adorons le grand Esprit, tout arrive par son ordre. Nous sommes tous voyageurs, nos pères l'ont été comme nous; mais il y a un lieu où nous nous reposerons. Si je ne craignais d'avoir la langue aussi légère que celle d'un blanc, je vous demanderais si vous avez entendu parler de Chactas le Natchez." A ces mots l'Indienne me regarda et me dit: "Qui est-ce qui vous a parlé de Chactas le Natchez?" Je répondis: "C'est la Sagesse." L'Indienne reprit: "Je vous dirai ce que je sais, parce que vous avez éloigné les mouches du corps de mon fils et que vous venez de dire de belles paroles sur le grand Esprit. Je suis la fille de la fille de René l'Européen, que Chactas avait adopté. Chactas, qui avait reçu le baptême, et René, mon aïeul si malheureux, ont péri dans le massacre.—L'homme va toujours de douleur en douleur, répondis-je en m'inclinant. Vous pourriez donc aussi m'apprendre des nouvelles du père Aubry?—Il n'a pas été plus heureux que Chactas, dit l'Indienne. Les Chéroquois, ennemis des Français, pénétrèrent à sa Mission; ils y furent conduits par le son de la cloche qu'on sonnait pour secourir les voyageurs. Le père Aubry se pouvait sauver, mais il ne voulut pas abandonner ses enfants, et il demeura pour les encourager à mourir par son exemple. Il fut brûlé avec de grandes tortures; jamais on ne put tirer de lui un cri qui tournât à la honte de son Dieu ou au déshonneur de sa patrie. Il ne cessa, durant le supplice, de prier pour ses bourreaux et de compatir au sort des victimes. Pour lui arracher une marque de faiblesse, les Chéroquois amenèrent à ses pieds un sauvage chrétien qu'ils avaient horriblement mutilé. Mais ils furent bien surpris quand ils virent le jeune homme se jeter à genoux et baiser les plaies du vieil ermite, qui lui criait: "Mon enfant, nous avons été mis en spectacle aux anges et aux hommes." Les Indiens furieux lui plongèrent un fer rouge dans la gorge pour l'empêcher de parler. Alors, ne pouvant plus consoler les hommes, il expira.

"On dit que les Chéroquois, tout accoutumés qu'ils étaient à voir des sauvages souffrir avec constance, ne purent s'empêcher d'avouer qu'il y avait dans l'humble courage du père Aubry quelque chose qui leur était inconnu et qui surpassait tous les courages de la terre. Plusieurs d'entre eux, frappés de cette mort, se sont faits chrétiens.

"Quelques années après, Chactas, à son retour de la terre des blancs, ayant appris les malheurs du chef de la prière, partit pour aller recueillir ses cendres et celles d'Atala. Il arriva à l'endroit où était située la Mission, mais il put à peine le reconnaître. Le lac s'était débordé et la savane était changée en un marais; le pont naturel, en s'écroulant, avait enseveli sous ses débris le tombeau d'Atala et les Bocages de la mort. Chactas erra longtemps dans ce lieu; il visita la grotte du solitaire, qu'il trouva remplie de ronces et de framboisiers, et dans laquelle une biche allaitait son faon. Il s'assit sur le rocher de la Veillée de la mort, où il ne vit que quelques plumes tombées de l'aile de l'oiseau de passage. Tandis qu'il y pleurait, le serpent familier du missionnaire sortit des broussailles voisines, et vint s'entortiller à ses pieds. Chactas réchauffa dans son sein ce fidèle ami, resté seul au milieu de ces ruines. Le fils d'Outalissi a raconté que plusieurs fois, aux approches de la nuit, il avait cru voir les ombres d'Atala et du père Aubry s'élever dans la vapeur du crépuscule. Ces visions le remplirent d'une religieuse frayeur et d'une joie triste.

"Après avoir cherché vainement le tombeau de sa sœur et celui de l'ermite, il était près d'abandonner ces lieux, lorsque la biche de la grotte se mit à bondir devant lui. Elle s'arrêta au pied de la croix de la Mission. Cette croix était alors à moitié entourée d'eau; son bois était rongé de mousse, et le pélican du désert aimait à se percher sur ses bras vermoulus. Chactas jugea que la biche reconnaissante l'avait conduit au tombeau de son hôte. Il creusa sous la roche qui jadis servait d'autel, et il y trouva les restes d'un homme et d'une femme. Il ne douta point que ce fussent ceux du prêtre et de la vierge, que les anges avaient peut-être ensevelis dans ce lieu; il les enveloppa dans des peaux d'ours et reprit le chemin de son pays, emportant ces précieux restes, qui résonnaient sur ses épaules comme le carquois de la mort. La nuit il les mettait sous sa tête et il avait des songes d'amour et de vertu. O étranger! tu peux contempler ici cette poussière avec celle de Chactas lui-même."

Comme l'Indienne achevait de prononcer ces mots, je me levai; je m'approchai des cendres sacrées et me prosternai devant elles en silence. Puis, m'éloignant à grands pas, je m'écriai: "Ainsi passe sur la terre tout ce qui fut bon, vertueux, sensible! Homme, tu n'es qu'un songe rapide, un rêve douloureux; tu n'existes que par le malheur; tu n'es quelque chose que par la tristesse de ton âme et l'éternelle mélancolie de ta pensée!"

Ces réflexions m'occupèrent toute la nuit. Le lendemain, au point du jour, mes hôtes me quittèrent. Les jeunes guerriers ouvraient la marche et les épouses la fermaient; les premiers étaient chargés des saintes reliques; les secondes portaient leurs nouveau-nés; les vieillards cheminaient lentement au milieu, placés entre leurs aïeux et leur postérité, entre les souvenirs et l'espérance, entre la patrie perdue et la patrie à venir. Oh! que de larmes sont répandues lorsqu'on abandonne ainsi la terre natale, lorsque du haut de la colline de l'exil on découvre pour la dernière fois le toit où l'on fut nourri et le fleuve de la cabane qui continue à couler tristement à travers les champs solitaires de la patrie!

Indiens infortunés que j'ai vus errer dans les déserts du Nouveau-Monde avec les cendres de vos aïeux! vous qui m'aviez donné l'hospitalité malgré votre misère! je ne pourrais vous la rendre aujourd'hui, car j'erre, ainsi que vous, à la merci des hommes, et moins heureux dans mon exil, je n'ai point emporté les os de mes pères!

RENÉ

En arrivant chez les Natchez, René avait été obligé de prendre une épouse, pour se conformer aux mœurs des Indiens, mais il ne vivait point avec elle. Un penchant mélancolique l'entraînait au fond des bois; il y passait seul des journées entières, et semblait sauvage parmi les sauvages. Hors Chactas, son père adoptif, et le père Souël, missionnaire au fort Rosalie, il avait renoncé au commerce des hommes. Ces deux vieillards avaient pris beaucoup d'empire sur son cœur: le premier, par une indulgence aimable; l'autre, au contraire, par une extrême sévérité. Depuis la chasse du castor, où le Sachem aveugle raconta ses aventures à René, celui-ci n'avait jamais voulu parler des siennes. Cependant Chactas et le missionnaire désiraient vivement connaître par quel malheur un Européen bien né avait été conduit à l'étrange résolution de s'ensevelir dans les déserts de la Louisiane. René avait toujours donné pour motif de ses refus le peu d'intérêt de son histoire, qui se bornait, disait-il, à celle de ses pensées et de ses sentiments. "Quant à l'événement qui m'a déterminé à passer en Amérique, ajoutait-il, je le dois ensevelir dans un éternel oubli."

Quelques années s'écoulèrent de la sorte, sans que les deux vieillards lui pussent arracher son secret. Une lettre qu'il reçut d'Europe, par le bureau des Missions étrangères, redoubla tellement sa tristesse, qu'il fuyait jusqu'à ses vieux amis. Ils n'en furent que plus ardents à le presser de leur ouvrir son cœur; ils y mirent tant de discrétion, de douceur et d'autorité, qu'il fut enfin obligé de les satisfaire. Il prit donc jour avec eux pour leur raconter, non les aventures de sa vie, puisqu'il n'en avait point éprouvé, mais les sentiments secrets de son âme.

Le 21 de ce mois que les sauvages appellent *la lune des fleurs,* René se rendit à la cabane de Chactas. Il donna le bras au Sachem, et le conduisit sous un sassafras, au bord du Meschacebé. Le père Souël ne tarda pas à arriver au rendez-vous. L'aurore se levait: à quelque distance dans la plaine, on apercevait le village des Natchez, avec son bocage de mûriers et ses cabanes qui ressemblent à des ruches d'abeilles. La colonie française et le fort Rosalie se montraient sur la droite, au bord du fleuve. Des tentes, des maisons à moitié bâties, des forteresses commencées, des défrichements couverts de nègres, des groupes de blancs et d'Indiens, présentaient, dans ce petit espace, le contraste des mœurs sociales et des mœurs sauvages. Vers l'orient, au fond de la perspective, le soleil commençait à paraître entre les sommets brisés des Apalaches, qui se dessinaient comme des caractères d'azur dans les hauteurs dorées du ciel; à l'occident, le Meschacebé roulait ses ondes dans un silence magnifique et formait la bordure du tableau avec une inconcevable grandeur.

Le jeune homme et le missionnaire admirèrent quelque temps cette belle scène, en plaignant le Sachem, qui ne pouvait plus en jouir; ensuite le père Souël et Chactas s'assirent sur le gazon, au pied de l'arbre; René prit sa place au milieu d'eux, et après un moment de silence, il parla de la sorte à ses vieux amis:

"Je ne puis, en commençant mon récit, me défendre d'un mouvement de honte. La paix de vos cœurs, respectables vieillards, et le calme de la nature autour de moi me font rougir du trouble et de l'agitation de mon âme.

"Combien vous aurez pitié de moi! Que mes éternelles inquiétudes vous paraîtront misérables! Vous qui avez épuisé tous les chagrins de la vie, que penserez-vous d'un jeune homme sans force et sans vertu, qui trouve en lui-même son tourment et ne peut guère se plaindre que des maux qu'il se fait à lui-même? Hélas! ne le condamnez pas: il a été trop puni!

"J'ai coûté la vie à ma mère en venant au monde; j'ai été tiré de son sein avec le fer. J'avais un frère, que mon père bénit, parce qu'il voyait en lui son fils aîné. Pour moi, livré de bonne heure à des mains étrangères, je fus élevé loin du toit paternel.

"Mon humeur était impétueuse, mon caractère inégal. Tour à tour bruyant et joyeux, silencieux et triste, je rassemblais autour de moi mes jeunes compagnons, puis, les abandonnant tout à coup, j'allais m'asseoir à l'écart pour contempler la nue fugitive ou entendre la pluie tomber sur le feuillage.

"Chaque automne je revenais au château paternel, situé au milieu des forêts, près d'un lac, dans une province reculée.

"Timide et contraint devant mon père, je ne trouvais l'aise et le contentement qu'auprès de ma sœur Amélie. Une douce conformité d'humeur et de goûts m'unissait étroitement à cette sœur, elle était un peu plus âgée que moi. Nous aimions à gravir les coteaux ensemble, à voguer sur le lac, à parcourir les bois à la chute des feuilles: promenades dont le souvenir remplit encore mon âme de délices. O illusions de l'enfance et de la patrie, ne perdez-vous jamais vos douceurs?

"Tantôt nous marchions en silence, prêtant l'oreille au sourd mugissement de l'automne ou au bruit des feuilles séchées que nous traînions tristement sous nos pas; tantôt, dans nos jeux innocents, nous poursuivions l'hirondelle dans la prairie, l'arc-en-ciel sur les collines pluvieuses; quelquefois aussi nous murmurions des vers que nous inspirait le spectacle de la nature. Jeune, je cultivais les Muses; il n'y a rien de plus poétique, dans la fraîcheur de ses passions, qu'un cœur de seize années. Le matin de la vie est comme le matin du jour, plein de pureté, d'images et d'harmonies.

"Les dimanches et les jours de fête, j'ai souvent entendu dans le grand bois, à travers les arbres, les sons de la cloche lointaine qui appelait du temple l'homme des champs. Appuyé contre le tronc d'un ormeau, j'écoutais en silence le pieux murmure. Chaque frémissement de l'airain portait à mon âme naïve l'innocence des mœurs champêtres, le calme de la solitude, le charme de la religion et la délectable mélancolie des souvenirs de ma première enfance! Oh! quel cœur si mal fait n'a tressailli au bruit des cloches de son lieu natal, de ces cloches qui frémirent de joie sur son berceau, qui annoncèrent son avénement à la vie, qui marquèrent le premier battement de son cœur, qui publièrent dans tous les lieux d'alentour la sainte allégresse de son père, les douleurs et les joies encore plus ineffables de sa mère! Tout se trouve dans les rêveries enchantées où nous plonge le bruit de la cloche natale: religion, famille, patrie, et le berceau et la tombe, et le passé et l'avenir.

"Il est vrai qu'Amélie et moi nous jouissions plus que personne de ces idées graves et tendres, car nous avions tous les deux un peu de tristesse au fond du cœur: nous tenions cela de Dieu ou de notre mère.

"Cependant mon père fut atteint d'une maladie qui le conduisit en peu de jours au tombeau. Il expira dans mes bras. J'appris à connaître la mort sur les lèvres de celui qui m'avait donné la vie. Cette impression fut grande; elle dure encore. C'est la première fois que l'immortalité de l'âme s'est présentée clairement à mes yeux. Je ne pus croire que ce corps inanimé était en moi l'auteur de la pensée; je sentis qu'elle devait venir d'une autre source, et, dans une sainte douleur, qui approchait de la joie, j'espérai me joindre un jour à l'esprit de mon père.

"Un autre phénomène me confirma dans cette haute idée. Les traits paternels avaient pris au cercueil quelque chose de sublime. Pourquoi cet étonnant mystère ne serait-il pas l'indice de notre immortalité? Pourquoi la mort, qui sait tout, n'aurait-elle pas gravé sur le front de sa victime les secrets d'un autre univers? Pourquoi n'y aurait-il pas dans la tombe quelque grande vision de l'éternité?

"Amélie, accablée de douleur, était retirée au fond d'une tour, d'où elle entendit retentir, sous les voûtes du château gothique, le chant des prêtres du convoi et les sons de la cloche funèbre.

"J'accompagnai mon père à son dernier asile; la terre se referma sur sa dépouille; l'éternité et l'oubli le pressèrent de tout leur poids: le soir même l'indifférent passait sur sa tombe; hors pour sa fille et pour son fils, c'était déjà comme s'il n'avait jamais été.

"Il fallut quitter le toit paternel, devenu l'héritage de mon frère: je me retirai avec Amélie chez de vieux parents.

"Arrêté à l'entrée des voies trompeuses de la vie, je les considérais l'une après l'autre sans m'y oser engager. Amélie m'entretenait souvent du bonheur de la vie religieuse; elle me disait que j'étais le seul lien qui la retînt dans le monde, et ses yeux s'attachaient sur moi avec tristesse.

"Le cœur ému par ces conversations pieuses, je portais souvent mes pas vers un monastère voisin de mon nouveau séjour; un moment même j'eus la tentation d'y cacher ma vie. Heureux ceux qui ont fini leur voyage sans avoir quitté le port, et qui n'ont point, comme moi, traîné d'inutiles jours sur la terre!

"Les Européens, incessamment agités, sont obligés de

se bâtir des solitudes. Plus notre cœur est tumultueux et bruyant, plus le calme et le silence nous attirent. Ces hospices de mon pays, ouverts aux malheureux et aux faibles, sont souvent cachés dans des vallons qui portent au cœur le vague sentiment de l'infortune et l'espérance d'un abri; quelquefois aussi on les découvre sur de hauts sites où l'âme religieuse, comme une plante des montagnes, semble s'élever vers le ciel pour lui offrir ses parfums.

"Je vois encore le mélange majestueux des eaux et des bois de cette antique abbaye où je pensai dérober ma vie au caprice du sort; j'erre encore au déclin du jour dans ces cloîtres retentissants et solitaires. Lorsque la lune éclairait à demi les piliers des arcades et dessinait leur ombre sur le mur opposé, je m'arrêtais à contempler la croix qui marquait le champ de la mort et les longues herbes qui croissaient entre les pierres des tombes. O hommes qui, ayant vécu loin du monde, avez passé du silence de la vie au silence de la mort, de quel dégoût de la terre vos tombeaux ne remplissaient-ils pas mon cœur!

"Soit inconstance naturelle, soit préjugé contre la vie monastique, je changeai mes desseins, je me résolus à voyager. Je dis adieu à ma sœur; elle me serra dans ses bras avec un mouvement qui ressemblait à de la joie, comme si elle eût été heureuse de me quitter; je ne pus me défendre d'une réflexion amère sur l'inconséquence des amitiés humaines.

"Cependant, plein d'ardeur, je m'élançai seul sur cet orageux océan du monde, dont je ne connaissais ni les ports ni les écueils. Je visitais d'abord les peuples qui ne sont plus: je m'en allai, m'asseyant sur les débris de Rome et de la Grèce, pays de forte et d'ingénieuse mémoire, où les palais sont ensevelis dans la poudre et les mausolées des rois cachés sous les ronces. Force de la nature et faiblesse de l'homme! un brin d'herbe perce souvent le marbre le plus dur de ces tombeaux, que tous ces morts, si puissants, ne soulèveront jamais!

"Quelquefois une haute colonne se montrait seule debout dans un désert, comme une grande pensée s'élève par intervalles dans une âme que le temps et le malheur ont dévastée.

"Je méditai sur ces monuments dans tous les accidents et à toutes les heures de la journée. Tantôt ce même soleil qui avait vu jeter les fondements de ces cités se couchait majestueusement à mes yeux sur leurs ruines; tantôt la lune se levant dans un ciel pur, entre deux urnes cinéraires à moitié brisées, me montrait les pâles tombeaux. Souvent aux rayons de cet astre qui alimente les rêveries, j'ai cru voir le Génie des souvenirs assis tout pensif à mes côtés.

"Mais je me lassai de fouiller dans les cercueils, où je ne remuais trop souvent qu'une poussière criminelle.

"Je voulus voir si les races vivantes m'offriraient plus de vertus ou moins de malheurs que les races évanouies. Comme je me promenais un jour dans une grande cité, en passant derrière un palais, dans une cour retirée et déserte, j'apercus une statue qui indiquait du doigt un lieu fameux par un sacrifice. Je fus frappé du silence de ces lieux; le vent seul gémissait autour du marbre tragique. Des manœuvres étaient couchés avec indifférence au pied de la statue ou taillaient des pierres en sifflant. Je leur demandai ce que signifiait ce monument: les uns purent à peine me le dire, les autres ignoraient la catastrophe qu'il retraçait. Rien ne m'a plus donnée la juste mesure des événements de la vie et du peu que nous sommes. Que sont devenus ces personnages qui firent tant de bruit? Le temps a fait un pas, et la face de la terre a été renouvelée.

"Je recherchai surtout dans mes voyages les artistes

et ces hommes divins qui chantent les dieux sur la lyre et la félicité des peuples qui honorent les lois, la religion et les tombeaux.

"Ces chantres sont de race divine, ils possèdent le seul talent incontestable dont le ciel ait fait présent à la terre. Leur vie est à la fois naïve et sublime; ils célèbrent les dieux avec une bouche d'or, et sont les plus simples des hommes; ils causent comme des immortels ou comme de petits enfants; ils expliquent les lois de l'univers, et ne peuvent comprendre les affaires les plus innocentes de la vie; ils ont des idées merveilleuses de la mort, et meurent sans s'en apercevoir, comme des nouveau-nés.

"Sur les monts de la Calédonie, le dernier barde qu'on ait ouï dans ces déserts me chanta les poèmes dont un héros consolait jadis sa vieillesse. Nous étions assis sur quatre pierres rongées de mousse; un torrent coulait à nos pieds; le chevreuil passait à quelque distance parmi les débris d'une tour, et le vent des mers sifflait sur la bruyère de Cona. Maintenant la religion chrétienne, fille aussi des hautes montagnes, a placé des croix sur les monuments des héros de Morven et touché la harpe de David au bord du même torrent où Ossian fit gémir la sienne. Aussi pacifique que les divinités de Selma étaient guerrières, elle garde des troupeaux où Fingal livrait des combats, et elle a répandu des anges de paix dans les nuages qu'habitaient des fantômes homicides.

"L'ancienne et riante Italie m'offrit la foule de ses chefs-d'œuvre. Avec quelle sainte et poétique horreur j'errais dans ces vastes édifices consacrés par les arts à la religion! Quel labyrinthe de colonnes! Quelle succession d'arches et de voûtes! Qu'ils sont beaux ces bruits, qu'on entend autour des dômes, semblables aux rumeurs des flots dans l'Océan, aux murmures des vents dans les forêts ou à la voix de Dieu dans son temple!

L'architecte bâtit, pour ainsi dire, les idées du poète, et les fait toucher aux sens.

"Cependant, qu'avais-je appris jusque alors avec tant de fatigue? Rien de certain parmi les anciens, rien de beau parmi les modernes. Le passé et le présent sont deux statues incomplètes: l'une a été retirée toute mutilée du débris des âges, l'autre n'a pas encore reçu sa perfection de l'avenir.

"Mais peut-être, mes vieux amis, vous surtout, habitants du désert, êtes-vous étonnés que, dans ce récit de mes voyages, je ne vous aie pas une seule fois entretenus des monuments de la nature?

"Un jour j'étais monté au sommet de l'Etna, volcan qui brûle au milieu d'une île. Je vis le soleil se lever dans l'immensité de l'horizon au-dessous de moi, la Sicile resserrée comme un point à mes pieds et la mer déroulée au loin dans les espaces. Dans cette vue perpendiculaire du tableau, les fleuves ne me semblaient plus que des lignes géographiques tracées sur une carte; mais, tandis que d'un côté mon œil apercevait ces objets, de l'autre il plongeait dans le cratère de l'Etna, dont je découvrais les entrailles brûlantes entre les bouffées d'une noire vapeur.

"Un jeune homme plein de passions, assis sur la bouche d'un volcan, et pleurant sur les mortels dont à peine il voyait à ses pieds les demeures, n'est sans doute, ô vieillards! qu'un objet digne de votre pitié; mais, quoi que vous puissiez penser de René, ce tableau vous offre l'image de son caractère et de son existence. c'est ainsi que toute ma vie j'ai eu devant les yeux une création à la fois immense et imperceptible et un abîme ouvert à mes côtés."

En prononçant ces derniers mots, René se tut et tomba subitement dans la rêverie. Le père Souël le regardait avec étonnement, et le vieux Sachem aveugle, qui n'entendait plus parler le jeune homme ne savait que penser de ce silence.

René avait les yeux attachés sur un groupe d'Indiens qui passaient gaiement dans la plaine. Tout à coup sa physionomie s'attendrit, des larmes coulent de ses yeux; il s'écrie:

"Heureux sauvages! oh! que ne puis-je jouir de la paix qui vous accompagne toujours! Tandis qu'avec si peu de fruit je parcourais tant de contrées, vous, assis tranquillement sous vos chênes, vous laissiez couler les jours sans les compter. Votre raison n'était que vos besoins, et vous arriviez mieux que moi au résultat de la sagesse, comme l'enfant, entre les jeux et le sommeil. Si cette mélancolie qui s'engendre de l'excès du bonheur atteignait quelquefois votre âme, bientôt vous sortiez de cette tristesse passagère et votre regard levé vers le ciel cherchait avec attendrissement ce je ne sais quoi inconnu qui prend pitié du pauvre sauvage."

Ici la voix de René expira de nouveau, et le jeune homme pencha la tête sur sa poitrine. Chactas, étendant les bras dans l'ombre et prenant le bras de son fils, lui cria d'un ton ému: "Mon fils! mon cher fils!" A ces accents, le frère d'Amélie, revenant à lui et rougissant de son trouble, pria son père de lui pardonner.

Alors le vieux sauvage: "Mon jeune ami, les mouvements d'un cœur comme le tien ne sauraient être égaux; modère seulement ce caractère qui t'a déjà fait tant de mal. Si tu souffres plus qu'un autre des choses de la vie, il ne faut pas t'en étonner: une grande âme doit contenir plus de douleurs qu'une petite. Continue ton récit. Tu nous as fait parcourir une partie de l'Europe, fais-nous connaître ta patrie. Tu sais que j'ai vu la France et quels liens m'y ont attaché; j'aimerais à entendre parler de ce grand chef qui n'est plus et dont j'ai visité la superbe cabane. Mon enfant, je ne vis plus que pour la mémoire. Un vieillard avec ses souvenirs ressemble au chêne décrépit de nos bois: ce chêne ne se décore plus de son propre feuillage, mais il couvre quelquefois sa nudité des plantes étrangères qui ont végété sur ses antiques rameaux."

Le frère d'Amélie, calmé par ces paroles, reprit ainsi l'histoire de son cœur:

"Hélas! mon père, je ne pourrai t'entretenir de ce grand siècle dont je n'ai vu que la fin dans mon enfance, et qui n'était plus lorsque je rentrai dans ma patrie. Jamais un changement plus étonnant et plus soudain ne s'est opéré chez un peuple. De la hauteur du génie, du respect pour la religion, de la gravité des mœurs, tout était subitement descendu à la souplesse de l'esprit, à l'impiété, à la corruption.

"C'était donc bien vainement que j'avais espéré retrouver dans mon pays de quoi calmer cette inquiétude, cette ardeur de désir qui me suit partout. L'étude du monde ne m'avait rien appris, et pourtant je n'avais plus la douceur de l'ignorance.

"Ma sœur, par une conduite inexplicable, semblait se plaire à augmenter mon ennui; elle avait quitté Paris quelques jours avant mon arrivée. Je lui écrivis que je comptais l'aller rejoindre; elle se hâta de me répondre pour me détourner de ce projet, sous prétexte qu'elle était incertaine du lieu où l'appelleraient ses affaires. Quelles tristes réflexions ne fis-je point alors sur l'amitié, que la présence attiédit, que l'absence efface, qui ne résiste point au malheur, et encore moins à la prospérité!

"Je me trouvai bientôt plus isolé dans ma patrie que je ne l'avais été sur une terre étrangère. Je voulus me jeter pendant quelque temps dans un monde qui ne me disait rien et qui ne m'entendait pas. Mon âme, qu'aucune passion n'avait encore usée, cherchait un objet qui pût l'attacher; mais je m'aperçus que je donnais plus que je ne recevais. Ce n'était ni un langage élevé ni un sentiment profond qu'on demandait de moi. Je n'étais occupé qu'à rapetisser ma vie, pour la mettre au niveau de la société. Traité partout d'esprit romanesque, honteux du rôle que je jouais, dégoûté de plus en plus des choses et des hommes, je pris le parti de me retirer dans un faubourg pour y vivre totalement ignoré.

"Je trouvai d'abord assez de plaisir dans cette vie obscure et indépendante. Inconnu, je me mêlais à la foule: vaste désert d'hommes!

"Souvent assis dans une église peu fréquentée, je passais des heures entières en méditation. Je voyais de pauvres femmes venir se prosterner devant le Très-Haut, ou des pécheurs s'agenouiller au tribunal de la pénitence. Nul ne sortait de ces lieux sans un visage plus serein, et les sourdes clameurs qu'on entendait au dehors semblaient être les flots des passions et les orages du monde qui venaient expirer au pied du temple du Seigneur. Grand Dieu, qui vis en secret couler mes larmes dans ces retraites sacrées, tu sais combien de fois je me jetai à tes pieds pour te supplier de me décharger du poids de l'existence, ou de changer en moi le vieil homme! Ah! qui n'a senti quelquefois le besoin de se régénérer, de se rajeunir aux eaux du torrent, de retremper son âme à la fontaine de vie! Qui ne se trouve quelquefois accablé du fardeau de sa propre corruption et incapable de rien faire de grand, de noble, de juste!

"Quand le soir était venu, reprenant le chemin de ma retraite, je m'arrêtais sur les ponts pour voir se coucher le soleil. L'astre, enflammant les vapeurs de la cité, semblait osciller lentement dans un fluide d'or, comme le pendule de l'horloge des siècles. Je me retirais ensuite avec la nuit, à travers un labyrinthe de rues solitaires. En regardant les lumières qui brillaient dans la demeure des hommes, je me transportais par la pensée au milieu des scènes de douleur et de joie qu'elles éclairaient, et je songeais que sous tant de toits habités je n'avais pas un ami. Au milieu de mes réflexions, l'heure venait frapper à coups mesurés dans la tour de la cathédrale gothique; elle allait se répétant sur tous les tons, et à toutes les distances, d'église en église. Hélas! chaque heure dans la société ouvre un tombeau et fait couler des larmes.

"Cette vie, qui m'avait d'abord enchanté, ne tarda pas à me devenir insupportable. Je me fatiguai de la répétition des mêmes scènes et des mêmes idées. Je me mis à sonder mon cœur, à me demander ce que je désirais. Je ne le savais pas, mais je crus tout à coup que les bois me seraient délicieux. Me voilà soudain résolu d'achever dans un exil champêtre une carrière à peine commencée et dans laquelle j'avais déjà dévoré des siècles.

"J'embrassai ce projet avec l'ardeur que je mets à tous mes desseins; je partis précipitamment pour m'ensevelir dans une chaumière; comme j'étais parti autrefois pour faire le tour du monde.

"On m'accuse d'avoir des goûts inconstants, de ne pouvoir jouir longtemps de la même chimère, d'être la proie d'une imagination qui se hâte d'arriver au fond de mes plaisirs, comme si elle était accablée de leur durée; on m'accuse de passer toujours le but que je puis atteindre; hélas! je cherche seulement un bien inconnu dont l'instinct me poursuit. Est-ce ma faute si je trouve partout des bornes, si ce qui est fini n'a pour moi aucune valeur? Cependant je sens que j'aime la monotonie des sentiments de la vie, et si j'avais encore la folie de croire au bonheur, je le chercherais dans l'habitude.

"La solitude absolue, le spectacle de la nature, me plongèrent bientôt dans un état presque impossible à décrire. Sans parents, sans amis pour ainsi dire, sur la terre, n'ayant point encore aimé, j'étais accablé d'une surabondance de vie. Quelquefois je rougissais subitement, et je sentais couler dans mon cœur comme des ruisseaux d'une lave ardente; quelquefois je poussais des cris involontaires, et la nuit était également troublée de mes songes et de mes veilles. Il me manquait quelque chose pour remplir l'abîme de mon existence: je descendais dans la vallée, je m'élevais sur la montagne, appelant de toute la force de mes désirs l'idéal objet d'une flamme future; je l'embrassais dans les vents; je croyais l'entendre dans les gémissements du fleuve; tout était ce fantôme imaginaire, et les astres dans les cieux, et le principe même de vie dans l'univers.

"Toutefois cet état de calme et de trouble, d'indigence et de richesse, n'était pas sans quelques charmes: un jour je m'étais amusé à effeuiller une branche de saule sur un ruisseau et à attacher une idée à chaque feuille que le courant entraînait. Un roi qui craint de perdre sa couronne par une révolution subite ne ressent pas des angoisses plus vives que les miennes à chaque accident qui menaçait les débris de mon rameau. O faiblesse des mortels! ô enfance du cœur humain qui ne vieillit jamais! voilà donc à quel degré de puérilité notre superbe raison peut descendre! Et encore est-il vrai que bien des hommes attachent leur destinée à des choses d'aussi peu de valeur que mes feuilles de saule.

"Mais comment exprimer cette foule de sensations fugitives que j'éprouvais dans mes promenades? Les sons que rendent les passions dans le vide d'un cœur solitaire ressemblent au murmure que les vents et les eaux font entendre dans le silence d'un désert: on en jouit, mais on ne peut les peindre.

"L'automne me surprit au milieu de ces incertitudes: j'entrai avec ravissement dans les mois des tempêtes. Tantôt j'aurais voulu être un de ces guerriers errant au milieu des vents, des nuages et des fantômes, tantôt j'enviais jusqu'au sort du pâtre que je voyais réchauffer ses mains à l'humble feu de broussailles qu'il avait allumé au coin d'un bois. J'écoutais ses chants mélancoliques, qui me rappelaient que dans tout pays le chant naturel de l'homme est triste, lors même qu'il exprime le bonheur. Notre cœur est un instrument incomplet, une lyre où il manque des cordes et où nous sommes forcés de rendre les accents de la joie sur le ton consacré aux soupirs.

"Le jour, je m'égarais sur de grandes bruyères terminées par des forêts. Qu'il fallait peu de chose à ma rêverie! une feuille séchée que le vent chassait devant moi, une cabane dont la fumée s'élevait dans la cime dépouillée des arbres, la mousse qui tremblait au souffle du nord sur le tronc d'un chêne, une roche écartée, un étang désert où le jonc flétri murmurait! Le clocher solitaire s'élevant au loin dans la vallée a souvent attiré mes regards; souvent j'ai suivi des yeux les oiseaux de passage qui volaient au-dessus de ma tête. Je me figurais les bords ignorés, les climats lointains où ils se rendent; j'aurais voulu être sur leurs ailes. Un secret instinct me tourmentait; je sentais que je n'étais moi-même qu'un voyageur, mais une voix du ciel semblait me dire: 'Homme, la saison de ta migration n'est pas encore venue; attends que le vent de la mort se lève, alors tu déploieras ton vol vers ces régions inconnues que ton cœur demande.'

"Levez-vous vite, orages désirés qui devez emporter René dans les espaces d'une autre vie! Ainsi disant, je marchais à grands pas, le visage enflammé, le vent sifflant dans ma chevelure, ne sentant ni pluie, ni frimas, enchanté, tourmenté et comme possédé par le démon de mon cœur.

"La nuit, lorsque l'aquilon ébranlait ma chaumière, que les pluies tombaient en torrent sur mon toit, qu'à travers ma fenêtre je voyais la lune sillonner les nuages amoncelés, comme un pâle vaisseau qui laboure les vagues, il me semblait que la vie redoublait au fond de mon cœur, que j'aurais la puissance de créer des mondes. Ah! si j'avais pu faire partager à une autre les transports que j'éprouvais! O Dieu! si tu m'avais donné une femme selon mes désirs; si, comme à notre premier père, tu m'eusses amené par la main une Ève tirée de moi-même. . . Beauté céleste! je me serais prosterné devant toi, puis, te prenant dans mes bras, j'aurais prié l'Éternel de te donner le reste de ma vie!

"Hélas! j'étais seul, seul sur la terre! Une langueur secrète s'emparait de mon corps. Ce dégoût de la vie que j'avais ressenti dès mon enfance revenait avec une force nouvelle. Bientôt mon cœur ne fournit plus d'aliment à ma pensée, et je ne m'apercevais de mon existence que par un profond sentiment d'ennui.

"Je luttai quelque temps contre mon mal, mais avec indifférence et sans avoir la ferme résolution de le vaincre. Enfin, ne pouvant trouver de remède à cette étrange blessure de mon cœur, qui n'était nulle part et qui était partout, je résolus de quitter la vie.

"Prêtre du Très-Haut, qui m'entendez, pardonnez à un malheureux que le ciel avait presque privé de la raison. J'étais plein de religion, et je raisonnais en impie; mon cœur aimait Dieu, et mon esprit le méconnaissait; ma conduite, mes discours, mes sentiments, mes pensées, n'étaient que contradiction, ténèbres, mensonges. Mais l'homme sait-il bien toujours ce qu'il veut, est-il toujours sûr de ce qu'il pense?

"Tout m'échappait à la fois, l'amitié, le monde, la

retraite. J'avais essayé de tout, et tout m'avait été fatal. Repoussé par la société, abandonné d'Amélie quand la solitude vint à me manquer, que me restait-il? C'était la dernière planche sur laquelle j'avais espéré me sauver, et je la sentais encore s'enfoncer dans l'abîme!

"Décidée que j'étais à me débarrasser du poids de la vie, je résolus de mettre toute ma raison dans cet acte insensé. Rien ne me pressait; je ne fixai point le moment du départ, afin de savourer à longs traits les derniers moments de l'existence et de recueillir toutes mes forces, à l'exemple d'un ancien, pour sentir mon âme s'échapper.

"Cependant je crus nécessaire de prendre des arrangements concernant ma fortune, et je fus obligé d'écrire à Amélie. Il m'échappa quelques plaintes sur son oubli, et je laissai sans doute percer l'attendrissement qui surmontait peu à peu mon cœur. Je m'imaginais pourtant avoir bien dissimulé mon secret; mais ma sœur accoutumée à lire dans les replis de mon âme, le devina, sans peine. Elle fut alarmée du ton de contrainte qui régnait dans ma lettre et de mes questions sur des affaires dont je ne m'étais jamais occupé. Au lieu de me répondre, elle me vint tout à coup surprendre.

"Pour bien sentir quelle dut être dans la suite l'amertume de ma douleur et quels furent mes premiers transports en revoyant Amélie, il faut vous figurer que c'était la seule personne au monde que j'eusse aimée, que tous mes sentiments se venaient confondre en elle avec la douceur des souvenirs de mon enfance. Je reçus donc Amélie dans une sorte d'extase de cœur. Il y avait si longtemps que je n'avais trouvé quelqu'un qui m'entendît et devant qui je pusse ouvrir mon âme!

"Amélie se jetant dans mes bras me dit: 'Ingrat, tu veux mourir, et ta sœur existe! Tu soupçonnes son cœur! Ne t'explique point, ne t'excuse point, je sais tout; j'ai tout compris, comme si j'avais été avec toi.

Est-ce moi que l'on trompe, moi qui ai vu naître tes premiers sentiments? Voilà ton malheureux caractère, tes dégoûts, tes injustices. Jure, tandis que je te presse sur mon cœur, jure que c'est la dernière fois que tu te livreras à tes folies; fais le serment de ne jamais attenter à tes jours.'

"En prononçant ces mots Amélie me regardait avec compassion et tendresse, et couvrait mon front de ses baisers; c'était presque une mère, c'était quelque chose de plus tendre. Hélas! mon cœur se rouvrit à toutes les joies; comme un enfant je ne demandais qu'à être consolé; je cédai à l'empire d'Amélie: elle exigea un serment solennel; je le fis sans hésiter, ne soupçonnant même pas que désormais je pusse être malheureux.

"Nous fûmes plus d'un mois à nous accoutumer à l'enchantement d'être ensemble. Quand le matin, au lieu de me trouver seul, j'entendais la voix de ma sœur, j'éprouvais un tressaillement de joie et de bonheur. Amélie avait reçu de la nature quelque chose de divin; son âme avait les mêmes grâces innocentes que son corps; la douceur de ses sentiments était infinie; il n'y avait rien que de suave et d'un peu rêveur dans son esprit; on eût dit que son cœur, sa pensée et sa voix soupiraient comme de concert; elle tenait de la femme la timidité et l'amour, et de l'ange la pureté et la mélodie.

"Le moment était venu où j'allais expier toutes mes inconséquences. Dans mon délire, j'avais été jusqu'à désirer d'éprouver un malheur, pour avoir du moins un objet réel de souffrance: épouvantable souhait que Dieu, dans sa colère, a trop exaucé!

"Que vais-je vous révéler, ô mes amis! voyez les pleurs qui coulent de mes yeux. Puis-je même. . . Il y a quelques jours, rien n'aurait pu m'arracher ce secret. . . A présent, tout est fini!

"Toutefois, ô vieillards, que cette histoire soit à jamais ensevelie dans le silence: souvenez-vous qu'elle n'a été racontée que sous l'arbre du désert.

"L'hiver finissait lorsque je m'aperçus qu'Amélie perdait le repos et la santé, qu'elle commençait à me rendre. Elle maigrissait; ses yeux se creusaient, sa démarche était languissante et sa voix troublée. Un jour je la surpris tout en larmes au pied d'un crucifix. Le monde, la solitude, mon absence, ma présence, la nuit, le jour, tout l'alarmait. D'involontaires soupirs venaient expirer sur ses lèvres; tantôt elle soutenait sans se fatiguer une longue course; tantôt elle se traînait à peine: elle prenait et laissait son ouvrage, ouvrait un livre sans pouvoir lire, commençait une phrase qu'elle n'achevait pas, fondait tout à coup en pleurs, et se retirait pour prier.

"En vain je cherchais à découvrir son secret. Quand je l'interrogeais en la pressant dans mes bras, elle me répondait avec un sourire qu'elle était comme moi, qu'elle ne savait pas ce qu'elle avait.

"Trois mois se passèrent de la sorte, et son état devenait pire chaque jour. Une correspondance mystérieuse me semblait être la cause de ses larmes, car elle paraissait, ou plus tranquille, ou plus émue, selon les lettres qu'elle recevait. Enfin, un matin, l'heure à laquelle nous déjeunions ensemble étant passée, je monte à son appartement; je frappe: on ne me répond point; j'entr'ouvre la porte: il n'y avait personne dans la chambre. J'aperçois sur la cheminée un paquet à mon adresse. Je le saisis en tremblant, je l'ouvre, et je lis cette lettre, que je conserve pour m'ôter à l'avenir tout mouvement de joie.

A RENÉ

" 'Le ciel m'est témoin, mon frère, que je donnerais mille fois ma vie pour vous épargner un moment de peine; mais, infortunée que je suis, je ne puis rien pour votre bonheur. Vous me pardonnerez donc de m'être dérobée de chez vous comme une coupable; je n'aurais jamais pu résister à vos prières, et cependant il fallait partir. . . Mon Dieu, ayez pitié de moi!

" 'Vous savez, René, que j'ai toujours eu du penchant pour la vie religieuse; il est temps que je mette à profit les avertissements du ciel. Pourquoi ai-je attendu si tard! Dieu m'en punit. J'étais restée pour vous dans le monde. . . Pardonnez. Je suis toute troublée par le chagrin que j'ai de vous quitter.

" 'C'est à présent, mon cher frère, que je sens bien la nécessité de ces asiles contre lesquels je vous ai vu souvent vous élever. Il est des malheurs qui nous séparent pour toujours des hommes: que deviendraient alors de pauvres infortunées! . . . Je suis persuadée que vous-même, mon frère, vous trouveriez le repos dans ces retraites de la religion: la terre n'offre rien qui soit digne de vous.

" 'Je ne vous rappellerai point votre serment: je connais la fidélité de votre parole. Vous l'avez juré, vous vivrez pour moi. Y a-t-il rien de plus misérable que de songer sans cesse à quitter la vie? Pour un homme de votre caractère, il est aisé de mourir! Croyez-en votre sœur, il est plus difficile de vivre.

" 'Mais, mon frère, sortez au plus vite de la solitude, qui ne vous est pas bonne; cherchez quelque occupation. Je sais que vous riez amèrement de cette nécessité où l'on est en France de *prendre un état*. Ne méprisez pas tant l'expérience et la sagesse de nos pères. Il vaut mieux, mon cher René, ressembler un peu plus au commun des hommes et avoir un peu moins de malheur.

" 'Peut-être trouveriez-vous dans le mariage un soulagement à vos ennuis. Une femme, des enfants occuperaient vos jours. Et quelle est la femme qui ne chercherait pas à vous rendre heureux! L'ardeur de votre âme, la beauté de votre génie, votre air noble et passionné, ce regard fier et tendre, tout vous assurerait de son amour et de sa fidélité. Ah! avec quelles délices ne te presserait-elle pas dans ses bras et sur son cœur! Comme tous ses regards, toutes ses pensées, seraient attachées sur toi pour prévenir tes moindres peines! Elle serait tout amour, tout innocence devant toi: tu croirais retrouver une sœur.

" 'Je pars pour le couvent de . . . Ce monastère, bâti au bord de la mer, convient à la situation de mon âme. La nuit, du fond de ma cellule, j'entendrai le murmure des flots qui baignent les murs du couvent; je songerai à ces promenades que je faisais avec vous au milieu des bois, alors que nous croyions retrouver le bruit des mers dans la cime agitée des pins. Aimable compagnon de mon enfance, est-ce que je ne vous verrai plus? A peine plus âgée que vous, je vous balançais dans votre berceau; souvent nous avons dormi ensemble. Ah! si un même tombeau nous réunissait un jour! Mais non, je dois dormir seule sous les marbres glacés de ce sanctuaire où reposent pour jamais ces filles qui n'ont point aimé.

" 'Je ne sais si vous pourrez lire ces lignes à demi effacées par mes larmes. Après tout, mon ami, un peu plus tôt, un peu plus tard, n'aurait-il pas fallu nous quitter? Qu'ai-je besoin de vous entretenir de l'incertitude et du peu de valeur de la vie? Vous vous rappelez le jeune M . . . qui fit naufrage à l'Ile-de-France. Quand vous reçûtes sa dernière lettre, quelques mois après sa mort, sa dépouille terrestre n'existait même plus, et l'instant où vous commenciez son deuil en Europe était celui où on le finissait aux Indes. Qu'est-ce donc que l'homme, dont la mémoire périt si vite? Une partie de ses amis ne peut apprendre sa mort que l'autre n'en soit déjà consolée! Quoi, cher et trop cher René, mon souvenir s'effacera-t-il si promptement de ton cœur? O mon frère! si je m'arrache à vous dans le temps, c'est pour n'être pas séparée de vous dans l'éternité.

"'AMÉLIE.'

P. S. "'Je joins ici l'acte de la donation de mes biens; j'espère que vous ne refuserez pas cette marque de mon amitié.'

"La foudre qui fût tombée à mes pieds ne m'eût pas causé plus d'effroi que cette lettre. Quel secret Amélie me cachait-elle? Qui la forçait si subitement à embrasser la vie religieuse? Ne m'avait-elle rattaché à l'existence par le charme de l'amitié que pour me délaisser tout à coup? Oh! pourquoi était-elle venue me détourner de mon dessein! Un mouvement de pitié l'avait rappelée auprès de moi; mais bientôt, fatiguée d'un pénible devoir, elle se hâte de quitter un malheureux qui n'avait qu'elle sur la terre. On croit avoir tout fait quand on a empêché un homme de mourir! Telles étaient mes plaintes. Puis, faisant un retour sur moi-même: 'Ingrate Amélie, disais-je, si tu avais été à ma place, si comme moi tu avais été perdue dans le vide de tes jours, ah! tu n'aurais pas été abandonnée de ton frère!'

"Cependant, quand je relisais la lettre, j'y trouvais je ne sais quoi de si triste et de si tendre, que tout mon cœur se fondait. Tout à coup il me vint une idée qui me donna quelque espérance: je m'imaginai qu'Amélie avait peut-être conçu une passion pour un homme qu'elle n'osait avouer. Ce soupçon sembla m'expliquer sa mélancolie, sa correspondance mystérieuse et le ton passionné qui respirait dans sa lettre. Je lui écrivis aussitôt pour la supplier de m'ouvrir son cœur.

"Elle ne tarda pas à me répondre, mais sans me découvrir son secret: elle me mandait seulement qu'elle avait obtenu les dispenses du noviciat et qu'elle allait prononcer ses vœux.

"Je fus révolté de l'obstination d'Amélie, du mystère de ses paroles et de son peu de confiance en mon amitié.

"Après avoir hésité un moment sur le parti que j'avais à prendre, je résolus d'aller à B . . . pour faire un dernier effort auprès de ma sœur. La terre où j'avais été élevé se trouvait sur la route. Quand j'aperçus les bois où j'avais passé les seuls moments heureux de ma vie, je ne pus retenir mes larmes, et il me fut impossible de résister à la tentation de leur dire un dernier adieu.

"Mon frère aîné avait vendu l'héritage paternel, et le nouveau propriétaire ne l'habitait pas. J'arrivai au château par la longue avenue de sapins; je traversai à pied les cours désertes; je m'arrêtai à regarder les fenêtres fermées ou demi-brisées, le chardon qui croissait au pied des murs, les feuilles qui jonchaient le seuil des portes, et ce perron solitaire où j'avais vu si souvent mon père et ses fidèles serviteurs. Les marches étaient déjà couverts de mousses; le violier jaune croissait entre leurs pierres déjointes et tremblantes. Un gardien inconnu m'ouvrit brusquement les portes. J'hésitais à franchir le seuil; cet homme s'écria: 'Eh bien! allez-vous faire comme cette étrangère qui vint ici il y a quelques jours? Quand ce fut pour entrer, elle s'évanouit, et je fus obligé de la reporter à sa voiture.' Il me fut aisé de reconnaître *l'étrangère* qui, comme moi, était venue chercher dans ces lieux des pleurs et des souvenirs!

"Couvrant un moment mes yeux de mon mouchoir, j'entrai sous le toit de mes ancêtres. Je parcourus les appartements sonores où l'on n'entendait que le bruit de mes pas. Les chambres étaient à peine éclairées par la faible lumière qui pénétrait entre les volets fermés; je visitai celle où ma mère avait perdu la vie en me mettant au monde, celle où se retirait mon père, celle où j'avais dormi dans mon berceau, celle enfin où l'amitié avait reçu mes premiers vœux dans le sein d'une sœur. Partout les salles étaient détendues, et l'araignée filait sa toile dans les couches abandonnées. Je sortis précipitamment de ces lieux, je m'en éloignai à grands pas, sans oser tourner la tête. Qu'ils sont doux, mais qu'ils sont rapides, les moments que les frères et les sœurs passent dans leurs jeunes années, réunis sous l'aile de leurs vieux parents! La famille de l'homme n'est que d'un jour; le souffle de Dieu la disperse comme une fumée. A peine le fils connaît-il le père, le père le fils, le frère la sœur, la sœur le frère! Le chêne voit germer ses glands autour de lui: il n'en est pas ainsi des enfants des hommes!

"En arrivant à B . . . je me fis conduire au couvent; je demandai à parler à ma sœur. On me dit qu'elle ne recevait personne. Je lui écrivis: elle me répondit que, sur le point de se consacrer à Dieu, il ne lui était pas permis de donner une pensée au monde; que si je l'aimais, j'éviterais de l'accabler de ma douleur. Elle ajoutait: 'Cependant, si votre projet est de paraître à l'autel le jour de ma profession, daignez m'y servir de père: ce rôle est le seul digne de votre courage, le seul qui convienne à notre amitié et à mon repos.'

"Cette froide fermeté qu'on opposait à l'ardeur de mon amitié me jeta dans de violents transports. Tantôt j'étais près de retourner sur mes pas; tantôt je voulais rester, uniquement pour troubler le sacrifice. L'enfer me suscitait jusqu'à la pensée de me poignarder dans l'église et de mêler mes derniers soupirs aux vœux qui m'arrachaient ma sœur. La supérieure du couvent me fit prévenir qu'on avait préparé un banc dans le sanctuaire, et elle m'invitait à me rendre à la cérémonie, qui devait avoir lieu dès le lendemain.

"Au lever de l'aube, j'entendis le premier son des cloches . . . Vers dix heures, dans une sorte d'agonie, je me traînai au monastère. Rien ne peut plus être tragique quand on a assisté à un pareil spectacle; rien ne peut plus être douloureux quand on y a survécu.

"Un peuple immense remplissait l'église. On me conduit au banc du sanctuaire; je me précipite à genoux sans presque savoir où j'étais ni à quoi j'étais résolu. Déjà le prêtre attendait à l'autel; tout à coup la grille mystérieuse s'ouvre, et Amélie s'avance, parée de toutes les pompes du monde. Elle était si belle, il y avait sur son visage quelque chose de si divin, qu'elle excita un mouvement de surprise et d'admiration. Vaincu par la glorieuse douleur de la sainte, abattu par les grandeurs de la religion, tous mes projets de violence s'évanouirent; ma force m'abandonna; je me sentis lié par une main toute-puissante, et, au lieu de blasphèmes et de menaces, je ne trouvai dans mon cœur que de profondes adorations et les gémissements de l'humilité.

"Amélie se place sous un dais. Le sacrifice commence à la lueur des flambeaux, au milieu des fleurs et des parfums, qui devaient rendre l'holocauste agréable. A l'offertoire, le prêtre se dépouilla de ses ornements, ne conserva qu'une tunique de lin, monta en chaire, et, dans un discours simple et pathétique, peignit le bonheur de la vierge qui se consacre au Seigneur. Quand il prononça ces mots: 'Elle a paru comme l'encens qui se consume dans le feu,' un grand calme et des odeurs célestes semblèrent se répandre dans l'auditoire; on se sentit comme à l'abri sous les ailes de la colombe mystique, et l'on eût cru voir les anges descendre sur l'autel et remonter vers les cieux avec des parfums et des couronnes.

"Le prêtre achève son discours, reprend ses vêtements, continue le sacrifice. Amélie, soutenue de deux jeunes religieuses, se mêt à genoux sur la dernière marche de l'autel. On vient alors me chercher pour remplir les fonctions paternelles. Au bruit de mes pas chancelants dans le sanctuaire, Amélie est prête à défaillir. On me place à côté du prêtre pour lui présenter les ciseaux. En ce moment je sens renaître mes transports; ma fureur va éclater, quand Amélie, rappelant son courage, me lance un regard où il y a tant de reproche et de douleur, que j'en suis atterré. La religion triomphe. Ma sœur profite de mon trouble; elle avance hardiment la tête. Sa superbe chevelure tombe de toutes parts sous le fer sacré; une longue robe d'étamine remplace pour elle les ornements du siècle sans la rendre moins touchante; les ennuis de son front se cachent sous un bandeau de lin, et le voile mystérieux, double symbole de la virginité et de la religion, accompagne sa tête dépouillée. Jamais elle n'avait paru si belle. L'œil de la pénitente était attaché sur la poussière du monde, et son âme était dans le ciel.

"Cependant Amélie n'avait point encore prononcé ses vœux, et pour mourir au monde il fallait qu'elle passât à travers le tombeau. Ma sœur se couche sur le marbre; on étend sur elle un drap mortuaire; quatre flambeaux en marquent les quatre coins. Le prêtre, l'étole au cou, le livre à la main, commence l'Office des morts; de jeunes vierges le continuent. O joies de la religion, que vous êtes grandes, mais que vous êtes terribles! On m'avait contraint de me placer à genoux près de ce lugubre appareil. Tout à coup un murmure confus sort de dessous le voile sépulcral: je m'incline, et ces paroles épouvantables (que je fus seul à entendre) viennent frapper mon oreille: 'Dieu de miséricorde, fais que je ne me relève jamais de cette couche funèbre, et comble de tes biens un frère qui n'a point partagé ma criminelle passion!'

"A ces mots échappés du cercueil, l'affreuse vérité m'éclaire, ma raison s'égare; je me laisse tomber sur le linceul de la mort, je presse ma sœur dans mes bras; je m'écrie: 'Chaste épouse de Jésus-Christ, reçois mes derniers embrassements à travers les glaces du trépas et les profondeurs de l'éternité, qui te séparent déjà de ton frère!'

"Ce mouvement, ce cri, ces larmes, troublent la cérémonie: le prêtre s'interrompt, les religieuses ferment la grille, la foule s'agite et se presse vers l'autel, on m'emporte sans connaissance. Que je sus peu de gré à ceux qui me rappelèrent au jour! J'appris, en rouvrant les yeux, que le sacrifice était consommé et que ma sœur avait été saisie d'une fièvre ardente. Elle me faisait prier de ne plus chercher à la voir. O misère de ma vie! une sœur craindre de parler à un frère, et un frère craindre de faire entendre sa voix à une sœur! Je sortis du monastère comme de ce lieu d'expiation où des flammes nous préparent pour la vie céleste, où l'on a tout perdu comme aux enfers, hors l'espérance.

"On peut trouver des forces dans son âme contre un malheur personnel, mais devenir la cause involontaire du malheur d'un autre, cela est tout à fait insupportable. Éclairé sur les maux de ma sœur, je me figurais ce qu'elle avait dû souffrir. Alors s'expliquèrent pour moi plusieurs choses que je n'avais pu comprendre: ce mélange de joie et de tristesse qu'Amélie avait fait paraître au moment de mon départ pour mes voyages, le soin qu'elle prit de m'éviter à mon retour, et cependant cette faiblesse qui l'empêcha si longtemps d'entrer dans un monastère: sans doute la fille malheureuse s'était flattée de guérir! Ses projets de retraite, la dispense du noviciat, la disposition de ses biens en ma faveur, avaient apparemment produit cette correspondance secrète qui servit à me tromper.

"O mes amis! je sus donc ce que c'était que de verser des larmes pour un mal qui n'était point imaginaire! Mes passions, si longtemps indéterminées, se précipitèrent sur cette première proie avec fureur. Je trouvai même une sorte de satisfaction inattendue dans la plénitude de mon chagrin, et je m'aperçus, avec un secret mouvement de joie, que la douleur n'est pas une affection qu'on épuise comme le plaisir.

"J'avais voulu quitter la terre avant l'ordre du Tout-Puissant, c'était un grand crime: Dieu m'avait envoyé Amélie à la fois pour me sauver et pour me punir. Ainsi, toute pensée coupable, toute action criminelle entraîne après elle des désordres et des malheurs. Amélie me priait de vivre, et je lui devais bien de ne pas aggraver ses maux. D'ailleurs (chose étrange!) je n'avais plus envie de mourir depuis que j'étais réellement malheureux. Mon chagrin était devenu une occupation qui remplissait tous mes moments: tant mon cœur est naturellement pétri d'ennui et de misère!

"Je pris donc subitement une autre résolution; je me déterminai à quitter l'Europe et à passer en Amérique.

"On équipait dans ce moment même, au port de B . . ., une flotte pour la Louisiane; je m'arrangeai avec un des capitaines de vaisseau, je fis savoir mon projet à Amélie, et je m'occupai de mon départ.

"Ma sœur avait touché aux portes de la mort; mais Dieu, qui lui destinait la première palme des vierges, ne voulut pas la rappeler si vite à lui; son épreuve ici-bas fut prolongée. Descendue une seconde fois dans la pénible carrière de la vie, l'héroïne, courbée sous la croix, s'avança courageusement à l'encontre des douleurs, ne voyant plus que le triomphe dans le combat, et dans l'excès des souffrances l'excès de la gloire.

"La vente du peu de bien qui me restait, et que je cédai à mon frère, les longs préparatifs d'un convoi, les vents contraires, me retinrent longtemps dans le port. J'allais chaque matin m'informer des nouvelles d'Amélie, et je revenais toujours avec de nouveaux motifs d'admiration et de larmes.

"J'errais sans cesse autour du monastère, bâti au bord de la mer. J'apercevais souvent, à une petite fenêtre grillée qui donnait sur une plage déserte, une religieuse assise dans une attitude pensive; elle rêvait à l'aspect de l'Océan où apparaissait quelque vaisseau cinglant aux extrémités de la terre. Plusieurs fois, à la clarté de la lune, j'ai revu la même religieuse aux barreaux de la même fenêtre: elle contemplait la mer, éclairée par l'astre de la nuit, et semblait prêter l'oreille au bruit des vagues qui se brisaient tristement sur des grèves solitaires.

"Je crois encore entendre la cloche qui, pendant la nuit, appelait les religieuses aux veilles et aux prières. Tandis qu'elle tintait avec lenteur et que les vierges s'avançaient en silence à l'autel du Tout-Puissant, je courais au monastère: là, seul aux pieds des murs, j'écoutais dans une sainte extase les derniers sons des cantiques, qui se mêlaient sous les voûtes du temple au faible bruissement des flots.

"Je ne sais comment toutes ces choses, qui auraient dû nourrir mes peines, en émoussaient au contraire l'aiguillon. Mes larmes avaient moins d'amertume, lorsque je les répandais sur les rochers et parmi les vents. Mon chagrin même, par sa nature extraordinaire, portait avec lui quelque remède: on jouit de ce qui n'est pas commun, même quand cette chose est un malheur. J'en conçus presque l'espérance que ma sœur deviendrait à son tour moins misérable.

"Une lettre que je reçus d'elle avant mon départ sembla me confirmer dans ces idées. Amélie se plaignait tendrement de ma douleur et m'assurait que le temps diminuait la sienne: 'Je ne désespère pas de mon bonheur, me disait-elle. L'excès même du sacrifice, à présent que le sacrifice est consommé, sert à me rendre quelque paix. La simplicité de mes compagnes, la pureté de leurs vœux, la régularité de leur vie, tout répand du baume sur mes jours. Quand j'entends gronder les orages et que l'oiseau de mer vient battre des ailes à ma fenêtre, moi, pauvre colombe du ciel, je songe au bonheur que j'ai eu de trouver un abri contre la tempête. C'est ici la sainte montagne, le sommet élevé d'où l'on entend les derniers bruits de la terre et les premiers concerts du ciel; c'est ici que la religion trompe doucement une âme sensible; aux plus violentes amours elle substitue une sorte de chasteté brûlante où l'amante et la vierge sont unies; elle épure les soupirs, elle change en une flamme incorruptible une flamme périssable, elle mêle divinement son calme et son innocence à ce reste de trouble et de volupté d'un cœur qui cherche à se reposer et d'une vie qui se retire.'

"Je ne sais ce que le ciel me réserve, et s'il a voulu m'avertir que les orages accompagneraient partout mes pas. L'ordre était donné pour le départ de la flotte; déjà plusieurs vaisseaux avaient appareillé au baisser du soleil; je m'étais arrangé pour passer la dernière nuit à terre, afin d'écrire ma lettre d'adieux à Amélie. Vers minuit, tandis que je m'occupe de ce soin et que je mouille mon papier de mes larmes, le bruit des vents vient frapper mon oreille. J'écoute, et au milieu de la tempête je distingue les coups de canon d'alarme mêlés au glas de la cloche monastique. Je vole sur le rivage où tout était désert et où l'on n'entendait que le rugissement des flots. Je m'assieds sur un rocher. D'un côté s'étendent les vagues étincelantes, de l'autre les murs sombres du monastère se perdent confusément dans les cieux. Une petite lumière paraissait à la fenêtre grillée. Était-ce toi, ô mon Amélie! qui prosternée au pied du crucifix, priais le Dieu des orages d'épargner ton malheureux frère? La tempête sur les flots, le calme dans ta retraite; des hommes brisés sur des écueils, au pied de l'asile que rien ne peut troubler; l'infini de l'autre côté du mur d'une cellule: les fanaux agités des vaisseaux, le phare immobile du couvent; l'incertitude des destinées du navigateur, la vestale connaissant dans un seul jour tous les jours futurs de sa vie; d'une autre part, une âme telle que la tienne, ô Amélie, orageuse comme l'Océan; un naufrage plus affreux que celui du marinier: tout ce tableau est encore profondément gravé dans ma mémoire. Soleil de ce ciel nouveau, maintenant témoin de mes larmes, échos du rivage américain qui répétez les accents de René, ce fut le lendemain de cette nuit terrible qu'appuyé sur le gaillard de mon vaisseau je vis s'éloigner pour jamais ma terre natale! Je contemplai longtemps sur la côte les derniers balancements des arbres de la patrie et les faîtes du monastère qui s'abaissaient à l'horizon."

Comme René achevait de raconter son histoire, il tira un papier de son sein, et le donna au père Souël, puis, se jetant dans les bras de Chactas et étouffant ses sanglots, il laissa le temps au missionnaire de parcourir la lettre qu'il venait de lui remettre.

Elle était de la supérieure de . . . Elle contenait le récit des derniers moments de la sœur Amélie de la Miséricorde, morte victime de son zèle et de sa charité en soignant ses compagnes attaquées d'une maladie contagieuse. Toute la communauté était inconsolable et l'on y regardait Amélie comme une sainte. La supérieure ajoutait que, depuis trente ans qu'elle était à la tête de la maison, elle n'avait jamais vu de religieuse d'une humeur aussi douce et aussi égale, ni qui fût plus contente d'avoir quitté les tribulations du monde.

Chactas pressait René dans ses bras; le vieillard pleurait. "Mon enfant, dit-il à son fils, je voudrais que le père Aubry fût ici; il tirait du fond de son cœur je ne sais quelle paix qui, en les calmant, ne semblait cependant point étrangère aux tempêtes c'était la lune dans une nuit orageuse. Les nuages errants ne peuvent l'emporter dans leur course; pure et inaltérable, elle s'avance tranquille au-dessus d'eux Hélas! pour moi, tout me trouble et m'entraîne!"

Jusqu'alors le père Souël, sans proférer une parole avait écouté d'un air austère l'histoire de René. Il portait en secret un cœur compatissant, mais il montrait au dehors un caractère inflexible; la sensibilité du Sachem le fit sortir du silence:

"Rien, dit-il au frère d'Amélie, rien ne mérite dans cette histoire la pitié qu'on vous montre ici. Je vois un jeune homme entêté de chimères, à qui tout déplaît et qui s'est soustrait aux charges de la société pour se livrer à d'inutiles rêveries. On n'est point, monsieur un homme supérieur parce qu'on aperçoit le monde sous un jour odieux. On ne hait les hommes et la vie que faute de voir assez loin. Étendez un peu plus votre regard, et vous serez bientôt convaincu que tous ces maux dont vous vous plaignez sont de purs néants. Mais quelle honte de ne pouvoir songer au seul malheur réel de votre vie sans être forcé de rougir! Toute la pureté, toute la vertu, toute la religion, toutes les couronnes d'une sainte rendent à peine tolérable la seule idée de vos chagrins. Votre sœur a expié sa faute; mais, s'il faut ici dire ma pensée, je crains que, par une épouvantable justice, un aveu sorti du sein de la tombe n'ait troublé votre âme à son tour. Que faites-vous seul au fond des forêts où vous consumez vos jours, négligeant tous vos devoirs? Des saints, me direz-vous, se sont ensevelis dans les déserts. Ils y étaient avec leurs larmes, et employaient à éteindre leurs passions le temps que vous perdez peut-être à allumer les vôtres. Jeune présomptueux, qui avez cru que l'homme se peut suffire à lui-même, la solitude est mauvaise à celui qui n'y vit pas avec Dieu; elle redouble les puissances de l'âme en même temps qu'elle leur ôte tout sujet pour s'exercer. Quiconque a reçu des forces doit les consacrer au service de ses semblables: s'il les laisse inutiles, il en est d'abord puni par une secrète misère, et tôt ou tard le ciel lui envoie un châtiment effroyable."

Troublé par ces paroles, René releva du sein de Chactas sa tête humiliée. Le Sachem aveugle se prit à sourire, et ce sourire de la bouche, qui ne se mariait pas à celui des yeux, avait quelque chose de mystérieux et de céleste. "Mon fils, dit le vieil amant d'Atala, il nous parle sévèrement; il corrige et le vieillard et le jeune homme, et il a raison. Oui, il faut que tu renonces à cette vie extraordinaire qui n'est pleine que de soucis; il n'y a de bonheur que dans les voies communes.

"Un jour le Meschacebé, encore assez près de sa source, se lassa de n'être qu'un limpide ruisseau. Il demande des neiges aux montagnes, des eaux aux torrents, des pluies aux tempêtes, il franchit ses rives et désole ses bois charmants. L'orgueilleux ruisseau s'applaudit d'abord de sa puissance; mais, voyant que tout devenait désert sur son passage, qu'il coulait abandonné dans la solitude, que ses eaux étaient toujours troublées, il regretta l'humble lit que lui avait creusé la nature, les oiseaux, les fleurs, les arbres et les ruisseaux, jadis modestes compagnons de son paisible cours."

Chactas cessa de parler, et l'on entendit la voix du flamant qui, retiré dans les roseaux du Meschacebé, annonçait un orage pour le milieu du jour. Les trois amis reprirent la route de leurs cabanes: René marchait en silence entre le missionnaire, qui priait Dieu, et le Sachem aveugle, qui cherchait sa route. On dit que, pressé par les deux vieillards, il retourna chez son épouse, mais sans y trouver le bonheur. Il périt peu de temps après avec Chactas et le père Souël dans les massacres des Français et des Natchez à la Louisiane. On montre encore un rocher où il allait s'asseoir au soleil couchant.

STELLO

ALFRED DE VIGNY

ALFRED DE VIGNY

1797-1863

Vigny is the most profound thinker of the French romanticists. His *Journal d'un Poète* is essential for an understanding of his philosophy of life. He has been pictured as surveying society from his "tour d'ivoire" with a pity akin to pessimism. Not a popular favorite in his lifetime, his reputation has grown of late. Author of some of the most searching and technically perfect poems in French literature,—*Éloa, la Mort du Loup, la Maison du Berger, Moïse*—he was convinced of the divine commission of the Poet as a Vates or Prophet set apart to speak for the people. Vigny's own attitude is dignified, honorable, reserved, stoical. Yet, feeling that everywhere the Poet was too feeble to cope with his responsible destiny, his own reaction was one of noble bitterness. Laboring under the pessimism of this thwarted romantic claim for the Poet, Vigny produced in 1832 a strange work entitled *Stello,* which was received without enthusiasm at the time. In it he presents in the form of a dialogue between the Docteur Noir and Stello the story of two French poets of the eighteenth century—Gilbert and André Chénier—and that of the English poet Chatterton. His work is romantic in its commiseration with the worldly failure of the exceptional genius, in its exaltation of the poetic art, and in the license used by the author in his appropriation of facts to support a thesis to the defense of which he was dedicated. Using the three individual poets as symbols, he speaks of the misunderstanding, the humiliation of all poets,—of poetry—by the masses. Realizing his failure to make his point in prose, he next resorted to the drama as a more effective means of presentation.

The selection from *Stello* here presented is complete in itself, a narrative of the last days of André Chénier, whose head fell under the guillotine the day before Robespierre fell from power. Here we have a vivid picture of Paris under the Terror at a moment of tragic significance for the young poet whose political writings had brought him to the prison of Saint Lazare. The scene in the refectory of the prison with its aristocratic inmates, and the portrait of Robespierre in his office are not likely to be effaced from the reader's mind.

Chief literary works:

Poèmes, 1822.
Cinq-Mars, 1825.
Poèmes antiques et modernes, 1829.
Le More de Venise, 1830.
Stello, 1832.
Servitude et Grandeur militaires, 1835.
Chatterton, 1835.
Les Destinées, 1864.
Le Journal d'un Poète, 1867.

For Biography and Criticism:

L. Séché: *Alfred de Vigny et son temps,* s.d.
E. Dupuy: *La Jeunesse des Romantiques,* 1905; *Alfred de Vigny, ses amitiés, son rôle littéraire,* 1910-12.
Sainte-Beuve: *Nouveaux Lundis,* vol. vi; *Portraits littéraires,* vol. iii.
Paul Bourget: *Études et Portraits,* 1889.

E. Faguet: *Dix-neuvième siècle,* 1887.
Paléologue: *Alfred de Vigny,* 1891.
Marc Citoleux: *Alfred de Vigny. Persistances classiques et affinités étrangères,* 1924.

STELLO

CHAPITRE XX

UNE HISTOIRE DE LA TERREUR

Quatre-vingt-quatorze sonnait à l'horloge du dix-huiième siècle, quatre-vingt-quatorze, dont chaque minute fut sanglante et enflammée. L'an de terreur frappait horriblement et lentement au gré de la terre et du ciel, qui l'écoutaient en silence. On aurait dit qu'une puissance, insaisissable comme un fantôme, passait et repassait parmi les hommes, tant leurs visages étaient pâles, leurs yeux égarés, leurs têtes ramassées entre leurs épaules, reployées comme pour les cacher et les défendre.—Cependant un caractère de grandeur et de gravité sombre était empreint sur tous ces fronts menacés et jusque sur la face des enfants; c'était comme ce masque sublime que nous met la mort. Alors les hommes s'écartaient les uns des autres, ou s'abordaient brusquement comme des combattants. Leur salut ressemblait à une attaque, leur bonjour à une injure, leur sourire à une convulsion, leur habillement aux haillons d'un mendiant, leur coiffure à une guenille trempée dans le sang, leurs réunions à des émeutes, leurs familles à des repaires d'animaux mauvais et défiants, leur éloquence aux cris des halles, leurs amours aux orgies bohémiennes, leurs cérémonies publiques à de vieilles tragédies romaines manquées, sur des tréteaux de province; leurs guerres à des migrations de peuples sauvages et misérables, les noms du temps à des parodies poissardes.

Mais tout cela était grand, parce que, dans la cohue

républicaine, si tout homme jouait au pouvoir, tou
homme du moins jetait sa tête au jeu.

Pour cela seul, je vous parlerai des hommes de c
temps-là plus gravement que je n'ai fait des autres
Si mon premier langage était scintillant et musqu
comme l'épée de bal et la poudre, si le second étai
pédantesque et prolongé comme la perruque et la queu
d'un Alderman, je sens que ma parole doit être ic
forte et brève comme le coup d'une hache qui sor
fumante d'une tête tranchée.

Au temps dont je veux parler, la Démocratie ré
gnait. Les Décemvirs, dont le premier fut Robespierre
allaient achever leur règne de trois mois. Ils avaien
fauché autour d'eux toutes les idées contraires à cell
de la Terreur. Sur l'échafaud des Girondins, ils avaien
abattu les idées d'*amour pur de la liberté;* sur celu
des Hébertistes, les idées du *culte de la raison* unies à
l'*obscénité* montagnarde et *républicaniste;* sur l'écha
faud de Danton, ils avaient tranché la dernière pensé
de *modération;* restait donc LA TERREUR. Elle donn
son nom à l'époque.

Le Comité de salut public marchait librement su
sa grande route, l'élargissant avec la guillotine. Robes
pierre et Saint-Just menaient la machine roulante: l'un
la traînait en jouant le grand prêtre, l'autre la poussait
en jouant le prophète *apocalyptique.*

Comme la Mort, fille de Satan, l'épouvante lui-même
la Terreur, leur fille, s'était retournée contre eux et les
pressait de son aiguillon. Oui, c'étaient leurs effrois de
chaque nuit qui faisaient leurs horreurs de chaque jour

Tout à l'heure, monsieur, je vous prendrai par la
main, et je vous ferai descendre avec moi dans les ténèbres de leur cœur; je tiendrai devant vos yeux le flambeau dont les yeux faibles détestent la lumière, l'inexorable flambeau de Machiavel, et, dans ces cœurs trou-

blés, vous verrez clairement et distinctement naître et mourir des sentiments immondes, nés, à mon sens, de leur situation dans les événements et de la faiblesse de leur organisation incomplète, plus que d'une aveugle perversité dont leurs noms porteront toujours la honte et resteront les synonymes.

Ici Stello regarda le Docteur-Noir avec l'expression d'une grande surprise. L'autre continua:

—C'est une doctrine qui m'est particulière, monsieur, qu'il n'y a ni héros ni monstre.—Les enfants seuls doivent se servir de ces mots-là.—Vous êtes surpris de me voir ici de votre avis, c'est que j'y suis arrivé par le raisonnement lucide, comme vous par le sentiment aveugle. Cette différence seule est entre nous, que votre cœur vous inspire, pour ceux que les hommes qualifient de *monstres,* une profonde pitié, et ma tête me donne pour eux un profond mépris. C'est un mépris glacial, pareil à celui du passant qui écrase la limace. Car, s'il n'y a de monstres qu'aux cabinets anatomiques, toujours y a-t-il de si misérables créatures, tellement livrées et si brutalement à des instincts obscurs et bas, tellement poussées, sous le vent de leur sottise, par le vent de la sottise d'autrui, tellement enivrées, étourdies et abruties du sentiment faux de leur propre valeur et de leurs droits établis on ne sait sur quoi, que je ne me sens ni rire ni larmes pour eux, mais seulement le dégoût qu'inspire le spectacle d'une nature manquée.

Les Terroristes sont de ces gens qui souvent m'ont fait ainsi détourner la vue; mais aujourd'hui je l'y ramène pour vous, cette vue attentive et patiente que rien ne détournera de leurs cadavres jusqu'à ce que nous y ayons tout observé, jusqu'aux os du squelette.

Il n'y a pas d'année qui ait fait autant de théories sur ces hommes que n'en fait cette année 1832 en un seul

de ses jours, parce qu'il n'y a pas d'époque où plu
grand nombre de gens ait nourri plus d'espérances e
amassé plus de probabilités de leur ressembler et d
les imiter.

C'est en effet une chose toute commode aux médiocri
tés qu'un temps de révolution. Alors que le beuglemen
de la voix étouffe l'expression pure de la pensée, qu
la hauteur de la taille est plus prisée que la grandeu
du caractère, que la harangue sur la borne fait tair
l'éloquence à la tribune, que l'injure des feuilles publiques voile momentanément la sagesse durable des livres
quand un scandale de la rue fait une petite gloire et un
petit nom; quand les ambitieux centenaires feignent
pour les piper, d'écouter les écoliers imberbes qui les
endoctrinent; quand l'enfant se guinde sur le bout du
pied pour prêcher les hommes; quand les grands noms
sont secoués pêle-mêle dans des sacs de boue, et tirés
à la loterie populaire par la main des pamphlétiers;
quand les vieilles hontes de famille redeviennent des
espèces d'honneurs, hérédité chère à bien des Capacités
connues; quand les taches de sang font auréole au front,
sur ma foi, c'est un bon temps.

A quelle médiocrité, s'il vous plaît, serait-il défendu
de prendre un grain luisant de cette grappe du Pouvoir
politique, fruit réputé si plein de richesse et de gloire?
Quelle petite coterie ne peut devenir club? quel club,
assemblée? quelle assemblée, comices? quels comices,
sénat? et quel sénat ne peut régner? Et ont-ils pu régner
sans qu'un homme y régnât? Et qu'a-t-il fallu?—Oser!
—Ah! le beau mot que voilà! Quoi! c'est là tout? Oui,
tout! Ceux qui l'ont fait l'ont dit.—Courage donc, vides
cerveaux, criez et courez!—Ainsi font-ils.

Mais l'habitude des synthèses a été prise dès longtemps par eux sur les bancs; on en a pour tout; on
les attelle à tout: le sonnet a la sienne. Quand on veut

user des morts, on peut bien leur prêter son système; chacun s'en fait un bon ou mauvais; selle à tous chevaux, il faut qu'elle aille. Monterez-vous le Comité de salut public? Qu'il endosse la selle!

On a cru les membres de ce Comité farouche dévoués profondément aux intérêts du peuple et tout sacrifiant aux progrès de l'humanité, tout, jusqu'à leur sensibilité naturelle, tout, jusqu'à l'avenir de leur nom, qu'ils vouaient sciemment à l'exécration.—Système de l'année à son usage.

Il est vrai qu'on les a presque dits hydrophobes.—On les a peints comme décidés à raser de la surface de la terre toutes têtes dont les yeux avaient vu la monarchie, et gouvernant tout exprès pour se donner la joie d'égorger.—Système de trembleurs surannés.

On leur a construit un projet édifiant d'adoucissement successif dans leur pouvoir, de confiance dans le règne de la vertu, de conviction dans la moralité de leurs crimes.—Système d'honnêtes enfants qui n'ont que du blanc et du noir devant les yeux, ne rêvent qu'anges ou démons et ne savent pas quel incroyable nombre de masques hypocrites, de toute forme, de toute couleur, de toute taille, peuvent cacher les traits des hommes qui ont passé l'âge des passions dévouées et se sont livrés sans réserve aux passions égoïstes.

Il s'en trouve qui, plus forts, font à ces gens l'honneur de leur supposer une doctrine religieuse. Ils disent:

S'ils étaient Athées et Matérialistes, peu leur importait: un meurtre impuni ne faisait qu'écraser, selon leur foi, une chose agissante.

S'ils étaient Panthéistes, peu leur importait-il, puisqu'ils ne faisaient qu'une transformation selon leur foi.

Reste donc le ces fort douteux où ils eussent été Chrétiens sincères, et alors la condamnation était réservée pour eux-mêmes, et le salut et l'indulgence pour la victime. A ce compte, il y aurait encore dévouement et service rendu à ses ennemis.

O Paradoxes! que j'aime à vous voir sauter dans le cerveau!

—Et vous, que dites-vous? interrompit Stello, passionnément attentif.

—Et moi, je vais chercher à suivre pas à pas les chemins de l'opinion publique relativement à eux.

La mort est pour les hommes le plus attachant spectacle, parce qu'elle est le plus effrayant des mystères. Or, comme il est vrai qu'un sanglant dénouement suffit à illustrer quelque médiocre drame, à faire excuser ses défauts et vanter ses moindres beautés, de même l'histoire d'un homme public est illustrée aux yeux du vulgaire par les coups qu'il a portés et le grand nombre de morts qu'il a données, au point d'imprimer pour toujours je ne sais quel lâche respect de son nom. Dès lors, ce qu'il a osé faire d'atroce est attribué à quelque faculté surnaturelle qu'il posséda. Ayant fait peur à tant de gens, cela suppose une sorte de courage pour ceux qui ne savent pas combien de fois ce fut une lâcheté. Son nom étant une fois devenu synonyme d'Ogre, on lui sait gré de tout ce qui sort un peu des habitudes du bourreau. Si l'on trouve dans son histoire qu'il a souri à un petit enfant et qu'il a mis des bas de soie, cela devient trait de bonté et d'urbanité. En général le Paradoxe nous plaît fort. Il heurte l'idée reçue, et rien n'appelle mieux l'attention sur le parleur ou l'écrivain.—De là les apologies paradoxales des grands tueurs de gens.—La Peur, éternelle reine des masses, ayant grossi, vous dis-je, ces personnages à tous les yeux, met tellement en lumière leurs moindres actes qu'il serait malheureux de n'y pas voir reluire quelque chose de passable. Dans l'un, ce fut tel plaidoyer hypocrite; en l'autre, telle ébauche de système tous deux donnant un faux air d'orateur et de législateur; informes ouvrages où le style, empreint de la sécheresse et de la brusquerie du combat qui les enfantait, singe la concision et la fermeté du génie. Mais ces hommes gorgés de pouvoir et soûlés de sang, dans leur inconcevable orgie politique, étaient médiocres et étroits dans leurs conceptions, médiocres et faux dans leurs œuvres, médiocres et bas dans leurs actions.—Ils n'eurent quelques moments d'éclat que par une sorte d'énergie fiévreuse, une rage de nerfs qui leur venait de leurs craintes d'équilibristes sur la corde, et surtout du sentiment qui avait comme remplacé leur âme, je veux dire l'*émotion continue de l'assassinat.*

Cette émotion, monsieur, poursuivit le Docteur en se croisant les jambes et prenant une prise de tabac plus à son aise, l'*émotion de l'assassinat* tient de la colère, de la peur et du spleen tout à la fois. Lorsqu'un suicidé s'est manqué, si vous ne lui liez les mains, il redouble (tout médecin le sait). Il en est de même de l'assassin, il croit se défaire d'un vengeur de son premier meurtre par un second, d'un vengeur du second par un troisième, et ainsi de suite pour sa vie entière s'il garde le Pouvoir (cette chose divine et sainte à jamais à ses yeux myopes!). Il opère alors sur une nation comme sur un corps qu'il croit gangrené: il coupe, il taille, il charpente. Il poursuit la tache noire, et cette tache, c'est son ombre, c'est le mépris et la haine qu'on a de lui: il la trouve partout. Dans son chagrin mélancolique et dans sa rage, il s'épuise à remplir une sorte de tonneau de sang percé par le fond, et c'est aussi là son enfer.

Voilà la maladie qu'avaient ces pauvres gens dont nous parlons, assez aimables du reste.

Je les ai, je crois, bien connus, comme vous allez voir par les choses que je vous conterai, et je ne haïssais pas leur conversation; elle était originale, il y avait du bon et du curieux surtout. Il faut qu'un homme voie un peu de tout pour bien savoir la vie vers la fin de la sienne, science bien utile au moment de s'en aller.

Toujours est-il que je les ai vus souvent et bien examinés; qu'ils n'avaient pas le pied fourchu, qu'ils n'avaient point de tête de tigre, de hyène et de loup, comme l'ont assuré d'illustres écrivains; ils se coiffaient, se rasaient, s'habillaient et déjeunaient. Il y en avait dont les femmes disaient: *Qu'il est bien!* Il y en avait plus encore dont on n'eût rien dit s'ils n'eussent rien été; et les plus laids ont ici d'honnêtes grammairiens et de polis diplomates qui les surpassent en airs féroces, et dont on dit: *Laideur spirituelle!*——Idées! idées en l'air! phrases de livres que toutes ces ressemblances animales! Les hommes sont partout et toujours de simples et faibles créatures plus ou moins ballottées et contrefaites par leur destinée. Seulement les plus forts ou les meilleurs se redressent contre elle et la façonnent à leur gré, au lieu de se laisser pétrir par sa main capricieuse.

Les Terroristes se laissèrent platement entraîner à l'instinct absurde de la cruauté et aux nécessités dégoûtantes de leur position. Cela leur advint à cause de leur médiocrité, comme j'ai dit.

Remarquez bien que, dans l'histoire du monde, tout homme régnant qui a manqué de grandeur personnelle a été forcé d'y suppléer en plaçant à sa droite le bourreau comme un ange gardien. Les pauvres Triumvirs dont nous parlons avaient profondément au cœur la conscience de leur dégradation morale. Chacun d'eux avait glissé dans une route meilleure, et chacun d'eux était quelque chose de manqué: l'un, avocat mauvais et plat; l'autre, médecin ignorant; l'autre, demi-philosophe: un autre, cul-de-jatte, envieux de tout homme debout et entier.

Intelligences confuses et mérites avortés de corps et d'âme, chacun d'eux savait donc quel était le mépris public pour lui, et ces rois honteux, craignant les regards, faisaient luire la hache pour les éblouir et les abaisser à terre.

Jusqu'au jour où ils avaient établi leur autorité triumvirale et décemvirale, leur ouvrage n'avait été qu'une critique continuelle, calomniatrice, hypocrite et toujours féroce des pouvoirs ou des influences précédentes. Dénonciateurs, accusateurs, destructeurs infatigables, ils avaient renversé la Montagne sur la Plaine, les Danton sur les Hébert, les Desmoulins sur les Vergniaud, en présentant toujours à la Multitude régnante la Méduse des conspirations, dont toute Multitude est épouvantée, la croyant cachée dans son sang et dans ses veines. Ainsi, selon leur dire, ils avaient tiré du corps social une sueur abondante, une sueur de sang; mais, lorsqu'il fallut le mettre debout et le faire marcher, ils succombèrent à l'essai. Impuissants organisateurs, étourdis, pétrifiés par la solitude où ils se trouvèrent tout à coup, ils ne surent que recommencer à se combattre dans leur petit troupeau souverain. Tout haletants du combat, ils s'essayaient à griffonner quelque bout de système dont ils n'entrevoyaient même pas l'application probable: puis ils retournaient à la tâche plus facile de la monstrueuse saignée. Les trois mois de leur puissance souveraine furent pour eux comme le rêve d'une nuit de malade. Ils n'eurent pas la force d'y prendre le temps de penser. Et, d'ailleurs, la Pensée, la Pensée calme, sainte, forte et pénétrante, comme je la conçois, est une chose dont ils n'étaient plus dignes. —Elle ne descend pas dans l'homme qui a horreur de soi.

Ce qui leur restait d'idées pour leur usage dans la conversation, vous l'allez entendre, comme j'en eus moi-même l'occasion. L'ensemble de leur vie et les jugements qu'on en porte ne sont pas d'ailleurs ce qui m'occupe, mais toujours l'idée première de notre conversation, leurs dispositions envers les Poètes et tous les artistes de leur temps. Je les prends pour dernier exemple, et comme, après tout, ils furent la dernière expression du pouvoir Républicain-Démocratique, ils me seront un type excellent.

Je ne puis que gémir, avec les Républicains sincères et loyaux, du tort que tous ces hommes-là out fait au beau nom latin de la *chose publique:* je conçois leur haine pour ces malheureux (âmes qui n'eurent pas une heure de paix), pour ces malheureux qui souillèrent aux yeux des nations leur forme gouvernementale favorite. Mais, en cherchant un peu, ne pourront-ils garder la *chose* avec un autre nom? La langue est souple. J'en gémis, mais je n'y fus pour rien, je vous jure.—Je m'en lave les mains, lavez vos noms.

CHAPITRE XXI

UN BON CANONNIER

Il me souvient fort bien que, le 5 thermidor an II de la République, ou 1794, ce qui m'est totalement indifférent, j'étais assis, absolument seul, près de ma fenêtre qui donnait sur la place de la Révolution, et je tournais dans mes doigts la tabatière que j'ai là, quand on vint sonner à ma porte assez violemment, vers huit heures du matin.

J'avais alors pour domestique, un grand flandrin de fort douce et paisible humeur, qui avait été un terrible canonnier pendant dix ans, et qu'une blessure au pied avait mis hors de combat. Comme je n'entendis pas ouvrir, je me levai pour voir dans l'antichambre ce que faisait mon soldat. Il dormait, les jambes sur le poêle.

La longueur démesurée de ses jambes maigres ne m'avait jamais frappé aussi vivement que ce jour-là. Je savais qu'il n'avait pas moins de cinq pieds neuf pouces quand il était debout; mais je n'en avais accusé que sa taille et non ses prodigieuses jambes, qui se développaient en ce moment dans toute leur étendue, depuis le marbre du poêle jusqu'à la chaise de paille, d'où le reste de son corps et, en outre, sa tête maigre et longue s'élevaient, pour retomber en avant en forme de cerceau sur ses bras croisés.—J'oubliai entièrement la sonnette pour contempler cette innocente et heureuse créature dans son attitude accoutumée; oui, accoutumée; car, depuis que les laquais dorment dans les antichambres, et cela date de la création des antichambres et des laquais, jamais homme ne s'endormit avec une quiétude plus parfaite, ne sommeilla avec une absence plus complète de rêves et de cauchemars, et ne fut réveillé avec une égalité d'humeur aussi grande. Blaireau faisait toujours mon admiration, et le noble caractère de son sommeil était pour moi une source éternelle de curieuses observations. Ce digne homme avait dormi partout pendant dix ans, et jamais il n'avait trouvé qu'un lit fût meilleur ou plus mauvais qu'un autre. Quelquefois seulement, en été, il trouvait sa chambre trop chaude, descendait dans la cour, mettait un pavé sous sa tête et dormait. Il ne s'enrhumait jamais, et la pluie ne le réveillait pas. Lorsqu'il était debout, il avait l'air d'un peuplier prêt à tomber. Sa longue taille était voûtée, et les os de sa poitrine touchaient à l'os de son dos. Sa figure était jaune et sa peau luisante comme un parchemin; aucune altération ne s'y pouvait remarquer en aucune occasion, sinon un sourire de paysan à la fois niais, fin et doux. Il avait brûlé beaucoup de poudre depuis dix ans à tout ce qu'il y avait eu d'affaires à Paris, mais jamais il ne s'était tourmenté beaucoup du point où frappait le boulet. Il servait son canon en artiste consommé et, malgré les changements de gouvernement, qu'il ne comprenait guère, il avait conservé un dicton des anciens de son régiment et ne cessait de dire: *Quand j'ai bien servi ma pièce, le Roi n'est pas mon maître.* Il était excellent pointeur et devenu chef de pièce depuis quelques mois, quand il fut réformé pour une large entaille qu'il avait reçue au pied, de l'explosion d'un caisson sauté par maladresse au Champ de Mars. Rien ne l'avait plus profondément affligé que cette réforme, et ses camarades, qui l'aimaient beaucoup et le trouvaient souvent nécessaire, l'employaient toujours à Paris et le consultaient dans les occasions importantes. Le service de son artillerie s'accommodait assez avec le mien; car, étant rarement chez moi, j'avais rarement besoin de lui et, souvent, lorsque j'en avais besoin, je me servais moi-même de peur de l'éveiller. Le citoyen Blaireau avait donc pris depuis deux ans l'habitude de sortir sans m'en demander permission, mais ne manquait pourtant jamais à ce qu'il nommait l'*appel du soir,* c'est-à-dire le moment où je rentrais chez moi, à minuit ou deux heures du matin. En effet, je l'y trouvais toujours endormi devant mon feu. Quelquefois il me protégeait lorsqu'il y avait revue, ou combat, ou révolution dans la Révolution. En ma qualité de curieux, j'allais à pied dans les rues, en habit noir, comme me voici, la canne à la main, comme me voilà. Alors je cherchais de loin les canonniers (il en faut toujours un peu en révolution) et, quand je les avais trouvés, j'étais sûr d'apercevoir, au-dessus de leurs chapeaux et de leurs pompons, la tête longue de mon paisible Blaireau, qui avait repris l'uniforme et me cherchait de loin avec ses yeux endormis. Il souriait en m'apercevant, et disait à tout le monde de laisser passer un citoyen de ses amis. Il me prenait sous le bras; il me montrait tout ce qu'il y avait à voir, me nommait tous ceux qui avaient, comme on disait, gagné à la *loterie de sainte Guillotine,* et le soir nous n'en parlions pas: c'était un arrangement tacite. Il recevait ses gages, de ma main, à la fin du mois, et refusait ses appointements de canonnier de Paris. Il me servait pour son repos, et servait la nation pour l'honneur. Il ne prenait les armes qu'en grand seigneur: cela l'arrangeait fort, et moi aussi.

Tandis que je contemplais mon domestique—(ici je dois m'interrompre et vous dire que c'est pour être compris de vous que j'ai dit *domestique,* car en l'an II cela s'appelait un *associé),* tandis que je le contemplais dans son sommeil, la sonnette allait toujours son train et battait le plafond avec une vigueur inusitée. Blaireau n'en dormait que mieux. Voyant cela, je pris le parti d'aller ouvrir ma porte.

—Vous êtes peut-être au fond un excellent homme, dit Stello.

—On est toujours bon maître quand on n'est pas le maître, répondit le Docteur-Noir. J'ouvris ma porte.

CHAPITRE XXII

D'UN HONNÊTE VIEILLARD

Je trouvai devant moi deux envoyés d'espèces différentes: un vieillard et un enfant. Le vieux était poudré assez proprement; il portait un habit de livrée où la place des galons se voyait encore. Il m'ôta son chapeau avec beaucoup de respect, mais en même temps il jeta les yeux avec défiance autour de lui, regarda derrière moi si personne ne me suivait, et se tint à l'écart sans entrer, comme pour laisser passer avant lui le jeune garçon qui était arrivé en même temps et qui secouait encore le cordon de la sonnette par le pied de biche. Il sonnait sur la mesure de la *Marseillaise,* qu'il sifflait (vous savez l'air probablement, en 1832, où nous sommes) ; il continua de siffler en me regardant effrontément—et de sonner jusqu'à ce qu'il fût arrivé à la dernière mesure. J'attendis patiemment et je lui donnai deux sous en lui disant:

"Recommence-moi ce refrain-là, mon enfant."

Il recommença sans se déconcerter; il avait fort bien compris l'ironie de mon présent, mais il tenait à me montrer qu'il me bravait. Il était fort joli de figure, portait sur l'oreille un petit bonnet rouge tout neuf, et le reste de son habillement déguenillé à faire soulever le cœur; les pieds nus, les bras nus, et tout à fait digne du nom de Sans-Culotte.

"Le citoyen Robespierre est malade, me dit-il d'un ton de voix clair et très impérieux, en fronçant ses petits sourcils blonds. Faut venir à deux heures le voir."

En même temps il jeta de toute sa force ma pièce de deux sous contre une des vitres du carré, la mit en morceaux et descendit l'escalier à cloche-pied en sifflant: *Ça ira!*

"Que demandez-vous?" dis-je au vieux domestique; et, comme je vis que celui-là avait besoin d'être rassuré, je lui pris le bras par le coude et le fis entrer dans l'antichambre.

Le bonhomme referma la porte de l'escalier avec de grandes précautions, regarda autour de lui encore une fois, s'avança en rasant la muraille, et me dit à voix basse:

"C'est que . . . monsieur, c'est que madame la duchesse est bien souffrante aujourd'hui . . .

—Laquelle? lui dis-je: voyons, parlez plus vite et plus haut. Je ne vous ai pas encore vu."

Le pauvre homme parut un peu effrayé de ma brusquerie et, de même qu'il avait été déconcerté par la présence du petit garçon, il le fut complètement par la mienne; ses vieilles joues pâles rougirent sur leurs pommettes; il fut obligé de s'asseoir et ses genoux tremblaient un peu.

"C'est madame de Saint-Aignan, me dit-il timidement et le plus bas qu'il put.

—Eh bien, lui dis-je, du courage, je l'ai déjà soignée. J'irai la voir ce matin à la maison Lazare: soyez tranquille, mon ami. La traite-t-on un peu mieux?

—Toujours de même, dit-il en soupirant; il y a quelqu'un là qui lui donne un peu de fermeté, mais j'ai bien des raisons de craindre pour cette personne-là, et alors, certainement, madame succombera. Oui, telle que je la connais, elle succombera, elle n'en reviendra pas.

—Bah! bah! mon brave homme, les femmes facilement abattues se relèvent aisément. Je sais des idées pour soutenir bien des faibles. J'irai lui parler ce matin."

Le bonhomme voulait bien m'en dire plus long, mais je le pris par la main et lui dis: "Tenez, mon ami, réveillez-moi mon domestique, si vous le pouvez, et dites-lui qu'il me faut un chapeau pour sortir."

J'allais le laisser dans l'antichambre et je ne prenais plus garde à lui, lorsque, en ouvrant la porte de mon cabinet, je m'aperçus qu'il me suivait, et il entra avec moi. Il avait, en entrant, jeté un long regard de terreur sur Blaireau, qui n'avait garde de s'éveiller.

"Eh bien, lui dis-je, êtes-vous fou?

—Non, monsieur, je suis *suspect,* me dit-il.

—Ah! c'est différent. C'est une position assez triste, mais respectable, repris-je. J'aurais dû vous deviner à cet amour de se déguiser en domestique qui vous tient tous. C'est une monomanie. Eh bien, monsieur, j'ai là une grande armoire vide, s'il peut vous être agréable d'y entrer."

J'ouvris les deux battants de l'armoire, et le saluai comme lorsqu'on fait à quelqu'un les honneurs d'une chambre à coucher.

"Je crains, ajoutai-je, que vous n'y soyez pas commodément; pourtant j'y ai déjà logé six personnes l'une après l'autre."

C'était, ma foi! vrai.

Mon bonhomme prit, lorsqu'il fut seul avec moi, un air tout différent de sa première façon d'être. Il se grandit et se mit à son aise: je vis un beau vieillard, moins voûté, plus digne, mais toujours pâle. Sur mes assurances qu'il ne risquait rien et pouvait parler, il osa s'asseoir et respirer.

"Monsieur, me dit-il en baissant les yeux pour se remettre et s'efforcer de reprendre la dignité de son rang, monsieur, je veux sur-le-champ vous mettre au fait de ma personne et de ma visite. Je suis monsieur de Chénier. J'ai deux fils qui, malheureusement, ont assez mal tourné: ils ont tous deux donné dans la Révolution. L'un est Représentant, j'en gémirai toute ma vie, c'est le plus mauvais; l'aîné est en prison, c'est le meilleur. Il est un peu dégrisé, monsieur, dans ce moment-ci, et je ne sais vraiment pas plus que lui pourquoi on me l'a coffré, ce pauvre garçon; car il a fait des écrits bien révolutionnaires et qui ont dû plaire à tous ces buveurs de sang . . .

—Monsieur, lui dis-je, je vous demanderai la permission de vous rappeler qu'il y a un de ces buveurs qui m'attend à déjeuner.

—Je le sais, monsieur, mais je croyais que c'était seulement en qualité de Docteur, profession pour laquelle j'ai la plus haute vénération; car, après les médecins de l'âme, qui sont les prêtres et tous les ecclésiastiques, généralement parlant, je ne veux excepter aucun des ordres monastiques, certainement les médecins du corps . . .

—Doivent arriver à temps pour le sauver, interrompis-je encore en lui secouant le bras pour le réveiller du radotage qui commençait à l'assoupir; je connais messieurs vos fils . . .

—Pour abréger, monsieur, la seule chose qui me console, me dit-il, c'est que l'aîné, le prisonnier, l'officier, n'est pas poète comme celui de *Charles IX* et, par conséquent, lorsque je l'aurai tiré d'affaire, comme j'espère, avec votre aide, si vous voulez bien le permettre, il n'attirera pas les yeux sur lui par une publicité d'auteur.

—Bien jugé, dis-je, prenant mon parti d'écouter.

—N'est-ce pas, monsieur? continua cet excellent homme. André a de l'esprit, du reste, et c'est lui qui a rédigé la lettre de Louis XVI à la Convention. Si je me suis travesti, c'est par égard pour vous, qui fréquentez tous ces coquins-là, et pour ne pas vous compromettre.

—L'indépendance de caractère et le désintéressement ne peuvent jamais être compromis, dis-je en passant; allez toujours.

—Mort-Dieu! monsieur, reprit-il avec une certaine vieille chaleur militaire, savez-vous qu'il serait affreux de compromettre un galant homme comme vous, à qui l'on vient demander un service!

—J'ai déjà eu l'honneur de vous offrir . . . repris-je en montrant mon armoire avec galanterie.

—Ce n'est point là ce qu'il me faut, me dit-il; je ne prétends point me cacher; je veux me montrer, au contraire, plus que jamais. Nous sommes dans un temps où il faut se remuer, et je ne crains pas pour ma vieille tête. Mon pauvre André m'inquiète, monsieur; je ne puis supporter qu'il reste à cette effroyable maison de Saint-Lazare.

—Il faut qu'il reste en prison, dis-je rudement, c'est ce qu'il a de mieux à faire.

—J'irai . . .

—Gardez-vous d'aller.

—Je parlerai . . .

—Gardez-vous de parler."

Le pauvre homme se tut tout à coup et joignit les mains entre ses deux genoux avec une tristesse et une résignation capables d'attendrir les plus durs des hommes. Il me regardait comme un criminel à la question regardait son juge dans quelque bienheureuse Époque Organique. Son vieux front nu se couvrit de rides, comme une mer paisible se couvre de vagues, et ces vagues prirent cours d'abord du bas en haut par étonnement, puis du haut en bas par affliction.

"Je vois bien, me dit-il, que madame de Saint-Aignan s'est trompée; je ne vous en veux point, parce que dans ces temps mauvais chacun suit sa route, mais je vous demande seulement le secret, et je ne vous importunerai plus, citoyen."

Ce dernier mot me toucha plus que tout le reste, par l'effort que fit le bon vieillard pour le prononcer. Sa bouche sembla jurer et, jamais, depuis sa création, le mot de *citoyen* n'eut un pareil son. La première syllabe siffla longtemps et les deux autres murmurèrent rapidement comme le coassement d'une grenouille qui barbote dans un marais. Il y avait un mépris, une douleur suffocante, un désespoir si vrai dans ce *citoyen,* que vous en eussiez frissonné, surtout si vous eussiez vu le bon vieillard se lever péniblement en appuyant ses deux mains à veines bleues sur ses deux genoux, pour réussir à s'enlever du fauteuil. Je l'arrêtai au moment où il allait arriver à se tenir debout, et je le replaçai doucement sur le coussin.

"Madame de Saint-Aignan ne vous a point trompé, lui dis-je; vous êtes devant un homme sûr, monsieur. Je n'ai jamais trahi les soupirs de personne, et j'en ai reçu beaucoup, surtout des derniers soupirs, depuis quelque temps . . ."

Ma dureté le fit tressaillir.

"Je connais mieux que vous la situation des prisonniers, et surtout de celui qui vous doit la vie, et à qui vous pouvez l'ôter si vous continuez à vous *remuer,* comme vous dites. Souvenez-vous, monsieur, que dans les tremblements de terre il faut rester en place et immobile."

Il ne répondit que par un demi-salut de résignation et de politesse réservée, et je sentis que j'avais perdu sa confiance par ma rudesse. Ses yeux étaient plus que baissés et presque fermés quand je continuai à lui recommander un silence profond et une retraite absolue. Je lui disais (le plus poliment possible cependant) que tous les âges ont leur étourderie, toutes les passions leurs imprudences, et que l'amour paternel est presque une passion.

J'ajoutai qu'il devait penser, sans attendre de moi de plus grands détails, que je ne m'avançais pas à ce point auprès de lui, dans une circonstance aussi grave, sans être certain du danger qu'il y aurait à faire la plus légère démarche; que je ne pouvais lui dire pourquoi, mais qu'enfin il me pouvait croire; que personne n'était plus avant que moi dans la confidence des chefs actuels de l'État; que j'avais souvent profité des moments favorables de leur intimité pour soustraire quelques têtes humaines à leurs griffes et les faire glisser entre leurs ongles; que, cependant, dans cette occasion, une des plus intéressantes qui se fût offerte, puisqu'il s'agissait de son fils aîné, intime ami d'une femme que j'avais vu naître et que je regardais comme mon enfant, je déclarais formellement qu'il fallait demeurer muet et laisser faire la destinée, comme un pilote sans boussole et sans étoiles laisse faire le vent quelquefois.—Non! il est dit qu'il existera toujours des caractères tellement polis, usés, énervés et débilités par la civilisation, qu'ils se referment par le froissement d'un mot comme des sensitives. Moi, j'ai parfois le toucher rude.—A présent j'avais beau parler, il consentait à tout ce que je conseillais, il tombait d'accord avec moi de tout ce que je disais; mais je sentais sa politesse à fleur d'eau et un roc au fond.—C'était l'entêtement des vieillards, ce misérable instinct d'une volonté myope qui surnage en nous quand toutes nos facultés sont englouties par le temps, comme un mauvais mât au-dessus d'un vaisseau submergé.

CHAPITRE XXIII

SUR LES HIÉROGLYPHES DU BON CANONNIER

Je passe aussi rapidement d'une idée à l'autre que l'œil de la lumière à l'ombre. Sitôt que je vis mon discours inutile, je me tus. M. de Chénier se leva, et je le reconduisis en silence jusqu'à la porte de l'escalier. Là seulement je ne pus m'empêcher de lui prendre la main et de la lui serrer cordialement. Le pauvre vieillard! Il en fut ému. Il se retourna, et ajouta d'une voix douce (mais quoi de plus entêté que la douceur?): "Je suis bien peiné de vous avoir importuné de ma demande.

—Et moi, lui dis-je, de voir que vous ne voulez pas me comprendre, et que vous prenez un bon conseil pour une défaite. Vous y réfléchirez, j'espère."

Il me salua profondément et sortit. Je revins me préparer à partir, en haussant les épaules. Un grand corps me ferma le passage de mon cabinet: c'était mon canonnier, c'était Blaireau, réveillé aussi bien qu'il était en lui. Vous croyez peut-être qu'il pensait à me servir?—point;—à ouvrir les portes?—pas le moins du monde;—à s'excuser?—encore moins. Il avait ôté une manche de son habit de canonnier de Paris, et s'amusait gravement à terminer, de la main droite, avec une aiguille, un dessin symbolique sur son bras gauche. Il se piquait jusqu'au sang, semait de la poudre dans les piqûres, l'enflammait, et se trouvait *tatoué* pour toujours. C'est un vieil usage des soldats, comme vous le savez mieux que moi. Je ne pus m'empêcher de perdre encore trois minutes à considérer cet original.—Je lui pris le bras: il se dérangea un peu et me l'abandonna avec complaisance et une satisfaction secrète. Il se regardait le bras avec douceur et vanité.

"Eh! mon garçon, m'écriai-je, ton bras est un almanach de la cour et un calendrier républicain."

Il se frotta le menton avec un rire de finesse: c'était son geste favori, et il cracha loin de lui, en mettant sa main devant sa bouche par politesse. Cela remplaçait chez lui tous les discours inutiles: c'était son signe de consentement ou d'embarras, de réflexion ou de détresse, manie de corps de garde, tic de régiment. Je contemplais sans opposition ce bras héroïque et sentimental.—La dernière inscription qu'il y avait faite était un bonnet phrygien, placé sur un cœur, et autour: *Indivisibilité ou la mort.*

"Je vois bien, lui dis-je, que tu n'es pas fédéraliste comme les Girondins."

Il se gratta la tête. "Non, non, me dit-il, ni la citoyenne Rose non plus."

Et il me montrait finement une petite rose dessinée avec soin, à côté du cœur, sous le bonnet.

"Ah! ah! je vois pourquoi tu boites si longtemps, lui dis-je; mais je ne te dénoncerai pas à ton capitaine.

—Ah! dame! me dit-il, pour être canonnier on n'est pas de pierre, et Rose est fille d'une dame tricoteuse, et son père est geôlier à Lazare.—Fameux emploi!" ajouta-t-il avec orgueil.

J'eus l'air de ne pas entendre ce raisonnement, dont je fis mon profit: il avait l'air aussi de me donner cet avis par mégarde. Nous nous entendions ainsi parfaitement, toujours selon notre arrangement tacite.

Je continuai à examiner ses hiéroglyphes de caserne avec l'attention d'un peintre en miniature. Immédiatement audessus du cœur républicain et amoureux, on voyait peint en bleu un grand sabre, tenu par un petit blaireau debout, ou, comme on eût dit en langue héraldique, un blaireau rampant et, au-dessus, en gros caractères: *Honneur à Blaireau, le bourreau des crânes!*

Je levai vite la tête, comme on ferait pour voir si un portrait est ressemblant.

"Ceci, c'est toi, n'est-ce pas? Ceci n'est plus pour la politique, mais pour la gloire?"

Un léger sourire rida la longue figure jaune de mon canonnier, et il me dit paisiblement:

"Oui, oui, c'est moi. Les crânes sont les six maîtres d'armes à qui j'ai fait passer l'arme à gauche.

—Cela veut dire tuer, n'est-ce pas?

—Nous disons ça comme ça," reprit-il avec la même innocence.

En effet, cet homme primitif, habile sans le savoir, à la manière des héros d'Otaïti, avait gravé sur son bras jaune, au bout du sabre du blaireau, six fleurets renversés, qui semblaient l'adorer.

Je voulais passer outre et remonter au-dessus du coude; mais je vis qu'il faisait quelque difficulté de relever sa manche.

"Oh! ça, me dit-il, c'est quand j'étais recrue; ça ne compte plus à présent."

Je compris sa pudeur en apercevant une fleur de lis colossale, et au-dessus: *Vivent les Bourbons et sainte Barbe! et amour éternel à Madeleine!*

"Porte toujours des manches longues, mon enfant, lui dis-je, pour garder ta tête. Je te conseille aussi de n'ouvrir que des bras bien couverts à la citoyenne Rose.

—Bah! bah; reprit-il d'un air de niaiserie affectée, pourvu que son père m'ouvre les verrous, quelquefois, entre les heures du guichet, c'est tout ce qu'il faut pour . . ."

Je l'interrompis, afin de n'être pas forcé de le questionner.

"Allons, lui dis-je en le frappant sur le bras, tu es un prudent garçon, tu n'as rien fait de mal depuis que je t'ai mis ici; tu ne commenceras pas à présent. Accompagne-moi ce matin où je vais: j'aurai peut-être besoin de toi. Tu me suivras de loin dans le chemin, et tu n'entreras dans les maisons que si cela te plaît. Que je te retrouve du moins dans la rue!"

Il s'habilla en bâillant encore deux ou trois fois, se frotta les yeux et me laissa sortir avant lui, tout disposé à me suivre, son chapeau à trois cornes sur l'oreille et tenant en main une baguette blanche aussi longue que lui.

CHAPITRE XXIV

LA MAISON LAZARE

Saint-Lazare est une vieille maison couleur de boue. Ce fut jadis un Prieuré. Je crois ne me tromper guère en disant qu'on n'acheva de la bâtir qu'en 1465, à la place de l'ancien monastère de Saint-Laurent, dont parle Grégoire de Tours, comme vous le savez parfaitement, au sixième livre de son Histoire, chapitre neuvième. Les rois de France y faisaient halte deux fois: à leur entrée à Paris, ils s'y reposaient; à leur sortie, on les y déposait en les portant à Saint-Denis. En face le Prieuré était, à cet effet, un petit hôtel dont il ne reste pas pierre sur pierre, et qui se nommait le Logis du Roi. Le Prieuré devint caserne, prison d'État et maison de correction; pour les moines, les soldats, les *conspirateurs* et les filles; on a tour à tour agrandi, élargi, barricadé et verrouillé ce bâtiment sale, où tout était alors d'un aspect gris, maussade et maladif. Il me fallut quelque temps pour me rendre de la place de la Révolution à la rue du Faubourg-Saint-Denis, où est située cette prison. Je la reconnus de loin à une sorte de guenille bleue et rouge, toute mouillée de pluie, attachée à un grand bâton noir planté au-dessus de la porte. Sur un marbre noir, en grosses lettres blanches, était gravée l'inscription générale de tous les monuments, l'inscription qui me semblait l'épitaphe de toute la nation:

Unité, Indivisibilité de la République.
Égalité, Fraternité ou la Mort.

Devant la porte du corps de garde infect, des Sans-Culottes, assis sur des bancs de chêne, aiguisaient leurs piques dans le ruisseau, jouaient à la drogue, chantaient *la Carmagnole,* et ôtaient la lanterne d'un réverbère pour la remplacer par un homme qu'on voyait amené du haut du faubourg par des poissardes qui hurlaient le *Ça ira!*

On me connaissait, on avait besoin de moi, j'entrai. Je frappai à une porte épaisse, placée à droite sous la voûte: La porte s'ouvrit à moitié, comme d'elle-même, et comme j'hésitais, attendant qu'elle s'ouvrît tout à fait, la voix du geôlier me cria: "Allons donc! entrez donc!"

Et, dès que j'eus mis le pied dans l'intérieur, je sentis le froissement de la porte sur mes talons, et je l'entendis se refermer violemment, comme pour toujours, de tout le poids de ses ais massifs, de ses clous épais, de ses garnitures de fer et de ses verrous.

Le geôlier riait dans les trois dents qui lui restaient.

Ce vieux coquin était accroupi dans un grand fauteuil noir, de ceux qu'on nomme à crémaillère, parce qu'ils ont de chaque côté des crans de fer qui soutiennent le dossier et mesurent sa courbe lorsqu'il se renverse pour servir de lit. Là, dormait et veillait, sans se déranger jamais, l'immobile portier. Sa figure ridée, jaune, ironique, s'avançait au-dessus de ses genoux, et s'y appuyait par le menton. Ses deux jambes passaient à droite et à gauche par-dessus les deux bras du fauteuil, pour se délasser d'être assis à la manière accoutumée, et il tenait de la main droite ses clefs, de la gauche la serrure de la porte massive. Il l'ouvrait et la fermait comme par ressort et sans fatigue.—Je vis derrière son fauteuil une jeune fille debout, les mains dans les poches de son petit tablier. Elle était toute ronde, grasse et fraîche, un petit nez retroussé, des lèvres d'enfant, de grosses hanches, des bras blancs, et une propreté rare en cette maison. Robe d'étoffe rouge relevée dans les poches, et bonnet blanc orné d'une grande cocarde tricolore.

Je l'avais déjà remarquée en passant, mais jamais avec attention. Cette fois, tout rempli des demi-confidences de mon canonnier Blaireau, je reconnus sa bonne amie Rose, avec ce sentiment inné qui fait qu'on se dit, sans se tromper, d'un inconnu que l'on désirait voir: C'est lui.

Cette belle fille avait un air de bonté et de prestance tout à la fois qui faisait, à la voir là, l'effet de redoubler la tristesse du lieu, pour lequel elle ne semblait pas faite. Toute cette fraîche personne sentait si bien le grand air de la campagne, le village, le thym et le serpolet, que je mets en fait qu'elle devait arracher un soupir à chaque prisonnier par sa présence, en leur rappelant les plaines et les blés.

"C'est une cruauté, dis-je en m'arrêtant, une cruauté véritable que de montrer cette enfant-là aux détenus."

Elle ne comprit pas plus que si j'eusse parlé grec, et je ne prétendais pas être compris. Elle fit de grands yeux, montra les plus belles dents du monde, et cela sans sourire, en ouvrant ses lèvres, qui s'épanouirent comme un œillet que l'on presse du doigt.

Le père grogna. Mais il avait la goutte et il ne me dit rien. J'entrai dans les corridors en tâtant la pierre avec ma canne devant mes pieds, parce qu'alors les larges et longues avenues humides étaient sombres et mal éclairées en plein jour, par des réverbères rouges et infects.

Aujourd'hui que tout devient propre et poli, si vous alliez visiter Saint-Lazare, vous verriez une belle infirmerie, des cellules neuves et bien rangées, des murs blanchis, des carreaux lavés, de la lumière, de l'air, de l'ordre partout. Les geôliers, les guichetiers, les porte-clefs d'aujourd'hui se nomment directeurs, conducteurs, correcteurs, surveillants, portent uniforme bleu à boutons d'argent, parlent d'une voix douce, et ne connaissent que par ouï-dire leurs anciens noms, qu'ils trouvent *ridicules.*

Mais, en 1794, cette noire *Maison Lazare* ressemblait à une grande cage d'animaux féroces. Il n'existait là que le vieux bâtiment gris qu'on y voit encore, bloc énorme et carré. Quatre étages de prisonniers gémissaient et hurlaient l'un sur l'autre. Au dehors, on voyait aux fenêtres des grilles, des barreaux énormes, formant en largeur des anneaux, en hauteur des piques de fer, et entrelaçant de si près la lance et la chaîne, que l'air y pouvait à peine pénétrer. Au dedans, trois larges corridors mal éclairés divisaient chaque étage, coupés eux-mêmes par quarante portes de loges dignes d'enfermer des loups, et souvent pénétrées d'une odeur de tanière; de lourdes grilles de fer massives et noires au bout de chaque corridor et, à toutes les portes des loges, de petites ouvertures carrées et grillées, que l'on nomme guichets, et que les geôliers ouvrent en dehors pour surprendre et surveiller le prisonnier à toute heure.

Je traversai, en entrant, la grande cour vide où l'on rangeait d'ordinaire les terribles chariots destinés à emporter des charges de victimes. Je grimpai sur le perron à demi détruit par lequel elles descendaient pour monter dans leur dernière voiture.

Je passai un lieu abominable, humide et sinistre, usé par le frottement des pieds, brisé et marqué sur les murs, comme s'il s'y passait chaque jour quelque combat. Une sorte d'auge pleine d'eau, d'une mauvaise odeur, en était le seul meuble. Je ne sais ce qu'on y faisait, mais ce lieu se nommait et se nomme encore *Casse-Gueule*.

J'arrivai au préau, large et laide cour enchâssée dans de hautes murailles; le soleil y jette quelquefois un rayon triste, du haut d'un toit. Une énorme fontaine de pierre est au milieu, quatre rangées d'arbres autour. Au fond, tout au fond, un Christ blanc sur une croix rouge, rouge d'un rouge de sang.

Deux femmes étaient au pied de ce grand Christ, l'une très jeune, et l'autre très âgée. La plus jeune priait à deux genoux, à deux mains, la tête baissée, et fondant en larmes; elle ressemblait tant à la belle princesse de Lamballe que je détournai la tête. Ce souvenir m'était odieux.

La plus âgée arrosait deux vignes qui poussaient lentement au pied de la croix. Les vignes y sont encore.

Que de gouttes et de larmes ont arrosé leurs grappes, rouges et blanches comme le sang et les pleurs!

Un guichetier lavait son linge, en chantant, dans la fontaine du milieu. J'entrai dans les corridors et, à la douzième loge du rez-du-chaussée, je m'arrêtai. Un porte-clefs vint, me toisa, me reconnut, mit sa patte grossière sur la main plus élégante du verrou, et l'ouvrit.—J'étais chez madame la duchesse de Saint-Aignan.

CHAPITRE XXV

UNE JEUNE MÈRE

Comme le porte-clefs avait ouvert brusquement la porte, j'entendis un petit cri de femme, et je vis que madame de Saint-Aignan était surprise, et honteuse de l'être. Pour moi, je ne fus étonné que d'une chose à laquelle je ne pouvais m'accoutumer: c'était la grâce parfaite et la noblesse de son maintien, son calme, sa résignation douce, sa patience d'ange et sa timidité imposante. Elle se faisait obéir, les yeux baissés, par un ascendant que je n'ai vu qu'à elle. Cette fois, elle était déconcertée de notre entrée; mais elle s'en tira à merveille, et voici comment.

Sa cellule était petite et brûlante, exposée au midi, et thermidor était, je vous assure, tout aussi chaud que l'eût été juillet à sa place—Madame de Saint-Aignan n'avait d'autre moyen de se garantir du soleil, qui tombait d'aplomb dans sa pauvre petite chambre, que de suspendre à la fenêtre un grand châle, le seul, je pense, qu'on lui eût laissé. Sa robe très simple était fort décolletée, ses bras étaient nus, ainsi que tout ce que laisserait voir une robe de bal, mais rien de plus que cela. C'était peu pour moi, mais beaucoup trop pour elle. Elle se leva en disant: "Eh! mon Dieu!" et croisa ses deux bras sur sa poitrine, comme une baigneuse surprise l'aurait pu faire. Tout rougit en elle, depuis le front jusqu'au bout des doigts, et ses yeux se mouillèrent un instant.

Ce fut une impression très passagère. Elle se remit bientôt en voyant que j'étais seul et, jetant sur ses épaules une sorte de peignoir blanc, elle s'assit sur le bord de son lit pour m'offrir une chaise de paille, le seul meuble de sa prison.—Je m'aperçus alors qu'un de ses pieds était nu, et qu'elle tenait à la main un petit bas de soie noir et brodé à jour.

"Bon Dieu! dis-je; si vous m'aviez fait dire un mot de plus . . .

—La pauvre reine en a fait autant!" dit-elle vivement, et elle sourit avec une assurance et une dignité charmantes, en levant ses grands yeux sur moi; mais bientôt sa bouche reprit une expression grave, et je remarquai sur son noble visage une altération profonde et nouvelle, ajoutée à sa mélancolie accoutumée.

—Asseyez-vous! asseyez-vous! me dit-elle en parlant vite, d'une voix altérée et avec une prononciation saccadée. Depuis que ma grossesse a été déclarée, grâce à vous, et je vous en dois . . .

—C'est bon, c'est bon, dis-je en l'interrompant à mon tour, par aversion pour les phrases.

—J'ai un sursis, continua-t-elle; mais il va, dit-on, arriver des chariots aujourd'hui, et ils ne partiront pas vides pour le tribunal révolutionnaire."

Ici ses yeux s'attachèrent à la fenêtre et me parurent un peu égarés.

"Les chariots, les terribles chariots! dit-elle. Leurs roues ébranlent tous les murs de Saint-Lazare! Le bruit de leurs roues m'ébranle tous les nerfs. Comme ils sont légers et bruyants quand ils roulent sous la voûte en entrant, et comme ils sont lents et lourds en sortant avec leur charge!—Hélas! ils vont venir se remplir d'hommes, de femmes et d'enfants aujourd'hui, à ce que j'ai entendu dire. C'est Rose qui l'a dit dans la cour, sous ma fenêtre, en chantant. La bonne Rose a une voix qui fait du bien à tous les prisonniers. Cette pauvre petite!"

Elle se remit un peu, se tut un moment, passa sa main sur ses yeux qui s'attendrissaient, et reprenant son air noble et confiant:

"Ce que je voulais vous demander, me dit-elle en appuyant légèrement le bout de ses doigts sur la manche de mon habit noir, c'est un moyen de préserver de l'influence de mes peines et de mes souffrances l'enfant que je porte dans mon sein. J'ai peur pour lui . . ."

Elle rougit; mais elle continua malgré la pudeur, et la soumit à entendre ce qu'elle voulait me dire . . .

Elle s'animait en parlant.

"Vous autres hommes, et vous, tout docteur que vous êtes, vous ne savez pas ce que c'est que cette fierté et cette crainte que ressent une femme dans cet état. Il est vrai que je n'ai vu aucune femme pousser aussi loin que moi ces terreurs."

Elle leva les yeux au ciel.

"Mon Dieu! quel effroi divin! quel étonnement toujours nouveau! Sentir un autre cœur battre dans mon cœur, une âme angélique se mouvoir dans mon âme troublée, et y vivre d'une vie mystérieuse qui ne lui sera jamais comptée, excepté par moi qui la partage! Penser que tout ce qui est agitation pour moi est peut-être souffrance pour cette créature vivante et invisible, que mes craintes peuvent lui être des douleurs, mes douleurs des angoisses, mes angoisses la mort!—Quand j'y pense, je n'ose plus remuer ni respirer. J'ai peur de mes idées, je me reproche d'aimer comme de haïr, de crainte d'être émue.—Je me vénère, je me redoute comme si j'étais une sainte.—Voilà mon état."

Elle avait l'air d'un ange en parlant ainsi, et elle pressait ses deux bras croisés sur sa ceinture, qui commençait à peine à s'élargir depuis deux mois.

"Donnez-moi une idée qui me reste toujours présente là, dans l'esprit, poursuivit-elle en me regardant fixement, et qui m'empêche de faire mal à mon fils."

Ainsi, comme toutes les jeunes mères que j'ai connues, elle disait d'avance *mon fils,* par un désir inexplicable et une préférence instinctive. Cela me fit sourire malgré moi.

"Vous avez pitié de moi, dit-elle; je le vois bien, allez!—Vous savez que rien ne peut cuirasser notre pauvre cœur au point de l'empêcher de bondir, de faire tressaillir tout notre être, de marquer au front nos enfants pour le moindre de nos désirs.

"Cependant, poursuivit-elle en laissant tomber sa belle tête, avec abandon, sur sa poitrine, il est de mon devoir d'amener mon enfant jusqu'au jour de sa naissance, qui sera la veille de ma mort.—On ne me laisse sur la terre que pour cela, je ne suis bonne qu'à cela, je ne suis rien que la frêle coquille qui le conserve, et qui sera brisée après qu'il aura vu le jour. Je ne suis pas autre chose! pas autre chose, monsieur! Croyez-vous—(et elle me prit la main), croyez-vous qu'on me laisse au moins quelques bonnes heures pour le regarder quand il sera né?—S'ils vont me tuer tout de suite, ce sera bien cruel, n'est-ce pas?—Eh bien, si j'ai seulement le temps de l'entendre crier et de l'embrasser tout un jour, je leur pardonnerai, je crois, tant je désire ce moment-là!"

Je ne pouvais que lui serrer les mains; je les baisai avec un respect religieux et sans rien dire, crainte de l'interrompre.

Elle se mit à sourire avec toute la grâce d'une jolie femme de vingt-quatre ans, et ses larmes parurent joyeuses un moment.

"Il me semble toujours que vous savez tout, vous. Il me semble qu'il n'y a qu'à dire: Pourquoi? et que vous allez répondre, vous.—Pourquoi, dites-moi, une femme est-elle tellement mère qu'elle est moins toute autre chose? moins amie, moins fille, moins épouse même, et moins vaine, moins délicate, et peut-être moins pensante?—Qu'un enfant qui n'est rien soit tout!—que ceux qui vivent soient moins que lui! c'est injuste, et cela est. Pourquoi cela est-il?—Je me le reproche.

—Calmez-vous! calmez-vous! lui dis-je; vous avez un peu de fièvre, vous parlez vite et haut. Calmez-vous.

—Eh! mon Dieu! cria-t-elle, celui-là, je ne le nourrirai pas!"

En disant cela, elle me tourna le dos tout d'un coup, et se jeta la figure sur son petit lit, pour y pleurer quelque temps sans se contraindre devant moi: son cœur débordait.

Je regardais avec attention cette douleur si franche qui ne cherchait point à se cacher, et j'admirais l'oubli total où elle était de la perte de ses biens, de son rang, des recherches délicates de la vie. Je retrouvais en elle ce qu'à cette époque j'eus souvent occasion d'observer; c'est que ceux qui perdent le plus sont toujours aussi ceux qui se plaignent le moins.

L'habitude du grand monde et d'une continuelle aisance élève l'esprit au-dessus du luxe que l'on voit tous les jours, et ne plus le voir est à peine une privation. Une éducation élégante donne le dédain des souffrances physiques, et ennoblit, par un doux sourire de pitié, les soins minutieux et misérables de la vie, apprend à ne compter pour quelque chose que les peines de l'âme, à voir sans surprise une chute mesurée d'avance par l'instruction, les méditations religieuses, et même toutes les conversations des familles et des salons, et surtout à se mettre au-dessus de la puissance des événements par le sentiment de ce qu'on vaut.

Madame de Saint-Aignan avait, je vous assure, autant de dignité en cachant sa tête sur la couverture de laine de son lit de sangle que je lui en avais vu lorsqu'elle appuyait son front sur ses meubles de soie. La dignité devient à la longue une qualité qui passe dans le sang, et de là dans tous les gestes, qu'elle ennoblit. Il ne serait venu à la pensée de personne de trouver ridicule ce que je vis mieux que jamais en ce moment, c'est-à-dire le joli petit pied nu que j'ai dit, croisé sur l'autre que chaussait un bas de soie noir. Je n'y pense même à présent que parce qu'il y a des traits caractéristiques dans tous les tableaux de ma vie, qui ne s'effacent jamais de ma mémoire. Malgré moi, je la revois ainsi. Je la peindrais dans cette attitude.

Comme on ne pleure guère une journée de suite, je regardai mes deux montres: je vis à l'une dix heures et demie, à l'autre onze heures précises; je pris le terme moyen, et jugeai qu'il devait être dix heurs trois quarts. J'avais du temps, et je me mis à considérer la chambre, et particulièrement ma chaise de paille.

CHAPITRE XXVI

UNE CHAISE DE PAILLE

Comme j'étais placé de côté sur cette chaise, ayant le dossier sous mon bras gauche, je ne pus m'empêcher de le considérer. Ce dossier fort large était devenu noir et luisant, non à force d'être bruni et ciré, mais par la quantité de mains qui s'y étaient posées, qui l'avaient frotté dans les crispations de leur désespoir; par la

quantité de pleurs qui avaient humecté le bois, et pa
les morsures de la dent même des prisonniers. Des en
tailles profondes, de petites coches, des marques d'on
gles, sillonnaient ce dos de chaise. Des noms, des croix
des lignes, des signes, des chiffres, y étaient gravés a
couteau, au canif, au clou, au verre, au ressort de mon
tre, à l'aiguille, à l'épingle.

Ma foi! je devins si attentif à les examiner que j'e
oubliai presque ma pauvre petite prisonnière. Elle pleu
rait toujours; moi, je n'avais rien à lui dire, si ce n'est
Vous avez raison de pleurer; car lui prouver qu'elle avai
tort m'eût été impossible, et, pour m'attendrir avec elle
il aurait fallu pleurer encore plus fort. Non, ma foi!

Je la laissai donc continuer, et je continuai, moi, l
lecture de ma chaise.

C'étaient des noms, charmants quelquefois, quelquefois bizarres, rarement communs, toujours accompagné
d'un sentiment ou d'une idée. De tous ceux qui avaien
écrit là, pas un n'avait en ce moment sa tête sur se
épaules. C'était un *album* que cette planche! Les voyageurs qui s'y étaient inscrits étaient tous au seul port où
nous soyons surs d'arriver, et tous parlaient de leur
traversée avec mépris et sans beaucoup de regrets, sans
espoir non plus d'une vie meilleure, ou seulement d'une
vie nouvelle, ou d'une autre vie où l'on se sente vivre.
Ils paraissaient s'en peu soucier. Aucune foi dans leurs
inscriptions, aucun athéisme non plus; mais quelques
élans de passions cachées, secrètes, profondes, indiquées
vaguement par le prisonnier présent au prisonnier à
venir, dernier legs du mort au mourant.

Quand la foi est morte au cœur d'une nation vieillie,
ses cimetières (et ceci en était un) ont l'aspect
d'une décoration païenne. Tel est votre *Père-Lachaise*.
Amenez-y un Indou de Calcutta, et demandez-lui: "Quel
est ce peuple dont les morts ont sur leur poussière des

jardins tout petits remplis de petites urnes, de colonnes d'ordre dorique ou corinthien, de petites arcades de fantaisie à mettre sur sa cheminée comme pendules curieuses; le tout bien badigeonné, marbré, doré, enjolivé, vernissé; avec des grillages tout autour, pareils aux cages des serins et des perroquets; et, sur la pierre, des phrases semi-françaises de sensiblerie *Riccobonienne,* tirées des romans qui font sangloter les portières et dépérir toutes les brodeuses?"

L'Indou sera embarrassé; il ne verra ni pagodes, ni Brahma, ni statues de Wichnou aux trois têtes, aux jambes croisées et aux sept bras; il cherchera le *Lingam,* et ne le trouvera pas; il cherchera le turban de Mahomet, et ne le trouvera pas; il cherchera la Junon des morts, et ne la trouvera pas; il cherchera la Croix, et ne la trouvera pas, ou, la démêlant avec peine à quelques détours d'allées enfouie dans des bosquets et honteuse comme une violette, il comprendra bien que les Chrétiens font exception dans ce grand peuple; il se grattera la tête en la balançant et jouant avec ses boucles d'oreilles en les faisant tourner rapidement comme un jongleur. Et, voyant des noces bourgeoises courir, en riant, dans les chemins sablés, et danser sous les fleurs et sur les fleurs des morts, remarquant l'urne qui domine le tombeau; n'ayant vu que rarement: *Priez pour lui, pour son âme,* il vous répondra: Très certainement ce peuple brûle ses morts et enferme leurs cendres dans ces urnes. Ce peuple croit qu'après la mort du corps tout est dit pour l'homme. Ce peuple a coutume de se réjouir de la mort de ses pères, et de rire sur leurs cadavres, parce qu'il hérite enfin de leurs biens, ou parce qu'il les félicite d'être délivrés du travail et de la souffrance.

Puisse Siwa, aux boucles dorées et au col d'azur, adoré de tous les lecteurs du Véda, me préserver de vivre parmi ce peuple qui, pareil à la fleur *dou-rouy*, a comme elle deux faces trompeuses !

Oui, le dossier de la chaise qui m'occupait et qui m'occupe encore était tout pareil à nos cimetières. Une idée religieuse pour mille indifférentes, une croix sur mille urnes.

J'y lus :

Mourir?—Dormir.

ROUGEOT DE MONTCRIF,
Garde du corps.

Il avait apporté, me dis-je, la moitié d'une idée d'Hamlet. C'est toujours penser.

Frailty, thy name is woman !

J.-F. GAUTHIER.

A quelle femme pensait celui-là ? me demandai-je. C'est bien le moment de se plaindre de leur fragilité !— Eh ! Pourquoi pas ? me dis-je ensuite en lisant sur la liste des prisonniers sur le mur : *âgé de vingt-six ans, ex-page du tyran.*—Pauvre page ! une jalousie d'amour le suivait à Saint-Lazare ! Ce fut peut-être le plus heureux des prisonniers. Il ne pensait pas à lui-même. Oh ! le bel âge où l'on rêve d'amour sous le couteau !

Plus bas, entouré de festons et de lacs d'amour, un nom d'imbécile :

Ici a gémi dans les fers Agricola-Adorable Franconville, de la section Brutus, bon patriote, ennemi du Négociantisme, ex-huissier, ami du Sans-Culottisme. Il ira au néant avec un Républicanisme sans tache.

Je détournai un moment la tête à demi pour voir si ma douce prisonnière était un peu remise de son trouble ; mais comme j'entendais toujours ses pleurs, je ne voulus pas les voir, décidé à ne pas l'interroger, de peur de redoublement; il me parut d'ailleurs qu'elle m'avait oublié et je continuai.

Une petite écriture de femme, bien fine et déliée:

> Dieu protège le roi Louis XVII et mes pauvres parents.
>
> MARIE DE SAINT-CHAMANS,
> *Agée de quinze ans.*

Pauvre enfant, j'ai retrouvé hier son nom, et vous le montrerai sur une liste annotée de la main de Robespierre. Il y a en marge:

"*Beaucoup* prononcée en fanatisme et contre la liberté, quoique très jeune."

Quoique très jeune! Il avait eu un moment de pudeur, le galant homme!

En réfléchissant, je me retournai. Madame de Saint-Aignan, entièrement et toujours abandonnée à son chagrin, pleurait encore. Il est vrai que trois minutes m'avaient suffi, comme vous pensez bien, pour lire, et lire lentement, ce qu'il me faut bien plus de temps pour me rappeler et vous raconter.

Je trouvai pourtant qu'il y avait une sorte d'obstination ou de timidité à conserver cette attitude aussi longtemps. Quelquefois on ne sait par quel chemin revenir d'un éclat de douleur, surtout en présence des caractères puissants et contenus, qu'on appelle froids parce qu'ils renferment des pensées et des sensations hors de la mesure commune, et qui ne tiendraient pas dans des dialogues ordinaires. Quelquefois aussi on ne peut pas en revenir, à moins que l'interlocuteur ne fasse quelque question sentimentale. Moi, cela m'embarrasse. Je me retournai encore, comme pour suivre l'histoire de ma chaise et de ceux qui y avaient veillé, pleuré, blasphémé, prié ou dormi.

CHAPITRE XXVII

UNE FEMME EST TOUJOURS UN ENFANT

J'eus le temps de lire encore ceci, qui vous fera battre le cœur:

> Souffre, ô Cœur gros de haine, affamé de justice;
> Toi, Vertu, pleure si je meurs.

Point de signature, et plus bas:

> J'ai vu sur d'autres yeux qu'Amour faisait sourire,
> Ses doux regards s'attendrir et pleurer;
> Et du miel le plus doux que sa bouche respire
> Un autre s'enivrer.

Comme j'approchais minutieusement les yeux de l'écriture, y portant aussi la main, je sentis sur mon épaule une main qui n'était point pesante. Je me retournai: c'était la gracieuse prisonnière, le visage encore humide, les joues moites, les lèvres humectées, mais ne pleurant plus. Elle venait à moi, et je sentis, à je ne sais quoi, que c'était pour s'arracher du cœur quelque chose de difficile à dire et que je n'y avais pas voulu prendre.

Il y avait dans ses regards et sa tête penchée quelque chose de suppliant qui disait tout bas: "Mais interrogez-moi donc!

—Eh bien, quoi? lui dis-je tout haut en détournant la tête seulement.

—N'effacez pas cette écriture-là, dit-elle d'une voix douce et presque musicale, en se penchant tout à fait sur mon épaule. Il était dans cette cellule; on l'a transféré dans une autre chambre, dans l'autre cour. M. de Chénier est tout à fait de nos amis, et je suis bien aise de conserver ce souvenir de lui pendant le temps qui me reste."

Je me retournai, et je vis une sorte de sourire effleurer sa bouche sérieuse.

"Que pourraient vouloir dire ces derniers vers? continua-t-elle. On ne sait vraiment pas quelle jalousie ils expriment.

—Ne furent-ils pas écrits avant qu'on vous eût séparée de M. le duc de Saint-Aignan?" lui dis-je avec indifférence.

Depuis un mois, en effet, son mari avait été transféré dans le corps de logis le plus éloigné d'elle.

Elle sourit sans rougir.

"Ou bien, poursuivis-je sans remarquer, seraient-ils faits pour mademoiselle de Coigny?"

Elle rougit sans sourire cette fois, et retira ses bras de mon épaule avec un peu de dépit. Elle fit un tour dans la chambre.

"Qui peut, dit-elle, vous faire soupçonner cela? Il est vrai que cette petite est bien coquette; mais c'est une enfant. Et, poursuivit-elle avec un air de fierté, je ne sais pas comment on peut penser qu'un homme d'esprit comme M. de Chénier soit occupé d'elle à ce point-là.

—Ah! jeune femme, pensai-je en l'écoutant, je sais bien ce que tu veux que l'on te dise; mais j'attendrai. Fais encore un pas vers moi."

Voyant ma froideur, elle prit un grand air et vint à moi comme une reine.

"J'ai une très haute idée de vous, monsieur, me dit-elle, et je veux vous le prouver en vous confiant cette boîte qui renferme un médaillon précieux. Il est question, dit-on, de fouiller une seconde fois les prisons. Nous fouiller, c'est nous dépouiller. Jusqu'à ce que cette inquiétude soit passée, soyez assez bon pour garder ceci.

Je vous le redemanderai quand je me croirai en sûreté pour tout; hormis pour la vie, dont je ne parle pas.

—Bien entendu, dis-je.

—Vous êtes franc au moins, dit-elle en riant malgré le peu d'envie qu'elle en eût, mais vous vous adressez bien, et je vous remercie de me connaître assez de courage pour qu'on puisse me parler gaiement de ma mort."

Elle prit sous son chevet une petite boîte de maroquin violet, dans laquelle un ressort ouvert me fit entrevoir une peinture. Je pris la boîte, et, la serrant avec le pouce, je la refermai à dessein. Je baissais les yeux, je faisais la moue, je balançais la tête d'un air de président; enfin j'avais l'air doctoral et distrait d'un homme qui, par délicatesse, ne veut même pas savoir ce qu'il se charge de conserver en dépôt.—Je l'attendais là.

—Mon Dieu, dit-elle, que n'ouvrez-vous cette boîte? je vous le permets.

—Eh! madame la duchesse, lui dis-je, croyez bien que la nature du dépôt ne peut influer sur ma discrétion et ma fidélité. Je ne veux pas savoir ce que renferme la boîte."

Elle prit un autre ton un peu bref, absolu et vif.

"Ah çà! je ne veux point que vous pensiez que ce soit un mystère: c'est la chose la plus simple du monde. Vous savez que M. de Saint-Aignan, à vingt-sept ans, est à peu près du même âge que M. de Chénier. Vous avez pu remarquer qu'ils ont beaucoup d'attachement l'un pour l'autre. M. de Chénier s'est fait peindre ici: il nous a fait promettre de conserver ce souvenir si nous lui survivions. C'est un quine à la loterie, mais enfin nous avons promis; et j'ai voulu garder moi-même ce portrait, qui certainement serait celui d'un grand homme si on connaissait les choses qu'il m'a lues.

—Quoi donc?" dis-je d'un air surpris.

Elle fut bien aise de mon étonnement, et prit à son tour un air de discrétion en se reculant un peu.

"Il n'y a que moi, absolument que moi, qui aie la confidence de ses idées, dit-elle, et j'ai donné ma parole de n'en rien révéler à qui que ce soit, même à vous. Ce sont des choses d'un ordre très élevé. Il se plaît à en causer avec moi.

—Et quelle autre femme pourrait l'entendre?" dis-je en courtisan véritable; car depuis longtemps une autre femme et M. de Pange m'en avaient donné des fragments.

Elle me tendit la main: c'était tout ce qu'elle voulait. Je baisai le bout effilé de ses doigts blancs, et je ne pus empêcher mes lèvres de dire sur sa main en l'effleurant: "Hélas! madame, ne dédaignez pas mademoiselle de Coigny, car une femme est toujours un enfant."

CHAPITRE XXVIII

LE RÉFECTOIRE

On m'avait enfermé, selon l'usage, avec la gracieuse prisonnière; comme je tenais encore sa main, les verrous s'ouvrirent, un guichetier cria: "Bérenger, femme Aignan!—Allons! hé! au réfectoire! Ho hé!

—Voilà, me dit-elle avec une voix bien douce et un sourire très fin, voilà mes gens qui m'annoncent que je suis servie."

Je lui donnai le bras, et nous entrâmes dans une grande salle au rez-de-chaussée, en baissant la tête pour passer les portes basses et les guichets.

Une table large et longue, sans linge, chargée de couverts de plomb, de verres d'étain, de cruches de grès, d'assiettes de faïence bleue; des bancs de bois de chêne noir, luisant, usé, rocailleux et sentant le goudron; des pains ronds entassés dans des paniers; des piliers grossièrement taillés posant leurs pieds lourds sur des dalles fendues, et supportant de leur tête informe un plancher enfumé; autour de la salle, des murs couleur de suie, hérissés de piques mal montées et de fusils rouillés, tout cela éclairé par quatre gros reverbères à fumée noire, et rempli d'un air de cave humide qui faisait tousser en entrant: voilà ce que je trouvai.

Je fermai les yeux un instant pour mieux voir ensuite. Ma résignée prisonnière en fit autant. Nous vîmes, en les ouvrant, un cercle de quelques personnes qui s'entretenaient à l'écart. Leur voix douce et leur ton poli et réservé me firent deviner des gens bien élevés. Ils me saluèrent de leur place et se levèrent quand ils aperçurent la duchesse de Saint-Aignan. Nous passâmes plus loin.

A l'autre bout de la table était un autre groupe plus nombreux, plus jeune, plus vif, tout remuant, bruyant et riant; un groupe pareil à un grand quadrille de la Cour en négligé, le lendemain du bal. C'étaient des jeunes personnes assises à droite et à gauche de leur grand'tante; c'étaient des jeunes gens chuchotant, se parlant à l'oreille, se montrant du doigt avec ironie ou jalousie; on entendait des demi-rires, des chansonnettes, des airs de danse, des glissades, des pas, des claquements de doigts remplaçant castagnettes et triangles; on s'était formé en cercle, on regardait quelque chose qui se passait au milieu d'un groupe nombreux. Ce quelque chose causait d'abord un moment d'attente et de silence, puis un éclat bruyant de blâme ou d'enthousiasme, des applaudissements ou des murmures de mécontentement, comme après une scène bonne ou mauvaise. Une tête s'élevait tout à coup, et tout à coup on ne la voyait plus.

"C'est quelque jeu innocent," dis-je en faisant lentement le tour de la grande table longue et carrée.

Madame de Saint-Aignan s'arrêta, s'appuya sur la table et quitta mon bras pour presser sa ceinture de l'autre main, son geste accoutumé.

"Eh! mon Dieu, n'approchons pas! c'est encore leur horrible jeu, me dit-elle; je les avais tant priés de ne plus recommencer! mais les conçoit-on! C'est d'une dureté inouïe!—Allez voir cela, je reste ici."

Je la laissai s'asseoir sur le banc, et j'allai voir.

Cela ne me déplut pas tant qu'à elle, moi. J'admirai, au contraire, ce jeu de prison, comparable aux exercices des gladiateurs. Oui, monsieur, sans prendre les choses aussi pesamment et gravement que l'antiquité, la France a autant de philosophie quelquefois. Nous sommes latinistes de père en fils pendant notre première jeunesse, et nous ne cessons de faire des stations et d'adorer devant les mêmes images où ont prié nos pères. Nous avons tous, à l'école, crié miracle sur cette étude de *mourir avec grâce* que faisaient les esclaves du peuple romain. Eh bien, monsieur, j'en vis faire là tout autant, sans prétention, sans apparat, en riant, en plaisantant, en disant mille mots moqueurs aux esclaves du peuple souverain.

"A vous, madame de Périgord, dit un jeune homme en habit de soie bleue rayée de blanc, voyons comment vous monterez.

"Et ce que vous montrerez, dit un autre.

"A l'amende, cria-t-on, voilà qui est trop libre et de mauvais ton.

"Mauvais ton tant qu'il vous plaira, dit l'accusé; mais le jeu n'est pas fait pour autre chose que pour voir laquelle de ces dames montera le plus décemment.

"Quel enfantillage! dit une femme fort agréable,

d'environ trente ans; moi, je ne monterai pas si la chaise n'est pas mieux placée.

"Oh! oh! c'est une honte, madame de Périgord, dit une femme; la liste de nos noms porte Sabine Vériville devant le vôtre: montez en Sabine, voyons!

"Je n'en ai pas le costume, fort heureusement. Mais où mettre le pied?" dit la jeune femme embarrassée.

On rit. Chacun s'avança, chacun se baissa, chacun gesticula, montra, décrivit:

"Il y a une planche ici.—Non, là.—Haute de trois pieds.—De deux seulement.—Pas plus haute que la chaise.—Moins haute.—Vous vous trompez.—Qui vivra verra.—Au contraire, qui mourra verra."

Nouveau rire.

"Vous gâtez le jeu, dit un homme grave, sérieusement dérangé et lorgnant les pieds de la jeune femme.

"Voyons. Faisons bien les conditions, reprit madame de Périgord au milieu du cercle. Il s'agit de monter sur la machine.

"Sur le théâtre, interrompit une femme.

"Enfin sur ce que vous voudrez, continua-t-elle, sans laisser sa robe s'élever à plus de deux pouces au-dessus de la cheville du pied. M'y voilà."

En effet, elle avait volé sur la chaise, où elle resta debout.

On applaudit.

"Et puis après? dit-elle gaiement.

"Après? Cela ne vous regarde plus, dit l'un.

"Après? La bascule, dit un gros guichetier en riant.

"Après? N'allez pas haranguer le peuple, dit une chanoinesse de quatre-vingts an; ils n'y a rien qui soit de plus mauvais goût.

"Et plus inutile," dis-je.

M. de Loiserolles lui offrit la main pour descendre de la chaise; le marquis d'Usson, M. de Micault, conseiller au parlement de Dijon, les deux jeunes Trudaine, le bon M. de Vergennes, qui avait soixante-seize ans, s'avancèrent aussi pour l'aider. Elle ne donna la main à personne et sauta comme pour descendre de voiture, aussi décemment, aussi gracieusement, aussi simplement.

"Ah! ah! nous allons voir à présent!" s'écria-t-on de tous côtés.

Une jeune, très jeune personne, s'avançait avec l'élégance d'une fille d'Athènes, pour aller au milieu du cercle; elle dansa en marchant, à la manière des enfants, puis s'en aperçut, s'efforça d'aller tranquillement et marcha en dansant, en se soulevant sur les pieds, comme un oiseau qui sent ses ailes. Ses cheveux noirs en bandeaux, rejetés en arrière en couronne, tressés avec une chaîne d'or, lui donnaient l'air de la plus jeune des muses: c'était une mode grecque, qui commençait à remplacer la poudre. Sa taille aurait pu, je crois, avoir pour ceinture le bracelet de bien des femmes. Sa tête, petite, penchée en avant avec grâce, comme celle des gazelles et des cygnes; sa poitrine faible et ses épaules un peu courbées, à la manière des jeunes personnes qui grandissent, ses bras minces et longs, tout lui donnait un aspect élégant et intéressant à la fois. Son profil régulier, sa bouche sérieuse, ses yeux tout noirs, ses sourcils sévères et arqués, comme ceux des Circassiennes, avaient quelque chose de déterminé et d'original qui étonnait et charmait la vue. C'était mademoiselle de Coigny; c'était elle que j'avais vue priant Dieu dans le préau.

Elle avait l'air de penser avec plaisir à tout ce qu'elle faisait, et non à ceux qui la regardaient faire. Elle s'avança avec les étincelles de la joie dans les yeux. J'aime cela à l'âge de seize ou dix-sept ans; c'est la meilleure innocence possible. Cette joie, pour ainsi dire innée, électrisait les visages fatigués des prisonniers. C'était bien la jeune captive qui ne veut pas mourir encore.

Son air disait:

> Ma bienvenue au jour me rit dans tous les yeux,

et:

> L'illusion féconde habite dans mon sein.

Elle allait monter.

"Oh! pas vous! pas vous! dit un jeune homme en habit gris, que je n'avais pas remarqué et qui sortit de la foule. Ne montez pas, vous! je vous en supplie."

Elle s'arrêta, fit un petit mouvement des épaules comme un enfant qui boude, et mit ses doigts sur sa bouche avec embarras. Elle regrettait sa chaise et la regardait de côté.

En ce moment-là quelqu'un dit: "Mais madame de Saint-Aignan est là." Aussitôt, avec une vive présence d'esprit et une délicatesse de très bonne grâce, on enleva la chaise, on rompit le cerle, et l'on forma une petite contredanse pour lui cacher cette singulière répétition du drame de la place de la Révolution.

Les femmes allèrent la saluer et l'entourèrent de manière à lui cacher ce jeu, qu'elle haïssait et qui pouvait la frapper dangereusement. C'étaient les égards, les attentions que la jeune duchesse eût reçus à Versailles. Le bon langage ne s'oublie pas. En fermant les yeux, rien n'était changé: c'était un salon.

Je remarquai, à travers ces groupes, la figure pâle, un peu usée, triste et passionnée de ce jeune homme qui errait silencieusement à travers tout le monde, la tête basse et les bras croisés. Il avait quitté sur-le-champ mademoiselle de Coigny, et marchait à grands pas, rôdant autour des piliers et lançant sur les murailles et les barreaux de fer les regards d'un lion enfermé. Il y avait dans son costume, dans cet habit gris taillé en uniforme, dans ce col noir et ce gilet croisé, un air d'officier. Costume et visage, cheveux noirs et plats, yeux noirs, tout était très ressemblant. C'était le portrait que j'avais sur moi, c'était André Chénier. Je ne l'avais pas encore vu.

Madame de Saint-Aignan nous rapprocha l'un de l'autre. Elle l'appela, il vint s'asseoir près d'elle, il lui prit la main avec vitesse, la baisa sans rien dire, et se mit à regarder partout avec agitation. De ce moment aussi, elle ne nous répondit plus, et suivit ses yeux avec inquiétude.

Nous formions un petit groupe dans l'ombre, au milieu de la foule qui parlait, marchait et bruissait doucement. On s'éloigna de nous peu à peu, et je remarquai que mademoiselle de Coigny nous évitait. Nous étions assis tous trois sur le banc de bois de chêne, tournant le dos à la table et nous y appuyant. Madame de Saint-Aignan, entre nous deux, se reculait comme pour nous laisser causer, parce qu'elle ne voulait pas parler la première. André de Chénier, qui ne voulait pas non plus lui parler choses indifférentes, s'avança vers moi, par-devant elle. Je vis que je lui rendrais service en prenant la parole.

"N'est-ce pas un adoucissement à la prison que cette réunion au réfectoire?

"Cela réjouit, comme vous voyez, tous les prisonniers, excepté moi, dit-il avec tristesse; je m'en défie, j'y sens quelque chose de funeste, cela ressemble au repas libre des martyrs."

Je baissai la tête. J'étais de son avis et ne voulais pas le dire.

"Allons, ne m'effrayez pas, lui dit madame de Saint

Aignan, j'ai assez de raisons de chagrins et de craintes: que je ne vous entende pas dire d'imprudences."

Et, se penchant à mon oreille, elle ajouta à demi-voix: "Il y a ici des espions partout, empêchez-le de se compromettre; je ne puis en venir à bout, il me fait trembler pour lui, tous les jours, par ses accès de mauvaise humeur."

Je levai les yeux au ciel involontairement et sans répondre. Il y eut un moment de silence entre nous trois. Pauvre jeune femme! pensais-je; qu'elles sont donc belles et riantes ces illusions dorées dont nous escorte la jeunesse, puisque tu les vois à tes côtés, dans cette triste maison d'où l'on enlève chaque jour une *fournée* de malheureux.

André Chénier (puisque son nom est demeuré ainsi façonné par la voix publique, et ce qu'elle fait est immuable) me regarda et pencha la tête de côté avec pitié et attendrissement. Je compris ce geste, et il vit que je le comprenais. Entre gens qui sentent, rien de superflu comme les paroles.—Je suis certain qu'il eût signé la traduction que je fis intérieurement de ce signe: "Pauvre petite! voulait-il dire, qui croit que je peux encore me compromettre!"

Pour ne pas sortir brusquement de la conversation, maladresse grande devant une personne d'esprit comme madame de Saint-Aignan, je pris le parti de rester dans les idées tracées, mais de les rendre générales.

"J'ai toujours pensé, dis-je à André Chénier, que les Poètes avaient des révélations de l'avenir."

D'abord son œil brilla et sympathisa avec le mien, mais ce ne fut qu'un éclair; il me regarda ensuite avec défiance.

"Pensez-vous ce que vous dites là? me dit-il; moi, je ne sais jamais si les gens du monde parlent sérieusement ou non: car le mal français, c'est le persiflage.

"Je ne suis point seulement un homme du monde, lui dis-je, et je parle toujours sérieusement.

"Eh bien, reprit-il, je vous avoue naïvement que j'y crois. Il est rare que ma première impression, mon premier coup d'œil, mon premier pressentiment, m'aient trompé.

"Ainsi, interrompit madame de Saint-Aignan en s'efforçant de sourire et pour tourner court sur-le-champ, ainsi vous avez deviné que mademoiselle de Coigny se ferait mal au pied en montant sur la chaise?"

Je fus surpris moi-même de cette promptitude d'un coup d'œil féminin, qui percerait les murailles quand un peu de jalousie l'anime.

Un salon, avec ses rivalités, ses coteries, ses lectures, ses futilités, ses prétentions, ses grâces et ses défauts, son élévation et ses petitesses, ses aversions et ses inclinations, s'était formé dans cette prison, comme, sur un marais dont l'eau est verdâtre et croupie, se forme lentement une petite île de fleurs que le moindre vent submergera.

André Chénier me sembla seul sentir cette situation qui ne frappait pas les autres détenus. La plus grande partie des hommes s'accoutume à l'oubli du péril, et y prend position comme les habitants du Vésuve dans des cabanes de lave. Ces prisonniers s'étourdissaient sur le sort de leurs compagnons enlevés successivement; peut-être étaient-ils relâchés, peut-être étaient-ils mieux à la Conciergerie; puis ils avaient pris la mort en plaisanterie par bravade d'abord, ensuite par habitude; puis, n'y pensant plus, ils s'étaient mis à songer à autre chose et à recommencer la vie, et leur vie élégante, avec son langage, ses qualités et ses défauts.

"Ah! j'espérais bien, dit André Chénier avec un ton grave et prenant dans ses deux mains l'une des mains de madame de Saint-Aignan, j'espérais bien que nous vous avions caché ce cruel jeu. Je craignais qu'il ne se prolongeât, c'était là mon inquiétude. Et cette belle enfant . . .

"Enfant, si vous voulez, dit la duchesse en retirant sa main vivement; elle a sur votre esprit plus d'influence que vous ne le croyez vous-même, elle vous fait dire mille imprudences avec son étourderie, et elle est d'une coquetterie qui serait bien effrayante pour sa mère, si elle la voyait. Tenez, regardez-la seulement avec tous ces hommes."

En effet, mademoiselle de Coigny passait devant nous étourdiment, entre deux hommes à qui elle donnait le bras, et qui riaient de ses propos; d'autres la suivaient, ou la précédaient en marchant à reculons. Elle allait en glissant et en regardant ses pieds, s'avançait en cadence et comme pour se préparer à danser, et dit en passant à M. de Trudaine, comme une suite de conversation:

". . . Puisqu'il n'y a plus que les femmes qui sachent tuer avant de mourir, je trouve très naturel que les hommes meurent très humblement, comme vous allez tous faire un de ces jours . . ."

André de Chénier continuait de parler; mais, comme il rougit et se mordit les lèvres, je vis qu'il avait entendu, et que la jeune captive savait se venger sûrement d'une conversation qu'elle trouvait trop intime.

Et pourtant, avec une délicatesse de femme, madame de Saint-Aignan lui parlait haut, de peur qu'il n'entendît, de peur qu'il ne prît le reproche pour lui, de peur qu'il ne fût piqué d'honneur et ne se laissât emporter à d'imprudents propos.

Je voyais s'approcher de nous de mauvaises figures qui rôdaient derrière les piliers; je voulus couper court à tout ce petit manège qui me donnait de l'humeur, à moi qui venais du dehors et voyais mieux qu'eux tous l'ensemble de leur situation.

"J'ai vu monsieur votre père ce matin," dis-je brusquement à Chénier.

Il recula d'étonnement.

"Monsieur, me dit-il, je l'ai vu aussi à dix heures.

—"Il sortait de chez moi, m'écriai-je; que vous a-t-il dit?

—"Quoi! dit André Chénier en se levant, c'est Monsieur qui . . ."

Le reste fut dit à l'oreille de sa belle voisine.

Je devina quelles préventions ce pauvre homme avait données à son fils contre moi.

Tout à coup André se leva, marcha vivement, revint, et, se plaçant debout devant madame de Saint-Aignan et moi, croisa les bras, et dit d'une voix haute et violente:

"Puisque vous connaissez ces misérables qui nous déciment, citoyen, vous pouvez leur répéter de ma part tout ce qui m'a fait arrêter et conduire ici, tout ce que j'ai dit dans le *Journal de Paris,* et ce que j'ai crié aux oreilles de ces sbires déguenillés qui venaient arrêter mon ami chez lui. Vous pouvez leur dire ce que j'ai écrit là, là . . .

—"Au nom du ciel! ne continuez pas," dit la jeune femme, arrêtant son bras. Il tira, malgré elle, un papier de sa poche, et le montra en frappant dessus.

"Qu'ils sont des bourreaux *barbouilleurs de lois;* que, puisqu'*il est écrit que jamais une épée n'étincellera dans mes mains,* il me reste ma plume, *mon cher trésor;* que, si je vis un jour encore, ce sera pour *cracher sur leurs noms,* pour *chanter leur supplice* qui viendra bientôt, pour *hâter le triple fouet* déjà levé sur ces triumvirs, et que je vous ai dit cela au milieu de mille autres *moutons comme moi, qui, pendus aux crocs san-*

glants du charnier populaire, seront servis au peuple-roi.”

Aux éclats de sa voix les prisonniers s'étaient assemblés autour de lui, comme autour du bélier les moutons du troupeau malheureux auquel il les comparait. Un incroyable changement s'était fait en lui. Il me parut avoir grandi tout à coup: l'indignation avait doublé ses yeux et ses regards: il était beau.

Je me tournai du côté de M. de Lagarde, officier aux gardes-françaises. “Le sang est trop ardent aux veines de cette famille, dis-je, je ne puis réussir à l'empêcher de couler.”

En même temps je me levai en haussant les épaules et me retirai à quelques pas.

Le mot de *réussir* l'avait sans doute frappé, car il se tut sur-le-champ et s'appuya contre un pilier en se mordant les lèvres. Madame de Saint-Aignan n'avait cessé de le regarder comme on regarderait une éruption de l'Etna, sans rien dire et sans tenter de s'y opposer.

Un de ses amis, M. de Roquelaure, qui avait été colonel du régiment de Beauce, vint lui taper sur l'épaule.

“Eh bien, lui dit-il, tu te fâches encore contre cette canaille régnante. Il vaut mieux siffler ces mauvais acteurs, jusqu'à ce que le rideau tombe sur nous d'abord et sur eux ensuite.”

Là-dessus il fit une pirouette et se mit à table en fredonnant: *La vie est un voyage*.

Une crécelle bruyante annonça le moment du déjeuner. Une sorte de poissarde, qu'on nommait, je crois, la femme Semé, vint s'établir au milieu de la table pour en faire les honneurs: c'était la femelle de l'animal appelé geôlier, accroupi à la porte d'entrée.

Les prisonniers de cette partie du bâtiment se mirent

à table: ils étaient cinquante environ. Saint-Lazare en contenait sept cents. Dès qu'ils furent assis, leur ton changea. Ils s'entre-regardèrent et devinrent tristes. Leurs figures, éclairées par les quatre gros réverbères rouges et enfumés, avaient des reflets lugubres comme ceux des mineurs dans leurs souterrains ou des damnés dans leurs cavernes. La rougeur était noire, la pâleur était enflammée, la fraîcheur était bleuâtre, les yeux flamboyaient. Les conversations devinrent particulières et à demi-voix.

Debout derrière ces convives, s'étaient rangés des guichetiers, des porte-clefs, des agents de police et des sans-culottes amateurs, qui venaient jouir du spectacle. Quelques *dames* de la Halle, portant et traînant leurs enfants, avaient eu le privilège d'assister à cette fête d'un goût tout démocratique. J'eus la révélation de leur entrée par une odeur de poisson qui se répandit et empêcha quelques femmes de manger devant ces princesses du ruisseau et de l'égout.

Ces gracieux spectateurs avaient à la fois l'air farouche et hébété: ils semblaient s'être attendus à autre chose qu'à ces conversations paisibles, à ces apartés décents, que les gens bien élevés ont à table, partout et en tout temps. Comme on ne leur montrait pas le poing, ils ne savaient que dire. Ils gardèrent un silence idiot, et quelques-uns se cachèrent en reconnaissant à cette table ceux dont ils avaient servi et volé les cuisiniers.

Mademoiselle de Coigny s'était fait un rempart de cinq ou six jeunes gens qui s'étaient placés en cercle autour d'elle pour la garantir du souffle de ces harengères, et, prenant un bouillon debout, comme elle aurait pu faire au bal, elle se moquait de la galerie avec son air accoutumé d'insouciance et de hauteur.

Madame de Saint-Aignan ne déjeunait pas, elle grondait André Chénier, et je vis qu'elle me montrait à plusieurs reprises, comme pour lui dire qu'il avait fait une sortie fort déplacée avec un de ses amis. Il fronçait le sourcil et baissait la tête avec un air de douceur et de condescendance. Elle me fit signe d'approcher; je revins.

"Voici M. de Chénier, me dit-elle, qui prétend que la douceur et le silence de tous ces jacobins sont de mauvais symptômes. Empêchez-le donc de tomber dans ses accès de colère."

Ses yeux étaient suppliants; je voyais qu'elle voulait nous rapprocher. André Chénier l'y aida avec grâce et me dit le premier, avec assez d'enjouement:

"Vous avez vu l'Angleterre, monsieur; si vous y retournez jamais et que vous recontriez Edmund Burke, vous pouvez bien l'assurer que je me repens de l'avoir critiqué; car il avait bien raison de nous prédire le règne des portefaix. Cette commission vous est, j'espère, moins désagréable que l'autre.—Que voulez-vous! la prison n'adoucit pas le caractère."

Il me tendit la main, et à la manière dont je la serrai il me sentit son ami.

En ce moment même, un bruit pesant, rauque et sourd, fit trembler les plats et les verres, trembler les vitres et trembler les femmes. Tout se tut. C'était le roulement des chariots. Leur son était connu, comme celui du tonnerre l'est de toute oreille qui l'a une fois entendu; leur son n'était pas celui des roues ordinaires, il avait quelque chose du grincement des chaînes rouillées et du bruit de la dernière pelletée de terre sur nos bières. Leur son me fit mal à la plante des pieds.

"Hé! mangez donc, les citoyennes!" dit la grossière voix de la femme Semé.

Ni mouvement ni réponse.—Nos bras étaient restés dans la position où les avait saisis ce roulement fatal. Nous ressemblions à ces familles étouffées de Pompéia et d'Herculanum que l'on trouva dans l'attitude où la mort les avait surprises.

La Semé avait beau redoubler d'assiettes, de fourchettes et de couteaux, rien ne remuait, tant était grand l'étonnement de cette cruauté. Leur avoir donné un jour de réunion à table, leur avoir permis des embrassements et des épanchements de quelques heures, leur avoir laissé oublier la tristesse, les misères d'une prison solitaire, leur avoir laissé goûter la confidence, savourer l'amitié, l'esprit et même un peu d'amour, et tout cela pour faire voir et entendre à tous la mort de chacun! —Oh! c'était vraiment là un jeu d'hyènes affamées ou de jacobins hydrophobes.

Les grandes portes du réfectoire s'ouvrirent avec bruit, et vomirent trois commissaires en habits sales et longs, en bottes à revers, en écharpes rouges, suivis d'une nouvelle troupe de bandits à bonnets rouges, armés de longues piques. Ils se ruèrent en avant avec des cris de joie, en battant des mains, comme pour l'ouverture d'un grand spectacle. Ce qu'ils virent les arrêta tout court, et les égorgés déconcertèrent encore les égorgeurs par leur contenance; car leur surprise ne dura qu'un instant, l'excès du mépris leur vint donner à tous une force nouvelle. Ils se sentirent tellement au-dessus de leurs ennemis qu'ils en eurent presque de la joie, et tous leurs regards se portaient avec fermeté et curiosité même sur celui des commissaires qui s'approcha, un papier à la main, pour faire une lecture. C'était un appel nominal. Dès qu'un nom était prononcé, deux hommes s'avançaient et enlevaient de sa place le prisonnier désigné. Il était remis aux gendarmes à cheval au dehors, et on le chargeait sur un des chariots. L'accusation était d'avoir conspiré dans la prison contre le peuple et d'avoir projeté l'assassinat des représentants et du comité de salut public.

La première personne accusée fut une femme de quatre-vingts ans, l'abbesse de Montmartre, madame de Montmorency: elle se leva avec peine, et, quand elle fut debout, salua avec un sourire paisible tous les convives. Les plus proches lui baisèrent la main. Personne ne pleura, car, à cette époque, la vue du sang rendait les yeux secs.—Elle sortit en disant: "Mon Dieu, pardonnez-leur, car ils ne savent ce qu'ils font." Un morne silence régnait dans la salle.

On entendit au dehors des huées féroces qui annoncèrent qu'elle paraissait devant la foule, et des pierres vinrent frapper les fenêtres et les murs, lancées sans doute contre la première prisonnière. Au milieu de ce bruit, je distinguai même l'explosion d'une arme à feu. Quelquefois la gendarmerie était obligée de résister pour conserver aux prisonniers vingt-quatre heures de vie.

L'appel continua. Le deuxième nom fut celui d'un jeune homme de vingt-trois ans, M. de Coatarel, autant que je puis me souvenir de son nom, lequel était accusé d'avoir un fils émigré qui portait les armes contre la patrie. L'accusé n'était même pas marié. Il éclata de rire à cette lecture, serra la main à ses amis et partit.—Mêmes cris au dehors.

Même silence à la table sinistre d'où l'on arrachait les assistants un à un; ils attendaient à leur poste comme des soldats attendent le boulet. Chaque fois qu'un prisonnier partait, on enlevait son couvert, et ceux qui restaient s'approchaient de leurs nouveaux voisins en souriant amèrement.

André Chénier était resté debout près de madame de Saint-Aignan, et j'étais près d'eux. Comme il arrive que, sur un navire menacé de naufrage, l'équipage se presse spontanément autour de l'homme qu'on sait le plus puissant en génie et en fermeté, les prisonniers s'étaient d'eux-mêmes groupés autour de ce jeune homme. Il restait les bras croisés et les yeux élevés au ciel, comme pour se demander s'il était possible que le ciel souffrît de telles choses, à moins que le ciel ne fût vide.

Mademoiselle de Coigny voyait, à chaque appel, se retirer un de ses gardiens, et peu à peu elle se trouva presque seule à l'autre bout de la salle. Alors elle vint en suivant le bord de la table, qui devenait déserte; et, s'appuyant sur ce bord, elle arriva jusqu'où nous étions et s'assit à notre ombre, comme une pauvre enfant délaissée qu'elle était. Son noble visage avait conservé sa fierté; mais la nature succombait en elle, et ses faibles bras tremblaient comme ses jambes sous elle. La bonne madame de Saint-Aignan lui tendit la main. Elle vint se jeter dans ses bras et fondit en larmes malgré elle.

La voix rude et impitoyable du commissaire continuait son appel. Cet homme prolongeait le supplice par son affectation à prononcer lentement et à suspendre longtemps les noms de baptême, syllabe par syllabe: puis il laissait tout à coup tomber le nom de famille comme une hache sur le cou.

Il accompagnait le passage du prisonnier d'un jurement qui était le signal des huées prolongées.—Il était rouge de vin et ne me parut pas solide sur ses jambes.

Pendant que cet homme lisait, je remarquai une tête de femme qui s'avançait à sa droite dans la foule et presque sous son bras, et, fort au-dessus de cette tête, une longue figure d'homme qui lisait facilement d'en haut. C'était Rose d'un côté, et de l'autre mon canonnier Blaireau. Rose me paraissait curieuse et joyeuse comme les commères de la Halle qui lui donnaient le bras. Je la détestai profondément. Pour Blaireau, il avait son air de somnolence ordinaire, et son habit de canonnier me parut lui valoir une grande considération parmi les gens à pique et à bonnet qui l'environnaient. La liste que tenait le commissaire était composée de plusieurs papiers mal griffonnés, et que ce digne agent ne savait pas mieux lire qu'on n'avait su les écrire. Blaireau s'avança avec zèle, comme pour l'aider, et lui prit par égard son chapeau, qui le gênait. Je crus m'apercevoir qu'en même temps Rose ramassait quelque papier par terre; mais le mouvement fut si prompt et l'ombre était si noire dans cette partie du réfectoire que je ne fus pas sûr de ce que j'avais vu.

La lecture continuait. Les hommes, les femmes, les enfants mêmes, se levaient et passaient comme des ombres. La table était presque vide, et devenait énorme et sinistre par tous les convives absents. Trente-cinq venaient de passer: les quinze qui restaient, disséminés un à un, deux à deux, avec huit ou dix places entre eux, ressemblaient à des arbres oubliés dans l'abatis d'une forêt. Tout à coup le commissaire se tut. Il était au bout de sa liste, on respirait. Je poussai, pour ma part, un soupir de soulagement.

André Chénier dit: "Continuez donc, je suis là."

Le commissaire le regarda d'un œil hébété. Il chercha dans son chapeau, dans ses poches, à sa ceinture, et ne trouvant rien, dit qu'on appelât l'huissier du tribunal révolutionnaire. Cet huissier vint. Nous étions en suspens. L'huissier était un homme pâle et triste comme les cochers du corbillard.

"Je vais compter le troupeau, dit-il au commissaire; si tu n'as pas toute la *fournée,* tant pis pour toi.

—"Ah! dit le commissaire troublé, il y a encore Beauvilliers Saint-Aignan, ex-duc, âgé de vingt-sept ans . . ."

Il allait répéter tout le signalement, lorsque l'autre l'interrompit en lui disant qu'il se trompait de logement et qu'il avait trop bu. En effet, il avait confondu, dans son *recrutement des ombres,* le second bâtiment avec le premier, où la jeune femme avait été laissée seule depuis un mois. Là-dessus ils sortirent, l'un en menaçant, l'autre en chancelant. La cohue poissarde les suivit. La joie retentit au dehors et éclata par des coups de pierres et de bâton.

Les portes refermées, je regardai la salle déserte, et je vis que madame de Saint-Aignan ne quittait pas l'attitude qu'elle avait prise pendant la dernière lecture: ses bras appuyés sur la table, sa tête sur ses bras. —Mademoiselle de Coigny releva et ouvrit ses yeux humides comme une belle nymphe qui sort des eaux. André Chénier me dit tout bas en désignant la jeune duchesse:

"J'espère qu'elle n'a pas entendu le nom de son mari, ne lui parlons pas, laissons-la pleurer.

—"Vous voyez, lui dis-je, que monsieur votre frère, qu'on accuse d'indifférence, se conduit bien en ne remuant pas. Vous avez été arrêté sans mandat, il le sait, il se tait; il fait bien: votre nom n'est sur aucune liste. Si on le prononçait, ce serait l'y faire inscrire. C'est un temps à passer, votre frère le sait.

—"Oh! mon frère!" dit-il. Et il secoua longtemps la tête en la baissant avec un air de doute et de tristesse. Je vis pour la seule fois une larme rouler entre les cils de ses yeux et y mourir.

Il sortit de là brusquement.

"Mon père n'est pas si prudent, dit-il avec ironie. Il s'expose, lui. Il est allé ce matin lui-même chez Robespierre demander ma liberté.

—"Ah! grand Dieu! m'écriai-je en frappant des mains, je m'en doutais."

Je pris vivement mon chapeau. Il me saisit le bras. "Restez donc, cria-t-il; elle est sans connaissance."

En effet, madame de Saint-Aignan était évanouie.

Mademoiselle de Coigny s'empressa. Deux femmes qui restaient encore vinrent les aider. La geôlière même s'en mêla, pour un louis que je lui glissai. Elle commençait à revenir. Le temps pressait. Je partis sans dire adieu à personne et laissant tout le monde mécontent de moi, comme cela m'arrive partout et toujours. Le dernier mot que j'entendis fut celui de mademoiselle de Coigny, qui dit d'un air de pitié forcée et un peu maligne à la petite baronne de Soyecourt:

"Ce pauvre monsieur Chénier! que je le plains d'être si dévoué à une femme mariée et si profondément attachée à son mari et à ses devoirs!"

CHAPITRE XXIX

LE CAISSON

Je marchais, je courais dans la rue du Faubourg-Saint-Denis, emporté par la crainte d'arriver trop tard et un peu par la pente de la rue. Je faisais passer et repasser devant mes yeux les tableaux qu'ils venaient de voir. Je les resserrais en mon âme, je les résumais, je les plaçais entre le point de vue et le point de distance. Je commençai sur eux ce travail d'optique philosophique auquel je soumets toute la vie. J'allais vite, ma tête et ma canne en avant. Les verres de mon optique étaient arrangés. Mon idée générale enveloppait de toutes parts les objets que je venais de voir et que j'y rangeais avec un ordre sévère. Je construisais intérieurement un admirable système sur les voies de la Providence qui avait réservé un poète pour un temps meilleur et avait voulu que sa mission sur la terre fût entièrement accomplie; que son cœur ne fût pas déchiré par la mort de l'une de ces faibles femmes, toutes deux enivrées de sa poésie, éclairées de sa lumière, animées par son souffle, émues par sa voix, dominées par son regard, et dont l'une était aimée, dont l'autre le serait peut-être un jour. Je sentais que c'était beaucoup d'avoir gagné une journée dans ces temps de meurtre, et je calculais les chances du renversement du triumvirat et du comité de salut public. Je lui comptais peu de jours de vie; et je pensais bien pouvoir faire durer mes trois chers prisonniers plus que cette bande gouvernante. De quoi s'agissait-il? De les faire oublier. Nous étions au 5 thermidor. Je réussirais bien à occuper d'autre chose que d'eux mon second malade, Robespierre, quand je devrais lui faire croire qu'il était plus mal encore, pour le ramener à lui-même. Il s'agissait, pour tout cela, d'arriver à temps.

Je cherchais inutilement une voiture des yeux. Il y en avait peu dans les rues, cette année-là. Malheur à qui eût osé s'y faire rouler sur le pavé brûlant de l'an II de la république! Cependant j'entendis derrière moi le bruit de deux chevaux et de quatre roues qui me suivaient et s'arrêtèrent. Je me retournai, et je vis planer au-dessus de ma tête la bénigne figure de Blaireau.

"O figure endormie, figure longue, figure simple, figure dandinante, figure désœuvrée, figure jaune! que me veux-tu? m'écriai-je.

—"Pardon, si je vous dérange, me dit-il en ricanant, mais j'ai là un petit papier pour vous. C'est la citoyenne Rose qui l'a trouvé, comme ça, sous son pied."

Et il s'amusait, en parlant, à frotter son grand soulier dans le ruisseau.

Je pris le papier avec humeur, et je lus avec joie et avec l'épouvante si grande du danger passé:

"Suite:

"C.-L.-S. Soyecourt, âgée trente ans, née à Paris, ex-baronne, veuve d'Inisdal, rue du Petit-Vaugirard.

"F.-C.-L. Maillé, âgé de dix-sept ans, fils de l'ex-vicomte.

"André Chénier, âgé de trente et un ans, né à Constantinople, homme de lettres, rue de Cléry.

"Créquy de Montmorency, âgé de soixante ans, né à Chitzlembert, en Allemagne, ex-noble.

"M. Bérenger, âgée de vingt-quatre ans, femme Beauvilliers-Saint-Aignan, rue de Grenelle-Saint-Germain.

"L.-J. Dervilly, quarante-trois ans, épicier, rue Mouffetard.

"F. Coigny, seize ans et huit mois, fille de l'ex-noble du nom, rue de l'Université.

"C.-J. Dorival, ex-ermite."

Et vingt autres noms encore. Je ne continuai pas: c'était le reste de la liste, c'était la liste perdue, la liste que l'imbécile commissaire avait cherchée dans son chapeau d'ivrogne.

Je la déchirai, je la broyai, je la mis en mille pièces entre mes doigts, et je mangeai les pièces entre mes dents. Ensuite, regardant mon grand canonnier, je lui serrai la main avec . . . oui, ma foi, je puis le dire, oui, vraiment, avec . . . attendrissement.

—Bah! dit Stello en se frottant les yeux.

—Oui, avec attendrissement. Et lui, il se grattait la tête comme un grand niais désœuvré, et me dit en ayant l'air de s'éveiller:

"C'est drôle! il paraît que l'huissier, le grand pâle, s'est fâché contre le commissaire, le gros rouge, et l'a mis dans sa charrette à la place des autres détenus. C'est drôle!

—"Un mort supplémentaire! c'est juste, dis-je. Où vas-tu?

—"Ah! je conduis ce caisson-là au Champ de Mars.

—"Tu me mèneras bien, dis-je, rue Saint-Honoré?

—"Ah! mon Dieu! montez! Qu'est-ce que ça me fait? Aujourd'hui le roi n'est pas . . ."

C'était son mot; mais il ne l'acheva pas et se mordit la bouche.

Le soldat du train attendait son camarade. Le camarade Blaireau retourna, en boitant, au caisson, en ôta la poussière avec la manche de son habit, commença par monter et se placer dessus à cheval, me tendit la main, me mit derrière lui en croupe sur le caisson, et nous partîmes au galop.

J'arrivai en dix minutes rue Saint-Honoré, chez Robespierre, et je ne comprends pas encore comment il s'est fait que je n'y sois pas arrivé écartelé.

CHAPITRE XXX

LA MAISON DE M. DE ROBESPIERRE, AVOCAT AU PARLEMENT

Dans cette maison grise où j'allais entrer, maison d'un menuisier nommé Duplay, autant qu'il m'en souvient, maison très simple d'apparence, que l'ex-avocat au Parlement occupait depuis longtemps, et qu'on peut voir encore, je crois, rien ne faisait deviner la demeure du maître passager de la France, si ce n'était l'abandon même dans lequel elle semblait être. Tous les volets en étaient fermés du haut en bas. La porte cochère fermée, les persiennes de tous les étages fermées. On n'entendait sortir aucune voix de cette maison. Elle semblait aveugle et muette.

Des groupes de femmes, causant devant les portes, comme toujours à Paris durant les troubles, se montraient de loin cette maison et se parlaient à l'oreille. De temps à autre, la porte s'ouvrait pour laisser sortir un gendarme, un sans-culotte ou un espion (souvent femelle). Alors les groupes se séparaient et les parleurs rentraient vite chez eux. Les voitures faisaient un demi-cercle et passaient au pas devant la porte. On avait jeté de la paille sur le pavé. On eût dit que la peste y était.

Aussitôt que j'eus posé la main sur le marteau, la porte fut ouverte et le portier accourut avec frayeur, craignant que son marteau ne fût retombé trop lourdement. Je lui demandai sur-le-champ s'il n'était pas venu un vieillard de telle et telle façon, décrivant M. de Chénier de mon mieux. Le portier prit une figure de marbre avec une promptitude de comédien. Il secoua la tête négativement.

"Je n'ai pas vu ça," me dit-il.

J'insistai; je lui dis: "Souvenez-vous bien de tous ceux qui sont venus ce matin."—Je le pressai, je l'interrogeai, je le retournai en tous sens.

"Je n'ai pas vu ça."

Voilà tout ce que j'en pus tirer. Un petit garçon déguenillé se cachait derrière lui, et s'amusait à jeter des cailloux sur mes bas de soie. Je reconnus celui qu'on m'avait envoyé à son air méchant. Je montai chez l'*incorruptible* par un escalier assez obscur. Les clefs étaient sur toutes les portes; on allait de chambre en chambre sans trouver personne. Dans la quatrième seulement, deux nègres assis et deux secrétaires écrivant éternellement sans lever la tête. Je jetai un coup d'œil, en passant, sur leurs tables. Il y avait là terriblement de listes nominales. Cela me fit mal à la plante des pieds, comme la vue du sang et le bruit des chariots.

Je fus introduit en silence, après avoir marché silencieusement sur un tapis silencieux aussi, quoique fort usé.

La chambre était éclairée par un jour blafard et triste. Elle donnait sur la cour, et de grands rideaux d'un vert sombre en atténuaient encore la lumière, en assourdissaient l'air, en épaississaient les murailles. Le reflet du mur de la cour, frappé de soleil, éclairait seul cette grande chambre. Sur un fauteuil de cuir vert, devant un grand bureau d'acajou, mon second malade de la journée était assis, tenant un journal anglais d'une main, de l'autre faisant fondre le sucre dans une tasse de camomille avec une petite cuiller d'argent.

Vous pouvez très bien vous représenter Robespierre. On voit beaucoup d'hommes de bureau qui lui ressemblent, et aucun grand caractère de visage n'apportait l'émotion avec sa présence. Il avait trente-cinq ans, la figure écrasée entre le front et le menton, comme si deux mains eussent voulu les rapprocher de force au-dessus du nez. Ce visage était d'une pâleur de papier, mate et comme plâtrée. La grêle de la petite vérole y était profondément empreinte. Le sang ni la bile n'y circulaient. Ses yeux petits, mornes, éteints, ne regardaient jamais en face, et un clignotement perpétuel et déplaisant les rapetissait encore, quand, par hasard, ses lunettes vertes ne les cachaient pas entièrement. Sa bouche était contractée convulsivement par une sorte de grimace souriante, pincée et ridée, qui le fit comparer par Mirabeau *à un chat qui a bu du vinaigre*. Sa chevelure était pimpante, pompeuse et prétentieuse. Ses doigts, ses épaules, son cou, étaient continuellement et involontairement crispés, secoués et tordus lorsque de petites convulsions nerveuses et irritées venaient le saisir. Il était habillé dès le matin, et je ne le surpris jamais en négligé. Ce jour-là, un habit de soie jaune rayée de blanc, une veste à fleurs, un jabot, des bas de soie blancs, des souliers à boucles, lui donnaient un air fort galant.

Il se leva avec sa politesse accoutumée, et fit deux pas vers moi, en ôtant ses lunettes vertes, qu'il posa gravement sur sa table. Il me salua en homme comme il faut, s'assit encore et me tendit la main.

Moi, je ne la pris pas comme d'un ami, mais comme d'un malade, et, relevant ses manchettes, je lui tâtai le pouls.

"De la fièvre, dis-je.

—"Cela n'est pas impossible," dit-il en pinçant les lèvres. Et il se leva brusquement; il fit deux tours dans la chambre avec un pas ferme et vif, en se frottant les mains; puis il dit: "Bah!" et il s'assit.

"Mettez-vous là, dit-il, citoyen, et écoutez cela. N'est-ce pas étrange?"

A chaque mot, il me regardait par-dessus ses lunettes vertes.

"N'est-ce pas singulier? qu'en pensez-vous? Ce petit duc d'York qui me fait insulter dans ses papiers!"

Il frappait de la main sur la gazette anglaise et ses longues colonnes.

"Voilà une fausse colère, me dis-je; mettons-nous en garde."

"Les tyrans, poursuivit-il d'une voix aigre et criarde, les tyrans ne peuvent supposer la liberté nulle part. C'est une chose humiliante pour l'humanité. Voyez cette expression répétée à chaque page. Quelle affectation!"

Et il jeta devant moi la gazette.

"Voyez, continua-t-il en me montrant du doigt le mot indiqué, voyez: *Robespierre's army. Robespierre's troops!* Comme si j'avais des armées! comme si j'étais roi, moi! comme si la France était Robespierre! comme si tout venait de moi et retournait à moi! *Les troupes de Robespierre!* Quelle injustice! Quelle calomnie! Hein?"

Puis, reprenant sa tasse de camomille et relevant ses lunettes vertes pour m'observer en dessous:

"J'espère qu'ici on ne se sert jamais de ces incroyables expressions? Vous ne les avez jamais entendues, n'est-ce pas?—Cela se dit-il dans la rue?—Non! c'est Pitt lui-même qui dicte cette opinion injurieuse pour moi!—Qui me fait donner le nom de dictateur en France? les contre-révolutionnaires, les anciens Dantonistes et les Hébertistes qui restent encore à la Convention; les fripons comme l'Hermina, que je dénoncerai à la tribune; des valets de Georges d'Angleterre, des conspirateurs qui veulent me faire haïr par le peuple, parce qu'ils savent la pureté de mon civisme et que je dénonce leurs vices tous les jours; des Verrès, des Catilina, qui n'ont cessé d'attaquer le gouvernement républicain, comme Desmoulins, Ronsin et Chaumette.—Ces animaux immondes qu'on nomme des rois sont bien insolents de vouloir me mettre une couronne sur la tête! Est-ce pour qu'elle tombe comme la leur un jour? Il est dur qu'ils soient obéis ici par de faux républicains, par des voleurs qui me font des crimes de mes vertus.—Il y a six semaines que je suis malade, vous le savez bien, et que je ne parais plus au comité de salut public. Où donc est ma dictature? N'importe! La coalition qui me poursuit la voit partout; je suis un surveillant trop incommode et trop intègre. Cette coalition a commencé dès le moment de la naissance du gouvernement. Elle réunit tous les fripons et les scélérats. Elle a osé faire publier dans les rues que j'étais arrêté. Tué! oui; mais arrêté? je ne le serai pas.—Cette coalition a dit toutes les absurdités; que Saint-Just voulait sauver l'aristocratie, parce qu'il est né noble.—Eh! qu'importe comment il est né, s'il vit et meurt avec les bons principes? N'est-ce pas lui qui a proposé et fait passer à la Convention le décret du bannissement des ex-nobles, en les déclarant ennemis irréconciliables de la Révolution? Cette coalition a voulu ridiculiser la fête de l'Être suprême et l'histoire de Catherine Théos; cette coalition contre moi seul m'accuse de toutes les morts, ressuscite tous les stratagèmes des Brissotins; ce que j'ai dit le jour de la fête valait cependant mieux que les doctrines de Chaumette et de Fouché, n'est-ce pas?"

Je fis un signe de tête; il continua.

"Je veux, moi, qu'on ôte des tombeaux leur maxime impie que la mort est un sommeil, pour y graver: *La mort est le commencement de l'immortalité.*"

Je vis dans ces phrases le prélude d'un discours prochain. Il en essayait les accords sur moi dans la conversation, à la façon de bien des discoureurs de ma connaissance.

Il sourit avec satisfaction, et but sa tasse. Il la replaça sur son bureau avec un air d'orateur à la tribune; et, comme je n'avais pas répondu à son idée, il y revint par un autre chemin, parce qu'il lui fallait absolument réponse et flatterie.

"Je sais que vous êtes de mon avis, citoyen, quoique vous ayez bien des choses des hommes d'autrefois. Mais vous êtes pur, c'est beaucoup. Je sui bien sûr au moins que vous n'aimeriez pas plus que moi le Despotisme militaire; et, si l'on ne m'écoute pas, vous le verrez arriver: il prendra les rênes de la Révolution si je les laisse flotter, et renversera la représentation avilie.

"Ceci me paraît très juste, citoyen," répondis-je. En effet, ce n'était pas si mal, et c'était prophétique.

Il fit encore son sourire de chat.

"Vous aimeriez encore mieux mon Despotisme, à moi, j'en suis sûr, hein?"

Je dis en grimaçant aussi: "Eh! . . . mais! . . ." avec tout le vague qu'on peut mettre dans ces mots flottants.

"Ce serait, continua-t-il, celui d'un citoyen, d'un homme votre égal, qui y serait arrivé par la route de la vertu, et n'a jamais eu qu'une crainte, celle d'être souillé par le voisinage impur des hommes pervers qui s'introduisent parmi les sincères amis de l'humanité."

Il caressait de la langue et des lèvres cette jolie petite longue phrase comme un miel délicieux.

"Vous avez, dis-je, beaucoup moins de voisins à présent, n'est-ce pas? On ne vous coudoie guère."

Il se pinça les lèvres, et plaça ses lunettes vertes droit sur les yeux pour cacher le regard.

"Parce que je vis dans la retraite, dit-il, depuis quelque temps. Mais je n'en suis pas moins calomnié."

Tout en parlant, il prit un crayon et griffonna quelque chose sur un papier. J'ai appris cinq jours après que ce papier était une liste de guillotine, et ce quelque chose . . . mon nom.

Il sourit, et se pencha en arrière.

"Hélas! oui, calomnié, poursuivit-il; car, à parler sans plaisanterie, je n'aime que l'égalité, comme vous le savez, et vous devez le voir plus que jamais à l'indignation que m'inspirent ces papiers émanés des arsenaux de la tyrannie."

Il froissa et foula avec un air tragique ces grands journaux anglais; mais je remarquai bien qu'il se gardait de les déchirer.

"Ah! Maximilien, me dis-je, tu les reliras seul plus d'une fois, et tu baiseras ardemment ces mots superbes et magiques pour toi: *les troupes de Robespierre!*"

Après sa petite comédie et la mienne, il se leva et marcha dans sa chambre en agitant convulsivement ses doigts, ses épaules et son cou.

Je me levai et marchai à côté de lui.

"Je voudrais vous donner ceci à lire avant de vous parler de ma santé, dit-il, et en causer avec vous. Vous cannaissez mon amitié pour l'auteur. C'est un projet de Saint-Just. Vous verrez. Je l'attends ce matin; nous en causerons. Il doit être arrivé à Paris à présent, ajouta-t-il en tirant sa montre; je vais le savoir. Asseyez-vous, et lisez ceci. Je reviendrai."

Il me donna un gros cahier chargé d'une écriture hardie et hâtée, et sortit brusquement, comme s'il se fût enfui. Je tenais le cahier, mais je regardais la porte par laquelle il était sorti, et je réfléchissais à lui. Je le connaissais de longue date. Aujourd'hui je le voyais étrangement inquiet. Il allait entreprendre quelque chose ou craignait quelque entreprise. J'entrevis, dans la chambre où il passait, des figures d'agents secrets que j'avais vues plusieurs fois à ma suite, et je remarquai un bruit de pas comme de gens qui montaient et descendaient sans cesse depuis mon arrivée. Les voix étaient très basses. J'essayai d'entendre, mais vainement, et je renonçai à écouter. J'avoue que j'étais plus près de la crainte que de la confiance. Je voulus sortir de la chambre par où j'étais entré; mais, soit méprise, soit précaution, on avait fermé la porte sur moi: j'étais enfermé.

Quand une chose est décidée, je n'y pense plus. Je m'assis, et je parcourus ce brouillon avec lequel Robespierre m'avait laissé en tête-à-tête.

CHAPITRE XXXI

UN LÉGISLATEUR

Ce n'était rien moins, monsieur, que des institutions immuables, éternelles, qu'il s'agissait de donner à la France, et lestement préparées pour elle par le citoyen Saint-Just, âgé de vingt-six ans.

Je lus d'abord avec distraction; puis les idées me montèrent aux yeux, et je fus stupéfait de ce que je voyais.

"O naïf massacreur! ô candide bourreau! m'écriai-je involontairement, que tu es un charmant enfant! Eh!

d'où viens-tu, beau berger? serait-ce pas de l'Arcadie? de quels rochers descendent tes chèvres, ô Alexis?"

Et en parlant ainsi je lisais:

"On laisse les enfants à la nature.

"Les enfants sont vêtus de toile en toutes les saisons.

"Ils sont nourris en commun et ne vivent que de racines, de fruits, de légumes et de laitage.

"Les hommes qui auront vécu sans reproche porteront une écharpe blanche à soixante ans.

"L'homme et la femme qui s'aiment sont époux.

"S'ils n'ont point d'enfants, ils peuvent tenir leur engagement secret.

"Tout homme âgé de vingt et un ans est tenu de déclarer dans le temple quels sont ses amis.

"Les amis porteront le deuil l'un de l'autre.

"Les amis creusent la tombe l'un de l'autre.

"Les amis sont placés les uns près des autres dans les combats.

"Celui qui dit qu'il ne croit pas à l'amitié, ou qui n'a pas d'ami, est banni.

"Un homme convaincu d'ingratitude est banni."

"Quelles émigrations!" dis-je.

"Si un homme commet un crime, ses amis sont bannis.

"Les meurtriers sont vêtus de noir toute leur vie, et seront mis à mort s'ils quittent cet habit.

"Ame innocente et douce, m'écriai-je, que nous sommes ingrats de t'accuser! Tes pensées sont pures comme une goutte de rosée sur une feuille de rose, et nous nous plaignons pour quelques charretées d'hommes que tu envoies au couteau chaque jour à la même heure! Et tu ne les vois seulement pas, ni ne les touches, bon jeune homme! Tu écris seulement leurs noms sur du papier!—moins que cela: tu vois une liste, et tu signes!—moins que cela encore: tu ne la lis pas, et tu signes!"

Ensuite je ris longtemps et beaucoup, du rire joyeux

que vous savez, en parcourant ces institutions dites républicaines, et que vous pourrez lire quand vous voudrez; ces lois de l'âge d'or, auxquelles ce béat cruel voulait ployer de force notre âge d'airain. Robe d'enfant dans laquelle il voulait faire tenir cette nation grande et vieillie. Pour l'y fourrer, il coupait la tête et les bras.

Lisez cela, vous le pourrez plus à votre aise que je ne le pouvais dans la chambre de Robespierre; et si vous pensez, avec votre habituelle pitié, que ce jeune homme était à plaindre, en vérité vous me trouverez de votre avis cette fois, car la folie est la plus grande des infortunes.

Hélas! il y a des folies sombres et sérieuses, qui ne jettent les hommes dans aucun discours insensé, qui ne les sortent guère du ton accoutumé du langage des autres, qui laissent la vue claire, libre et précise de tout, hors celle d'un point sombre et fatal. Ces folies sont froides, ces folies sont posées et réfléchies. Elles singent le sens commun à s'y méprendre, elles effrayent et imposent, elles ne sont pas facilement découvertes, leur masque est épais, mais elles sont.

Et que faut-il pour les donner? Un rien, un petit déplacement imprévu dans la position d'un rêveur trop précoce.

Prenez au hasard, au fond d'un collège, quelque grand jeune homme de dix-huit à dix-neuf ans, tout plein de ses Spartiates et de ses Romains délayés dans de vieilles phrases, tout raide de son droit ancien et de son droit moderne, ne connaissant du monde actuel et de ses mœurs que ses camarades et leur mœurs, bien irrité de voir passer des voitures où il ne monte pas, méprisant les femmes parce qu'il ne connaît que les plus viles, et confondant les faiblesses de l'amour tendre et élégant avec les dévergondages crapuleux de la rue; jugeant tout un corps d'après un membre, tout un sexe d'après un être, et s'étudiant à former dans sa tête quelque synthèse universelle bonne à faire de lui un sage profond pour toute sa vie; prenez-le dans ce moment, et faites-lui cadeau d'une petite guillotine en lui disant:

"Mon petit ami, voici un instrument au moyen duquel vous vous ferez obéir de toute la nation; il ne s'agit que de tirer cela et de pousser ceci. C'est bien simple."

Après avoir un peu réfléchi, il prendra d'une main son papier d'écolier et de l'autre le joujou; et voyant qu'en effet on a peur, il tirera et poussera jusqu'à ce qu'on l'écrase lui et sa mécanique.

Et à peine s'il sera un méchant homme.—Non; il sera même, à la rigueur, un homme vertueux. Mais c'est qu'il aura tant lu dans de beaux livres: *juste sévérité; salutaire massacre;* et: *de vos plus chers parents saintement homicides,* et: *périsse l'univers plutôt qu'un principe!* et surtout: *la vertu expiatrice de l'effusion du sang;* idée monstrueuse, fille de la crainte, que, ma foi! il croit en lui et, tout en répétant à lui-même: *Justum et tenacem propositi virum,* il arrive à l'impassibilité des douleurs d'autrui, il prend cette impassibilité pour grandeur et courage, et . . . il exécute.

Tout le malheur sera dans le tour de roue de la Fortune qui l'aura mis en haut et lui aura trop tôt donné cette chose fatale entre toutes: LE POUVOIR.

CHAPITRE XXXII

SUR LA SUBSTITUTION DES SOUFFRANCES EXPIATOIRES

Ici le Docteur-Noir s'interrompit, et reprit après un moment de stupeur et de réflexion:

—Un des mots que ma bouche vient de prononcer m'a tout à coup arrêté, monsieur, et me force de contempler avec effroi deux pensées extrêmes qui viennent de se toucher et de s'unir devant moi, sur mes pas.

En ce temps-là même dont je parle, au temps du vertueux Saint-Just (car il était, dit-on, sans vices, sinon sans crimes), vivait et écrivait un autre homme vertueux, implacable adversaire de la Révolution. Cet autre Esprit sombre, Esprit falsificateur, je ne dis pas faux, car il avait conscience du vrai; cet Esprit obstiné, impitoyable, audacieux et subtil, armé comme le sphinx, jusqu'aux ongles et jusqu'aux dents, de sophismes métaphysiques et énigmatiques, cuirassé de dogmes de fer, empanaché d'oracles nébuleux et foudroyants; cet autre Esprit grondait comme un orage prophétique et menaçant, et tournait autour de la France. Il avait nom: Joseph de Maistre.

Or, parmi beaucoup de livres sur l'avenir de la France, deviné phase par phase; sur le gouvernement temporel de la Providence, sur le principe générateur des constitutions, sur le Pape, sur les décrets de l'injustice divine et sur l'inquisition; voulant démontrer, sonder, dévoiler aux yeux des hommes les sinistres fondations qu'il donnait (problème éternel!) à l'Autorité de l'homme sur l'homme, voici en substance ce qu'il écrivait:

La chair est coupable, maudite et ennemie de Dieu.—Le sang est un fluide vivant. Le ciel ne peut être apaisé que par le sang.—L'innocent peut payer pour le coupable. Les anciens croyaient que les dieux accouraient partout où le sang coulait sur les autels; les premiers docteurs chrétiens crurent que les anges accouraient partout où coulait le sang de la véritable victime.—L'effusion du sang est expiatrice. Ces vérités sont innées.—La Croix atteste le SALUT PAR LE SANG.

Et, depuis, Origène a dit justement qu'il y avait deux Rédemptions: celle du Christ, qui racheta l'univers, et les *Rédemptions diminuées,* qui rachètent par le sang celui des nations. Ce sacrifice sanglant de quelques hommes pour tous se *perpétuera jusqu'à la fin du monde.* Et les nations pourront se racheter éternellement par la *substitution des souffrances expiatoires.*

C'était ainsi qu'un homme doué des plus hardies et des plus trompeuses imaginations philosophiques qui jamais aient fasciné l'Europe était arrivé à rattacher au pied même de la Croix le premier anneau d'une chaîne effrayante et interminable de sophismes ambitieux et impies, qu'il semblait adorer consciencieusement, et qu'il avait fini peut-être par regarder du fond du cœur comme les rayons d'une sainte vérité. C'était à genoux sans doute et en se frappant la poitrine qu'il s'écrait:

"La terre, continuellement imbibée de sang, n'est qu'un autel immense où tout ce qui vit doit être immolé sans fin jusqu'à l'extinction du mal!—Le bourreau est la pierre angulaire de la société: sa mission est sacrée.—L'inquisition est bonne, douce et conservatrice.

"La bulle *In cœna Domini* est de source divine; c'est elle qui excommunie les hérétiques et les appelants aux futurs conciles. Eh! pourquoi un concile, grand Dieu! quand le pilori suffit!

"Le sentiment de la terreur d'une puissance irritée a toujours subsisté.

"La guerre est divine: elle doit régner éternellement pour purger le monde.—Les races sauvages sont dévouées et frappées d'anathème. J'ignore leur crime, ô Seigneur! mais, puisqu'elles sont malheureuses et insensées, elles sont criminelles et justement punies de quelque faute d'un ancien chef. Les Européens, au siècle de Colomb, eurent raison de ne pas les compter dans l'espèce humaine comme leurs semblables.

"La Terre est un autel qui doit être éternellement imbibé de sang."

O Pieux Impie! qu'avez-vous fait?

Jusqu'à cet Esprit falsificateur, l'idée de la Rédemption de la race coupable s'était arrêtée au Calvaire. Là, Dieu immolé par Dieu avait lui-même crié: *Tout est consommé.*

N'était-ce pas assez du sang divin pour le salut de la chair humaine?

Non.—L'orgueil humain sera éternellement tourmenté du désir de trouver au Pouvoir temporel absolu une base incontestable, et il est dit que toujours les sophistes tourbillonneront autour de ce problème, et s'y viendront brûler les ailes. Qu'ils soient tous absous, excepté ceux qui osent toucher à la vie! la vie, le feu sacré, le feu trois fois saint, que le Créateur lui seul a le droit de reprendre! droit terrible de la peine sinistre, que je conteste même à la justice!

Non.—Il a fallu à l'impitoyable sophistiqueur souffler, comme un alchimiste patient, sur la poussière des premiers livres, sur les cendres des premiers docteurs, sur la poudre des bûchers indiens et des repas anthropophages, pour en faire sortir l'étincelle incendiaire de la fatale idée.—Il lui a fallu trouver et écrire en relief les paroles de cet Origène, qui fut un Abeilard volontaire: première immolation et premier sophisme, dont il crut découvrir aussi le principe dans l'Évangile; cet obscur et paradoxal Origène, docteur en l'an 190 de J.-C., dont les *principes* à demi platoniciens furent loués depuis sa mort par six saints (parmi eux saint Athanase et saint Chrysostome), et condamnés par trois saints, un empereur et un pape (parmi eux saint Jérôme et Justinien).—Il a fallu que le cerveau de l'un des derniers catholiques fouillât bien avant dans le crâne de l'un des premiers chrétiens pour en tirer cette fatale théorie de la *réversibilité* et du *salut par le sang*. Et cela pour replâtrer l'édifice démantelé de l'Église romaine et l'organisation démembrée du moyen âge! Et cela tandis que l'inutilité du sang pour la fondation des systèmes et des pouvoirs se démontrait tous les jours en place publique de Paris! Et cela tandis qu'avec les mêmes axiomes *quelques scélérats,* lui-même l'écrivait, *renversaient quelques scélérats* en distant aussi: l'Éternel, la Vertu, la Terreur!

Armez de couteaux aussi tranchants que ces deux *Autorités,* et dites-moi laquelle imbibera l'*autel* avec le plus large arrosoir de sang!

Et prévoyait-il, le prophète orthodoxe, que de son temps même croîtrait et se multiplierait à l'infini la monstrueuse famille de ses Sophismes, et que, parmi les petits de cette tigresse race, il s'en trouverait dont le cri serait celui-ci:

"Si la *substitution des souffrances expiatoires* est juste, ce n'est pas assez, pour le salut des peuples, des substitutions et des dévouements *volontaires* et très rares. L'innocent immolé pour le coupable sauve sa nation; donc il est juste et bon qu'il soit immolé par elle et pour elle; et lorsque cela fut, cela fut bien."

Entendez-vous le cri de la bête carnassière, sous la voix de l'homme?—Voyez-vous par quelles courbes, partis de deux points opposés, ces purs idéologues sont arrivés d'en bas et d'en haut à un même point où ils se touchent: à l'échafaud? Voyez-vous comme ils honorent et caressent le Meurtre?—Que le Meurtre est beau, que le Meurtre est bon, qu'il est facile et commode, pourvu qu'il soit bien interprété! Comme le Meurtre peut devenir joli en des bouches bien faites et quelque peu meublées de paroles impudentes et d'arguties philosophiques! Savez-vous s'il se naturalise moins sur ces langues parleuses que sur celles qui lèchent le sang? Pour moi je ne le sais pas.

Demandez-le (si cela s'évoque) aux massacreurs de tous les temps. Qu'ils viennent de l'Orient et de l'Occident! Venez en haillons, venez en soutane, venez en cuirasse, venez, tueurs d'un homme et tueurs de cent mille; depuis la Saint-Barthélemy jusqu'aux septembrisades, de Jacques Clément et de Ravaillac à Louvel, de des Adrets et Montluc à Marat et Schneider; venez, vous trouverez ici des amis, mais je n'en serai pas.

Ici le Docteur-Noir rit longtemps; puis il soupira en se recueillant et reprit:

—Ah! monsieur, c'est ici surtout qu'il faut, comme vous, prendre en pitié.

Dans cette violente passion de tout rattacher, à tout prix, à une cause, à une *synthèse,* de laquelle on descend à tout, et par laquelle tout s'explique, je vois encore l'extrême faiblesse des hommes qui, pareils à des enfants qui vont dans l'ombre, se sentent tous saisis de frayeur, parce qu'ils ne voient pas le fond de l'abîme que ni Dieu créateur ni Dieu sauveur n'ont voulu nous faire connaître. Ainsi je trouve que ceux-là mêmes qui se croient les plus forts, en construisant le plus de systèmes, sont les plus faibles et les plus effrayés de *l'analyse,* dont ils ne peuvent supporter la vue, parce qu'elle s'arrête à des effets certains, et ne contemple qu'à travers l'ombre, dont le ciel a voulu l'envelopper, la Cause . . . Cause pour toujours incertaine.

Or, je vous le dis, ce n'est pas dans l'Analyse que les esprits justes, les seuls dignes d'estime, ont puisé et puiseront jamais les idées durables, les idées qui frappent par le sentiment de bien-être que donne la rare et pure présence du vrai.

L'Analyse est la destinée de l'éternelle ignorante, l'Ame humaine.

L'Analyse est une sonde. Jetée profondément dans l'Océan, elle épouvante et désespère le Faible; mais elle rassure et conduit le Fort, qui la tient fermement en main.

Ici le Docteur-Noir, passant les doigts sur son front et ses yeux, comme pour oublier, effacer, ou suspendre ses méditations intérieures, reprit ainsi le fil de son récit.

CHAPITRE XXXIII

LA PROMENADE CROISÉE

J'avais fini par m'amuser des *Institutions* de Saint-Just, au point d'oublier totalement le lieu où j'étais. Je me plongeai avec délices dans une distraction complète, ayant dès longtemps fait l'abnégation totale d'une vie qui fut toujours triste. Tout à coup la porte par laquelle j'étais entré s'ouvrit encore. Un homme de trente ans environ, d'une belle figure, d'une taille haute, l'air militaire et orgueilleux, entra sans beaucoup de cérémonie. Ses bottes à l'écuyère, ses éperons, sa cravache, son large gilet blanc ouvert, sa cravate noire dénouée, l'auraient fait prendre pour un jeune général.

"Ah! tu ne sais donc pas si on peut lui parler? dit-il en continuant de s'adresser au nègre qui lui avait ouvert la porte. Dis-lui que c'est l'auteur de *Caïus Gracchus* et de *Timoléon*."

Le nègre sortit, ne répondit rien et l'enferma avec moi. L'ancien officier de dragons en fut quitte pour sa fanfaronnade, et entra jusqu'à la cheminée en frappant du talon.

"Y a-t-il longtemps que tu attends, citoyen? me dit-il. J'espère que, comme représentant, le citoyen Robespierre me recevra bientôt et m'expédiera avant les autres. Je n'ai qu'un mot à lui dire, moi."

Il se retourna et arrangea ses cheveux devant la

glace. "Je ne suis pas un solliciteur, moi.—Moi, je dis tout haut ce que je pense, et, sous le régime des tyrans Bourbons comme sous celui-ci, je n'ai pas fait mystère de mes opinions, moi."

Je posai mes papiers sur la table, et je le regardai avec un air de surprise qui lui en donna un peu à lui-même.

"Je n'aurais pas cru, lui dis-je sans me déranger, que vous vinssiez ainsi pour votre plaisir."

Il quitta tout d'un coup son air de matador, et se mit dans un fauteuil près de moi:

"Ah çà! franchement, me dit-il à voix basse, êtes-vous appelé comme je le suis, je ne sais pourquoi?"

Je remarquai en cette occasion ce qui arrivait souvent alors, c'est que le tutoiement était une sorte de langage de comédie qu'on récitait comme un rôle, et que l'on quittait pour parler sérieusement.

"Oui, lui dis-je, je suis appelé, mais comme les médecins le sont souvent: cela m'inquiète peu, pour moi, du moins, ajoutai-je en appuyant sur ces derniers mots.

—Ah! pour vous!" me dit-il en époussetant ses bottes avec sa cravache.

Puis il se leva et marcha dans la chambre en toussant avec un peu de mauvaise humeur.

Il revint.

"Savez-vous s'il est en affaire? me dit-il.

—Je le suppose, répondis-je, citoyen Chénier."

Il me prit la main impétueusement.

"Cà, me dit-il, vous ne m'avez pas l'air d'un espion. Qu'est-ce que l'on me veut ici? Si vous savez quelque chose, dites-le-moi."

J'étais sur les épines; je sentais qu'on allait entrer, que peut-être on voyait, que certainement on écoutait. La Terreur était dans l'air, partout, et surtout dans cette chambre. Je me levai et marchai, pour qu'au moins on entendît de longs silences, et que la conversation ne parût pas suivie. Il me comprit et marcha dans la chambre dans le sens opposé. Nous allions d'un pas mesuré, comme deux soldats en faction qui se croisent; chacun de nous prit, aux yeux l'un de l'autre, l'air de réfléchir en lui-même, et disait un mot en passant; l'autre répondait en passant.

Je me frottai les mains.

"Il se pourrait, dis-je assez bas, en ne faisant semblant de rien et allant de la porte à la cheminée, qu'on nous eût réunis à dessein." Et très haut: "Joli appartement!"

Il revint de la cheminée à la porte, et, en me rencontrant au milieu, dit:

"Je le crois." Puis en levant la tête: "Cela donne sur la cour."

Je passai.

"J'ai vu votre père et votre frère, ce matin," dis-je. Et en criant: "Quel beau temps il fait!"

Il repassa.

"Je le savais; mon père et moi, nous ne nous voyons plus, et j'espère qu'André ne sera pas longtemps là.—Un ciel magnifique."

Je le croisai encore.

"Tallien, dis-je, Courtois, Barras, Clauzel, sont de bons citoyens." Et avec enthousiasme: "C'est un beau sujet que *Timoléon!*"

Il me croisa en revenant.

"Et Barras, Collot-d'Herbois, Loiseau, Bourdon, Barrère, Boissy-d'Anglas. . . —J'aimais encore mieux mon *Fénelon.*"

Je hâtai la marche.

"Ceci peut durer encore quelques jours.—On dit les vers bien beaux."

Il vint à grands pas et me coudoya.

"Les triumvirs ne passeront pas quatre jours.—Je l'ai lu chez la citoyenne Vestris."

Cette fois, je lui serrai la main en traversant.

"Gardez-vous de nommer votre frère, on n'y pense pas.—On dit le dénouement bien beau."

A la dernière passe, il me reprit chaudement la main.

"Il n'est sur aucune liste; je ne le nommerai pas.—Il faut faire le mort. Le 9, je l'irai délivrer de ma main.—Je crains qu'il ne soit trop prévu."

Ce fut la dernière traversée. On ouvrit; nous étions aux deux bouts de la chambre.

CHAPITRE XXXIV

UN PETIT DIVERTISSEMENT

Robespierre entra, il tenait Saint-Just par la main; celui-ci, vêtu d'une redingote poudreuse, pâle et défait, arrivait à Paris. Robespierre jeta sur nous deux un coup d'œil rapide sous ses lunettes, et la distance où il nous vit l'un de l'autre me parut lui plaire; il sourit en pinçant les lèvres.

"Citoyens, voici un voyageur de votre connaissance," dit-il.

Nous nous saluâmes tous trois, Joseph Chénier en fronçant le sourcil, Saint-Just avec un signe de tête brusque et hautain, moi gravement comme un moine.

Saint-Just s'assit à côté de Robespierre, celui-ci sur son fauteuil de cuir, devant son bureau, nous en face. Il y eut un long silence. Je regardai les trois personnages tour à tour. Chénier se renversait et se balançait avec un air de fierté, mais un peu d'embarras, sur sa chaise, comme rêvant à mille choses étrangères. Saint-Just, l'air parfaitement calme, penchait sur l'épaule sa belle tête mélancolique, régulière et douce, chargée de cheveux châtains flottants et bouclés; ses grands yeux s'élevaient au ciel, et il soupirait. Il avait l'air d'un jeune saint.— Les persécuteurs prennent souvent des manières de victimes. Robespierre nous regardait comme un chat ferait de trois souris qu'il aurait prises.

"Voilà, dit Robespierre d'un air de fête, notre ami Saint-Just qui revient de l'armée. Il y a écrasé la trahison, il en fera autant ici. C'est une surprise, on ne l'attendait pas, n'est-ce pas, Chénier?"

Et il le regarda de côté, comme pour jouir de sa contrainte.

"Tu m'as fait demander, citoyen? dit Marie-Joseph Chénier avec humeur; si c'est pour affaire, dépêchons-nous, on m'attend à la Convention.

—Je voulais, dit Robespierre d'un air empesé en me désignant, te faire rencontrer avec cet excellent homme qui porte tant d'intérêt à ta famille."

J'étais pris. Marie-Joseph et moi, nous nous regardâmes et nous nous révélâmes toutes nos craintes par ce coup d'œil. Je voulus rompre les chiens.

—Ma foi, dis-je, j'aime les lettres, moi, et *Fénelon*—

—Ah! à propos, interrompit Robespierre, je te fais compliment, Chénier, du succès de ton *Timoléon* dans les ci-devant salons où tu en fais la lecture.—Tu ne connais pas cela, toi?" dit-il à Saint-Just avec ironie.

Celui-ci sourit d'un air de mépris, et se mit à secouer la poussière de ses bottes avec le pan de sa longue redingote, sans daigner répondre.

"Bah! bah! dit Joseph Chénier en me regardant, c'est trop peu de chose pour lui."

Il voulait dire cela avec indifférence, mais le sang d'auteur lui monta aux joues.

Saint-Just, aussi parfaitement calme qu'à l'ordinaire, leva les yeux sur Chénier, et le contempla comme avec admiration.

"Un membre de la Convention qui s'amuse à cela en l'an II de la République me paraît un prodige, dit-il.

—Ma foi, quand on n'a pas la haute main dans les affaires, dit Joseph Chénier, c'est encore ce qu'on peut faire de mieux pour la nation."

Saint-Just haussa les épaules.

Robespierre tira sa montre, comme attendant quelque chose, et dit d'un air pédant:

"Tu sais, citoyen Chénier, mon opinion sur les écrivains. Je t'excepte, parce que je connais tes vertus républicaines; mais, en général, je les regarde comme les plus dangereux ennemis de la patrie. Il faut une volonté *une*. Nous en sommes là. Il la faut républicaine, et pour cela il ne faut que des écrivains républicains; le reste corrompt le peuple. Il faut le rallier, ce peuple, et vaincre les bourgeois, de qui viennent nos dangers intérieurs. Il faut que le peuple s'allie à la Convention et elle à lui; que les sans-culottes soient payés et *colérés,* et restent dans les villes. Qui s'oppose à mes vues? Les écrivains, les faiseurs de vers qui font du dédain rimé, qui crient: *O mon âme! fuyons dans les déserts;* ces gens-là découragent. La Convention doit traiter tous ceux qui ne sont pas utiles à la République comme des contre-révolutionnaires.

—C'est bien sévère, dit Marie-Joseph assez effrayé, mais plus piqué encore.

—Oh! je ne parle pas pour toi, poursuivit Robespierre d'un ton mielleux et radouci; toi, tu as été un guerrier, tu es législateur, et, quand tu ne sais que faire, Poète.

—Pas du tout! pas du tout! dit Joseph, singulièrement vexé; je suis au contraire né Poète, et j'ai perdu mon temps à l'armée et à la Convention."

J'avoue que, malgré la gravité de la situation, je ne pus m'empêcher de sourire de son embarras.

Son frère aurait pu parler ainsi; mais Joseph, selon

moi, se trompait un peu sur lui-même; aussi l'Incorruptible, qui était au fond de mon avis, poursuivit pour le tourmenter:

"Allons! allons! dit-il avec une galanterie fausse et fade, allons, tu es trop modeste, tu refuses deux couronnes de Laurier pour une couronne de Roses pompon.

—Mais il me semblait que tu aimais ces fleurs-là, toi-même, autrefois, citoyen! dit Chénier; j'ai lu de toi des couplets fort agréables sur une coupe et un festin. Il y avait:

> O Dieux! que vois-je, mes amis?
> Un crime trop notoire.
> O malheur affreux!
> O scandale honteux!
> J'ose le dire à peine;
> Pour vous j'en rougis,
> Pour moi j'en gémis,
> Ma coupe n'est pas pleine.

"Et puis un certain madrigal où il y avait:

> Garde toujours ta modestie;
> Sur le pouvoir de tes appas
> Demeure toujours alarmée:
> Tu n'en seras que mieux aimée
> Si tu crains de ne l'être pas.

"C'était joli! et nous avons aussi deux discours sur la peine de mort, l'un contre, l'autre pour; et puis un éloge de Gresset, où il y avait cette belle phrase, que je me rappelle encore tout entière:

"Oh! lisez le *Vert-Vert,* vous qui aspirez au mérite de badiner et d'écrire avec grâce; lisez-le, vous qui ne cherchez que l'amusement, et vous connaîtrez de nouvelles sources de plaisirs. Oui, tant que la langue française subsistera, le *Vert-Vert* trouvera des admirateurs. Grâce au pouvoir du génie, les aventures d'un perroquet occuperont encore nos derniers neveux. Une foule de héros est restée plongée dans un éternel oubli, parce qu'elle n'a point trouvé une plume digne de célébrer ses exploits; mais toi, heureux *Vert-Vert,* ta gloire passera à la postérité la plus reculée! O Gresset! tu fus le plus grand des poètes!—répandons des fleurs, etc., etc., etc."

"C'était fort agréable.

"J'ai encore cela chez moi, imprimé sous le nom de *M. de Robespierre, avocat en parlement.*"

L'homme n'était pas commode à persifler. Il fit de sa face de chat une face de tigre, et crispa les ongles.

Saint-Just, ennuyé, et voulant l'interrompre, lui prit le bras.

"A quelle heure t'attend-on aux Jacobins?

—Plus tard, dit Robespierre avec humeur; laisse-moi, je m'amuse."

Le rire dont il accompagna ce mot fit claquer ses dents.

"J'attends quelqu'un, ajouta-t-il.—Mais toi, Saint-Just, que fais-tu des Poètes?

—Je te l'ai lu, dit Saint-Just, ils ont un dixième chapitre de mes institutions.

—Eh bien! qu'y font-ils?"

Saint-Just fit une moue de mépris, et regarda autour de lui à ses pieds, comme s'il eût cherché une épingle perdue sur le tapis.

"Mais . . . dit-il . . . des hymnes qu'on leur commandera le premier jour de chaque mois, en l'honneur de l'Éternel et des bons citoyens, comme le voulait Platon. Le 1er de Germinal, ils célébreront la nature et le peuple; en Floréal, l'amour et les époux; en Prairial, la victoire; en Messidor, l'adoption; en Thermidor, la jeunesse; en Fructidor, le bonheur; en Vendémiaire, la vieillesse; en Brumaire, l'âme immortelle; en Frimaire, la sagesse; en Nivôse, la patrie; en Pluviôse, le travail, et en Ventôse, les amis."

Robespierre applaudit.

"C'est parfaitement réglé, dit-il.

—Et: l'inspiration ou la mort," dit Joseph Chénier en riant. Saint-Just se leva gravement.

"Eh! pourquoi pas, dit-il, si leurs vertus patriotiques ne les enflamment pas! Il n'y a que deux principes: la Vertu ou la Terreur."

Ensuite il baissa la tête, et demeura tranquillement le dos à la cheminée, comme ayant tout dit, et convaincu dans sa conscience qu'il savait toutes choses. Son calme était parfait, sa voix inaltérable et sa physionomie candide, extatique et régulière.

"Voilà l'homme que j'appellerais un Poète, dit Robespierre en le montrant, il voit en grand, lui; il ne s'amuse pas à des formes de style plus ou moins habiles; il jette des mots comme des éclairs dans les ténèbres de l'avenir, et il sent que la destinée des hommes secondaires qui s'occupent du détail des idées est de mettre en œuvre les nôtres; que nulle race n'est plus dangereuse pour la liberté, plus ennemie de l'égalité, que celle des aristocrates de l'intelligence, dont les réputations isolées exercent une influence partielle, dangereuse, et contraire à l'*unité* qui doit tout régir."

Après sa phrase, il nous regarda.—Nous nous regardions.—Nous étions stupéfaits. Saint-Just approuvait du geste, et caressait ces opinions jalouses et dominatrices, opinions que se feront toujours les pouvoirs qui s'acquièrent par l'action et le mouvement, pour tâcher de dompter ces puissances mystérieuses et indépendantes qui ne se forment que par la méditation qui produit leurs œuvres, et l'admiration qu'elles excitent.

Les parvenus, favoris de la fortune, seront éternellement irrités, comme Aman, contre ces sévères Mardochées qui viennent s'asseoir, couverts de cendre, sur les degrés de leurs palais, refusant seuls de les adorer, et les forçant parfois de descendre de leur cheval et de tenir en main la bride du leur.

Joseph Chénier ne savait comment revenir de l'étonnement où il était d'entendre de pareilles choses. Enfin le caractère emporté de sa famille prit le dessus.

"Au fait, me dit-il, j'ai connu dans ma vie des poètes à qui il ne manquait pour l'être qu'une chose, c'était la poésie."

Robespierre cassa une plume dans ses doigts et prit un journal, comme n'ayant pas entendu.

Saint-Just, qui était au fond assez naïf et tout d'une pièce comme un écolier non dégrossi, prit la chose au sérieux, et il se mit à parler de lui-même avec une satisfaction sans bornes et une innocence qui m'affligeait pour lui:

"Le citoyen Chénier a raison, dit-il en regardant fixement le mur devant lui, sans voir autre chose que son idée: je sens bien que j'étais poète, moi, quand j'ai dit: —*Les grands hommes ne meurent pas dans leur lit.*— Et—*Les circonstances ne sont difficiles que pour ceux qui reculent devant le tombeau.*—Et—*Je méprise la poussière qui me compose, et qui vous parle.*—Et— *La société n'est pas l'ouvrage de l'homme.*—Et—*Le bien même est souvent un moyen d'intrigue; soyons ingrats si nous voulons sauver la patrie.*

—Ce sont, dis-je, belles maximes et paradoxes plus ou moins spartiates et non plus ou moins connus, mais non de la poésie."

Saint-Just me tourna le dos brusquement et avec humeur.

Nous nous tûmes tous quatre.

La conversation en était arrivée à ce point où l'on ne pouvait plus ajouter un mot qui ne fût un coup, et Marie-Joseph et moi n'étions pas les plus accoutumés à frapper.

Nous sortîmes d'embarras d'une manière imprévue, car tout à coup Robespierre prit une petite clochette sur son bureau et sonna vivement. Un nègre entra et introduisit un homme âgé, qui, à peine laissé dans la chambre, resta saisi d'étonnement et d'effroi.

"Voici encore quelqu'un de votre connaissance, dit Robespierre; je vous ai préparé à tous une petite entrevue."

C'était M. de Chénier en présence de son fils. Je frémis de tout mon corps. Le père recula. Le fils baissa les yeux, puis me regarda. Robespierre riait. Saint-Just le regardait pour deviner.

Ce fut le vieillard qui rompit le silence le premier. Tout dépendait de lui, et personne ne pouvait plus le faire taire ou le faire parler. Nous attendîmes, comme on attend un coup de hache.

Il s'avança avec dignité vers son fils.

"Il y a longtemps que je ne vous ai vu, monsieur, dit-il; je vous fais l'honneur de croire que vous venez pour le même motif que moi."

Ce Marie-Joseph Chénier, si hautain, si grand, si fort, si farouche, était ployé en deux par la contrainte et la douleur.

"Mon père, dit-il lentement, en pesant sur chaque syllabe, mon Dieu! mon père, avez-vous bien réfléchi à ce que vous allez dire?"

Le père ouvrit la bouche, le fils se hâta de parler pour étouffer sa voix.

"Je sais . . . je devine . . . à peu près . . . . à peu de chose près l'affaire . . ."

Et se tournant vers Robespierre en souriant:

"Affaire bien légère, futile, en vérité . . ."

Et à son père:

"Dont vous voulez parler. Mais je crois que vous

auriez pu me la remettre entre les mains. Je suis député . . . moi . . . Je sais . . .

—Monsieur, je sais ce que vous êtes, dit M. de Chénier . . .

—Non, en vérité, dit Joseph en s'approchant, vous n'en savez rien, absolument rien. Il y a si longtemps, citoyens, qu'il n'a voulu me voir, mon pauvre père! Il ne sait pas seulement ce qui se passe dans la République. Je suis sûr que ce qu'il vient de vous dire, il n'en est pas même bien certain."

Et il lui marcha sur le pied. Mais le vieillard se recula de lui.

"C'est votre devoir, Monsieur, que je veux remplir moi-même, puisque vous ne le faites pas.

—Oh! Dieu du ciel et de la terre! s'écria Marie-Joseph au supplice.

—Ne sont-ils pas curieux tous les deux? dit Robespierre à Saint-Just d'une voix aigre et en jouissant horriblement. Qu'ont-ils donc à crier tant?

—J'ai, dit le vieux père en s'avançant vers Robespierre, j'ai le désespoir dans le cœur en voyant . . ."

Je me levai pour l'arrêter par le bras.

"Citoyen, dit Joseph Chénier à Robespierre, permets-moi de te parler en particulier, ou d'emmener mon père d'ici un moment. Je le crois malade et un peu troublé.

—Impie, dit le vieillard, veux-tu être aussi mauvais fils que mauvais. . .?

—Monsieur, dis-je en lui coupant la parole, il était inutile de me consulter ce matin.

—Non, non! dit Robespierre avec sa voix aiguë et son incroyable sang-froid; non, ma foi, je ne veux pas que ton père me quitte, Chénier! Je lui ai donné audience; il faut bien que j'écoute.—Et pourquoi donc veux-tu qu'il s'en aille?—Que crains-tu donc qu'il m'apprenne?

—Ne sais-je pas à peu près tout ce qui se passe, et même tes ordonnances du matin, docteur?

—C'est fini!" dis-je en retombant accablé sur ma chaise.

Marie-Joseph, par un dernier effort, s'avança hardiment et se plaça de force entre son père et Robespierre. "Après tout, dit-il à celui-ci, nous sommes égaux, nous sommes frères, n'est-ce pas? Eh bien, moi, je puis te dire, citoyen, des choses que tout autre qu'un représentant à la Convention nationale n'aurait pas le droit de te dire, n'est-ce pas?—Eh bien, je te dis que mon bon père que voici, mon bon vieux père, qui me déteste à présent, parce que je suis député, va te conter quelque affaire de famille bien au-dessous de tes graves occupations, vois-tu, citoyen Robespierre! Tu as de grandes affaires, toi, tu es seul, tu marches seul; toutes ces choses d'intérieur, ces petites brouilleries, tu les ignores, heureusement pour toi. Tu ne dois pas t'en occuper."

Et il le pressait par les deux mains.

"Non, je ne veux pas absolument que tu l'écoutes, vois-tu; je ne veux pas." Et, faisant le rieur: "Mais c'est que ce sont de vraies niaiseries qu'il va te dire."

Et en bavardant plus bas:

"Quelque plainte de ma conduite passée, de vieilles, vieilles idées monarchiques qu'il a. Je ne sais quoi, moi. Écoute, mon ami, toi, notre grand citoyen, notre maître, —oui, je le pense franchement, notre maître!—va, va à tes affaires, à l'Assemblée où l'on t'écoute;—ou plutôt, tiens, renvoie-nous.—Oui, tiens, franchement, mets-nous à la porte: nous sommes de trop.—Messieurs, nous sommes indiscrets, partons."

Il prenait son chapeau, pâle et haletant, couvert de sueur, tremblant.

"Allons, docteur; allons, mon père, j'ai à vous parler. Nous sommes indiscrets.—Et Saint-Just, donc, qui arrive de si loin pour le voir! de l'armée du Nord! N'est-il pas vrai, Saint-Just?"

Il allait, il venait, il avait les larmes aux yeux; il prenait Robespierre par le bras, son père par les épaules: il était fou.

Robespierre se leva, et, avec un air de bonté perfide, tendit la main au vieillard par-devant son fils.—Le père crut tout sauvé; nous sentîmes tout perdu. M. de Chénier s'attendrit de ce seul geste, comme font les vieillards faibles.

"Oh! vous êtes bon! s'écria-t-il. C'est un système que vous avez, n'est-ce pas? c'est un système qui fait qu'on vous croit mauvais. Rendez-moi mon fils aîné, monsieur de Robespierre! Rendez-le-moi, je vous en conjure; il est à Saint-Lazare. C'est bien le meilleur des deux, allez; vous ne le connaissez pas! il vous admire beaucoup, et il admire tous ces messieurs aussi; il m'en parle souvent. Il n'est point exagéré du tout, quoi qu'on ait pu vous dire. Celui-ci a peur de se compromettre, et ne vous a pas parlé; mais moi, qui suis père, monsieur, et qui suis bien vieux, je n'ai pas peur. D'ailleurs, vous êtes un homme comme il faut, il ne s'agit que de voir votre air et vos manières; et avec un homme comme vous on s'entend toujours, n'est-ce pas?"

Puis à son fils:

"Ne me faites point de signes! ne m'interrompez pas! vous m'importunez! laissez monsieur agir selon son cœur: il s'entend un peu mieux que vous en gouvernement, peut-être! Vous avez toujours été jaloux d'André, dès votre enfance. Laissez-moi, ne me parlez pas."

Le malheureux frère! il n'aurait pas parlé, il était muet de douleur, et moi aussi.

"Ah! dit Robespierre en s'asseyant et ôtant ses lunettes paisiblement et avec soulagement; voilà donc leur grande affaire! Dis donc, Saint-Just! ne s'imaginaient-ils pas que j'ignorais l'emprisonnement du petit frère? Ces gens-là me croient fou, en vérité. Seulement il est bien vrai que je ne me serais pas occupé de lui d'ici à quelques jours. Eh bien, ajouta-t-il en prenant sa plume et griffonnant, on va faire passer l'affaire de ton fils.

—Voilà! dis-je en étouffant.

—Comment! passer? dit le père interdit.

—Oui, citoyen, dit Saint-Just en lui expliquant froidement la chose, passer au tribunal révolutionnaire, où il pourra se défendre.

—Et André? dit M. de Chénier.

—Lui! répondit Saint-Just, à la Conciergerie.

—Mais il n'y avait pas de mandat d'arrêt contre André! dit son père.

—Eh bien, il dira cela au tribunal, répondit Robespierre; tant mieux pour lui."

Et en parlant il écrivait toujours.

"Mais à quoi bon l'y envoyer? disait le pauvre vieillard.

—Pour qu'il se justifie, répondait aussi froidement Robespierre, écrivant toujours.

—Mais l'écoutera-t-on?" dit Marie-Joseph.

Robespierre mit ses lunettes et le regarda fixement: ses yeux luisaient sous leurs yeux verts comme ceux des hiboux.

"Soupçonnes-tu l'intégrité du tribunal révolutionnaire?" dit-il.

Marie-Joseph baissa la tête, et dit:

"Non!" en soupirant profondément.

Saint-Just dit gravement:

"Le tribunal absout quelquefois.

—Quelquefois! dit le père tremblant et debout.

—Dis-donc, Saint-Just, reprit Robespierre en recommençant à écrire, sais-tu que c'est aussi un Poète, celui-là? Justement nous parlions d'eux, et ils parlent de nous; tiens, voilà une gentillesse de sa façon. C'est tout nouveau, n'est-il-pas vrai, Docteur? Dis donc, Saint-Just, il nous appelle *bourreaux, barbouilleurs de lois.*

—Rien que cela!" dit Saint-Just en prenant le papier, que je ne reconnus que trop, et qu'il avait fait dérober par ses merveilleux espions.

Tout à coup Robespierre tira sa montre, se leva brusquement et dit: "*Deux heures!*"

Il nous salua, et courut à la porte de sa chambre par laquelle il était entré avec Saint-Just. Il l'ouvrit, entra le premier et à demi dans l'autre appartement, où j'aperçus des hommes, et laissant sa main sur la clef comme avec une sorte de crainte et prêt à nous fermer la porte au nez, dit d'une voix aigre, fausse et ferme:

"Ceci est seulement pour vous faire voir que je sais tout ce qui se passe assez promptement."

Puis, se tournant vers Saint-Just, qui le suivait paisiblement avec un sourire ineffable de douceur:

"Dis donc, Saint-Just, je crois que je m'entends aussi bien que les Poètes à composer des scènes de famille.

—Attends, Maximilien! cria Marie-Joseph en lui montrant le poing et en s'en allant par la porte opposée, qui, cette fois, s'ouvrit d'elle-même, je vais à la Convention avec Tallien!

—Et moi aux Jacobins, dit Robespierre avec sécheresse et orgueil.

—Avec Saint-Just," ajouta Saint-Just d'une voix terrible.

En suivant Marie-Joseph pour sortir de la tanière:

"Reprenez votre second fils, dis-je au père; car vous venez de tuer l'aîné."

Et nous sortîmes sans oser nous retourner pour le voir.

CHAPITRE XXXV

UN SOIR D'ÉTÉ

Ma première action fut de cacher Joseph Chénier. Personne alors, malgré la Terreur, ne refusait son toit à une tête menacée. Je trouvai vingt maisons. J'en choisis une pour Marie-Joseph. Il s'y laissa conduire en pleurant comme un enfant. Caché le jour, il courait la nuit chez tous les représentants, ses amis, pour leur donner du courage. Il était navré de douleur, il ne parlait plus que pour hâter le renversement de Robespierre, de Saint-Just et de Couthon. Il ne vivait plus que de cette idée. Je m'y livrai comme lui, comme lui je me cachai. J'étais partout, excepté chez moi. Quand Joseph Chénier se rendait à la Convention, il entrait et sortait entouré d'amis et de représentants auxquels on n'osait toucher. Une fois dehors, on le faisait disparaître, et la troupe même des espions de Robespierre, la plus subtile volée de sauterelles qui jamais se soit abattue sur Paris comme une plaie, ne put trouver sa trace. La tête d'André Chénier dépendait d'une question de temps.

Il s'agissait de savoir ce qui mûrirait le plus vite, ou la colère de Robespierre, ou la colère des conjurés. Dès la première nuit qui suivit cette triste scène, du 5 au 6 thermidor, nous visitâmes tous ceux qu'on nomma depuis *thermidoriens,* tous, depuis Tallien jusqu'à Barras, depuis Lecointre jusqu'à Vadier. Nous les unissions d'intention sans les rassembler.—Chacun était décidé, mais tous ne l'étaient pas.

Je revins triste. Voici le résultat de ce que j'ai vu:

La République était minée et contre-minée. La mine de Robespierre partait de l'Hôtel de Ville: la contre-mine de Tallien, des Tuileries. Le jour où les mineurs se rencontreraient serait le jour de l'explosion. Mais il y avait unité du côté de Robespierre, désunion dans les conventionnnels qui attendaient son attaque. Nos efforts pour les presser de commencer n'aboutirent cette nuit et la nuit suivante, du 6 au 7, qu'à des conférences timides et partielles. Les Jacobins étaient prêts dès longtemps. La Convention voulait attendre les premiers coups. Le 7, quand le jour vint, on en était là.

Paris sentait la terre remuer sous lui. L'événement futur se respirait dans les carrefours, comme il arrive toujours ici. Les places étaient encombrées de parleurs. Les portes étaient béantes. Les fenêtres questionnaient les rues.

Nous n'avions rien pu savoir de Saint-Lazare. Je m'y étais montré. On m'avait fermé la porte avec fureur, et presque arrêté. J'avais perdu la journée en recherches vaines. Vers six heures du soir, des groupes couraient les places publiques. Des hommes agités jetaient une nouvelle dans les rassemblements et s'enfuyaient. On disait: "Les Sections vont prendre les armes. On conspire à la Convention.—Les Jacobins conspirent.—La Commune suspend les décrets de la Convention.—Les canonniers viennent de passer."

On criait:

"Grande pétition des Jacobins à la Convention en faveur du peuple."

Quelquefois toute une rue courait et s'enfuyait sans savoir pourquoi, comme balayée par le vent. Alors les enfants tombaient, les femmes criaient, les volets des boutiques se fermaient, et puis le silence régnait pour un peu de temps, jusqu'à ce qu'un nouveau trouble vînt tout remuer.

Le soleil était voilé comme par un commencement d'orage. La chaleur était étouffante. Je rôdai autour de ma maison de la place de la Révolution, et, pensant tout d'un coup qu'après deux nuits ce serait là qu'on me chercherait le moins, je passai l'arcade, et j'entrai. Toutes les portes étaient ouvertes; les portiers dans les rues. Je montai, j'entrai seul; je trouvai tout comme je l'avais laissé: mes livres épars et un peu poudreux, mes fenêtres ouvertes. Je me reposai un moment près de la fenêtre qui donnait sur la place.

Tout en réfléchissant, je regardais d'en haut ces Tuileries éternellement régnantes et tristes, avec leurs marronniers verts, et la longue maison sur la longue terrasse des Feuillants; les arbres des Champs-Élysées, tout blancs de poussière; la place toute noire de têtes d'hommes, et, au milieu, l'une devant l'autre, deux choses de bois peint: la statue de la Liberté et la Guillotine.

Cette soirée était pesante. Plus le soleil se cachait derrière les arbres et sous le nuage lourd et bleu en se couchant, plus il lançait des rayons obliques et coupés sur les bonnets rouges et les chapeaux noirs, lueurs tristes qui donnaient à cette foule agitée l'aspect d'une mer sombre tachetée par des flaques de sang. Les voix confuses n'arrivaient plus à la hauteur de mes fenêtres les plus voisines du toit que comme la voix des vagues de l'Océan, et le roulement lointain du tonnerre ajoutait à cette sombre illusion. Les murmures prirent tout à coup un accroissement prodigieux; et je vis toutes les têtes et les bras se tourner vers les boulevards, que je ne pouvais apercevoir. Quelque chose qui venait de là excitait les cris et les huées, le mouvement et la lutte. Je me penchai inutilement, rien ne paraissait, et les cris ne cessaient pas. Un désir invincible de voir me fit oublier ma situation: je voulus sortir, mais j'entendis sur l'escalier une querelle qui me fit bientôt fermer la porte. Des hommes voulaient monter, et le portier, convaincu de mon absence, leur montrait, par ses clefs doubles, que je n'habitais plus la maison. Deux voix

nouvelles survinrent et dirent que c'était vrai, qu'o
avait tout retourné il y avait une heure. J'étais arriv
à temps. On descendait avec grand regret. A leurs im
précations je reconnus de quelle part étaient venus ce
hommes. Force me fut de retourner tristement à m
fenêtre, prisonnier chez moi.

Le grand bruit croissait de minute en minute, et u
bruit supérieur s'approchait de la place, comme l
bruit des canons au milieu de la fusillade. Un flot immense de peuple armée de piques enfonça la vaste me
du peuple désarmé de la place, et je vis enfin la caus
de ce tumulte sinistre.

C'était une charrette, mais une charrette peinte d
rouge et chargée de quatre-vingts corps vivants. Il
étaient tous debout, pressés l'un contre l'autre. Toute
les tailles, tous les âges étaient liés en faisceau. Tous
avaient la tête découverte, et l'on voyait des cheveux
blancs, des têtes sans cheveux, de petites têtes blondes
à hauteur de ceinture, des robes blanches, des habits
de paysans, d'officiers, de prêtres, de bourgeois; j'aperçus même deux femmes qui portaient leur enfant à la
mamelle et nourrissaient jusqu'à la fin, comme pour
léguer à leurs fils tout leur lait, tout leur sang et toute
leur vie, qu'on allait prendre. Je vous l'ai dit, cela
s'appelait une *fournée*.

La charge était si pesante que trois chevaux ne pouvaient la traîner. D'ailleurs, et c'était la cause du bruit,
à chaque pas on arrêtait la voiture, et le peuple jetait
de grands cris. Les chevaux reculaient l'un sur l'autre,
et la charrette était comme assiégée. Alors, par-dessus
leurs gardes, les condamnés tendaient les bras à leurs
amis.

On eût dit une nacelle surchargée qui va faire naufrage et que du bord on veut sauver. A chaque essai des
gendarmes et des Sans-Culottes pour marcher en avant,

le peuple jetait un cri immense et refoulait le cortège avec toutes ses poitrines et toutes ses épaules; et, interposant devant l'arrêt son tardif et terrible *veto,* il criait d'une voix longue, confuse, croissante, qui venait à la fois de la Seine, des ponts, des quais, des avenues, des arbres, des bornes et des pavés:

"NON! NON! NON!"

A chacune de ces grandes marées d'hommes, la charrette se balançait sur ses roues comme un vaisseau sur ses ancres, et elle était presque soulevée avec toute sa charge. J'espérais toujours la voir verser. Le cœur me battait violemment. J'étais tout entier hors de ma fenêtre, enivré, étourdi par la grandeur du spectacle. Je ne respirais pas. J'avais toute l'âme et toute la vie dans les yeux.

Dans l'exaltation où m'élevait cette grande vue, il me semblait que le ciel et la terre y étaient acteurs. De temps à autre venait du nuage un petit éclair, comme un signal. La face noire des Tuileries devenait rouge et sanglante, les deux grands carrés d'arbres se renversaient en arrière comme ayant horreur. Alors le peuple gémissait; et, après sa grande voix, celle du nuage reprenait et roulait tristement.

L'ombre commençait à s'étendre, celle de l'orage avant celle de la nuit. Une poussière sèche volait au-dessus des têtes et cachait souvent à mes yeux tout le tableau. Cependant je ne pouvais arracher ma vue de cette charrette ballottée. Je lui tendais les bras d'en haut, je jetais des cris inentendus: j'invoquais le peuple! Je lui disais: "Courage!" et ensuite je regardais si le ciel ne ferait pas quelque chose.

Je m'écriai:

"Encore trois jours! encore trois jours! ô Providence! ô Destin! ô Puissances à jamais inconnues! ô vous le

Dieu! vous les Esprits! vous les Maîtres! les Éternels! si vous entendez, arrêtez-les pour trois jours encore!"

La charrette allait toujours pas à pas, lentement, heurtée, arrêtée, mais, hélas! en avant. Les troupes s'accroissaient autour d'elle. Entre la Guillotine et la Liberté, des baïonnettes luisaient en masse. Là semblait être le port où la chaloupe était attendue. Le peuple, las du sang, le peuple irrité, murmurait davantage, mais il agissait moins qu'en commençant. Je tremblai, mes dents se choquèrent.

Avec mes yeux, j'avais vu l'ensemble du tableau; pour voir le détail, je pris une *longue-vue*. La charrette était déjà éloignée de moi, en avant. J'y reconnus pourtant un homme en habit gris, les mains derrière le dos. Je ne sais si elles étaient attachées. Je ne doutai pas que ce ne fût André Chénier. La voiture s'arrêta encore. On se battait. Je vis un homme en bonnet rouge monter sur les planches de la Guillotine et arranger un panier.

Ma vue se troublait: je quittai ma lunette pour essuyer le verre et mes yeux.

L'aspect général de la place changeait à mesure que la lutte changeait de terrain. Chaque pas que les chevaux gagnaient semblait au peuple une défaite qu'il éprouvait. Les cris étaient moins furieux et plus douloureux. La foule s'accroissait pourtant et empêchait la marche plus que jamais par le nombre plus que par la résistance.

Je repris la longue-vue, et je revis les malheureux embarqués qui dominaient de tout le corps les têtes de la multitude. J'aurais pu les compter en ce moment. Les femmes m'étaient inconnues. J'y distinguai de pauvres paysannes, mais non les femmes que je craignais d'y voir. Les hommes, je les ai vus à Saint-Lazare. André causait en regardant le soleil couchant. Mon âme s'unit à la sienne; et tandis que mon œil suivait de loin le mouvement de ses lèvres, ma bouche disait tout haut ses derniers vers:

Comme un dernier rayon, comme un dernier zéphire
Animé la fin d'un beau jour,
Au pied de l'échafaud, j'essaie encor ma lyre.
Peut-être est-ce bientôt mon tour.

Tout à coup un mouvement violent qu'il fit me força de quitter ma lunette et de regarder toute la place, où je n'entendais plus de cris.

Le mouvement de la multitude était devenu rétrograde tout à coup.

Les quais, si remplis, si encombrés, se vidaient. Les masses se coupaient en groupes, les groupes en familles, les familles en individus. Aux extrémités de la place, on courait pour s'enfuir dans une grande poussière. Les femmes couvraient leurs têtes et leurs enfants de leurs robes. La colère était éteinte . . . Il pleuvait.

Qui connaît Paris comprendra ceci. Moi, je l'ai vu. Depuis encore je l'ai revu dans des circonstances graves et grandes.

Aux cris tumultueux, aux jurements, aux longues vociférations, succédèrent des murmurs plaintifs qui semblaient un sinistre adieu, de lentes et rares exclamations, dont les notes prolongées, basses et descendantes, exprimaient l'abandon de la résistance et gémissaient sur leur faiblesse. La Nation, humiliée, ployait le dos et roulait par troupeaux entre une fausse statue, une Liberté qui n'était que l'image d'une image, et un réel Échafaud teint de son meilleur sang.

Ceux qui se pressaient voulaient voir ou voulaient s'enfuir. Nul ne voulait rien empêcher. Les bourreaux saisirent le moment. La mer était calme, et leur hideuse barque arriva à bon port. La Guillotine leva son bras.

En ce moment plus aucune voix, plus aucun mouvement sur l'étendue de la place. Le bruit clair et monotone d'une large pluie était le seul qui se fît entendre comme celui d'un immense arrosoir. Les larges rayons d'eau s'étendaient devant mes yeux et sillonnaient l'espace. Mes jambes tremblaient: il me fut nécessaire d'être à genoux.

Là je regardais et j'écoutais sans respirer. La pluie était encore assez transparente pour que ma lunette me fît apercevoir la couleur du vêtement qui s'élevait entre les poteaux. Je voyais aussi un jour blanc entre le bras et le billot, et, quand une ombre comblait cet intervalle, je fermais les yeux. Un grand cri des spectateurs m'avertissait de les rouvrir.

Trente-deux fois je baissai la tête ainsi, disant une prière désespérée, que nulle oreille humaine n'entendra jamais, et que moi seul j'ai pu concevoir.

Après le trente-troisième cri, je vis l'habit gris tout debout. Cette fois je résolus d'honorer le courage de son génie en ayant le courage de voir toute sa mort: je me levai.

La tête roula, et ce qu'il *avait là* s'enfuit avec le sang.

CHAPITRE XXXVI

UN TOUR DE ROUE

Ici le Docteur-Noir fut quelque temps sans pouvoir continuer. Tout à coup il se leva et dit ce qui suit en marchant vivement dans la chambre de Stello:

—Une rage incroyable me saisit alors! Je sortis violemment de ma chambre en criant sur l'escalier: "Les bourreaux! les scélérats! livrez-moi si vous voulez! venez me chercher! me voilà!"—Et j'allongeais ma tête, comme la présentant au couteau. J'étais dans le délire.

Eh! que faisais-je?—Je ne trouvai sur les marches

le l'escalier que deux petits enfants, ceux du portier. Leur innocente présence m'arrêta. Ils se tenaient par la main, et, tout effrayés de me voir, se serraient contre la muraille pour me laisser passer comme un fou que j'étais. Je m'arrêtai et je me demandai où j'allais, et comment cette mort transportait ainsi celui qui avait tant vu mourir.—Je redevins à l'instant maître de moi; et, me repentant profondément d'avoir été assez insensé pour espérer pendant un quart d'heure de ma vie, je redevins l'impassible spectateur de choses que je fus toujours.—J'interrogeai ces enfants sur mon canonnier; il était venu depuis le 5 thermidor tous les matins à huit heures; il avait brossé mes habits et dormi près du poêle. Ensuite, ne me voyant pas venir, il était parti sans questionner personne.—Je demandai aux enfants où était leur père. Il était allé sur la place voir la cérémonie. Moi, je l'avais trop bien vue.

Je descendis plus lentement, et, pour satisfaire le désir violent qui me restait, celui de voir comment se conduirait la Destinée, et si elle aurait l'audace d'ajouter le triomphe général de Robespierre à ce triomphe partiel. Je n'en aurais pas été surpris.

La foule était si grande encore et si attentive sur la place que je sortis, sans être vu, par ma grande porte, ouverte et vide. Là je me mis à marcher, les yeux baissés, sans sentir la pluie. La nuit ne tarda pas à venir. Je marchais toujours en pensant. Partout j'entendais à mes oreilles les cris populaires, le roulement lointain de l'orage, le bruissement régulier de la pluie. Partout je croyais voir la Statue et l'Échafaud se regardant tristement par-dessus les têtes vivantes et les têtes coupées. J'avais la fièvre. Continuellement j'étais arrêté dans les rues par des troupes qui passaient, par des hommes qui couraient en foule. Je m'arrêtais, je laissais passer, et mes yeux baissés ne pouvaient regarder que le pavé luisant, glissant et lavé par la pluie. Je voyais mes pieds marcher, et je ne savais pas où ils allaient. Je réfléchissais sagement, je raisonnais logiquement, je voyais nettement et j'agissais en insensé. L'air avait été rafraîchi, la pluie avait séché dans les rues et sur moi sans que je m'en fusse aperçu. Je suivais les quais, je passais les ponts, je les repassais, cherchant à marcher seul sans être coudoyé, et je ne pouvais y réussir. J'avais du peuple à côté de moi, du peuple devant, du peuple derrière; du peuple dans la tête, du peuple partout: c'était insupportable. On me croisait, on me poussait, on me serrait. Je m'arrêtais alors, et je m'asseyais sur une borne ou une barrière: je continuais à réfléchir. Tous les traits du tableau me revenaient plus colorés devant les yeux; je revoyais les Tuileries rouges, la place houleuse et noire, le gros nuage et la grande Statue et la grande Guillotine se regardant. Alors je partais de nouveau; le peuple me reprenait, me heurtait et me roulait encore. Je le fuyais machinalement, mais sans être importuné; au contraire, la foule berce et endort. J'aurais voulu qu'elle s'occupât de moi pour être délivré par l'extérieur de l'intérieur de moi-même. La moitié de la nuit se passa ainsi dans un vagabondage de fou. Enfin, comme je m'étais assis sur le parapet d'un quai, et que l'on m'y pressait encore, je levai les yeux et regardai autour de moi et devant moi. J'étais devant l'Hôtel de Ville; je le reconnus à ce cadran lumineux, éteint depuis, rallumé nouvellement tel qu'on le voit, et qui, tout rouge alors, ressemblait de loin à une large lune de sang sur laquelle des heures magiques étaient marquées. Le cadran disait minuit et vingt minutes; je crus rêver. Ce qui m'étonna surtout fut de voir réellement autour de moi une quantité d'hommes assemblés. Sur la Grève, sur les quais, partout on allait sans savoir où. Devant l'Hôtel de Ville surtout on regardait une grande fenêtre éclairée. C'était celle du Conseil de la Commune. Sur les marches du vieux palais était rangé un bataillon épais d'hommes en bonnets rouges rangé de piques et chantant la *Marseillaise;* le reste du peuple était dans la stupeur et parlait à voix basse.

Je pris la sinistre résolution d'aller chez Joseph Chénier. J'arrivai bientôt à une étroite rue de l'île Saint-Louis, où il s'était réfugié. Une vieille femme, notre confidente, qui m'ouvrit en tremblant après m'avoir fait longtemps attendre, me dit "qu'il dormait; qu'il était bien content de sa journée; qu'il avait reçu dix Représentants sans oser sortir; que demain on allait attaquer Robespierre, et que, le 9, il irait avec moi délivrer M. André; qu'il prenait des forces."

L'éveiller pour lui dire: "Ton frère est mort; tu arriveras trop tard. Tu crieras: Mon frère! et l'on ne te répondra pas; tu diras: Je voulais le sauver,—et l'on ne te croira jamais, ni pendant ta vie ni après ta mort! et tous les jours on t'écrira: Caïn, qu'as-tu fait de ton frère?"

L'éveiller pour lui dire cela!—Oh! non!

"Qu'il prenne des forces, dis-je, il en aura besoin demain."

Et je recommençai dans la rue ma nocturne marche, résolu de ne pas entrer chez moi que l'événement ne fût accompli. Je passai la nuit à rôder de l'Hôtel de Ville au Palais-National, des Tuileries à l'Hôtel de Ville. Tout Paris semblait aussi bivouaquer.

Le jour, 8 thermidor, se leva bientôt, très brillant. Ce fut un bien long jour que celui-là. Je vis du dehors le combat intérieur du grand corps de la République. Au Palais-National, contre l'ordinaire, le silence était sur la place et le bruit dans le château. Le peuple attendit encore son arrêt tout le jour, mais vainement. Les partis se formaient. La Commune enrôlait des Sections entières de la garde nationale. Les jacobins étaient ardents à pérorer dans les groupes.

On portait des armes ; on les entendait essayer par des explosions inquiétantes. La nuit revint, et l'on apprit seulement que Robespierre était plus fort que jamais, et qu'il avait frappé d'un discours puissant ses ennemis de la Convention. Quoi ! il ne tomberait pas ! quoi ! il vivrait, il tuerait, il régnerait !—Qui aurait eu, cette autre nuit, un toit, un lit, un sommeil ?—Personne autour de moi ne s'en souvint, et moi je ne quittai pas la place. J'y vécus, j'y pris racine.

Il arriva enfin le second jour, le jour de crise, et mes yeux fatigués le saluèrent de loin. La Dispute foudroyante hurla tout le jour encore dans le palais qu'elle faisait trembler. Quand un cri, quand un mot s'envolait au dehors, il bouleversait Paris, et tout changeait de face. Les dés étaient jetés sur le tapis, et les têtes aussi. —Quelquefois un des pâles joueurs venait respirer et s'essuyer le front à une fenêtre ; alors le peuple lui demandait avec anxiété qui avait gagné la partie où il était joué lui-même.

Tout à coup on apprend, avec la fin du jour et de la séance, on apprend qu'un cri étrange, inattendu, imprévu, inouï, a été jeté : *A bas le tyran!* et que Robespierre est en prison. La guerre commence aussitôt. Chacun court à son poste. Les tambours roulent, les armes brillent, les cris s'élèvent.—L'Hôtel de Ville gémit avec son tocsin, et semble appeler son maître.—Les Tuileries se hérissent de fer, Robespierre reconquis règne en son palais, l'Assemblée dans le sien. Toute la nuit, la Commune et la Convention appellent à leur secours, et mutuellement s'excommunient.

Le peuple était flottant entre ces deux puissances. Les citoyens erraient par les rues, s'appelant, s'interrogeant, se trompant et craignant de se perdre eux-mêmes et la nation; beaucoup demeuraient en place et, frappant le pavé de la crosse de leurs fusils, s'y appuyaient le menton en attendant le jour et la vérité.

Il était minuit. J'étais sur la place du Carrousel, lorsque dix pièces de canon y arrivèrent. A la lueur des mèches allumées et de quelque torches, je vis que les officiers plaçaient leurs pièces avec indifférence sur la place, comme en un parc d'artillerie, les unes braquées contre le Louvre, les autres vers la rivière. Ils n'avaient, dans les ordres qu'ils donnaient, aucune intention décidée. Ils s'arrêtèrent et descendirent de cheval, ne sachant guère à la disposition de qui ils venaient se mettre. Les canonniers se couchèrent à terre. Comme je m'approchais d'eux, j'en remarquai un, le plus fatigué peut-être, mais à coup sûr le plus grand de tous, qui s'était établi commodément sur l'affût de sa pièce et commençait à ronfler déjà. Je le secouai par le bras: c'était mon paisible canonnier, c'était Blaireau.

Il se gratta la tête un moment avec un peu d'embarras, me regarda sous le nez, puis, me reconnaissant, se releva de toute son étendue assez languissamment. Ses camarades, habitués à le vénérer comme chef de pièce, vinrent pour l'aider à quelque manœuvre. Il allongea un peu ses bras et ses jambes pour se dégourdir, et leur dit:

"Oh! restez, restez; allez, ce n'est rien: c'est le citoyen que voilà qui vient boire un peu la goutte avec moi. Hein!"

Les camarades recouchés ou éloignés:

"Eh bien, dis-je, mon grand Blaireau, qu'est-ce donc qui arrive aujourd'hui?"

Il prit la mèche de son canon et s'amusa à y allumer sa pipe.

"Oh! c'est pas grand'chose, me dit-il.

—Diable!" dis-je.

Il huma sa pipe avec bruit et la mit en train.

"Oh! mon Dieu! mon Dieu, mon Dieu, non! pas la peine de faire attention à ça!"

Il tourna la tête par-dessus ses hautes épaules pour regarder d'un air de mépris le palais national des Tuileries, avec toutes ses fenêtres éclairées.

"C'est, me dit-il, un tas d'avocats qui se chamaillent là-bas! Et c'est tout.

—Ah! ça ne te fait pas d'autre effet, à toi? lui dis-je, en prenant un ton cavalier et voulant lui frapper sur l'épaule, mais n'y arrivant pas.

—Pas davantage," dit Blaireau avec un air de supériorité incontestable.

Je m'assis sur son affût, et je rentrai en moi-même. J'avais honte de mon peu de philosophie à côté de lui.

Cependant j'avais peine à ne pas faire attention à ce que je voyais. Le Carrousel se chargeait de bataillons qui venaient se serrer en masse devant les Tuileries, et se reconnaissaient avec précaution. C'étaient la section de la Montagne, celle de Guillaume-Tell, celles des Gardes-Françaises et de la Fontaine-Grenelle qui se rangeaient autour de la Convention. Était-ce pour la cerner ou la défendre?

Comme je me faisais cette question, des chevaux accoururent. Ils enflammaient le pavé de leurs pieds. Ils vinrent droit aux canonniers.

Un gros homme, qu'on distinguait mal à la lueur des torches, et qui beuglait d'une étrange façon, devançait tous les autres. Il brandissait un grand sabre courbe, et criait de loin:

"Citoyens canonniers à vos pièces!—Je suis le général Henriot. Criez: Vive Robespierre! mes enfants. Les traîtres sont là! enfants. Brûlez-leur un peu la moustache! Hein! faudra voir s'ils feront aller les bons enfants comme ils voudront. Hein! c'est que je suis là, moi.—Hein! vous me connaissez bien, mes fils, pas vrai?"

Pas un mot de réponse. Il chancelait sur son cheval, et, se renversant en arrière, soutenait son gros corps sur les rênes et faisait cabrer le pauvre animal, qui n'en pouvait plus.

"Eh bien, où sont donc les officiers ici? mille dieux! continuait-il. Vive la nation! Dieu de Dieu! et Robespierre! les amis!—Allons! nous sommes des Sans-Culottes et des bons garçons, qui ne nous mouchons pas du pied, n'est-ce pas?—Vous me connaissez bien?—Hein! vous savez, canonniers, qui je n'ai pas froid aux yeux, moi! Tournez-moi vos pièces sur cette baraque, où sont tous les filous et les gredins de la Convention."

Un officier s'approcha et lui dit: "Salut!—Va te coucher. Je n'en suis pas.—Ni vu ni connu,—tu m'ennuies."

Un second dit au premier:

"Mais dis donc, toi, on ne sait pas au fait s'il n'est pas général, ce vieil ivrogne?

—Ah bah! qu'est-ce que ça me fait?" dit le premier. Et il s'assit.

Henriot écumait. "Je te fendrai le crâne comme un melon, si tu n'obéis pas, mille tonnerres!

—Oh! pas de ça, Lisette! reprit l'officier en lui montrant le bout d'un écouvillon. Tiens-toi tranquille, s'il vous plaît, citoyen."

Les espèces d'aides de camp qui suivaient Henriot s'efforçaient inutilement d'*enlever* les officiers et de les décider: ils les écoutaient beaucoup moins encore que leur gros buveur de général.

Le vin, le sang, la colère, étranglaient l'ignoble Henriot. Il criait, il jurait Dieu, il maugréait, il hurlait; il se frappait la poitrine; il descendait de cheval et se jetait par terre; il remontait et perdait son chapeau à grandes plumes. Il courait de la droite à la gauche, et embarrassait les pieds du cheval dans les affûts. Les canonniers le regardaient sans se déranger, et riaient. Les citoyens armés venaient le regarder avec des chandelles et des torches, et riaient.

Henriot recevait de grossières injures et rendait des imprécations de cabaretier saoul.

"Oh! le gros sanglier,—sanglier sans défense.—Oh! oh! qu'est-ce qu'il nous veut, le porc empanaché?"

Il criait: "A moi les bons Sans-Culottes! à moi les solides à trois poils! que j'extermine toute cette enragée canaille de Tallien! Fendons la gorge à Boissy-d'Anglas; éventrons Collot-d'Herbois; coupons le sifflet à Merlin-Thionville; faisons un hachis de conventionnels sur le Billaud-Varennes, mes enfants!

—Allons! dit l'adjudant-major des canonniers, commence par faire demi-tour, vieux fou. En v'là assez. C'est assez d'parade comm'ça. Tu ne passeras pas."

En même temps il donna un coup de pommeau de sabre dans le nez du cheval d'Henriot. Le pauvre animal se mit à courir dans la place du Carrousel, emportant son gros maître, dont le sabre et le chapeau traînaient à terre, renversant sur son chemin des soldats pris par le dos, des femmes qui étaient venues accompagner les Sections, et de pauvres petits garçons accourus pour regarder, comme tout le monde.

L'ivrogne revint encore à la charge, et, avec un peu plus de bon sens (le froid sur la tête et le galop l'avaient un peu dégrisé), dit à un autre officier:

"Songe bien, citoyen, que l'ordre de faire feu sur la Convention, c'est de la Commune que je te l'apporte, et de la part de Robespierre, Saint-Just et Couthon. J'ai le commandement de toute la garnison. Tu entends, citoyen?"

L'officier ôta son chapeau. Mais il répondit avec un sang-froid parfait:

"Donne-moi un ordre par écrit, citoyen. Crois-tu que je serai assez bête pour faire feu sans preuve d'ordre?—Oui! pas mal!—Je ne suis pas au service d'hier, va! pour me faire guillotiner demain. Donne-moi un ordre signé, et je brûle le Palais-National et la Convention comme un paquet d'allumettes."

Là-dessus, il retroussa sa moustache et tourna le dos.

"Autrement, ajouta-t-il, ordonne le feu toi-même aux artilleurs, et je ne soufflerai pas."

Henriot le prit au mot. Il vint droit à Blaireau:

"Canonnier, je te connais."

Blaireau ouvrit de grands yeux hébétés et dit:

"Tiens! il me connaît!

—Je t'ordonne de tourner la pièce sur le mur là-bas, et de faire feu."

Blaireau bâilla. Puis il se mit à l'ouvrage, et d'un tour de bras la pièce fut braquée. Il ploya ses grands genoux et en pointeur expérimenté ajusta le canon, mettant en ligne les deux points de mire vis-à-vis la plus grande fenêtre allumée du château.

Henriot triomphait.

Blaireau se redressa de toute sa hauteur, et dit à ses quatre camarades, qui se tenaient à leur poste pour servir la pièce, deux à droite, deux à gauche:

"Ce n'est pas tout à fait ça, mes petits amis.—Un petit tour de roue encore!"

Moi, je regardai cette roue du canon qui tournait en avant, puis retournait en arrière, et je crus voir la roue mythologique de la Fortune. Oui, c'était elle . . . C'était elle-même, réalisée, en vérité.

A cette roue était suspendu le destin du monde. Si elle allait en avant et pointait la pièce, Robespierre était vainqueur. En ce moment même les Conventionnels avaient appris l'arrivée d'Henriot; en ce moment même ils s'asseyaient pour mourir sur leurs chaises curules. Le peuple des tribunes s'était enfui et le racontait autour de nous. Si le canon faisait feu, l'Assemblée se séparait, et les Sections réunies passaient au joug de la Commune. La Terreur s'affermissait, puis s'adoucissait, puis restait . . . restait un Richard III, ou un Cromwell, ou après un Octave . . . Qui sait?"

Je ne respirais pas, je regardais, je ne voulais rien dire.

Si j'avais dit un mot à Blaireau, si j'avais mis un grain de sable, le souffle d'un geste sous la roue, je l'aurais fait reculer. Mais non, je n'osai le faire, je voulus voir ce que le destin seul enfanterait.

Il y avait un petit trottoir usé devant la pièce; les quatre servants ne pouvaient y poser également les roues, qui glissaient toujours en arrière.

Blaireau recula et se croisa les bras en artiste découragé et mécontent. Il fit la moue.

Il se tourna vers un officier d'artillerie:

"Lieutenant! c'est trop jeune tout ça!—C'est trop jeune, ces servants-là, ça ne sait pas manier sa pièce. Tant que vous me donnerez ça, il n'y a pas moyen d'aller!—N'y a pas de plaisir!"

Le lieutenant répondit avec humeur:

"Je ne te dis pas de faire feu, moi, je ne dis rien.

—Ah bien! c'est différent, dit Blaireau en bâillant. Ah! bien, moi non plus, je ne suis plus du jeu. Bonsoir."

En même temps il donna un coup de pied à sa pièce, la fit rouler en travers et se coucha dessus.

Henriot tira son sabre, qu'on lui avait ramassé.

"Feras-tu feu?" dit-il.

Blaireau fumait, et, tenant à la main sa mèche éteinte, répondit:

"Ma chandelle est morte! va te coucher!"

Henriot, suffoqué de rage, lui donna un coup de sabre à fendre un mur; mais c'était un revers d'ivrogne, si mal appliqué qu'il ne fit qu'effleurer la manche de l'habit et à peine la peau, à ce que je jugeai.

C'en fut assez pour décider l'affaire contre Henriot. Les canonniers furieux firent pleuvoir sur son cheval une grêle de coups de poing, de pied, d'écouvillon; et le malencontreux général, couvert de boue, ballotté par son coursier comme un sac de blé sur un âne, fut emporté vers le Louvre, pour arriver comme vous savez, à l'Hôtel de Ville, où Coffinhal le Jacobin le jeta par la fenêtre sur un tas de fumier, son lit naturel.

En ce moment même arrivent les commissaires de la Convention; ils crient de loin que Robespierre, Saint-Just, Couthon, Henriot, sont mis *hors la loi.* Les Sections répondent à ce mot magique par des cris de joie. Le Carrousel s'illumine subitement. Chaque fusil porte un flambeau. *Vive la liberté! Vive la Convention! A bas les tyrans!* sont les cris de la foule armée. Tout marche à l'Hôtel de Ville, et tout le peuple se soumet et se disperse au cri magique qui fut l'*interdit* républicain: *Hors la loi!*

La Convention, assiégée, fit une sortie et vint des Tuileries assiéger la Commune à l'Hôtel de Ville. Je ne la suivis pas; je ne doutais pas de sa victoire. Je ne vis pas Robespierre se casser le menton au lieu de la cervelle, et recevoir l'injure, comme il eût reçu l'hommage, avec orgueil et en silence. Il avait attendu la soumission de Paris, au lieu d'envoyer et d'aller la conquérir comme la Convention. Il avait été lâche. Tout était dit pour lui. Je ne vis pas son frère se jeter sur les baïonnettes par le balcon de l'Hôtel de Ville, Lebas se casser la tête, et Saint-Just aller à la guillotine aussi calme qu'en y faisant conduire les autres, les bras croisés, les yeux et les pensées au ciel comme le grand inquisiteur de la Liberté.

Ils étaient vaincus, peu m'importait le reste.

Je restai sur la même place et, prenant les mains longues et ignorantes de mon canonnier naïf, je lui fis cette petite allocution:

"O Blaireau! ton nom ne tiendra pas la moindre place dans l'histoire, et tu t'en soucies peu, pourvu que tu dormes le jour et la nuit, et que ce ne soit pas loin de Rose. Tu es trop simple et trop modeste, Blaireau, car je te jure que, de tous les hommes appelés *grands* par les conteurs d'histoire, il y en a peu qui aient fait des choses aussi grandes que celles que tu viens de faire. Tu as retranché du monde un règne et une Ère démocratique; tu as fait reculer la Révolution d'un pas, tu as blessé à mort la République. Voilà ce que tu as fait, ô grand Blaireau!—D'autres hommes vont gouverner, qui seront félicités de ton œuvre, et qu'un souffle de toi aurait pu disperser comme la fumée de ta pipe solennelle. On écrira beaucoup et longtemps, et peut-être toujours, sur le 9 thermidor; et jamais on ne pensera à te rapporter l'hommage d'adoration qui t'est dû tout aussi justement qu'à tous les hommes d'action qui pensent si peu et qui savent si peu comment ce qu'ils ont fait s'est fait, et qui sont bien loin de ta modestie et de ta candeur philosophique. Qu'il ne soit pas dit qu'on ne t'ait pas rendu hommage; c'est toi, ô Blaireau! qui es véritablement l'homme de la Destinée."

Cela dit, je m'inclinai avec un respect réel et plein d'humiliation, après avoir vu ainsi tout au fond de la source d'un des plus grands événements politiques du monde.

Blaireau pensa, je ne sais pourquoi, que je me moquais de lui, il retira sa main des miennes très doucement, par respect, et se gratta la tête:

"Si c'était, dit ce grand homme, un effet de votre bonté de regarder un peu mon bras gauche, seulement pour voir.

—C'est juste," dis-je.

Il ôta sa manche, et je pris une torche.

"Remercie Henriot, mon fils, lui dis-je, il t'a défait des plus dangereux de tes hiéroglyphes. Les fleurs de lis, les Bourbons et Madeleine sont enlevés avec l'épiderme, et après-demain tu seras guéri et marié si tu veux."

Je lui serrai le bras avec mon mouchoir, je l'emmenai chez moi, et ce qui fut dit fut fait.

De longtemps encore je ne pus dormir, car le serpent était écrasé, mais il avait dévoré le cygne de la France.

Vous connaissez trop votre monde pour que je cherche à vous persuader que mademoiselle de Coigny s'empoisonna et que madame de Saint-Aignan se poignarda. Si la douleur fut un poison pour elles, ce fut un poison lent. Le 9 thermidor les fit sortir de prison. Mademoiselle de Coigny se réfugia dans le mariage, mais bien des choses m'ont porté à croire qu'elle ne se trouva pas très bien de ce lieu d'asile.—Pour madame de Saint-Aignan, une mélancolie douce et affectueuse, mais un peu sauvage, et l'éducation de trois beaux enfants, remplirent toute sa vie et son veuvage dans la solitude du château de Saint-Aignan. Un an environ après sa prison, une femme vint me demander de sa part *un portrait*. Elle avait attendu la fin du deuil de son mari pour me faire reprendre ce trésor.

—Elle désirait ne pas me voir.—Je donnai la précieuse boîte de maroquin violet, et je ne la revis pas. —Tout cela était très bien, très pur, très délicat.—J'ai respecté ses volontés, et je respecterai toujours son souvenir charmant, car elle n'est plus.

Jamais aucun voyage ne lui fit quitter ce portrait,

m'a-t-on dit; jamais elle ne consentit à le laisser copier: peut-être l'a-t-elle brisé en mourant; peut-être est-il resté dans un tiroir de secrétaire du vieux château, où les petits-enfants de la belle duchesse l'auront toujours pris pour un grand-oncle; c'est la destinée des portraits. Ils ne font battre qu'un seul cœur, et, quand ce cœur ne bat plus, il faut les effacer.

LA CONFESSION D'UN ENFANT DU SIÈCLE

ALFRED DE MUSSET

ALFRED DE MUSSET

1810-1857

Whereas Chateaubriand, Lamartine and Hugo all survived the extremes of their romantic youth and spent their later years in a more normal manner of life as responsible citizens, Musset remained the incarnation of passion and emotion until his early death. He is the most inevitably a poet of the entire romantic group in France. Though he wrote plays, short stories and even some literary criticism, he is always a poet, with the temperament and the art of the poet.

Essentially concerned with himself, with the gratification of his strong passions and the succeeding periods of remorse, he is yet to many readers more sympathetic because of his frank sincerity and tragic suffering than are either Lamartine with his egotistical pose or Hugo with his rhetorical declamations. A Parisian of the Parisians, Musset is a romanticist all his life but he is also always under the classic influence of good taste. Unable to control his appetites, he controls his Muse with unsurpassed skill. Wit, grace, music, charm, and a refined sensuality are his marks as the poet of youth and love. He made a wreck of his life without forfeiting our sympathy. He was right in referring to himself as 'un enfant du siècle,' for by his love of personal freedom and his refusal to accept responsibility, he remained a child.

In his *Confession* he has told the strange story of his relations with the woman with whom he wished his name always to be linked—George Sand. His biography has been well written by his brother and by later critics, and presents a fascinating though abnormal career. The opening pages of the *Confession* give an explanation of the 'maladie du siècle' from which he suffered, and, further, claim insertion in these selections because, as Maurice Donnay has said, "elles sont dans tous les recueils de la littérature, sinon dans toutes les mémoires."

Chief literary works:

Contes d'Espagne et d'Italie, 1829.
Un Spectacle dans un fauteuil, 1832-34.
La Confession d'un enfant du siècle, 1836.
Poésies complètes, 1840.
Comédies et Proverbes, 1840-53.
Nouvelles, 1848.
Poésies nouvelles, 1850.
Contes, 1854.
Mélanges de littérature et de critique, 1867.

For Biography and Criticism:

Paul de Musset: *Biographie d'Alfred de Musset,* 1877.
L. Séché: *Alfred de Musset,* 1907.
George Sand: *Elle et Lui,* 1859.
Paul de Musset: *Lui et Elle,* 1859.
Maurice Donnay: *Alfred de Musset,* 1914.
A. Barine: *Alfred de Musset,* 1893.
Sainte-Beuve: *Les Lundis,* vols. i, xi, xiii; *Portraits contemporains,* vol. ii.

LA CONFESSION D'UN ENFANT DU SIÈCLE

CHAPITRE PREMIER

Pour écrire l'histoire de sa vie, il faut d'abord avoir vécu; aussi n'est-ce pas la mienne que j'écris.

Ayant été atteint, jeune encore, d'une maladie morale abominable, je raconte ce qui m'est arrivé pendant trois ans. Si j'étais seul malade, je n'en dirais rien; mais, comme il y en a beaucoup d'autres que moi qui souffrent du même mal, j'écris pour ceux-là, sans trop savoir s'ils y feront attention; car, dans le cas où personne n'y prendrait garde, j'aurai encore retiré ce fruit de mes paroles, de m'être mieux guéri moi-même, et, comme le renard pris au piège, j'aurai rongé mon pied captif.

CHAPITRE II

Pendant les guerres de l'Empire, tandis que les maris et les frères étaient en Allemagne, les mères inquiètes avaient mis au monde une génération ardente, pâle, nerveuse. Conçus entre deux batailles, élevés dans les collèges au roulement des tambours, des milliers d'enfants se regardaient entre eux d'un œil sombre, en essayant leurs muscles chétifs. De temps en temps leurs pères ensanglantés apparaissaient, les soulevaient sur leurs poitrines chamarrées d'or, puis les posaient à terre et remontaient à cheval.

Un seul homme était en vie alors en Europe; le reste des êtres tâchait de se remplir les poumons de l'air qu'il avait respiré. Chaque année la France faisait présent à cet homme de trois cent mille jeunes gens; c'était l'impôt payé à César, et, s'il n'avait ce troupeau derrière lui, il ne pouvait suivre sa fortune. C'était l'escorte qu'il lui fallait pour qu'il pût traverser le monde et s'en aller tomber dans une petite vallée d'une île déserte, sous un saule pleureur.

Jamais il n'y eut tant de nuits sans sommeil que du temps de cet homme; jamais on ne vit se pencher sur les remparts des villes un tel peuple de mères désolées; jamais il n'y eut un tel silence autour de ceux qui parlaient de mort. Et pourtant jamais il n'y eut tant de joie, tant de vie, tant de fanfares guerrières, dans tous les cœurs. Jamais il n'y eut de soleils si purs que ceux qui séchèrent tout ce sang. On disait que Dieu les faisait pour cet homme, et on les appelait ses soleils d'Austerlitz. Mais il les faisait bien lui-même avec ses canons toujours tonnants, et qui ne laissaient des nuages qu'aux lendemains de ses batailles.

C'était l'air de ce ciel sans tache, où brillait tant de gloire, où resplendissait tant d'acier, que les enfants respiraient alors. Ils savaient bien qu'ils étaient destinés aux hécatombes; mais ils croyaient Murat invulnérable, et on avait vu passer l'empereur sur un pont où sifflaient tant de balles qu'on ne savait s'il pouvait mourir. Et quand même on aurait dû mourir, qu'était-ce que cela? La mort elle-même était si belle alors, si grande, si magnifique dans sa pourpre fumante! elle ressemblait si bien à l'espérance, elle fauchait de si verts épis qu'elle était comme devenue jeune, et qu'on ne croyait plus à la vieillesse. Tous les berceaux de France étaient des boucliers, tous les cercueils en étaient aussi; il n'y avait vraiment plus de vieillards, il n'y avait que des cadavres ou des demi-dieux.

Cependant l'immortel empereur était un jour sur une colline à regarder sept peuples s'égorger; comme il ne savait pas encore s'il serait le maître du monde ou seulement de la moitié, Azraël passa sur la route, il l'effleura du bout de l'aile et le poussa dans l'Océan. Au bruit de sa chute, les puissances moribondes se redressèrent sur leurs lits de douleurs, et, avançant leurs pattes crochues, toutes les royales araignées découpèrent l'Europe et de la pourpre de César se firent un habit d'Arlequin.

De même qu'un voyageur, tant qu'il est sur le chemin, court nuit et jour par la pluie et par le soleil, sans s'apercevoir de ses veilles ni des dangers; mais, dès qu'il est arrivé au milieu de sa famille et qu'il s'assoit devant le feu, il éprouve une lassitude sans bornes et peut à peine se traîner à son lit; ainsi la France, veuve de César, sentit tout à coup sa blessure. Elle tomba en défaillance et s'endormit d'un si profond sommeil que ses vieux rois, la croyant morte, l'enveloppèrent d'un linceul blanc. La vieille armée en cheveux gris rentra épuisée de fatigue, et les foyers des châteaux déserts se rallumèrent tristement.

Alors ces hommes de l'Empire, qui avaient tant couru et tant égorgé, embrassèrent leurs femmes amaigries et parlèrent de leurs premières amours; ils se regardèrent dans les fontaines de leurs prairies natales, et ils s'y virent si vieux, si mutilés, qu'ils se souvinrent de leurs fils, afin qu'on leur fermât les yeux. Ils demandèrent où ils étaient; les enfants sortirent des collèges, et, ne voyant plus ni sabres, ni cuirasses, ni fantassins, ni cavaliers, ils demandèrent à leur tour où étaient leurs pères. Mais on leur répondit que la guerre était finie, que César était mort, et que les portraits de Wellington et de Blücher étaient suspendus dans les antichambres des consuls et des ambassades, avec ces deux mots au bas: *Salvatoribus mundi.*

Alors s'assit sur un monde en ruines une jeunesse soucieuse. Tous ces enfants étaient des gouttes d'un sang brûlant qui avait inondé la terre; ils étaient nés au sein de la guerre, pour la guerre. Ils avaient rêvé pendant quinze ans des neiges de Moscou et du soleil des Pyramides. Ils n'étaient pas sortis de leurs villes; mais on leur avait dit que, par chaque barrière de ces villes, on allait à une capitale d'Europe. Ils avaient dans la tête tout un monde; ils regardaient la terre, le ciel, les rues et les chemins; tout cela était vide, et les cloches de leurs paroisses résonnaient seules dans le lointain.

De pâles fantômes, couverts de robes noires, traversaient lentement les campagnes; d'autres frappaient aux portes des maisons, et dès qu'on leur avait ouvert, ils tiraient de leurs poches de grands parchemins tout usés, avec lesquels ils chassaient les habitants. De tous côtés arrivaient des hommes encore tout tremblants de la peur qui leur avait pris à leur départ, vingt ans auparavant. Tous réclamaient, disputaient et criaient; on s'étonnait qu'une seule mort pût appeler tant de corbeaux.

Le roi de France était sur son trône, regardant çà et là s'il ne voyait pas une abeille dans ses tapisseries. Les uns lui tendaient leur chapeau, et il leur donnait de l'argent; les autres lui montraient un crucifix, et il le baisait; d'autres se contentaient de lui crier aux oreilles de grands noms retentissants, et il répondait à ceux-là d'aller dans sa grand'salle, que les échos en étaient sonores; d'autres encore lui montraient leurs vieux manteaux, comme ils en avaient bien effacé les abeilles, et à ceux-là il donnait un habit neuf.

Les enfants regardaient tout cela, pensant toujours que l'ombre de César allait débarquer à Cannes et souffler sur ces larves; mais le silence continuait toujours, et l'on ne voyait flotter dans le ciel que la pâleur des lis. Quand les enfants parlaient de gloire, on leur disait: "Faites-vous prêtres;" quand ils parlaient d'ambition: "Faites-vous prêtres;" d'espérance, d'amour, de force, de vie: "Faites-vous prêtres!"

Cependant il monta à la tribune aux harangues un homme qui tenait à la main un contrat entre le roi et le peuple; il commença à dire que la gloire était une belle chose, et l'ambition de la guerre aussi; mais qu'il y en avait une plus belle, qui s'appelait la liberté.

Les enfants relevèrent la tête et se souvinrent de leurs grands-pères, qui en avaient aussi parlé. Ils se souvinrent d'avoir rencontré, dans les coins obscurs de la maison paternelle, des bustes mystérieux avec de longs cheveux de marbre et une inscription romaine; ils se souvinrent d'avoir vu le soir, à la veillée, leurs aïeules branler la tête et parler d'un fleuve de sang bien plus terrible encore que celui de l'empereur. Il y avait pour eux, dans ce mot de liberté, quelque chose qui leur faisait battre le cœur, à la fois comme un lointain et terrible souvenir et comme une chère espérance, plus lointaine encore.

Ils tressaillirent en l'entendant; mais en rentrant au logis ils virent trois paniers qu'on portait à Clamart: c'étaient trois jeunes gens qui avaient prononcé trop haut ce mot de liberté.

Un étrange sourire leur passa sur les lèvres à cette triste vue; mais d'autres harangueurs, montant à la tribune, commencèrent à calculer publiquement ce que coûtait l'ambition, et que la gloire était bien chère; ils firent voir l'horreur de la guerre, et appelèrent boucheries les hécatombes. Et ils parlèrent tant et si longtemps que toutes les illusions humaines, comme des arbres en automne, tombaient feuille à feuille autour d'eux, et que ceux qui les écoutaient passaient leur main sur leur front, comme des fiévreux qui s'éveillent.

Les uns disaient: "Ce qui a causé la chute de l'empereur, c'est que le peuple n'en voulait plus;" les autres: "Le peuple voulait le roi; non, la liberté; non, la raison; non, la religion; non, la constitution anglaise; non, l'absolutisme;" un dernier ajouta: "Non, rien de tout cela, mais le repos."

Trois éléments partageaient donc la vie qui s'offrait alors aux jeunes gens: derrière eux un passé à jamais détruit, s'agitant encore sur ses ruines, avec tous les fossiles des siècles de l'absolutisme; devant eux l'aurore d'un immense horizon, les premières clartés de l'avenir; et entre ces deux mondes . . . quelque chose de semblable à l'Océan qui sépare le vieux continent de la jeune Amérique, je ne sais quoi de vague et de flottant, une mer houleuse et pleine de naufrages, traversée de temps en temps par quelque blanche voile lointaine ou par quelque navire soufflant une lourde vapeur; le siècle présent, en un mot, qui sépare le passé de l'avenir, qui n'est ni l'un ni l'autre et qui ressemble à tous deux à la fois, et où l'on ne sait, à chaque pas qu'on fait, si l'on marche sur une semence ou sur un débris.

Voilà dans quel chaos il fallut choisir alors; voilà ce qui se présentait à des enfants pleins de force et d'audace, fils de l'Empire et petits-fils de la Révolution.

Or, du passé ils n'en voulaient plus, car la foi en rien ne se donne; l'avenir, ils l'aimaient, mais quoi! comme Pygmalion Galatée: c'était pour eux comme une amante de marbre, et ils attendaient qu'elle s'animât, que le sang colorât ses veines.

Il leur restait donc le présent, l'esprit du siècle, ange du crépuscule qui n'est ni la nuit ni le jour; ils le trouvèrent assis sur un sac de chaux plein d'ossements, serré dans le manteau des égoïstes et grelottant d'un froid terrible. L'angoisse de la mort leur entra dans l'âme à la vue de ce spectre moitié momie et moitié fœtus; ils s'en approchèrent comme le voyageur à qui l'on montre à Strasbourg la fille d'un vieux comte de Sarvenden, embaumée dans sa parure de fiancée: ce squelette enfantin fait frémir, car ses mains fluettes et livides portent l'anneau des épousées, et sa tête tombe en poussière au milieu des fleurs d'oranger.

Comme, à l'approche d'une tempête, il passe dans les forêts un vent terrible qui fait frissonner tous les arbres, à quoi succède un profond silence, ainsi Napoléon avait tout ébranlé en passant sur le monde; les rois avaient senti vaciller leur couronne, et, portant leur main à leur tête, ils n'y avaient trouvé que leurs cheveux hérissés de terreur. Le pape avait fait trois cents lieues pour le bénir au nom de Dieu et lui poser son diadème; mais Napoléon le lui avait pris des mains. Ainsi tout avait tremblé dans cette forêt lugubre de la vieille Europe; puis le silence avait succédé.

On dit que, lorsqu'on rencontre un chien furieux, si on a le courage de marcher gravement, sans se retourner, et d'une manière régulière, le chien se contente de vous suivre pendant un certain temps en grommelant entre ses dents; tandis que, si on laisse échaper un geste de terreur, si on fait un pas trop vite, il se jette sur vous et vous dévore; car, une fois la première morsure faite, il n'y a plus moyen de lui échapper.

Or, dans l'histoire européenne, il était arrivé souvent qu'un souverain eût fait ce geste de terreur et que son peuple l'eût dévoré; mais, si un l'avait fait, tous ne l'avaient pas fait en même temps, c'est-à-dire qu'un roi avait disparu, mais non la majesté royale. Devant Napoléon, la majesté royale l'avait fait, ce geste qui perd tout, et non seulement la majesté, mais la religion, mais la noblesse, mais toute puissance divine et humaine.

Napoléon mort, les puissances divines et humaines étaient bien rétablies de fait, mais la croyance en elles n'existait plus. Il y a un danger terrible à savoir ce qui est possible, car l'esprit va toujours plus loin. Autre chose est de se dire: "Ceci pourrait être," ou de se dire: "Ceci a été;" c'est la première morsure du chien.

Napoléon despote fut la dernière lueur de la lampe du despotisme; il détruisit et parodia les rois, comme

Voltaire les livres saints. Et après lui on entendit un grand bruit: c'était la pierre de Sainte-Hélène qui venait de tomber sur l'ancien monde. Aussitôt parut dans le ciel l'astre glacial de la raison, et ses rayons, pareils à ceux de la froide déesse des nuits, versant de la lumière sans chaleur, enveloppèrent le monde d'un suaire livide.

On avait bien vu jusqu'alors des gens qui haïssaient les nobles, qui déclamaient contre les prêtres, qui conspiraient contre les rois; on avait bien crié contre les abus et les préjugés; mais ce fut une grande nouveauté que de voir le peuple en sourire. S'il passait un noble, ou un prêtre, ou un souverain, les paysans qui avaient fait la guerre commençaient à hocher la tête et à dire; "Ah! celui-là, nous l'avons vu en temps et lieu; il avait un autre visage." Et quand on parlait du trône et de l'autel, ils répondaient: "Ce sont quatre ais de bois; nous les avons cloués et décloués." Et quand on leur disait: "Peuple, tu es revenu des erreurs qui t'avaient égaré; tu as appelé tes rois et tes prêtres," ils répondaient: "Ce n'est pas nous, ce sont ces bavards-là." Et quand on leur disait: "Peuple, oublie le passé, laboure et obéis," ils se redressaient sur leurs sièges, et on entendait un sourd retentissement. C'était un sabre rouillé et ébréché qui avait remué dans un coin de la chaumière. Alors on ajoutait aussitôt: "Reste en repos du moins; si on ne te nuit pas, ne cherche pas à nuire." Hélas! ils se contentaient de cela.

Mais la jeunesse ne s'en contentait pas. Il est certain qu'il y a dans l'homme deux puissances occultes qui combattent jusqu'à la mort: l'une, clairvoyante et froide, s'attache à la réalité, la calcule, la pèse et juge le passé; l'autre a soif de l'avenir et s'élance vers l'inconnu. Quand la passion emporte l'homme, la raison le suit en pleurant et en l'avertissant du danger; mais, dès que l'homme s'est arrêté à la voix de la raison, dès qu'il s'est dit: "C'est vrai, je suis un fou; où allais-je?" la passion lui crie: "Et moi, je vais donc mourir?"

Un sentiment de malaise inexprimable commença donc à fermenter dans tous les jeunes cœurs. Condamnés au repos par les souverains du monde, livrés aux cuistres de toute espèce, à l'oisiveté et à l'ennui, les jeunes gens voyaient se retirer d'eux les vagues écumantes contre lesquelles ils avaient préparé leurs bras. Tous ces gladiateurs frottés d'huile se sentaient au fond de l'âme une misère insupportable. Les plus riches se firent libertins; ceux d'une fortune médiocre prirent un état et se résignèrent soit à la robe, soit à l'épée; les plus pauvres se jetèrent dans l'enthousiasme à froid, dans les grands mots, dans l'affreuse mer de l'action sans but. Comme la faiblesse humaine cherche l'association et que les hommes sont troupeaux de nature, la politique s'en mêla. On s'allait battre avec les gardes du corps sur les marches de la Chambre législative, on courait à une pièce de théâtre où Talma portait une perruque qui le faisait ressembler à César, on se ruait à l'enterrement d'un député libéral. Mais des membres des deux partis opposés il n'en était pas un qui, en rentrant chez lui, ne sentît amèrement le vide de son existence et la pauvreté de ses mains.

En même temps que la vie au dehors était si pâle et si mesquine, la vie intérieure de la société prenait un aspect sombre et silencieux; l'hypocrisie la plus sévère régnait dans les mœurs; les idées anglaises se joignant à la dévotion, la gaieté même avait disparu. Peut-être était-ce la Providence qui préparait déjà ses voies nouvelles, peut-être était-ce l'ange avant-coureur des sociétés futures qui semait déjà dans le cœur des femmes les germes de l'indépendance humaine, que quelque jour elles réclameront. Mais il est certain que tout d'un coup, chose inouïe, dans tous les salons de Paris, les hommes passèrent d'un côté et les femmes de l'autre; et ainsi, les unes vêtues de blanc comme des fiancées, les autres vêtus de noir comme des orphelins, ils commencèrent à se mesurer des yeux.

Qu'on ne s'y trompe pas: ce vêtement noir que portent les hommes de notre temps est un symbole terrible; pour en venir là, il a fallu que les armures tombassent pièce à pièce et les broderies fleur à fleur. C'est la raison humaine qui a renversé toutes les illusions; mais elle porte en elle-même le deuil, afin qu'on la console.

Les mœurs des étudiants et des artistes, ces mœurs si libres, si belles, si pleines de jeunesse, se ressentirent du changement universel. Les hommes, en se séparant des femmes, avaient chuchoté un mot qui blesse à mort: le mépris. Ils s'étaient jetés dans le vin et dans les courtisanes. Les étudiants et les artistes s'y jetèrent aussi: l'amour était traité comme la gloire et la religion; c'était une illusion ancienne. On allait donc aux mauvais lieux; la *grisette,* cette classe si rêveuse, si romanesque, et d'un amour si tendre et si doux, se vit abandonnée aux comptoirs des boutiques. Elle était pauvre, et on ne l'aimait plus; elle voulait avoir des robes et des chapeaux, elle se vendit. O misère! le jeune homme qui aurait dû l'aimer, qu'elle aurait aimé elle-même; celui qui la conduisait autrefois aux bois de Verrières et de Romainville, aux danses sur le gazon, aux soupers sous l'ombrage; celui qui venait causer le soir sous la lampe, au fond de la boutique, durant les longues veillées d'hiver; celui qui partageait avec elle son morceau de pain trempé de la sueur de son front, et son amour sublime et pauvre; celui-là, ce même homme, après l'avoir délaissée, la retrouvait quelque soir d'orgie au fond du lupanar, pâle et plombée, à jamais perdue, avec la faim sur les lèvres et la prostitution dans le cœur!

Or, vers ce temps-là, deux poètes, les deux plus beaux génies du siècle après Napoléon, venaient de consacrer leur vie à rassembler tous les éléments d'angoisse et de douleur épars dans l'univers. Gœthe, le patriarche d'une littérature nouvelle, après avoir peint dans Werther la passion qui mène au suicide, avait tracé dans son Faust la plus sombre figure humaine qui eût jamais représenté le mal et le malheur. Ses écrits commencèrent alors à passer d'Allemagne en France. Du fond de son cabinet d'étude, entouré de tableaux et de statues, riche, heureux et tranquille, il regardait venir à nous son œuvre de ténèbres avec un sourire paternel. Byron lui répondit par un cri de douleur qui fit tressaillir la Grèce et suspendit Manfred sur les abîmes, comme si le néant eût été le mot de l'énigme hideuse dont il s'enveloppait.

Pardonnez-moi, ô grands poètes, qui êtes maintenant un peu de cendre et qui reposez sous la terre! pardonnez-moi! vous êtes des demi-dieux, et je ne suis qu'un enfant qui souffre. Mais, en écrivant tout ceci, je ne puis m'empêcher de vous maudire. Que ne chantiez-vous le parfum des fleurs, les voix de la nature, l'espérance et l'amour, la vigne et le soleil, l'azur et la beauté? Sans doute vous connaissiez la vie, et sans doute vous aviez souffert, et le monde croulait autour de vous, et vous pleuriez sur ses ruines, et vous désespériez; et vos maîtresses vous avaient trahis, et vos amis, calomniés, et vos compatriotes, méconnus; et vous aviez le vide dans le cœur, la mort dans les yeux, et vous étiez des colosses de douleur. Mais dites-moi, vous, noble Gœthe, n'y avait-il plus de voix consolatrice dans le murmure religieux de vos vieilles forêts d'Allemagne? Vous pour qui la belle poésie était la sœur de la science, ne pouvaient-elles à elles deux trouver dans l'immortelle nature une plante salutaire pour le cœur de leur favori? Vous qui étiez un panthéiste, un poète antique de la Grèce, un amant de formes sacrées, ne pouviez-vous mettre un peu de miel dans ces beaux vases que vous saviez faire, vous qui n'aviez qu'à sourire et à laisser les abeilles vous venir sur les lèvres? Et toi, et toi, Byron, n'avais-tu pas près de Ravenne, sous tes orangers d'Italie, sous ton beau ciel vénitien, près de ta chère Adriatique, n'avais-tu pas ta bien-aimée? O Dieu, moi qui te parle, et qui ne suis qu'un faible enfant, j'ai connu peut-être des maux que tu n'as pas soufferts, et cependant je crois à l'espérance, et cependant je bénis Dieu.

Quand les idées anglaises et allemandes passèrent ainsi sur nos têtes, ce fut comme un dégoût morne et silencieux, suivi d'une convulsion terrible. Car formuler des idées générales, c'est changer le salpêtre en poudre, et la cervelle homérique du grand Gœthe avait sucé, comme un alambic, toute la liqueur du fruit défendu. Ceux qui ne le lurent pas alors crurent n'en rien savoir. Pauvres créatures! l'explosion les emporta comme des grains de poussière dans l'abîme du doute universel.

Ce fut comme une dénégation de toutes choses du ciel et de la terre, qu'on peut nommer désenchantement ou, si l'on veut, *désespérance;* comme si l'humanité en léthargie avait été crue morte par ceux qui lui tataient le pouls. De même que ce soldat à qui l'on demanda jadis: "A quoi crois-tu?" et qui le premier répondit: "A moi;" ainsi la jeunesse de France, entendant cette question, répondit la première: "A rien."

Dès lors il se forma comme deux camps: d'une part, les esprits exaltés, souffrants, toutes les âmes expansives qui ont besoin de l'infini, plièrent la tête en pleurant; ils s'enveloppèrent de rêves maladifs, et l'on ne vit plus que de frêles roseaux sur un océan d'amertume.

D'une autre part, les hommes de chair restèrent debout, inflexibles, au milieu des jouissances positives, et il ne leur prit d'autre souci que de compter l'argent qu'ils avaient. Ce ne fut qu'un sanglot et un éclat de rire, l'un venant de l'âme, l'autre du corps.

Voici donc ce que disait l'âme:

"Hélas! hélas! la religion s'en va; les nuages du ciel tombent en pluie; nous n'avons plus ni espoir, ni attente, pas deux petits morceaux de bois noir en croix devant lesquels tendre les mains. L'astre de l'avenir se lève à peine; il ne peut sortir de l'horizon; il reste enveloppé de nuages, et, comme le soleil en hiver, son disque y apparaît d'un rouge de sang, qu'il a gardé de 93. Il n'y a plus d'amour, il n'y a plus de gloire. Quelle épaisse nuit sur la terre! Et nous serons morts quand il fera jour."

Voici donc ce que disait le corps:

"L'homme est ici-bas pour se servir de ses sens; il a plus ou moins de morceaux d'un métal jaune ou blanc, avec quoi il a droit à plus ou moins d'estime. Manger, boire et dormir, c'est vivre. Quant aux liens qui existent entre les hommes, l'amitié consiste à prêter de l'argent; mais il est rare d'avoir un ami qu'on puisse aimer assez pour cela. La parenté sert aux héritages; l'amour est un exercice du corps; la seule jouissance intellectuelle est la vanité."

Pareille à la peste asiatique exhalée des vapeurs du Gange, l'affreuse *désespérance* marchait à grands pas sur la terre. Déjà Chateaubriand, prince de la poésie, enveloppant l'horrible idole de son manteau de pélerin, l'avait placée sur un autel de marbre, au milieu des parfums des encensoirs sacrés. Déjà, pleins d'une force désormais inutile, les enfants du siècle raidissaient leurs mains oisives et buvaient dans leur coupe stérile le breuvage empoisonné. Déjà tout s'abîmait, quand les chacals sortirent de terre. Une littérature cadavéreuse et infecte, qui n'avait que la forme, mais une forme hideuse, commença d'arroser d'un sang fétide tous les monstres de la nature.

Qui osera jamais raconter ce qui se passait alors dans les collèges? Les hommes doutaient de tout; les jeunes gens nièrent tout. Les poètes chantaient le désespoir: les jeunes gens sortirent des écoles avec le front serein, le visage frais et vermeil, et le blasphème à la bouche. D'ailleurs le caractère français, qui de sa nature est gai et ouvert, prédominant toujours, les cerveaux se remplirent aisément des idées anglaises et allemandes; mais les cœurs, trop légers pour lutter et pour souffrir, se flétrirent comme des fleurs brisées. Ainsi le principe de mort descendit froidement et sans secousse de la tête aux entrailles. Au lieu d'avoir l'enthousiasme du mal, nous n'eûmes que l'abnégation du bien; au lieu du désespoir, l'insensibilité. Des enfants de quinze ans, assis nonchalamment sous des arbrisseaux en fleur, tenaient par passe-temps des propos qui auraient fait frémir d'horreur les bosquets immobiles de Versailles. La communion du Christ, l'hostie, ce symbole éternel de l'amour céleste, servait à cacheter des lettres; les enfants crachaient le pain de Dieu.

Heureux ceux qui échappèrent à ces temps! Heureux ceux qui passèrent sur les abîmes en regardant le ciel! Il y en eut sans doute, et ceux-là nous plaindront.

Il est malheureusement vrai qu'il y a dans le blasphème une grande déperdition de force qui soulage le cœur trop plein. Lorsqu'un athée, tirant sa montre, donnait un quart d'heure à Dieu pour le foudroyer, il est certain que c'était un quart d'heure de colère et de jouissance atroce qu'il se procurait. C'était le paroxysme du désespoir, un appel sans nom à toutes les puissances célestes; c'était une pauvre et misérable créature se tordant sous le pied qui l'écrase; c'était un grand cri de douleur. Et qui sait? aux yeux de celui qui voit tout, c'était peut-être une prière.

Ainsi les jeunes gens trouvaient un emploi de la force inactive dans l'affection du désespoir. Se railler de la gloire, de la religion, de l'amour, de tout au monde, est une grande consolation pour ceux qui ne savent que faire; ils se moquent par là d'eux-mêmes et se donnent raison tout en se faisant la leçon. Et puis il est doux de se croire malheureux, lorsqu'on n'est que vide et ennuyé. La débauche, en outre, première conclusion des principes de mort, est une terrible meule de pressoir lorsqu'il s'agit de s'énerver.

En sorte que les riches se disaient: "Il n'y a de vrai que la richesse, tout le reste est un rêve; jouissons et mourons." Ceux d'une fortune médiocre se disaient: "Il n'y a de vrai que l'oubli, tout le reste est un rêve; oublions et mourons." Et les pauvres disaient: "Il n'y a de vrai que le malheur, tout le reste est un rêve; blasphémons et mourons."

Ceci est-il trop noir? est-ce exagéré? Qu'en pensez-vous? Suis-je un misanthrope? Qu'on me permette une réflexion.

En lisant l'histoire de la chute de l'empire romain, il est impossible de ne pas s'apercevoir du mal que les chrétiens, si admirables dans le désert, firent à l'État dès qu'ils eurent la puissance. "Quand je pense, dit Montesquieu, à l'ignorance profonde dans laquelle le clergé grec plongea les laïques, je ne puis m'empêcher de le comparer à ces Scythes dont parle Hérodote, qui crevaient les yeux à leurs esclaves, afin que rien ne pût les distraire et les empêcher de battre leur lait.—Aucune affaire d'État, aucune paix, aucune guerre, aucune trêve, aucune négociation, aucun mariage, ne se traitèrent que par le ministère des moines. On ne saurait croire quel mal il en résulta."

Montesquieu aurait pu ajouter: le christianisme perdit les empereurs, mais il sauva les peuples. Il ouvrit aux barbares les palais de Constantinople, mais il ouvrit les portes des chaumières aux anges consolateurs du Christ. Il s'agissait bien des grands de la terre! et voilà qui est plus intéressant que les derniers râlements d'un empire corrompu jusqu'à la moelle des os, que le sombre galvanisme au moyen duquel s'agitait encore le squelette de la tyrannie sur la tombe d'Héliogabale et de Caracalla! La belle chose à conserver que la momie de Rome embaumée des parfums de Néron, emmaillotée du linceul de Tibère! Il s'agissait, messieurs les politiques, d'aller trouver les pauvres et de leur dire d'être en paix; il s'agissait de laisser les vers et les taupes ronger les monuments de honte, mais de tirer des flancs de la momie une vierge aussi belle que la mère du Rédempteur, l'espérance, amie des opprimés.

Voilà ce que fit le christianisme; et maintenant, depuis tant d'années, qu'ont fait ceux qui l'ont détruit? Ils ont vu que le pauvre se laissait opprimer par le riche, le faible par le fort, par cette raison qu'ils se disaient: "Le riche et le fort m'opprimeront sur la terre; mais, quand ils voudront entrer au paradis, je serai à la porte et je les accuserai au tribunal de Dieu." Ainsi, hélas! ils prenaient patience.

Les antagonistes du Christ ont donc dit au pauvre: "Tu prends patience jusqu'au jour de justice: il n'y a point de justice; tu attends la vie éternelle pour y réclamer ta vengeance: il n'y a point de vie éternelle; tu amasses tes larmes et celles de ta famille, les cris de tes enfants et les sanglots de ta femme, pour les porter aux pieds de Dieu à l'heure de ta mort: il n'y a point de Dieu."

Alors il est certain que le pauvre a séché ses larmes, qu'il a dit à sa femme de se taire, à ses enfants de venir avec lui, et qu'il s'est redressé sur la glèbe avec la force d'un taureau. Il a dit au riche: "Toi qui m'opprimes, tu n'es qu'un homme;" et au prêtre: "Toi qui m'as consolé, tu en as menti." C'était justement là ce que voulaient les antagonistes du Christ. Peut-être croyaient-ils faire ainsi le bonheur des hommes, en envoyant le pauvre à la conquête de la liberté.

Mais, si le pauvre, ayant bien compris une fois que les prêtres le trompent, que les riches le dérobent, que tous les hommes ont les mêmes droits, que tous les biens sont de ce monde, et que sa misère est impie; si le pauvre, croyant à lui et à ses deux bras pour toute croyance, s'est dit un beau jour: "Guerre au riche! à moi aussi la jouissance ici-bas, puisqu'il n'y en a pas d'autre! à moi la terre, puisque le ciel est vide! à moi et à tous, puisque tous sont égaux!" ô raisonneurs sublimes qui l'avez mené là, que lui direz-vous s'il est vaincu?

Sans doute vous êtes des philanthropes, sans doute vous avez raison pour l'avenir, et le jour viendra où vous serez bénis; mais pas encore, en vérité, nous ne pouvons pas vous bénir. Lorsque autrefois l'oppresseur disait: "A moi la terre!—A moi le ciel!" répondait l'opprimé. A présent que répondra-t-il?

Toute la maladie du siècle présent vient de deux causes: le peuple qui a passé par 93 et par 1814 porte au cœur deux blessures. Tout ce qui était n'est plus; tout ce qui sera n'est pas encore. Ne cherchez pas ailleurs le secret de nos maux.

Voilà un homme dont la maison tombe en ruine; il l'a démolie pour en bâtir une autre. Les décombres gisent sur son champ, et il attend des pierres nouvelles pour son édifice nouveau. Au moment où le voilà prêt à tailler ses moellons et à faire son ciment, la pioche en main, les bras retroussés, on vient lui dire que les pierres manquent et lui conseiller de reblanchir les vieilles pour en tirer parti. Que voulez-vous qu'il fasse, lui qui ne veut point de ruines pour faire un nid à sa couvée? La carrière est pourtant profonde, les instruments trop faibles pour en tirer les pierres. "Attendez, lui dit-on, on les tirera peu à peu; espérez, travaillez, avancez, reculez." Que ne lui dit-on pas? Et pendant ce temps-là cet homme, n'ayant plus sa vieille maison et pas encore sa maison nouvelle, ne sait comment se défendre de la pluie, ni comment préparer son repas du soir, ni où travailler, ni où reposer, ni où vivre, ni où mourir; et ses enfants sont nouveau-nés.

Ou je me trompe étrangement, ou nous ressemblons à cet homme. O peuples des siècles futurs! lorsque, par une chaude journée d'été, vous serez courbés sur vos charrues dans les vertes campagnes de la patrie; lorsque vous verrez, sous un soleil pur et sans tache, la terre, votre mère féconde, sourire dans sa robe matinale au travailleur, son enfant bien-aimé; lorsque, essuyant sur vos fronts tranquilles le saint baptême de la sueur, vous promènerez vos regards sur votre horizon immense, où il n'y aura pas un épi plus haut que l'autre dans la moisson humaine, mais seulement des bluets et des marguerites au milieu des blés jaunissants; ô hommes libres! quand alors vous remercierez Dieu d'être nés pour cette récolte, pensez à nous qui n'y serons plus, dites-vous que nous avons acheté bien cher le repos dont vous jouirez; plaignez-nous plus que tous vos pères; car nous avons beaucoup des maux qui les rendaient dignes de plainte, et nous avons perdu ce qui les consolait.

LES CONFIDENCES

ALPHONSE DE LAMARTINE

ALPHONSE DE LAMARTINE

1790-1869

Lamartine is reputed the gentlest and most spiritual of the French romantic poets. Lacking in fire and passion, his verse is suffused with a tender melancholy which makes a powerful appeal to the reader's sympathy. The character of his poetry is suggested in the titles he gave to his principal collections: *Méditations poétiques* (1820), *Nouvelles Méditations poétiques* (1823), *Harmonies poétiques et religieuses* (1830), *Récueillements poétiques* (1839). For a few years he was prominent in affairs of state, and his rôle was an important one in the Revolution of 1848. The last years of his long life were spent under the crushing weight of financial distress, in writing history, literary criticism and somewhat romanced chapters of autobiography. Among these is the volume of *Confidences* first published in 1849, containing the episode of *Graziella,* later published separately.

The selection here printed without abbreviation covers the first twenty years of his life up to his Italian journey when he met and loved Graziella, the Neapolitan maiden. Of a similar autobiographical character are *Raphaël* and *Nouvelles Confidences,* which treat of subsequent romantic experiences, notably of his love for "Elvire," the inspiration of his best known poem, *Le Lac.*

The autobiographical selection here presented is chosen because of the rare picture it presents of the life of an aristocratic provincial family ruined by the Revolution, and because of the background of Nature and society which it furnishes for the gentle, sensitive and sympathetic figure of a young man who was to become the first and one of the greatest of the romantic poets.

Chief literary works:

Méditations poétiques, 1820.
Nouvelles méditations poétiques, 1823.
Harmonies poétiques et religieuses, 1830.
Jocelyn, 1836.
La Chute d'un Ange, 1838.
Recueillements poétiques, 1839.
Raphaël, 1849.
Confidences, 1849.
Nouvelles Confidences, 1851.
Graziella, 1852.

For Biography and Criticism:

R. Doumic: *Lamartine,* 1912.
A. France: *L'Elvire de Lamartine,* 1893.
L. Séché: *Lamartine de 1816 à 1830,* 1905.
Sainte-Beuve: *Lundis,* vols. i, iv, ix, x, xi; *Portraits contemporains,* vol. i.
J. Lemaître: *Les Contemporains,* 6e série.
E. Faguet: *Dix-neuvième siècle,* 1882.
H. R. Whitehouse: *The Life of Lamartine,* 2 vols., Boston and New York, 1918.

LES CONFIDENCES

LIVRE PREMIER

I

A M. ***.

Vous voulez connaître la première moitié de ma vie! car vous m'aimez; mais vous ne m'aimez que dans le présent et dans l'avenir; mon passé vous échappe; c'est une part de moi qui vous est ravie, il faut vous la restituer. Et moi aussi il me sera quelquefois doux, souvent pénible, de remonter pour vous et avec vous seul jusqu'à ces sources vives et voilées de mon existence, de mes sentiments, de mes pensées. Quand le fleuve est troublé et ne roule plus que des ondes tumultueuses et déjà amères, entre des sables arides, avant de les perdre dans l'Océan commun, qui n'aimerait à remonter flot à flot et vallée par vallée les longues sinuosités de son cours, pour admirer de l'œil et puiser dans le creux de sa main ses premières ondes sortant du rocher, cachées sous les feuilles, fraîches comme la neige d'où elles pleuvent, bleues et profondes comme le ciel de la montagne qui s'y réfléchit? Ah! ce que vous me demandez de faire sera un délicieux rafraîchissement pour mon âme, en même temps qu'une curiosité tendre et satisfaite pour vous. Je touche à ce point indécis de la vie humaine où, arrivé au milieu des années que Dieu mesure ordinairement aux hommes les plus favorisés, on est un moment comme suspendu entre les deux parts de son existence, ne sachant pas bien si l'on monte encore ou si l'on commence déjà à descendre. C'est l'heure de s'arrêter un moment, si l'on prend encore quelque intérêt à soi-même, ou, si un autre en prend encore à vous, de jeter quelques regards en arrière et de ressaisir, à travers les ombres qui commencent déjà à s'étendre et à vous les disputer, les sites, les heures, les personnes, les douces mémoires que le soir efface et qu'on voudrait faire revivre à jamais dans le cœur d'un autre, comme elles vivent à jamais dans votre propre cœur. Mais, au moment de commencer pour vous à déplier ces plis si intimes et si soigneusement fermés de mes souvenirs, je sens des flots de tendresse, de mélancolie et de douleur, monter tout brûlants du fond de ma poitrine et me fermer presque la voix avec tous les sanglots de ma vie passée; ils étaient comme endormis, mais ils n'étaient pas morts; peut-être ai-je tort de les remuer, peut-être ne pourrai-je pas continuer. Le silence est le linceul du passé; il est quelquefois impie, souvent dangereux de le soulever. Mais, lors même qu'on le soulève pieusement et avec amour, le premier moment est cruel. Avez-vous passé quelquefois par une de ces plus terribles épreuves de la vie? J'y ai passé deux fois, moi, et je n'y pense jamais sans un frisson.

La mort vous a enlevé par une surprise, et en votre absence, un des êtres dans lesquels vous viviez le plus vous-même, une mère, un enfant, une femme adorée. Rappelé par la fatale nouvelle, vous arrivez avant que la terre ait reçu le dépôt sacré de ce corps à jamais endormi. Vous franchissez le seuil, vous montez l'escalier, vous entrez dans la chambre, on vous laisse seul avec Dieu et la mort. Vous tombez à genoux auprès du lit, vous restez des heures entières les bras étendus, le visage collé contre les rideaux de la couche funèbre. Vous vous relevez enfin, vous faites çà et là quelques pas dans la chambre. Vous vous approchez, vous vous éloignez tour à tour de ce lit où un drap blanc, affaissé sur un corps immobile, dessine les formes de l'être que vous ne reverrez plus jamais. Un doute horrible vous saisit: je puis soulever le linceul, je puis voir encore une fois le visage adoré. Faut-il le revoir tel que la mort l'a fait? Faut-il baiser ce front à travers la toile et ne revoir jamais ce visage disparu que dans sa mémoire et avec la couleur, le regard et la physionomie que la vie lui donnait? Lequel vaut mieux pour la consolation de celui qui survit, pour le culte de celui qui est mort? Problème douloureux! Je conçois trop qu'on se le pose et qu'on le résolve différemment. Quant à moi, je me le suis posé, mais l'instinct a toujours prévalu sur le raisonnement. J'ai voulu revoir, j'ai revu! Et la tendre piété du souvenir que je voulais imprimer en moi n'en a point été altérée: la mémoire du visage aimé et vivant, se confondant dans ma pensée avec la mémoire du visage immobile et comme sculpté en marbre par la mort, a laissé pour mon âme, sur ces visages pétrifiés dans ma tendresse, quelque chose de palpitant comme la vie et d'immuable comme l'immortalité.

J'éprouve quelque chose de ce sentiment d'hésitation en rouvrant pour vous ce livre scellé de ma mémoire. Sous ce voile de l'oubli il y a une morte: c'est ma jeunesse! Que d'images délicieuses, mais aussi que de regrets saignants se ranimeront avec elle! N'importe; vous le voulez, je vous obéis. Dans quelle main plus douce et plus pieuse pourrais-je remettre, pour les conserver quelques jours, les cendres encore tièdes de ce qui fut mon cœur?

II

Mon Dieu! j'ai souvent regretté d'être né! j'ai souvent désiré de reculer jusqu'au néant, au lieu d'avancer, à travers tant de mensonges, tant de souffrances et tant de pertes successives, vers cette perte de nous-mêmes que nous appelons la mort! Cependant, même dans ces moments où le désespoir l'emporte sur la raison, et où l'on oublie que la vie est un travail imposé pour nous achever nous-mêmes, je me suis toujours dit: Il y a quelque chose que je regretterais de n'avoir pas goûté, c'est le lait d'une mère, c'est l'affection d'un père, c'est cette parenté des âmes et des cœurs avec des frères; ce sont les tendresses, les joies et même les tristesses de la famille! La famille est évidemment un second nous-mêmes, plus grand que nous-mêmes, existant avant nous et nous survivant avec ce qu'il y a de meilleur de nous; c'est l'image de la sainte et amoureuse unité des êtres révélée par le petit groupe d'êtres qui tiennent les uns aux autres et rendue visible par le sentiment! J'ai souvent compris qu'on voulût étendre la famille; mais la détruire! . . . c'est un blasphème contre la nature et une impiété contre le cœur humain! Où s'en iraient toutes ces affections qui sont nées là et qui ont leur nid sous le toit paternel? La vie n'aurait point de source, elle ne saurait d'où elle vient ni où elle va. Toutes ces tendresses de l'âme deviendraient des abstractions de l'intelligence. Ah! le chef-d'œuvre de Dieu, c'est d'avoir fait que ses lois les plus conservatrices de l'humanité fussent en même temps les sentiments les plus délicieux de l'individu! Tant qu'on n'aime pas, on ne comprend pas!

Heureux celui que Dieu a fait naître d'une bonne et sainte famille! c'est la première des bénédictions de la destinée; et quand je dis une bonne famille, je n'entends pas une famille noble de cette noblesse que les hommes honorent et qu'ils enregistrent sur du parchemin. Il y a une noblesse dans toutes les conditions. J'ai connu des familles de laboureurs où cette pureté de sentiments, où cette chevalerie de probité, où cette fleur de délicatesse, où cette légitimité des traditions qu'on appelle la noblesse, étaient aussi visibles dans les actes, dans les traits, dans le langage, dans les manières, qu'elles le furent jamais dans les plus hautes races de la monarchie. Il y a la noblesse de la nature comme celle de la société, et c'est la meilleure. Peu importe à quel étage de la rue ou de quelle grandeur dans les champs soit le foyer domestique, pourvu qu'il soit le refuge de la piété, de l'intégrité et des tendresses de la famille qui s'y perpétue ! La prédestination de l'enfant, c'est la maison où il est né ; son âme se compose surtout des impressions qu'il y a reçues. Le regard des yeux de notre mère est une partie de notre âme qui pénètre en nous par nos propres yeux. Quel est celui qui, en revoyant ce regard seulement en songe ou en idée, ne sent pas descendre dans sa pensée quelque chose qui en apaise le trouble et qui en éclaire la sérénité ?

Dieu m'a fait la grâce de naître dans une de ces familles de prédilection qui sont comme un sanctuaire de piété où l'on ne respire que la bonne odeur que quelques générations y ont répandue en traversant successivement la vie ; famille sans grand éclat, mais sans tache, placée par la Providence à un de ces rangs intermédiaires de la société où l'on tient à la fois à la noblesse par le nom et au peuple par la modicité de la fortune, par la simplicité de la vie et par la résidence à la campagne, au milieu des paysans, dans les mêmes habitudes et à peu près dans les mêmes travaux. Si j'avais à renaître sur cette terre, c'est encore là que je voudrais renaître. On y est bien placé pour voir et pour comprendre les conditions diverses de l'humanité . . . au milieu. Pas assez haut pour être envié, pas assez bas pour être dédaigné ; point juste et précis où se rencontrent et se résument dans les conditions humaines l'élévation des idées que produit l'élévation du point de vue, le naturel des sentiments que conserve la fréquentation de la nature.

III

Sur les bords de la Saône, en remontant son cours, à quelques lieues de Lyon, s'élève entre des villages et des prairies, au penchant d'un coteau à peine renflé au-dessus des plaines, la ville petite mais gracieuse de Mâcon. Deux clochers gothiques, décapités par la Révolution et minés par le temps, attirent l'œil et la pensée du voyageur qui descend vers la Provence ou vers l'Italie, sur les bateaux à vapeur dont la rivière est tout le jour sillonnée. Au-dessous de ces ruines de la cathédrale antique s'étendent, sur une longeur d'une demi-lieue, de longues files de maisons blanches et des quais où l'on débarque et où l'on embarque les marchandises du midi de la France et les produits des vignobles mâconnais. Le haut de la ville, que l'on n'aperçoit pas de la rivière, est abandonné au silence et au repos. On dirait d'une ville espagnole. L'herbe y croît l'été entre les pavés. Les hautes murailles des anciens couvents en assombrissent les rues étroites. Un collège, un hôpital, des églises, les unes restaurées, les autres délabrées et servant de magasins aux tonneliers du pays; une grande place plantée de tilleuls à ses deux extrémités, où les enfants jouent, où les vieillards s'assoient au soleil dans les beaux jours; de longs faubourgs à maisons basses qui montent en serpentant jusqu'au sommet de la colline, à l'embouchure des grandes routes; quelques jolies maisons dont une face regarde la ville, tandis que l'autre est déjà plongée dans la campagne et dans la verdure; et, aux alentours de la place, cinq ou six hôtels ou grandes maisons presque toujours fermées, qui reçoivent, l'hiver, les anciennes familles de la province: voilà le coup d'œil de la haute ville. C'est le quartier de ce qu'on appelait autrefois la noblesse et le clergé; c'est encore le quartier de la magistrature et de la propriété. Il en est de même partout: les populations descendent des hauteurs pour travailler, et remontent pour se reposer. Elles s'éloignent du bruit dès qu'elles ont le bien-être.

A l'un des angles de cette place, qui était avant la Révolution un rempart, et qui en conserve le nom, on voit une grande et haute maison percée de fenêtres rares et dont les murs élevés, massifs et noircis par la pluie et éraillés par le soleil, sont reliés depuis plus d'un siècle par de grosses clefs de fer. Une porte haute et large, précédée d'un perron de deux marches, donne entrée dans un long vestibule, au fond duquel un lourd escalier en pierre brille au soleil par une fenêtre colossale et monte d'étage en étage pour desservir de nombreux et profonds appartements. C'est là la maison où je suis né.

IV

Mon grand-père vivait encore. C'était un vieux gentilhomme qui avait servi longtemps dans les armées de Louis XV, et avait reçu la croix de Saint-Louis à la bataille de Fontenoy. Rentré dans sa province avec le grade de capitaine de cavalerie, il y avait rapporté les habitudes d'élégance, de splendeur et de plaisir contractées à la cour ou dans les garnisons. Possesseur d'une belle fortune dans son pays, il avait épousé une riche héritière de Franche-Comté, qui lui avait apporté en dot de belles terres et de grandes forêts dans les environs de Saint-Claude et dans les gorges du Jura, non loin de Genève. Il avait six enfants, trois fils et trois filles. D'après les idées du temps, la fortune de la famille avait été destinée tout entière à l'aîné de ces fils. Le second était entré malgré lui dans l'état ecclésiastique, pour lequel il n'avait aucune vocation. Des trois filles, deux avaient été mises dans des couvents, l'autre était chanoinesse et avait fait ses vœux. Mon père était le dernier né de cette nombreuse famille. Dès l'âge de seize ans, on l'avait mis au service dans le même régiment où avait servi avant lui son père. Il ne devait jamais se marier; c'était la règle du temps. Il devait vieillir dans le grade modeste de capitaine de cavalerie, auquel il était arrivé de bonne heure; venir de temps en temps en semestre dans la maison paternelle; gagner lentement la croix de Saint-Louis, terme unique des ambitions du gentilhomme de province; puis, dans son âge avancé, pourvu d'une petite pension du roi et d'une légitime plus mince encore, végéter dans une chambre haute de quelque vieux château de son frère aîné, surveiller le jardin, chasser avec le curé, dresser les chevaux, jouer avec les enfants, faire la partie d'échecs ou de trictrac des voisins, complaisant né de tout le monde, esclave domestique, heureux de l'être, aimé mais négligé par tout le monde, et achevant ainsi sa vie, inaperçu, sans biens, sans femme, sans postérité, jusqu'à ce que les infirmités et la maladie le reléguassent du salon dans la chambre nue où pendaient au mur son casque et sa vieille épée, et qu'on dît un jour dans le château: "Le chevalier est mort."

Mon père était le chevalier de Lamartine, et cette vie lui était destinée. Modeste et respectueux, il l'aurait acceptée en gémissant, mais sans murmure. Une circonstance vint changer inopinément tous ces arrangements du sort. Son frère aîné devint valétudinaire; les médecins lui déconseillèrent le mariage. Il dit à son père: "Il faut marier le chevalier." Ce fut un soulèvement général de tous les sentiments de famille et de tous les préjugés de l'habitude dans l'esprit et dans le cœur du vieux gentilhomme. Les chevaliers ne sont pas faits pour se marier. On laissa mon père à son régiment. On ajourna d'année en année cette difficulté qui révoltait surtout ma grand'mère.—Marier le chevalier! c'était monstrueux.—D'un autre côté, laisser éteindre l'humble race et le nom obscur, c'était un crime contre le sang. Il fallait pourtant se décider. On ne se décidait pas, et la Révolution approchait.

V

Il y avait à cette époque en France, et il y a encore en Allemagne, une institution religieuse et mondaine à la fois, dont il nous serait difficile de nous faire une idée aujourd'hui sans sourire, tant le monde et la religion s'y trouvaient approchés et confondus dans un contraste à la fois charmant et sévère. C'était ce qu'on appelle un chapitre de chanoinesses nobles. Voici ce qu'étaient ces chapitres.

Dans une province et dans un site ordinairement bien choisis, non loin de quelque grande ville dont le voisinage animait ces espèces de couvents sans clôture, les familles riches et nobles du royaume envoyaient vivre, après avoir fait ce qu'on appelait des preuves, celles de leurs filles qui ne se sentaient pas de goût pour l'état de religieuses cloîtrées, et à qui cependant ces familles ne pouvaient faire des dots suffisantes pour les marier.

On leur donnait à chacune une petite dot, on leur bâtissait une jolie maison entourée d'un petit jardin, sur un plan uniforme, groupée autour de la chapelle du chapitre. C'étaient des espèces de cloîtres libres rangés les uns à côté des autres, mais dont la porte restait à demi ouverte au monde; une sorte de sécularisation imparfaite des ordres religieux d'autrefois; une transition élégante et douce entre l'Église et le monde. Ces jeunes personnes entraient là dès l'âge de quatorze à quinze ans. Elles commençaient par y vivre sous la surveillance très-peu gênante des chanoinesses les plus âgées qui avaient fait leurs vœux et à qui leurs familles

les avaient confiées; puis, dès qu'elles avaient vingt ans, elles prenaient elles-mêmes la direction de leurs ménages, elles s'associaient avec une ou deux de leurs amies et vivaient en commun par petits groupes de deux ou trois.

Elles ne vivaient guère au chapitre que pendant la belle saison. L'hiver, elles étaient rappelées dans les villes des environs, au sein de leurs familles, pour y passer un semestre de plaisir et décorer le salon de leurs mères. Pendant les mois de résidence au chapitre, elles n'étaient astreintes à rien, si ce n'est à aller deux fois par jour chanter l'office dans l'église, et encore le moindre prétexte suffisait pour les en exempter. Le soir elles se réunissaient tantôt chez l'abbesse, tantôt chez l'une d'entre elles, pour jouer, causer, faire des lectures, sans autre règle que leur goût, sans autre surveillance que celle d'une vieille chanoinesse, gardienne indulgente de ce charmant troupeau. On devait seulement rentrer à certaines heures. Les hommes étaient exclus de ces réunions, mais il y avait une exception qui conciliait tout. Les jeunes chanoinesses pouvaient recevoir chacune leurs frères en visite pendant un certain nombre de jours, et elles pouvaient les présenter à leurs amies dans les sociétés du chapitre. Là se formaient naturellement les plus tendres liaisons de cœur entre les jeunes officiers venant passer quelques jours de semestre chez leur sœur et les jeunes amies de cette sœur. Il s'ensuivait bien de temps en temps quelques enlèvements ou quelques chuchotements dans le chapitre; mais en général une pieuse réserve, une décence irréprochable, présidaient à ces rapports d'intimité si délicate, et les sentiments mutuellement conçus, ranimés par des visites annuelles au chapitre, donnaient lieu plus tard à des mariages d'inclination, si rares, à cette époque, dans la société française.

VI

Une des sœurs de mon père était chanoinesse d'un de ces chapitres nobles dans le Beaujolais, aux bords de la Saône, entre Lyon et Mâcon; elle avait fait ses vœux à vingt et un ans. Elle y avait une maison que mon grand-père avait bâtie pour elle. Elle y logeait une charmante amie de seize ans, qui venait d'entrer au chapitre. Mon père, en allant voir sa sœur à Salles (c'est le nom du village), fut frappé des grâces, de l'esprit et des qualités angéliques de cette jeune personne. La jeune recluse et le bel officier s'aimèrent. La sœur de mon père fut la confidente naturelle de cette mutuelle tendresse. Elle la favorisa, et après bien des années de constance, bien des obstacles surmontés, bien des oppositions de famille vaincues, la destinée, dont le plus puissant ministre est toujours l'amour, s'accomplit, et mon père épousa l'amie de sa sœur.

VII

Alix des Roys, c'est le nom de notre mère, était fille de M. des Roys, intendant général des finances de M. le duc d'Orléans. Mme. des Roys, sa femme, était sous-gouvernante des enfants de ce prince, favorite de cette belle et vertueuse duchesse d'Orléans que la Révolution respecta, tout en la chassant de son palais et en conduisant ses fils dans l'exil et son mari à l'échafaud. M. et Mme. des Roys avaient un logement au Palais-Royal l'hiver, et à Saint-Cloud l'été. Ma mère y naquit; elle y fut élevée avec le roi Louis-Philippe, dans la familiarité respectueuse qui s'établit toujours entre les enfants à peu près du même âge, participant aux mêmes leçons et aux mêmes jeux.

Combien de fois ma mère ne nous a-t-elle pas entretenus de l'éducation de ce prince qu'une révolution avait jeté loin de sa patrie, qu'une autre révolution devait porter sur un trône? Il n'y a pas une fontaine, une allée, une pelouse des jardins de Saint-Cloud que nous ne connussions par ses souvenirs d'enfance avant de les avoir vues nous-mêmes. Saint-Cloud était pour elle son Milly, son berceau, le lieu où toutes ses premières pensées avaient germé, avaient fleuri, avaient végété et grandi avec les plantes de ce beau parc. Tous les noms sonores du XVIIIe siècle étaient les premiers noms qui s'étaient gravés dans sa mémoire.

Mme. des Roys, sa mère, était une femme de mérite. Ses fonctions dans la maison du premier prince du sang attiraient et groupaient autour d'elle beaucoup de personnages célèbres de l'époque. Voltaire, à son court et dernier voyage à Paris, qui fut un triomphe, vint rendre visite aux jeunes princes. Ma mère, qui n'avait que sept à huit ans, assista à la visite, et, quoique si jeune, elle comprit, par l'impression qui se révélait autour d'elle, qu'elle voyait quelque chose de plus qu'un roi. L'attitude de Voltaire, son costume, sa canne, ses gestes, ses paroles, étaient restés gravés dans cette mémoire d'enfant comme l'empreinte d'un être antédiluvien dans la pierre de nos montagnes.

D'Alembert, Laclos, Mme. de Genlis, Buffon, Florian, l'historien anglais Gibbon, Grimm, Morellet, M. Necker, les hommes d'État, les gens de lettres, les philosophes du temps, vivaient dans la société de Mme. des Roys. Elle avait eu surtout des relations avec le plus immortel d'entre eux, Jean-Jacques Rousseau. Ma mère, quoique très-pieuse et très-étroitement attachée au dogme catholique, avait conservé une tendre admiration pour ce grand homme, sans doute parce qu'il avait plus qu'un génie, parce qu'il avait une âme. Elle n'était pas de la religion de son génie, mais elle était de la religion de son cœur.

VIII

Le duc d'Orléans, comte de Beaujolais aussi, avait la nomination d'un certain nombre de dames au chapitre de Salles, qui dépendait de son duché. C'est ainsi et c'est par lui que ma mère y fut nommée à l'âge de quinze à seize ans. J'ai encore un portrait d'elle fait à cet âge, indépendamment du portrait que toutes ses sœurs et que mon père lui-même nous en ont si souvent tracé de mémoire. Elle est représentée dans son costume de chanoinesse. On voit une jeune personne grande, élancée, d'une taille flexible, avec de beaux bras blancs sortant, à la hauteur du coude, des manches étroites d'une robe noire. Sur la poitrine est attachée la petite croix d'or du chapitre. Par-dessus ses cheveux noirs tombe et flotte, des deux côtés de la tête, un voile de dentelles moins noires que ses cheveux. Sa figure, toute jeune et toute naïve, brille seule au milieu de ces couleurs sombres.

Le temps a un peu enlevé la fraîcheur du coloris de quinze ans. Mais les traits sont aussi purs que si le pinceau du peintre n'était pas encore séché sur la palette. On y retrouve ce sourire intérieur de la vie, cette tendresse intarissable de l'âme et du regard, et surtout ce rayon de lumière si serein de raison, si imbibée de sensibilité, qui ruisselait comme une caresse éternelle de son œil un peu profond et un peu voilé par la paupière, comme si elle n'eût pas voulu laisser jaillir toute la clarté et tout l'amour qu'elle avait dans ses beaux yeux. On comprend, rien qu'à voir ce portrait, toute la passion qu'une telle femme dut inspirer à mon père, et toute la piété que plus tard elle devait inspirer à ses enfants.

Mon père lui-même, à cette époque, était digne par son extérieur et par son caractère de s'attacher le cœur d'une femme sensible et courageuse. Il n'était plus très-jeune: il avait trente-huit ans. Mais pour un homme d'une forte race, qui devait mourir jeune encore d'esprit et de corps à quatre-vingt-dix ans, avec toutes ses dents, tous ses cheveux et toute la sévère et imposante beauté que la vieillesse comporte, trente-huit ans, c'était la fleur de la vie. Sa taille élevée, son attitude militaire, ses traits mâles, avaient tout le caractère de l'ordre et du commandement. La fierté douce et la franchise étaient les deux empreintes que sa physionomie laissait dans le regard. Il n'affectait ni la légèreté ni la grâce, bien qu'il y en eût beaucoup dans son esprit. Avec un prodigieux bouillonnement du sang au fond du cœur, il paraissait froid et indifférent à la surface, parce qu'il se craignait lui-même et qu'il avait comme honte de sa sensibilité.

Il n'y eut jamais un homme au monde qui se douta moins de sa vertu et qui enveloppa davantage de toute la pudeur d'une femme les sévères perfections d'une nature de héros. J'y fus trompé moi-même bien des années. Je le crus dur et austère, il n'était que juste et rigide. Quant à ses goûts, ils étaient primitifs comme son âme. Patriarche et militaire, c'était tout l'homme. La chasse et les bois, quand il était en semestre dans la province; le reste de l'année, son régiment, son cheval, ses armes, les règlements scrupuleusement suivis et ennoblis par l'enthousiasme de la vie de soldat: c'étaient toutes ses occupations. Il ne voyait rien au delà de son grade de capitaine de cavalerie et de l'estime de ses camarades. Son régiment était plus que sa famille. Il en désirait l'honneur à l'égal de son propre honneur. Il savait par cœur tous les noms des officiers et des cavaliers. Il en était adoré. Son état, c'était sa vie. Sans aucune espèce d'ambition ni de fortune, ni de grade plus élevé, son idéal, c'était d'être ce qu'il était, un bon officier; d'avoir l'honneur pour âme, le service du roi pour religion, de passer six mois de l'année dans une ville de garnison et les autres six mois dans une petite maison à lui à la campagne, avec une femme et des enfants. L'homme primitif, enfin, un peu modifié par le soldat, voilà mon père.

La Révolution, le malheur, les années et les idées, le modifièrent et le complétèrent dans son âge avancé. Je puis dire que moi-même j'ai vu sa grande et facile nature se développer après soixante-dix ans de vie. Il était de la race de ces chênes qui végètent et se renouvellent jusqu'au jour où l'on met la cognée au pied de l'arbre. A quatre-vingts ans il se perfectionnait encore.

IX

J'ai déjà dit quels obstacles de fortune et quels préjugés de famille s'opposaient à son mariage. Sa constance et celle de ma mère les surmontèrent. Ils furent unis au moment même où la Révolution allait ébranler tous les établissements humains et le sol même sur lequel on les fondait.

Déjà l'Assemblée constituante était à l'œuvre. Elle sapait avec la force d'une raison pour ainsi dire surhumaine les privilèges et les préjugés sur lesquels reposait l'ancien ordre social en France. Déjà ces grandes émotions du peuple emportaient, comme des vagues que le vent commence à soulever, tantôt Versailles, tantôt la Bastille, tantôt l'Hôtel de Ville de Paris. Mais l'enthousiasme de la noblesse même pour la grande régénération politique et religieuse subsistait encore. Malgré ces premiers tremblements du sol, on pensait que cela serait passager. On n'avait pas d'échelle dans le passé pour mesurer d'avance la hauteur qu'atteindrait ce débordement des idées nouvelles. Mon père n'avait pas quitté le service en se mariant; il ne voyait dans tout cela que son drapeau à suivre, le roi à défendre, quelques mois de lutte contre le désordre, quelques gouttes de son sang à donner à son devoir. Ces premiers éclairs d'une tempête qui devait submerger un trône et secouer l'Europe pendant un demi-siècle au moins se perdirent pour ma mère et pour lui dans les premières joies de leur amour et dans les premières perspectives de leur félicité. Je me souviens d'avoir vu un jour une branche de saule séparée du tronc par la tempête et flottant le matin sur un débordement de la Saône. Une femelle de rossignol y couvait encore son nid à la dérive, dans l'écume du fleuve, et le mâle suivait du vol ses amours sur un débris.

LIVRE DEUXIÈME

I

A peine avaient-ils goûté leur bonheur si longtemps attendu, qu'il fallut l'interrompre et se séparer, peut-être, hélas! pour ne plus se revoir. C'était le moment de l'émigration. A cette époque l'émigration n'était pas, comme elle le devint plus tard, un refuge contre la persécution ou la mort. C'était une vogue universelle d'expatriation qui avait saisi la noblesse française. L'exemple donné par les princes devint contagieux. Des régiments perdirent en une nuit leurs officiers. Ce fut une honte pendant un certain temps de rester là où étaient le roi et la France. Il fallait un grand courage d'esprit et une grande fermeté de caractère pour résister à cette folie épidémique qui prenait le nom de l'honneur. Mon père eut ce courage, il se refusa à émigrer. Seulement, quand on demanda aux officiers de l'armée un serment qui répugnait à sa conscience de serviteur du roi, il donna sa démission. Mais le 10 août approchait; on le sentait venir. On savait d'avance que le château des Tuileries serait attaqué, que les jours du roi seraient menacés, que la constitution de 91, pacte momentané de conciliation entre la royauté représentative et le peuple souverain, serait renversée ou triomphante dans des flots de sang. Les amis dévoués de ce qui restait de monarchie et les hommes personnellement et religieusement attachés au roi se comptèrent et s'unirent pour aller fortifier la garde constitutionnelle de Louis XVI et se ranger, le jour du péril, autour de lui. Mon père fut du nombre de ces hommes de cœur.

Ma mère me portait alors dans son sein. Elle n'essaya pas de le retenir. Même au milieu de ses larmes, elle n'a jamais compris la vie sans l'honneur, ni balancé une minute entre une douleur et un devoir.

Mon père partit sans espoir, mais sans hésitation. Il combattit avec la garde constitutionnelle et avec les Suisses pour défendre le château. Quand Louis XVI eut abandonné sa demeure, le combat devint un massacre. Mon père fut blessé d'un coup de feu dans le jardin des Tuileries. Il s'échappa, fut arrêté en traversant la rivière en face des Invalides, conduit à Vaugirard et emprisonné quelques heures dans une cave. Il fut réclamé et sauvé par le jardinier d'un de ses parents qui était officier municipal de la commune, et qui le reconnut par un hasard miraculeux. Échappé ainsi à la mort, il revint auprès de ma mère et vécut dans une obscurité profonde, retiré à la campagne, jusqu'aux jours où la persécution révolutionnaire ne laissa plus d'autre asile à ceux qui tenaient à l'ordre ancien que la prison ou l'échafaud.

II

La famille de mon grand-père donnait peu de prétextes à la persécution. Aucun de ses membres n'avait émigré. Mon grand-père lui-même était un vieillard de plus de quatre-vingts ans. Son fils aîné, ainsi que son second fils, l'abbé de Lamartine, élevés l'un et l'autre dans les doctrines du dix-huitième siècle, avaient sucé, dès leur enfance, le lait de cette philosophie qui promettait au monde un ordre nouveau. Ils étaient de cette partie de la jeune noblesse qui recevait de plus haut et qui propageait avec le plus d'ardeur les idées de transformation politique. On se trompe grossièrement sur les origines de la révolution française quand on s'imagine qu'elle est venue d'en bas. Les idées viennent toujours d'en haut. Ce n'est pas le peuple qui a fait la Révolution, c'est la noblesse, le clergé et la partie pensante de la nation. Les superstitions prennent quelquefois naissance dans le peuple, les philosophies ne naissent que dans la tête des sociétés. Or, la révolution française est une philosophie.

Mon grand-père et mes oncles surtout avaient la sève de la Révolution dans l'esprit. Ils étaient partisans passionnés d'un gouvernement constitutionnel, d'une représentation nationale, de la fusion des ordres de l'État en une seule nation soumise aux mêmes lois et aux mêmes impôts. Mirabeau, les Lameth, La Fayette, Mounier, Virieu, La Rochefoucauld, étaient les principaux apôtres de leur religion politique. Mme. de Monnier (la Sophie de Mirabeau) avait vécu quelque temps chez mon grand-père. La Fayette avait été élevé avec l'abbé de Lamartine. Ils s'étaient retrouvés à Paris, ils entretenaient une correspondance suivie. Ils étaient liés d'une véritable amitié, amitié qui a survécu à quarante années d'absence, et dont l'illustre général me parlait encore l'avant-dernière année de sa vie.

Telle était la nuance des opinions de famille. Il n'y avait rien là d'antipathique à la révolution de 89; mon père et mes oncles ne se séparèrent du mouvement rénovateur qu'au moment où la Révolution, s'échappant de ces mains démocratiques, se fit démagogie, se retourna contre ceux-là mêmes qui l'avaient réchauffée, et devint violence, spoliation et supplices. A ce moment aussi la persécution entra chez eux et ne les quitta plus qu'à la mort de Robespierre.

III

Le peuple vint arracher une nuit, de sa demeure, mon grand-père, malgré ses quatre-vingt-quatre ans, ma grand'mère, presque aussi âgée et infirme, mes deux oncles, mes trois tantes, religieuses, et déjà chassées de leurs couvents. On jeta pêle-mêle toute cette famille dans un char escorté de gendarmes, et on la conduisit, au milieu des huées et des cris de mort du peuple, jusqu'à Autun. Là, une immense prison avait été destinée à recevoir tous les suspects de la province. Mon père, par une exception dont il ignora la cause, fut séparé du reste de la famille et enfermé dans la prison de Mâcon. Ma mère, qui me nourrissait alors, fut laissée seule dans l'hôtel de mon grand-père, sous la surveillance de quelques soldats de l'armée révolutionnaire. Et l'on s'étonne que les hommes dont la vie date de ces jours sinistres aient apporté, en naissant, un goût de tristesse et une empreinte de mélancolie dans le génie français. Virgile, Cicéron, Tibulle, Horace lui-même, qui imprimèrent ce caractère au génie romain, n'étaient-ils pas nés, comme nous, pendant les grandes guerres civiles de Rome et au bruit des proscriptions de Marius, de Sylla, de César?

Que l'on songe aux impressions de terreur ou de pitié qui agitèrent les flancs des femmes romaines pendant qu'elles portaient ces hommes dans leur sein! Que l'on songe au lait aigri de larmes que je reçus moi-même de ma mère pendant que la famille entière était dans une captivité qui ne s'ouvrait que pour la mort! pendant que l'époux qu'elle adorait était sur les degrés de l'échafaud, et que, captive elle-même dans sa maison déserte, des soldats féroces épiaient ses larmes pour lui faire un crime de sa tendresse et pour insulter à sa douleur!

IV

Sur les derrières de l'hôtel de mon grand-père, qui s'étendait d'une rue à l'autre, il y avait une petite maison basse et sombre qui communiquait avec la grande maison par un couloir obscur et par de petites cours étroites et humides comme des puits. Cette maison servait à loger d'anciens domestiques retirés du service de mon grand-père, mais qui tenaient encore à la famille par de petites pensions qu'ils continuaient de recevoir, et par quelques services d'obligeance qu'ils rendaient de temps en temps à leurs anciens maîtres; des espèces d'affranchis romains, comme chaque famille a le bonheur d'en conserver. Quand le grand hôtel fut mis sous le séquestre, ma mère se retira seule, avec une femme ou deux, dans cette maison. Un autre attrait l'y attirait encore.

Précisément en face de ses fenêtres, de l'autre côté de cette ruelle obscure, silencieuse et étroite comme une rue de Gênes, s'élevaient et s'élèvent encore aujourd'hui les murailles hautes et percées de rares fenêtres d'un ancien couvent d'Ursulines. Édifice austère d'aspect, recueilli comme sa destination, avec le beau portail d'une église adjacente sur un des côtés, et, sur le derrière, des cours profondes et un jardin cerné de murs noirs et dont la hauteur ôtait tout espoir de les franchir. Comme les prisons ordinaires de la ville regorgeaient de détenus, le tribunal révolutionnaire de Mâcon fit disposer ce couvent en prison supplémentaire. Le hasard ou la Providence voulut que mon père y fût enfermé. Il n'avait ainsi, entre le bonheur et lui, qu'un mur et la largeur d'une rue. Un autre hasard voulut que le couvent des Ursulines lui fût aussi connu dans tous ses détails d'intérieur que sa propre maison. Une des sœurs de mon grand-père, qui s'appelait Mme. de Lusy, était abbesse des Ursulines de Mâcon. Les enfants de son frère, dans leur bas âge, venaient sans cesse jouer dans le couvent. Il n'y avait pas d'allées du jardin, de cellules, d'escaliers dérobés, de mansardes, de greniers ni de soupiraux de cave qui ne leur fussent familiers et dont leur mémoire d'enfant n'eût retenu jusqu'aux plus insignifiants détails.

Mon père, jeté tout à coup dans cette prison, s'y trouva donc en pays connu. Pour comble de bonheur, le geôlier, républicain très-corruptible, avait été, quinze ans avant, cuirassier dans la compagnie de mon père. Son grade nouveau ne lui changea pas le cœur. Accoutumé à respecter et à aimer son capitaine, il s'attendrit en le revoyant, et quand les portes des Ursulines se refermèrent sur le captif, ce fut le républicain qui pleura.

Mon père se trouva là en bonne et nombreuse compagnie. La prison renfermait environ deux cents détenus sans crimes, les suspects du département. Ils étaient entassés dans des salles, dans des réfectoires, dans des corridors du vieux couvent. Mon père demanda pour toute faveur au geôlier de le loger seul dans un coin du grenier. Une lucarne haute, ouvrant sur la rue, lui laisserait du moins la consolation de voir quelquefois à travers les grilles le toit de sa propre demeure. Cette faveur lui fut accordée. Il s'installa sous les tuiles à l'aide de quelques planches et d'un misérable grabat. Le jour, il descendait auprès de ses compagnons de captivité pour prendre ses repas, pour jouer, pour causer des affaires du temps, sur lesquelles les prisonniers étaient réduits aux conjectures, car on ne leur laissait aucune communication écrite avec le dehors. Mais cet isolement ne dura pas longtemps pour mon père.

Le même sentiment qui l'avait poussé à demander au geôlier une cellule qui eût jour sur la rue, et qui le retenait des heures entières à regarder le toit de sa petite maison en face, avait aussi inspiré à ma mère la pensée de monter souvent au grenier de sa demeure, de s'asseoir près de la lucarne un peu en arrière, de manière à voir sans être vue. Elle contemplait de là, à travers ses pleurs, le toit de la prison où était enlevé à sa tendresse et dérobé à ses yeux celui qu'elle aimait. Deux regards, deux pensées qui se cherchent à travers l'univers finissent toujours par se retrouver. A travers deux murs et une rue étroite, leurs yeux pouvaient-ils manquer de se rencontrer? Leurs âmes s'émurent, leurs penseés se comprirent, leurs signes suppléèrent leurs paroles, de peur que leur voix ne révélât aux sentinelles, dans la rue, leurs communications. Ils passaient ainsi régulièrement plusieurs heures de la journée assis l'une en face de l'autre. Toute leur âme avait passé dans leurs yeux. Ma mère imagina d'écrire en gros caractères des lignes concises contenant en peu de mots ce qu'elle voulait faire connaître au prisonnier. Celui-ci répondait par un signe. Dès lors les rapports furent établis, ils ne tardèrent pas à se compléter. Mon père, en qualité de chevalier de l'arquebuse, avait chez lui un arc et des flèches avec lesquels j'ai bien souvent joué dans mon enfance. Ma mère imagina de s'en servir pour communiquer plus complètement avec le prisonnier. Elle s'exerça quelques jours dans sa chambre à tirer de l'arc, et quand elle eut acquis assez d'adresse pour être sûre de ne pas manquer son but à quelques pieds de distance, elle attacha un fil à une flèche, et lança la flèche et le fil dans la fenêtre de la prison. Mon père cacha la flèche, et tirant le fil à lui, il amena une lettre. On lui fit passer par ce moyen, à la faveur de la nuit, du papier, des plumes, de l'encre même. Il répondait à loisir. Ma mère, avant le jour, venait retirer de son côté les longues lettres dans lesquelles le captif épanchait sa tendresse et sa tristesse, interrogeait, conseillait, consolait sa femme et parlait de son enfant. Ma pauvre mère m'apportait tous les jours dans ses bras au grenier, me montrait à mon père, m'allaitait devant lui, me faisait tendre mes petites mains vers les grilles de la prison; puis, me pressant le front contre sa poitrine, elle me dévorait de baisers, adressant ainsi au prisonnier toutes les caresses dont elle me couvrait à son intention.

V

Ainsi se passèrent des mois et des mois, troublés par la terreur, agités par l'espérance, éclairés et consolés quelquefois par ces lueurs que deux regards qui s'aiment se renvoient toujours jusque dans la nuit de la tristesse et de l'adversité. L'amour inspira à mon père une audace plus heureuse encore et dont le succès rendit l'emprisonnement même délicieux, et lui fit oublier l'échafaud.

J'ai déjà dit que la rue qui séparait le couvent des Ursulines de la maison paternelle était très-étroite. Non content de voir ma mère, de lui écrire et de lui parler, mon père conçut l'idée de se réunir à elle en franchissant la distance qui les séparait. Elle frémit, il insista. Quelques heures de bonheur dérobées aux persécutions et à la mort peut-être valaient bien une minute de danger.

Qui sait si cette occasion se retrouverait jamais? si demain on n'ordonnerait pas de transférer le prisonnier à Lyon, à Paris, à l'échafaud? Ma mère céda. A l'aide de la flèche et du fil, elle fit passer une lime. Un des barreaux de fer de la petite fenêtre de la prison fut silencieusement limé et remis à sa place. Puis un soir, où il n'y avait plus de lune, une grosse corde attachée au fil glissa du toit de ma mère dans la main du détenu. Fortement attachée d'un côté dans le grenier de notre maison à une poutre, mon père la noua de l'autre côté à un des barreaux de sa fenêtre. Il s'y suspendit par les mains et par les pieds, et se glissant de nœud en nœud au-dessus de la tête des sentinelles, il franchit la rue et se trouva dans les bras de sa femme et auprès du berceau de son enfant.

Ainsi échappé de la prison, il était maître de n'y pas rentrer; mais condamné alors par contumace ou comme émigré, il aurait ruiné sa femme et perdu sa famille; il n'y songea pas. Il réserva, comme dernier moyen de salut, la possibilité de cette évasion pour la veille du jour où l'on viendrait l'appeler au tribunal révolutionnaire ou à la mort. Il avait la certitude d'en être averti par le geôlier. C'est le seul service qu'il lui eût demandé.

VI

Quelles nuits que ces nuits furtives passées à retenir les heures dans le sein de tout ce qu'on aime! A quelques pas, des sentinelles, des barreaux, des cachots et la mort! Ils ne comptaient pas, comme Roméo et Juliette, les pas des astres dans la nuit par le chant du rossignol et par celui de l'alouette, mais par le bruit des rondes qui passaient sous les fenêtres et par le nombre de factionnaires relevés. Avant que le firmament blanchît, il fallut franchir de nouveau la rue et rentrer muet dans sa loge grillée. La corde fut dénouée, retirée lentement par ma mère, et cachée, pour d'autres nuits pareilles, sous des matelas, dans un coin du grenier. Les deux amants eurent de temps en temps des entrevues semblables, mais il fallait les ménager avec prudence et les préparer avec soin; car, indépendamment du danger de tomber dans la rue ou d'être découvert par les surveillants, ma mère n'était pas sûre de la fidélité d'une des femmes qui la servaient, et dont un mot eût conduit mon père à la mort.

C'était le temps où les proconsuls de la Convention se partagaient les provinces de la France et y exerçaient, au nom du salut public, un pouvoir absolu et souvent sanguinaire. La fortune, la vie ou la mort des familles étaient dans un mot de la bouche de ces représentants, dans un attendrissement de leur âme, dans une signature de leur main. Ma mère, qui sentait la hache suspendue sur la tête du mari qu'elle adorait, avait eu plusieurs fois l'inspiration d'aller se jeter aux pieds de ces envoyés de la Convention, de leur demander la liberté de mon père. Sa jeunesse, sa beauté, son isolement, l'enfant qu'elle portait à la mamelle, les conseils mêmes de mon père l'avaient jusqu'alors retenue. Mais les instances du reste de la famille, enfermée dans les cachots d'Autun, vinrent lui demander impérieusement des démarches de suppliante qui ne coûtaient pas moins à sa fierté qu'à ses opinions. Elle obtint des autorités révolutionnaires de Mâcon un passeport pour Lyon et pour Dijon. Combien de fois ne m'a-t-elle pas raconté ses répugnances, ses découragements, ses terreurs, quand il fallait, après des démarches sans nombre et des sollicitations repoussées avec rudesse, paraître enfin toute tremblante en présence d'un représentant du peuple en mission! Quelquefois c'était un homme grossier et brutal, qui refusait même d'écouter cette femme en larmes et qui la congédiait avec des menaces, comme coupable de vouloir attendrir la justice de la nation. Quelquefois c'était un homme sensible, que l'aspect d'une tendresse si profonde et d'un désespoir si touchant inclinait malgré lui à la pitié, mais que la présence de ses collègues endurcissait en apparence, et qui refusait des lèvres ce qu'il accordait du cœur. Le représentant Javogues fut celui de tous ces proconsuls qui laissa à ma mère la meilleure impression de son caractère. Introduite à Dijon, à son audience, il lui parla avec bonté et avec respect. Elle m'avait porté dans ses bras jusque dans le salon du représentant, afin que la pitié eût deux visages poor l'attendrir, celui d'une jeune mère et celui d'un enfant innocent. Javogues la fit asseoir, se plaignit de sa mission de rigueur, que ses fonctions et le salut de le République lui imposaient. Il me prit sur ses genoux, et comme ma mère faisait un geste d'effroi dans la crainte qu'il me laissa tomber: "Ne crains rien, citoyenne, lui dit-il, les républicains ont aussi des fils." Et comme je jouais en souriant avec les bouts de son écharpe tricolore: "Ton enfant est bien beau, ajouta-t-il, pour un fils d'aristocrate. Élève-le pour la patrie et faisen un citoyen." Il lui donna quelques paroles d'intérêt pour mon père et quelques espérances de liberté prochaine. Peut-être est-ce à lui qu'il dut d'être oublié dans la prison; car un ordre de jugement à cette époque était un arrêt de supplice.

Revenue à Mâcon et rentrées dans sa maison, ma mère vécut emprisonnée elle-même dans son étroite demeure en face des Ursulines. De temps en temps, quand la nuit était bien sombre, la lune absente et les réverbères éteints par le vent d'hiver, la corde à nœuds glissait d'une fenêtre à l'autre, et mon père venait passer des heures inquiètes et délicieuses auprès de tout ce qu'il aimait.

Dix-huit longs mois se passèrent ainsi. Le 9 thermidor ouvrit les prisons; mon père fut libre. Ma mère alla à Autun chercher ses vieux parents infirmes et les ramena dans leur maison longtemps fermée. Peu de temps après ce retour, mon grand-père et ma grand'mère moururent en paix et pleins de jours dans leur lit. Ils avaient traversé la grande tempête, secoués par elle, mais non renversés. Ils n'y avaient perdu aucun de leurs enfants, et ils pouvaient espérer, en fermant les yeux, que le ciel était épuisé pour longtemps d'orages et que la vie serait plus douce pour ceux à qui ils la laissaient en quittant la terre.

LIVRE TROISIÈME

I

La fortune de mon grand-père, dans les intentions comme dans les usages du temps, avait dû passer tout entière à son fils aîné. Mais les lois nouvelles ayant annulé les substitutions et supprimé le droit d'aînesse, et les vœux de pauvreté faits par mes tantes, sœurs de mon père, se trouvant non avenus devant la loi, la famille dut procéder au partage des biens. Ces biens étaient considérables, tant en Franche-Comté qu'en Bourgogne. Mon père, en demandant sa part comme ses frères et ses sœurs, pouvait changer d'un mot son sort et obtenir une des belles possessions territoriales que la famille avait à se partager. Sa scrupuleuse déférence pour les intentions de son père l'empêcha même de songer à les violer après sa mort. Les lois révolutionnaires qui supprimait le droit d'aînesse étaient toutes récentes; elles avaient encore à ses yeux, bien qu'il les trouvât très-justes, une apparence de compression et de violence faite à l'autorité paternelle. En demander l'application en sa faveur contre son frère aîné lui paraissait un abus de sa situation. Il prit, sans se faire valoir, le parti de renoncer à la succession de son père et de sa mère, et de s'en tenir à la très-modique légitime que son contrat de mariage lui avait assurée. Il se fit pauvre, n'ayant qu'un mot à dire pour se faire riche. Les biens de la famille furent partagés. Chacun de ses frères et sœurs eut une large part. Il n'en voulut rien; il resta, pour tout bien, avec la petite terre de Milly, qu'on lui avait assignée en se mariant, et qui ne rendait alors que deux on trois mille livres de rente. La dot de ma mère était modique. Les traitements des places que son père et ses frères occupaient dans la maison d'Orléans avaient disparu avec la Révolution. Les princesses de cette famille étaient exilées. Elles écrivaient quelquefois à ma mère. Elles se souvenaient de leur amitié d'enfance avec les filles de leur sous-gouvernante. Elles ne cessèrent pas de les entourer de leur souvenir dans l'exil et de leurs bienfaits dans la prospérité.

II

Mon père ne se croyait pas relevé par la Révolution de sa fidélité d'honneur à son drapeau. Ce sentiment fermait toute carrière à sa fortune. Trois mille livres de rente et une petite maison délabrée et nue à la campagne, pour lui, sa femme et les nombreux enfants qui commençaient à s'asseoir à la table de famille, c'était quelque chose de bien indécis entre l'aisance frugale et l'indigence souffreteuse. Mais il avait la satisfaction de sa conscience, son amour pour sa femme, la simplicité champêtre de ses goûts, sa stricte mais généreuse économie; la conformité parfaite de ses désirs avec sa situation, enfin sa religieuse confiance en Dieu. Avec cela, il abordait courageusement les difficultés étroites de son existence. Ma mère, jeune, belle, élevée dans toutes les élégances d'une cour splendide, passait avec la même résignation souriante et avec le même bonheur intérieur, des appartements et des jardins d'une maison de prince, dans la petite chambre démeublée d'une maison vide depuis un siècle, et dans le jardin d'un quart d'arpent, entouré de pierres sèches, où allaient se confiner tous les grands rêves de sa jeunesse. Je leur ai entendu dire souvent depuis à l'un et à l'autre que, malgré l'exiguïté de leur sort, ces premières années de calme après la secousse des révolutions, de recueillement dans leur amour et de jouissance d'eux-mêmes dans cette solitude, furent, à tout prendre, les plus douces années de leur vie. Ma mère, tout en souffrant beaucoup de la pauvreté, méprisa toujours la richesse. Combien de fois ne m'a-t-elle pas dit, plus tard, en me montrant du doigt les bornes si rapprochées du jardin et de nos champs de Milly: "C'est bien petit, mais c'est assez grand si nous savons y proportionner nos désirs et nos habitudes. Le bonheur est en nous; nous n'en aurions pas davantage en étendant la limite de nos prés ou de nos vignes. Le bonheur ne se mesure pas à l'arpent comme la terre; il se mesure à la résignation du cœur, car Dieu a voulu que le pauvre en eût autant que le riche, afin que l'un et l'autre ne songeassent pas à le demander à un autre qu'à lui!"

III

Je n'imiterai pas Jean-Jacques Rousseau dans ses *Confessions*. Je ne vous raconterai pas les puérilités de ma première enfance. L'homme ne commence qu'avec le sentiment et la pensée. Jusque-là, l'homme est un être, ce n'est pas même un enfant. L'arbre sans doute commence aux racines, mais ces racines, comme nos instincts, ne sont jamais destinées à être dévoilées à la lumière.

La nature les cache avec dessein, car c'est là son secret. L'arbre ne commence pour nous qu'au moment où il sort de terre et se dessine avec sa tige, son écorce, ses rameaux, ses feuilles, pour le bois, pour l'ombre ou pour le fruit qu'il doit porter un jour. Ainsi de l'homme. Laissons donc le berceau aux nourrices, et nos premiers sourires, et nos premières larmes, et nos premiers balbutiements à l'extase de nos mères. Je ne veux me prendre pour vous qu'à mes premiers souvenirs déjà raisonnés.

Les deux premières scènes de la vie qui se représentent souvent à moi, dans ces retours que l'homme fait vers son passé le plus lointain pour se retrouver lui-même, les voici:

IV

Il est nuit. Les portes de la petite maison de Milly sont fermées. Un chien ami jette de temps en temps un aboiement dans la cour. La pluie d'automne tinte contre les vitres des deux fenêtres basses, et le vent, soufflant par rafales, produit, en se brisant contre les branches de deux ou trois platanes et en pénétrant dans les interstices des volets, ces sifflements intermittents et mélancoliques que l'on entend seulement au bord des grands bois de sapins quand on s'asseoit à leurs pieds pour les écouter. La chambre où je me revois ainsi est grande, mais presque nue. Au fond est une alcôve profonde avec un lit. Les rideaux du lit sont de serge blanche à carreaux bleus. C'est le lit de ma mère; il y a deux berceaux sur des chaises de bois au pied du lit; l'un grand, l'autre petit. Ce sont les berceaux de mes plus jeunes sœurs qui dorment déjà depuis longtemps. Un grand feu de ceps de vigne brûle au fond d'une cheminée de pierres blanches dont le marteau de la Révolution a ébréché en plusieurs endroits la tablette en brisant les armoiries ou les fleurs de lis des ornements. La plaque de fonte du foyer est retournée aussi, parce que, sans doute, elle dessinait sur sa face opposée les armes du roi; de grosses poutres noircies par la fumée, ainsi que les planches qu'elles portent, forment le plafond. Sous les pieds, ni parquet ni tapis; de simples carreaux de brique non vernissés, mais de couleur de terre et cassés en mille morceaux par les souliers ferrés et par les sabots de bois de paysans qui en avaient fait leur salle de danse pendant l'emprisonnement de mon père. Aucune tenture, aucun papier peint sur les murs de la chambre; rien que le plâtre éraillé à plusieurs places et laissant voir la pierre nue du mur, comme on voit les membres et les os à travers un vêtement déchiré. Dans un angle, un petit clavecin ouvert, avec des cahiers de musique du *Devin de village* de Jean-Jacques Rousseau, épars sur l'instrument; plus près du feu, au milieu de la chambre, une petite table à jeu avec un tapis vert tout tigré de taches d'encre et de trous dans l'étoffe; sur la table, deux chandelles de suif qui brûlent dans deux chandeliers de cuivre argenté, et qui jettent un peu de lueur et de grandes ombres agitées par l'air sur les murs blanchis de l'appartement.

En face de la cheminée, le coude appuyé sur la table, un homme assis tient un livre à la main. Sa taille est élevée, ses membres robustes. Il a encore toute la vigueur de la jeunesse. Son front est ouvert, son œil bleu; son sourire ferme et gracieux laisse voir des dents éclatantes. Quelques restes de son costume, sa coiffure surtout et une certaine roideur militaire de l'attitude, attestent l'officier retiré. Si l'on en doutait, on n'aurait qu'à regarder son sabre, ses pistolets d'ordonnance, son casque et les plaques dorées des brides de son cheval qui brillent suspendus par un clou à la muraille, au fond d'un petit cabinet ouvert sur la chambre. Cet homme, c'est notre père.

Sur un canapé de paille tressée est assise, dans l'angle que forment la cheminée et le mur de l'alcôve, une femme qui paraît encore très-jeune, bien qu'elle touche déjà à trente-cinq ans. Sa taille, élevée aussi, a toute la souplesse et toute l'élégance de celle d'une jeune fille. Ses traits sont si délicats, ses yeux noirs ont un regard si candide et si pénétrant; sa peau transparente laisse tellement apercevoir sous son tissu un peu pâle le bleu des veines et la mobile rougeur de ses moindres émotions; ses cheveux très-noirs, mais très-fins, tombent avec tant d'ondoiements et des courbes si soyeuses le long de ses joues, jusque sur ses épaules, qu'il est impossible de dire si elle a dix-huit ou trente ans. Personne ne voudrait effacer de son âge une de ses années, qui ne servent qu'à mûrir sa physionomie et à accomplir sa beauté.

Cette beauté, bien qu'elle soit pure dans chaque trait si on les contemple en détail, est visible surtout dans l'ensemble par l'harmonie, par la grâce et surtout par ce rayonnement de tendresse intérieure, véritable beauté de l'âme qui illumine le corps par dedans, lumière dont le plus beau visage n'est que la manifestation en dehors. Cette jeune femme, à demi renversée sur des coussins, tient une petite fille endormie, la tête sur une de ses épaules. L'enfant roule encore dans ses doigts une des longues tresses noires de cheveux de sa mère avec lesquelles elle jouait tout à l'heure avant de s'endormir. Une autre petite fille, plus âgée, est assise sur un tabouret au pied du canapé; elle repose sa tête blonde sur les genoux de sa mère. Cette jeune femme, c'est ma mère; ces deux enfants sont mes deux plus grandes sœurs. Deux autres sont dans les deux berceaux.

Mon père, je l'ai dit, tient un livre dans la main. Il lit à haute voix. J'entends encore d'ici le son mâle, plein, nerveux et cependant flexible de cette voix qui roule en larges et sonores périodes, quelquefois interrompues par les coups du vent contre les fenêtres. Ma mère, la tête un peu penchée, écoute en rêvant. Moi, le visage tourné vers mon père et le bras appuyé sur un de ses genoux, je bois chaque parole, je devance chaque récit, je dévore le livre dont les pages se déroulent trop lentement au gré de mon impatiente imagination. Or, quel est ce livre, ce premier livre dont la lecture, entendue ainsi à l'entrée de la vie, m'apprend réellement ce que c'est qu'un livre, et m'ouvre, pour ainsi dire, le monde de l'émotion, de l'amour et de la rêverie?

Ce livre, c'était la *Jerusalem délivrée*; la Jérusalem délivrée, traduite par Lebrun, avec toute la majesté harmonieuse des strophes italiennes, mais épurée par le goût exquis du traducteur de ces taches éclatantes d'affectation et de faux brillant qui souillent quelquefois la mâle simplicité du récit du Tasse, comme une poudre d'or qui ternirait un diamant, mais sur lequel le français a soufflé. Ainsi le Tasse, lu par mon père, écouté par ma mère avec des larmes dans les yeux, c'est le premier poète qui ait touché les fibres de mon imagination et de mon cœur. Aussi fait-il partie pour moi de la famille universelle et immortelle que chacun de nous se choisit dans tous les pays et dans tous les siècles pour s'en faire la parenté de son âme et la société de ses pensées.

J'ai gardé précieusement les deux volumes: je les ai sauvés de toutes les vicissitudes que les changements de résidence, les morts, les successions, les partages, apportent dans les bibliothèques de famille. De temps en temps, à Milly, dans la même chambre, quand j'y reviens seul, je les rouvre pieusement; je relis quelques-unes de ces mêmes strophes à demi-voix, en essayant de me feindre à moi-même la voix de mon père, et en m'imaginant que ma mère est là encore avec mes sœurs, qui écoute et qui ferme les yeux. Je retrouve la même émotion dans les vers du Tasse, les mêmes bruits du vent dans les arbres, les mêmes pétillements des ceps dans le foyer; mais la voix de mon père n'y est plus, mais ma mère a laissé le canapé vide, mais les deux berceaux se sont changés en deux tombeaux qui verdissent sur des collines étrangères! Et tout cela finit toujours pour moi par quelques larmes dont je mouille le livre en le refermant.

LIVRE QUATRIÈME

I

Je vous ai parlé d'une autre scène d'enfance restée vivement imprimée dans ma mémoire à l'origine de mes sensations. Comme elle vous peindra en même temps la nature de l'éducation première que j'ai reçue de ma mère, je vais aussi vous la décrire:

C'est un jour d'automne, à la fin de septembre ou au commencement d'octobre. Les brouillards, un peu tempérés par le soleil encore tiède, flottent sur les sommets des montagnes. Tantôt ils s'engorgent en vagues paresseuses dans le lit des vallées qu'ils remplissent comme un fleuve surgi dans la nuit; tantôt ils se déroulent sur les prés à quelques pieds de terre, blancs et immobiles comme les toiles que les femmes du village étendent sur l'herbe pour les blanchir à la rosée; tantôt de légers coups de vent les déchirent, les replient des deux côtés d'une rangée de collines, et laissent apercevoir par moments, entre eux, de grandes perspectives fantastiques éclairées par des traînées de lumière horizontales qui ruissellent du globe à peine levé du soleil. Il n'est pas bien jour encore dans le village. Je me lève. Mes habits sont aussi grossiers que ceux des petits paysans voisins;

ni bas, ni souliers, ni chapeau; un pantalon de grosse toile écrue, une veste de drap bleu à longs poils; un bonnet de laine teint en brun, comme celui que les enfants des montagnes de l'Auvergne portent encore: voilà mon costume. Je jette par-dessus un sac de coutil qui s'entr'ouvre sur la poitrine comme une besace à grande poche. Cette poche contient, comme celle de mes camarades, un gros morceau de pain noir mêlé de seigle, un fromage de chèvre, gros et dur comme un caillou, et un petit couteau d'un sou, dont le manche de bois mal dégrossi contient en outre une fourchette de fer à deux longues branches. Cette fourchette sert aux paysans, dans mon pays, à puiser le pain, le lard et les choux dans l'écuelle où ils mangent la soupe. Ainsi équipé, je sors et je vais sur la place du village, près du portail de l'église, sous deux gros noyers. C'est là que, tous les matins, se rassemblent, autour de leurs moutons, de leurs chèvres et de quelques vaches maigres, les huit ou dix petits bergers de Milly, à peu près du même âge que moi, avant de partir pour les montagnes.

II

Nous partons, nous chassons devant nous le troupeau commun dont la longue file suit à pas inégaux les sentiers tortueux et arides des premières collines. Chacun de nous à tour de rôle va ramener les chèvres à coups de pierres quand elles s'égarent et franchissent les haies. Après avoir gravi les premières hauteurs nues qui dominent le village, et qu'on n'atteint pas en moins d'une heure au pas des troupeaux, nous entrons dans une gorge, haute, très-espacée, où l'on n'aperçoit plus ni maison, ni fumée, ni culture.

Les deux flancs de ce bassin solitaire sont tout couverts de bruyères aux petites fleurs violettes, de longs genêts jaunes dont on fait des balais; çà et là quelques châtaigniers gigantesques étendent leurs longues branches à demi nues. Les feuilles brunies par les premières gelées pleuvent autour des arbres au moindre souffle de l'air. Quelques noires corneilles sont perchées sur les rameaux les plus secs et les plus morts de ces vieux arbres; elles s'envolent en croassant à notre approche. De grands aigles ou éperviers, très-élevés dans le firmament, tournent pendant des heures au-dessus de nos têtes, épiant les alouettes dans les genêts ou les petits chevreaux qui se rapprochent de leurs mères. De grandes masses de pierres grises, tachetées et un peu jaunies par les mousses, sortent de terre par groupes sur les deux pentes escarpées de la gorge.

Nos troupeaux, devenus libres, se répandent à leur fantaisie dans les genêts. Quant à nous, nous choisissons un de ces gros rochers dont le sommet, un peu recourbé sur lui-même, dessine une demi-voûte et défend de la pluie quelques pieds de sable fin à ses pieds. Nous nous établissons là. Nous allons chercher à brassées des fagots de bruyères sèches et les branches mortes tombées des châtaigniers pendant l'été. Nous battons le briquet. Nous allumons un de ces feux de bergers si pittoresques à contempler de loin, du pied des collines ou du pont d'un vaisseau, quand on navigue en vue des terres.

Une petite flamme claire et ondoyante jaillit à travers les vagues noires, grises et bleues de la fumée du bois vert que le vent fouette comme une crinière de cheval échappé. Nous ouvrons nos sacs, nous en tirons le pain, le fromage, quelquefois les œufs durs, assaisonnés de gros grains de sel gris. Nous mangeons lentement, comme le troupeau rumine. Quelquefois l'un d'entre nous découvre à l'extrémité des branches d'un châtaignier des gousses de châtaignes oubliées sur l'arbre après la récolte. Nous nous armons tous de nos frondes, nous lançons avec adresse une nuée de pierres qui détachent le fruit de l'écorce entr'ouverte, et le font tomber à nos pieds.

Nous le faisons cuire sous la cendre de notre foyer, et si quelqu'un de nous vient à déterrer de plus quelques pommes de terre oubliées dans la glèbe d'un champ retourné, il nous les apporte, nous les recouvrons de cendres et de charbons, et nous les dévorons toutes fumantes, assaisonnées de l'orgueil de la découverte et du charme du larcin.

A midi on rassemble de nouveau les chèvres et les vaches, couchés déjà depuis longtemps au soleil sur la grasse litière des feuilles mortes et des genêts. A mesure que le soleil, en montant, a dispersé les brouillards sur ces cimes éclatantes et tièdes de lumière, ils se sont accumulés dans la vallée et dans les plaines. Nous voyons seulement surgir au-dessus les cimes des collines, les clochers de quelques hauts villages, et à l'extrémité de l'horizon les neiges rosées et ombrées du mont Blanc, dont on distingue les ossements gigantesques, les arêtes vives et les angles rentrants ou sortants, comme si l'on était à une portée de regard.

Les troupeaux réunis, on s'achemine vers la vraie montagne. Nous laissons loin derrière nous cette première gorge alpestre, où nous avions passé la matinée. Les châtaigniers disparaissent, de petites broussailles leur succèdent; les pentes deviennent plus rudes; de hautes fougères les tapissent; çà et là, les grosses campanules bleues et les digitales pourprées les drapent de leurs fleurs. Bientôt tout cela disparaît encore. Il n'y a plus que de la mousse et des pierres roulantes sur les flancs des montagnes.

Les troupeaux s'arrêtent là avec un ou deux bergers. Les autres, et moi avec eux, nous avons aperçu depuis plusieurs jours, au dernier sommet de la plus haute de ces cimes, à côté d'une plaque de neige qui fait une tache blanche au nord, et qui ne fond que tard dans les étés froids, une ouverture dans le rocher qui doit donner entrée à quelque caverne. Nous avons vu les aigles s'envoler souvent vers cette roche; les plus hardis d'entre nous ont résolu d'aller dénicher les petits. Armés de nos bâtons et de nos frondes, nous y montons aujourd'hui. Nous avons tout prévu, même les ténèbres de la caverne. Chacun de nous a préparé depuis quelques jours un flambeau pour s'y éclairer. Nous avons coupé dans les bois des environs des tiges de sapin de huit à dix ans. Nous les avons fendues dans leur longueur en vingt ou trente petites lattes de l'épaisseur d'une ligne ou deux. Nous n'avons laissé intacte que l'extrémité inférieure de l'arbre ainsi fendu, afin que les lattes ne se séparent pas, et qu'il nous reste un manche solide dans la main pour les porter. Nous les avons reliés, en outre, de distance en distance, par des fils de fer qui retiennent tout le faisceau uni. Pendant plusieurs semaines nous les avons fait dessécher en les introduisant dans le four banal du village après qu'on en a tiré le pain. Ces petits arbres ainsi préparés, calcinés par le four et imbibés de la résine naturelle au sapin, sont des torches qui brûlent lentement, que rien ne peut éteindre, et qui jettent des flammes d'une rougeur éclatante au moindre vent qui les allume. Chacun de nous porte un de ces sapins sur son épaule. Arrivés au pied du rocher, nous le contournons à sa base pour trouver accès à la bouche tortueuse de la caverne qui s'entr'ouvre au-dessus de nos fronts. Nous y parvenons en nous hissant de roche en roche, et en déchirant nos mains et nos genoux. L'embouchure, recouverte par une voûte naturelle d'immenses blocs buttés les uns contre les autres, suffit à nous abriter tous. Elle se rétrécit bientôt, obstruée par des bancs de pierre qu'il faut franchir, puis, tournant tout à coup et descendant avec la rapidité d'un escalier sans marches, elle s'enfonce dans la montagne et dans la nuit.

Là, le cœur nous manque un peu. Nous lançons des pierres dont le bruit lent à descendre remonte à nos oreilles en échos souterrains. Les chauves-souris effrayées sortent à ce bruit de leur antre, et nous frappent le visage de leurs membranes gluantes. Nous allumons deux ou trois de nos torches. Le plus hardi et le plus grand se hasarde le premier. Nous le suivons tous. Nous rampons un moment comme le renard dans sa tanière. La fumée des torches nous étouffe, mais rien ne nous rebute, et, la voûte s'élargissant et s'élevant tout à coup, nous nous trouvons dans une de ces vastes salles souterraines dont les cavernes des montagnes sont presque toujours l'indice et qui leur servent pour ainsi dire à respirer l'air extérieur. Un petit bassin d'eau limpide réfléchit au fond la lueur de nos torches. Des gouttes brillantes comme le diamant suintent des parois de la voûte, et, tombant par intervalles réguliers dans le bassin, y produisent ce tintement sonore, harmonieux et plaintif, qui, pour les petites sources comme pour les grandes mers, est toujours la voix de l'eau. L'eau est l'élément triste. *Super flumina Babylonis sedimus et flevimus.* Pourquoi? C'est que l'eau pleure avec tout le monde. Tout enfants que nous sommes, nous ne pouvons nous empêcher d'en être émus.

Assis au bord du bassin murmurant, nous triomphons longtemps de notre découverte, bien que nous n'ayons trouvé ni lions ni aigles, et que la fumée de bien des feux noircissant le rocher çà et là dût nous convaincre que nous n'étions pas les premiers introduits dans ce secret de la montagne. Nous baignons dans ce bassin, nous trempons nos pains dans son onde; nous nous oublions longtemps à la recherche de quelque autre branche de la caverne, si bien qu'à notre sortie le jour est tombé, et la nuit montre ses premières étoiles.

Nous attendons que les ténèbres soient encore un peu plus profondes. Alors nous allumons tous ensemble nos troncs de sapins par l'extrémité. Nous les portons la flamme en l'air. Nous descendons rapidement de sommets en sommets comme des étoiles filantes. Nous faisons des évolutions lumineuses sur les tertres avancés, d'où les villages lointains de la plaine peuvent nous apercevoir. Nous roulons ensemble jusqu'à nos troupeaux comme un torrent de feu. Nous les chassons devant nous en criant et en chantant. Arrivés enfin sur la dernière colline qui domine le hameau de Milly, nous nous arrêtons, sûrs d'être regardés, sur une pelouse en pente; nous formons des rondes, nous menons des danses, nous croisons nos pas en agitant nos petits arbres enflammés au dessus de nos têtes; puis nous les jetons à demi consumés sur l'herbe. Nous en faisons un seul feu de joie que nous regardons lentement brûler en redescendant vers la maison de nos mères.

Ainsi se passaient, avec quelques variations suivant les saisons, mes jours de berger. Tantôt c'était la montagne avec ses cavernes, tantôt les prairies avec leurs eaux sous les saules; les écluses des moulins, dans lesquelles nous nous exercions à nager; les jeunes poulains montés à cru et domptés par la course; tantôt la vendange avec ses chars remplis de raisins, dont je conduisais les bœufs avec l'aiguillon du bouvier, et les cuves écumantes que je foulais tout nu avec mes camarades; tantôt la moisson, et le seuil de terre où je battais le blé en cadence avec le fléau proportionné à mes bras d'enfant. Jamais homme ne fut élevé plus près de la nature et ne suça plus jeune l'amour des choses rustiques, l'habitude de ce peuple heureux qui les exerce, et le goût de ces métiers simples, mais variés comme les cultures, les sites, les saisons, qui ne font pas de l'homme une machine à dix doigts sans âme, comme les monotones travaux des autres industries, mais un être sentant, pensant et aimant, en communication perpétuelle avec la nature qu'il respire par tous les pores, et avec Dieu qu'il sent par tous ses bienfaits.

III

Elles furent humbles, sévères et douces, les premières impressions de ma vie. Les premiers paysages que mes yeux contemplèrent n'étaient pas de nature à agrandir ni à colorer beaucoup les ailes de ma jeune imagination. Ce n'est que plus tard et peu à peu que les magnifiques scènes de la création, la mer, les sublimes montagnes, les lacs resplendissants des Alpes, et les monuments humains dans les grandes villes, frappèrent mes yeux. Au commencement, je ne vis que ce que voient les enfants du plus agreste hameau dans un pays sans physionomie grandiose. Peut-être est-ce la meilleure condition pour bien jouir de la nature et des ouvrages des hommes, que de commencer par ce qu'il y a de plus modeste et de plus vulgaire, et de s'initier, pour ainsi dire, lentement et à mesure que l'âme se développe, aux spectacles de ce monde. L'aigle lui-même, destiné à monter si haut et à voir de si loin, commence sa vie dans les crevasses de sa roche, et ne voit dans sa jeunesse que les bords arides et souvent fétides de son nid.

Le village obscur où le ciel m'avait fait naître, et où la Révolution et la pauvreté avaient confiné mon père et ma mère, n'avait rien qui pût marquer ni décorer la place de l'humble berceau d'un peintre ou d'un contemplateur de l'œuvre de Dieu.

IV

En quittant le lit de la Saône, creusé au milieu de vertes prairies et sous les fertiles coteaux de Mâcon, et en se dirigeant vers la petite ville et vers les ruines de l'antique abbaye de Cluny, où mourut Abailard, on suit une route montueuse à travers les ondulations d'un sol qui commence à s'enfler à l'œil comme les premières vagues d'une mer montante. A droite et à gauche blanchissent des hameaux au milieu des vignes. Au-dessus de ces hameaux, des montagnes nues et sans culture étendent en pentes rapides et rocailleuses des pelouses grises, où l'on distingue comme des points blancs de rares troupeaux. Toutes ces montagnes sont couronnées de quelques masses de rochers qui sortent de terre, et dont les dents usées par le temps et par les vents présentent à l'œil les formes et les déchirures de vieux châteaux démantelés. En suivant la route qui circule autour de la base de ces collines, à environ deux heures de marche de la ville, on trouve, à gauche, un petit chemin étroit voilé de saules, qui descend dans les prés vers un ruisseau où l'on entend perpétuellement battre la roue d'un moulin.

Ce chemin serpente un moment sous les aunes, à côté du ruisseau, qui le prend aussi pour lit quand les eaux courantes sont un peu grossies par les pluies; puis on traverse l'eau sur un petit pont, et l'on s'élève par une pente tournoyante, mais rapide, vers des masures couvertes de tuiles rouges, qu'on voit groupées au-dessus de soi, sur un petit plateau. C'est notre village. Un clocher de pierres grises, en forme de pyramide, y surmonte sept ou huit maisons de paysans. Le chemin pierreux s'y glisse de porte en porte entre ces chaumières. Au bout de ce chemin, on arrive à une porte un peu plus haute et un peu plus large que les autres ; c'est celle de la cour au fond de laquelle se cache la maison de mon père.

La maison s'y cache en effet, car on ne la voit d'aucun côté, ni du village ni de la grand'route. Bâtie dans le creux d'un large pli du vallon, dominée de toutes parts par le clocher, par les bâtiments rustiques ou par des arbres, adossée à une assez haute montagne, ce n'est qu'en gravissant cette montagne et en se retournant qu'on voit en bas cette maison basse, mais massive, qui surgit, comme une grosse borne de pierre noirâtre, à l'extrémité d'un étroit jardin. Elle est carrée, elle n'a qu'un étage et trois larges fenêtres sur chaque face. Les murs n'en sont point crépis ; la pluie et la mousse ont donné aux pierres la teinte sombre et séculaire des vieux cloîtres d'abbaye. Du côté de la cour, on entre dans la maison par une haute porte en bois sculpté. Cette porte est assise sur un large perron de cinq marches en pierres de taille. Mais les pierres, quoique de dimension colossales, ont été tellement écornées, usées, morcelées par le temps et par les fardeaux qu'on y dépose, qu'elles sont entièrement disjointes, qu'elles vacillent en murmurant sourdement sous les pas, que les orties, les pariétaires humides, y croissent çà et là dans les interstices, et que les petites grenouilles d'été, à la voix si douce et si mélancolique, y chantent le soir comme dans un marais.

On entre d'abord dans un corridor large et bien éclairé, mais dont la largeur est diminuée par de vastes armoires de noyer sculpté où les paysans enferment le linge du ménage, et par des sacs de blé ou de farine déposés là pour les besoins journaliers de la famille. A gauche est la cuisine, dont la porte, toujours ouverte, laisse apercevoir une longue table de bois de chêne entourée de bancs. Il est rare qu'on n'y voit pas des paysans attablés à toute heure du jour, car la nappe y est toujours mise, soit pour les ouvriers, soit pour ces innombrables survenants à qui on offre habituellement le pain, le vin et le fromage, dans des campagnes éloignées des villes et qui n'ont ni auberge ni cabaret. A gauche, on entre dans la salle à manger. Rien ne la décore qu'une table de sapin, quelques chaises et un de ces vieux buffets à compartiments, à tiroirs et à nombreuses étagères, meuble héréditaire dans toutes les vieilles demeures, et que le goût actuel vient de rajeunir en les recherchant. De la salle à manger, on passe dans un salon à deux fenêtres, l'une sur la cour, l'autre au nord, sur un jardin. Un escalier, alors en bois, que mon père refaire en pierres grossièrement taillées, mène à l'étage unique et bas où une dizaine de chambres, presque sans meubles, ouvrent sur des corridors obscurs. Elles servaient alors à la famille, aux hôtes et aux domestiques. Voilà tout l'intérieur de cette maison qui nous a si longtemps couvés dans ses murs sombres et chauds; voilà le toit que ma mère appelait avec tant d'amour sa Jérusalem, sa maison de paix! Voilà le nid qui nous abrita tant d'années de la pluie, du froid, de la faim, du souffle du monde; le nid où la mort est venue prendre tour à tour le père et la mère, et dont les enfants se sont successivement envolés, ceux-ci pour un lieu, ceux-là pour un autre, quelques-uns pour l'éternité!—J'en conserve précieusement les restes, la paille, les mousses, le duvet; et, bien qu'il soit maintenant vide, désert et refroidi de toutes ces délicieuses tendresses qui l'animaient, j'aime à le revoir, j'aime à y coucher encore quelquefois, comme si je devais y retrouver à mon réveil la voix de ma mère, les pas de mon père, les cris joyeux de mes sœurs, et tout ce bruit de jeunesse, de vie et d'amour qui résonne pour moi seul sous les vieilles poutres, et qui n'a plus que moi pour l'entendre et pour le perpétuer un peu de temps.

V

L'extérieur de cette demeure répond au dedans. Du côté de la cour, la vue s'étend seulement sur les pressoirs, les bûchers et les étables qui l'entourent. La porte de cette cour, toujours ouverte sur la rue du village, laisse voir tout le jour les paysans qui passent pour aller aux champs ou pour en revenir; ils ont leurs outils sur une épaule, et quelquefois sur l'autre un long berceau où dort leur enfant. Leur femme les suit à la vigne, portant un dernier né à la mamelle. Une chèvre avec son chevreau vient après, s'arrête un moment pour jouer avec les chiens près de la porte, puis bondit pour les rejoindre.

De l'autre côté de la rue est un four banal qui fume toujours, rendez-vous habituel des vieillards, des pauvres femmes qui filent et des enfants qui s'y chauffent à la cendre de son foyer jamais éteint. Voilà tout ce qu'on voit d'une des fenêtres du salon.

L'autre fenêtre, ouverte au nord, laisse plonger le regard au-dessus des murs du jardin et des tuiles de quelques maisons basses sur un horizon de montagnes sombres, presque toujours nébuleux, d'où surgit, tantôt éclairé par un rayon de soleil orangé, tantôt du milieu des brouillards, un vieux château en ruine, enveloppé de ses tourelles et de ses tours. C'est le trait caractéristique de ce paysage. Si l'on enlevait cette ruine, les brillants reflets du soir sur ses murs, les fantasques tournoiements des fumées de la brume autour de ses donjons disparaîtraient pour jamais avec elle. Il ne resterait qu'une montagne noire et un ravin jaunâtre. Une voile sur la mer, une ruine sur une colline, sont un paysage tout entier. La terre n'est que la scène;

la pensée, le drame et la vie pour l'œil sont dans les traces de l'homme. Là où est la vie, là est l'intérêt.

Le derrière de la maison donne sur le jardin, petit enclos de pierres brunes d'un quart d'arpent. Au fond du jardin, la montagne commence à s'élever insensiblement, d'abord cultivée et verte de vignes, puis pelée, grise et nue comme ces mousses sans terre végétale qui croissent sur la pierre et qu'on n'en distingue presque pas. Deux ou trois roches ternes aussi tracent une légère dentelure à son sommet. Pas un arbre, pas même un arbuste ne dépasse la hauteur de la bruyère qui la tapisse. Pas une chaumière, pas une fumée ne l'anime. C'est peut-être ce qui fait le charme secret de ce jardin. Il est comme un berceau d'enfant que la femme du laboureur a caché dans un sillon du champ pendant qu'elle travaille. Les deux flancs du sillon cachent les bords du ruisseau, et quand le rideau est levé, l'enfant ne peut voir qu'un pan du ciel entre deux ondulations du terrain.

Quant au jardin en lui-même, il n'en a guère que le nom. Il n'eût pu compter pour un jardin qu'aux jours primitifs où Homère décrit le modeste enclos et les sept prairies du vieillard Laërte. Huit carrés de légumes coupés à angle droit, bordés d'arbres fruitiers et séparés par des allées d'herbes fourragères et de sable jaune; à l'extrémité de ces allées, au nord, huit troncs tortueux de vieilles charmilles qui forment un ténébreux berceau sur un banc de bois; un autre berceau plus petit au fond du jardin, tressé en vignes grimpantes de Judée sous deux cerisiers; voilà tout. J'oubliais, non pas la source murmurante, non pas même le puits aux pierres verdâtres et humides: il n'y a pas une goutte d'eau sur toute cette terre; mais j'oubliais un petit réservoir creusé par mon père dans le rocher pour recueillir les ondées de pluie, et autour de cette eau verte et stagnante douze sycomores et quelques platanes qui couvrent d'un peu d'ombre un coin du jardin derrière des murs, et qui sèment de leurs larges feuilles jaunies par l'été la nappe huileuse du bassin.

Oui, voilà bien tout. Et c'est là pourtant ce qui a suffi pendant tant d'années à la jouissance, à la joie, à la rêverie, aux doux loisirs et au travail d'un père, d'une mère et de huit enfants! Voilà ce qui suffit encore aujourd'hui à la nourriture de leurs souvenirs. Voilà l'Éden de leur enfance où se réfugient leurs plus sereines pensées quand elles veulent retrouver un peu de cette rosée du matin de la vie, et un peu de cette lumière colorée de la première heure, qui ne brille pure et rayonnante pour l'homme que sur ces premiers sites de son berceau. Il n'y a pas un arbre, un œillet, une mousse de ce jardin, qui ne soit incrusté dans notre âme comme s'il en faisait partie! Ce coin de terre nous semble immense, tant il contient pour nous de choses et de mémoires dans un si étroit espace. La pauvre grille de bois toujours brisée qui y conduit et par laquelle nous nous précipitions avec des cris de joie; les plates-bandes de laitues qu'on avait divisées pour nous en autant de petits jardins séparés et que nous cultivions nous-mêmes; le plateau au pied duquel notre père s'asseyait avec ses chiens à ses pieds au retour de la chasse; l'allée où notre mère se promenait au soleil couchant en murmurant tout bas le rosaire monotone qui fixait sa pensée à Dieu, pendant que son cœur et ses yeux nous couvaient près d'elle; le coin de gazon, à l'ombre et au nord, pour les jours chauds; le petit mur, tiède au midi, où nous nous rangions, nos livres à la main, au soleil, comme des espaliers en automne; les trois lilas, les deux noisetiers, les fraises découvertes sous les feuilles, les prunes, les poires, les pêches trouvées le matin toutes gluantes de leur gomme d'or et toutes mouillées de rosée sous l'arbre; et plus tard le berceau de charmilles que chacun de nous, et moi surtout, cherchait à midi pour lire en paix ses livres favoris; et le souvenir des impressions confuses qui naissaient en nous de ces pages, et plus tard encore la mémoire des conversations intimes tenues ici ou là, dans telle ou telle allée de ce jardin; et la place où l'on se dit adieu en partant pour de longues absences, celle où l'on se retrouva au retour, celles où se passèrent quelques-unes de ces scènes intimes, pathétiques, de ce drame caché de la famille, où l'on vit se rembrunir le visage de son père, où notre mère pleura en nous pardonnant, où l'on tomba à ses genoux en cachant son front dans sa robe; celle où l'on vint lui annoncer la mort d'une fille chérie, celle où elle éleva ses yeux et ses mains résignées vers le ciel! Toutes ces images, toutes ces empreintes, tous ces groupes, toutes ces figures, toutes ces félicités, toutes ces tendresses, peuplent encore pour nous ce petit enclos comme ils l'ont peuplé, vivifié, enchanté pendant tant de jours, les plus doux des jours, et font que, recueillant par la pensée notre existence extravasée depuis, dans ces mêmes allées nous nous enveloppons pour ainsi dire de ce sol, de ces arbres, de ces plantes nées avec nous, et nous voudrions que l'univers commençât et finît pour nous avec les murs de ce pauvre enclos!

Ce jardin paternel a encore maintenant le même aspect. Les arbres un peu vieillis commencent seulement à tapisser leurs troncs de taches de mousse; les bordures de roses et d'œillets ont empiété sur le sable, rétréci les sentiers. Ces bordures traînent leurs filaments où les pieds s'embarrassent. Deux rossignols chantent encore les nuits d'été dans les deux berceaux déserts. Les trois sapins plantés par ma mère ont encore dans leurs rameaux les mêmes brises mélodieuses.

Le soleil a le même silence, interrompu seulement de temps et temps par le tintement des Angelus dans le clocher, ou par la cadence monotone et assoupissante des fléaux qui battent le blé sur les aires dans les granges. Mais les herbes parasites, les ronces, les grandes mauves bleues s'élèvent par touffes épaisses entre les rosiers. Le lierre épaissit ses draperies déchirées contre les murs. Il empiète chaque année davantage sur les fenêtres toujours fermées de la chambre de notre mère ; et quand par hasard je m'y promène et que je m'y oublie un moment, je ne suis arraché à ma solitude que par les pas du vieux vigneron qui nous servait de jardinier dans ces jours-là, et qui revient de temps en temps visiter ses plantes comme moi mes souvenirs, mes apparitions et mes regrets.

VI

Vous connaissez maintenant cette demeure aussi bien que moi. Mais que ne puis-je un seul moment animer pour vous ce séjour de la vie, du mouvement, du bruit, des tendresses qui le remplissaient pour nous ! J'avais déjà dix ans que je ne savais pas encore ce que c'était qu'une amertume de cœur, une gêne d'esprit, une sévérité du visage humain. Tout était libre en moi et souriant autour de moi. Je n'étais pourtant ni énervé par les complaisances de ceux à qui je devais obéir, ni abandonné sans frein aux capricieuses exigences de mes imaginations ou de mes volontés d'enfant. Je vivais seulement dans un milieu sain et salutaire de la plénitude de la vie, entre mon père et ma mère, et ne respirant autour d'eux que tendresse, piété et contentement. Aimer et être aimé, c'était jusque-là toute mon éducation physique ; elle se faisait aussi d'elle-même au grand air et dans les exercices presque sauvages que je vous ai décrits. Plante de pleine terre et de montagne, on se gardait bien de m'abriter. On me laissait croître et me fortifier en luttant l'hiver et l'été avec les éléments. Ce régime me réussissait à merveille, et j'étais alors un des plus beaux enfants qui aient jamais foulé de leurs pieds nus les pierres de nos montagnes, où la race humaine est cependant si saine et si belle. Des yeux d'un bleu noir, comme ceux de ma mère; des traits accentués, mais adouci par une expression un peu pensive, comme était la sienne; un éblouissant rayon de joie intérieure éclairant tout ce visage; des cheveux très-souples et très-fins, d'un brun doré comme l'écorce mûre de la châtaigne, tombant en ondes plutôt qu'en boucles sur mon cou bruni par le hâle, la taille haute déjà pour mon âge, les mouvements lestes et flexibles; seulement une extrême délicatesse de peau, qui me venait aussi de ma mère, et une facilité à rougir et à pâlir qui trahissait la finesse des tissus, la rapidité et la puissance des émotions du cœur sur le visage; en tout le portrait de ma mère, avec l'accent viril de plus dans l'expression: voilà l'enfant que j'étais alors. Heureux de formes, heureux de cœur, heureux de caractère, la vie avait écrit bonheur, force et santé sur tout mon être. Le temps, l'éducation, les fautes, les hommes, les chagrins, l'ont effacé, mais je n'en accuse qu'eux et moi surtout.

VII

Mon éducation était toute dans les yeux plus ou moins sereins et dans le sourire plus ou moins ouvert de ma mère. Les rênes de mon cœur étaient dans le sien. Elle ne me demandait que d'être vrai et bon. Je n'avais aucune peine à l'être: mon père me donnait l'exemple de la sincérité jusqu'au scrupule; ma mère, de la bonté jusqu'au dévouement le plus héroïque. Mon âme, qui ne respirait que la bonté, ne pouvait pas produire autre chose. Je n'avais jamais à lutter ni avec moi-même, ni avec personne. Tout m'attirait, rien ne me contraignait. Le peu qu'on m'enseignait m'était présenté comme une récompense. Mes maîtres n'étaient que mon père et ma mère; je les voyais lire, et je voulais lire; je les voyais écrire, et je leur demandais de m'aider à former mes lettres. Tout cela se faisait en jouant, aux moments perdus, sur les genoux, dans le jardin, au coin du feu du salon, avec des sourires, des badinages, des caresses. J'y prenais goût; je provoquais moi-même les courtes et amusantes leçons. J'ai ainsi tout su, un peu plus tard, il est vrai, mais sans me souvenir comment j'ai appris, et sans qu'un sourcil se soit froncé pour me faire apprendre. J'avançais sans me sentir marcher. Ma pensée, toujours en communication avec celle de ma mère, se développait, pour ainsi dire, dans la sienne. Les autres mères ne portent que neuf mois leur enfant dans leur sein: je puis dire que la mienne m'a porté douze ans dans le sien, et que j'ai vécu de sa vie morale comme j'avais vécu de sa vie physique dans ses flancs, jusqu'au moment où j'en fus arraché pour aller vivre de la vie putride ou tout au moins glaciale des collèges.

Je n'eus donc ni maître d'écriture, ni maître de lecture, ni maître de langues. Un voisin de mon père, M. Bruys de Vaudran, homme de talent, retiré du monde où il avait beaucoup vécu, venait nous voir une fois par semaine, il me donnait d'une très-belle main des exemples d'écriture que je copiais seul et que je lui remettais à corriger à son retour. Le goût de la lecture m'avait pris de bonne heure. On avait peine à me trouver assez de livres appropriés à mon âge pour alimenter ma curiosité. Ces livres d'enfants ne me suffisaient déjà plus; je regardais avec envie les volumes rangés sur quelques planches dans un petit cabinet du salon. Mais ma mère modérait chez moi cette impatience de connaître; elle ne me livrait que peu à peu les livres, et avec intelligence. La Bible abrégée et épurée, les fables de La Fontaine, qui me paraissaient à la fois puériles, fausses et cruelles, et que je ne pus jamais apprendre par cœur; les ouvrages de Mme. de Genlis, ceux de Berquin, des morceaux de Fénelon et de Bernardin de Saint-Pierre, qui me ravissaient dès ce temps-là; la *Jérusalem délivrée, Robinson,* quelques tragédies de Voltaire, surtout *Mérope,* lue par mon père à la veillée: c'est là que je puisais, comme la plante dans le sol, les premiers sucs nourriciers de ma jeune intelligence. Mais je puisais surtout dans l'âme de ma mère; je lisais à travers ses yeux, je sentais à travers ses impressions, j'aimais à travers son amour. Elle me traduisait tout; nature, sentiment, sensations, pensées. Sans elle, je n'aurais rien su épeler de la création que j'avais sous les yeux; mais elle me mettait le doigt sur toute chose. Son âme était si lumineuse, si colorée et si chaude, qu'elle ne laissait de ténèbres et de froid sur rien. En me faisant peu à peu tout comprendre, elle me faisait en même temps tout aimer. En un mot, l'instruction insensible que je recevais n'était point une leçon; c'était l'action même de vivre, de penser et de sentir que j'accomplissais sous ses yeux, avec elle, comme elle et par elle. C'est ainsi que mon cœur se formait en moi sur un modèle que je n'avais pas même la peine de regarder, tant il était confondu avec mon propre cœur.

VIII

Ma mère s'inquiétait très-peu de ce qu'on entend par instruction; elle n'aspirait pas à faire de moi un enfant avancé pour son âge. Elle ne me provoquait pas à cette émulation qui n'est qu'une jalousie de l'orgueil des enfants. Elle ne me laissait comparer à personne; elle ne m'exaltait ni ne m'humiliait jamais par ces comparaisons dangereuses. Elle pensait avec raison qu'une fois mes forces intellectuelles dévelopées par les années et par la santé du corps et de l'esprit, j'apprendrais aussi couramment qu'un autre le peu de grec, de latin et de chiffres dont se compose cette banalité lettrée qu'on appelle une éducation. Ce qu'elle voulait, c'était faire en moi un enfant heureux, un esprit sain et une âme aimante, une créature de Dieu et non une poupée des hommes. Elle avait puisé ses idées sur l'éducation d'abord dans son âme; et puis dans Jean-Jacques Rousseau et dans Bernardin de Saint-Pierre, ces deux philosophes des femmes, parce qu'ils sont les philosophes du sentiment. Elle les avait connus ou entrevus l'un et l'autre dans son enfance, chez sa mère; elle les avait lus et vivement goûtés depuis; elle avait entendu, toute jeune, débattre mille fois leurs systèmes par Mme. de Genlis et par les personnes habiles chargées d'élever les enfants de M. le duc d'Orléans. On sait que ce prince fut le premier qui osa appliquer les théories de cette philosophie naturelle à l'éducation de ses fils. Ma mère, élevée avec eux et presque comme eux, devait transporter aux siens ces traditions de son enfance. Elle le faisait avec choix et discernement. Elle ne confondait pas ce qu'il convient d'apprendre à des princes, placés au sommet d'un ordre social, avec ce qu'il convient d'enseigner à des enfants de pauvres et obscures familles, placés tout près de la nature dans les conditions modestes du travail et de la simplicité. Mais ce qu'elle pensait, c'est que, dans toutes les conditions de la vie, il faut d'abord faire un homme, et que, quand l'homme est fait, c'est-à-dire l'être intelligent, sensible et en rapports justes avec lui-même, avec les autres hommes et avec Dieu, qu'il soit prince ou ouvrier, peu importe, il est ce qu'il doit être; ce qu'il est est bien, et l'œuvre de sa mère est accomplie.

C'est d'après ce système qu'elle m'élevait. Mon éducation était une éducation philosophique de seconde main, une éducation philosophique corrigée et attendrie par la maternité.

Physiquement, cette éducation découlait beaucoup de Pythagore et de l'*Émile*. Ainsi, la plus grande simplicité de vêtement et la plus rigoureuse frugalité dans les aliments en faisaient la base. Ma mère était convaincue, et j'ai comme elle cette conviction, que tuer les animaux pour se nourrir de leur chair et de leur sang est une des infirmités de la condition humaine; que c'est une de ces malédictions jetées sur l'homme, soit par sa chute, soit par l'endurcissement de sa propre perversité. Elle croyait, et je le crois comme elle, que ces habitudes d'endurcissement de cœur à l'égard des animaux les plus doux, nos compagnons, nos auxiliaires, nos frères en travail et même en affection ici-bas; que ces immolations, ces appétits de sang, cette vue des chairs palpitantes, sont faits pour brutaliser et pour endurcir les instincts du cœur. Elle croyait, et je le crois aussi, que cette nourriture, bien plus succulente et bien plus énergique en apparence, contient en soi des principes irritants et putrides qui aigrissent le sang et abrègent les jours de l'homme. Elle citait, à l'appui de ces idées d'abstinence, les populations innombrables, douces, pieuses de l'Inde, qui s'interdisent tout ce qui a eu vie, et les races fortes et saines des peuples pasteurs, et même des populations laborieuses de nos campagnes, qui travaillent le plus, qui vivent le plus innocemment et les plus longs jours, et qui ne mangent pas de viande dix fois dans leur vie. Elle ne m'en laissa jamais manger avant l'âge où je fus jeté dans la vie pêle-mêle des collèges. Pour m'en ôter le désir, si je l'avais eu, elle n'employa pas de raisonnements, mais elle se servit de l'instinct, qui raisonne mieux en nous que la logique.

J'avais un agneau qu'un paysan de Milly m'avait donné, et que j'avais élevé à me suivre partout, comme le chien le plus tendre et le plus fidèle. Nous nous aimions avec cette première passion que les enfants et les jeunes animaux ont naturellement les uns pour les autres. Un jour, la cuisinière dit à ma mère, en ma présence: "Madame, l'agneau est gras; voilà le boucher qui vient le demander: faut-il le lui donner?" Je me récriai, je me précipitai sur l'agneau, je demandai ce que le boucher voulait en faire et ce que c'était qu'un boucher. La cuisinière me répondit que c'était un homme qui tuait les agneaux, les moutons, les petits veaux et les belles vaches pour de l'argent. Je ne pouvais pas le croire. Je priai ma mère. J'obtins facilement la grâce de mon ami. Quelques jours après, ma mère, allant à la ville me mena avec elle et me fit passer, comme par hasard, dans la cour d'une boucherie. Je vis des hommes, les bras nus et sanglants, qui assommaient un bœuf; d'autres qui égorgeaient des veaux et des moutons, et qui dépeçaient leurs membres encore pantelants. Des ruisseaux de sang fumaient çà et là sur le pavé. Une profonde pitié mêlée d'horreur me saisit. Je demandai à passer vite. L'idée de ces scènes horribles et dégoûtantes, préliminaires obligés d'un de ces plats de viande que je voyais servis sur la table, me fit prendre la nourriture animale en dégoût et les bouchers en horreur. Bien que la nécessité de se conformer aux conditions de la société où l'on vit m'ait fait depuis manger tout ce que le monde mange, j'ai conservé une répugnance raisonnée pour la chair cuite et il m'a toujours été difficile de ne pas voir dans l'état de boucher quelque chose de l'état de bourreau. Je ne vécus donc, jusqu'à douze ans, que de pain, de laitage, de légumes et de fruits. Ma santé n'en fut pas moins forte, mon développement moins rapide, et peut-être est-ce à ce régime que je dus cette pureté de traits, cette sensibilité exquise d'impressions et cette douceur sereine d'humeur et de caractère que je conservai jusqu'à cette époque.

IX

Quant aux sentiments et aux idées, ma mère en suivait le développement naturel chez moi en le dirigeant sans que je m'en aperçusse, et peut-être sans s'en apercevoir elle-même. Son système n'était point un art, c'était un amour. Voilà pourquoi il était infaillible. Ce qui l'occupait par-dessus tout, c'était de tourner sans cesse mes pensées vers Dieu et de vivifier tellement ces pensées par la présence et par le sentiment continuels de Dieu dans mon âme, que ma religion devînt un plaisir et ma foi un entretien avec l'Invisible. Il était difficile qu'elle n'y réussît pas, car sa piété avait le caractère de tendresse comme toutes ses autres vertus.

Ma mère n'était pas précisément ce qu'on entend par une femme de génie dans ce siècle où les femmes se sont élevées à une si grande hauteur de pensée, de style et de talent dans tous les genres. Elle n'y prétendit même jamais. Elle n'exerçait pas son intelligence sur ces vastes sujets. Elle ne forçait pas par la réflexion les ressorts faciles et élastiques de sa souple imagination. Elle n'avait en elle ni le métier ni l'art de la femme supérieure de ce temps.

Elle n'écrivait jamais pour écrire, encore moins pour être admirée, bien qu'elle écrivît beaucoup pour elle-même et pour retrouver dans un registre de sa conscience et des événements de sa vie intérieure un miroir moral d'elle-même où elle se regardait souvent pour se comparer et s'améliorer. Cette habitude d'enregistrer sa vie, qu'elle a conservée jusqu'à la fin, a produit quinze à vingt volumes de confidences intimes d'elle à Dieu, que j'ai eu le bonheur de conserver, et où je la retrouve toute vivante quand j'ai besoin de me réfugier encore dans son sein.

Elle avait peu lu, de peur d'effleurer sa foi si vive et si obéissante. Elle n'écrivait pas avec cette force de conception et avec cet éclat d'images qui caractérisent le don de l'expression. Elle parlait et écrivait avec cette simplicité claire et limpide d'une femme qui ne se recherche jamais elle-même, et qui ne demande aux mots que de rendre avec justesse sa pensée, comme elle ne demandait à ses vêtements que de la vêtir et non de l'embellir. Sa supériorité n'était point dans sa tête, mais dans son âme. C'est dans le cœur que Dieu a placé le génie des femmes, parce que les œuvres de ce génie sout toutes des œuvres d'amour. Tendresse, piété, courage, héroïsme, constance, dévouement, abnégation d'elle-même, sérénité sensible, mais dominant par la foi et par la volonté ce qui souffrait en elle: tels étaient les traits de ce génie élevé que tous ceux qui l'approchaient sentaient dans sa vie et non dans ses œuvres écrites. Ce n'est que par l'attrait qu'on se sentait dominé auprès d'elle. C'était une supériorité qu'on ne reconnaissait qu'en l'adorant.

X

Le fond de cette âme c'était un sentiment immense, tendre et consolant de l'infini. Elle était trop sensible et trop vaste pour les misérables petites ambitions de ce monde. Elle le traversait, elle ne l'habitait pas. Ce sentiment de l'infini en tout, et surtout en amour, avait dû se convertir pour elle en une invocation et en une aspiration perpétuelle à celui qui en est la source, c'est-à-dire à Dieu. On peut dire qu'elle vivait en Dieu autant qu'il est permis à une créature d'y vivre. Il n'y a pas une des faces de son âme qui n'y fût sans cesse tournée, qui ne fût transparente, lumineuse, réchauffée par ce rayonnement d'en haut, découlant directement de Dieu sur nos pensées. Il en résultait pour elle une piété qui ne s'assombrissait jamais. Elle n'était pas dévote dans le mauvais sens du mot; elle n'avait aucune de ces terreurs, de ces puérilités, de ces asservissements de l'âme, de ces abrutissements de la pensée qui composent la dévotion chez quelques femmes et qui ne sont en elles qu'une enfance prolongée toute la vie, ou une vieillesse chagrine et jalouse qui se venge par une passion sacrée des passions profanes qu'elles ne peuvent plus avoir.

Sa religion était, comme son génie, tout entière dans son âme. Elle croyait humblement; elle aimait ardemment; elle espérait fermement. Sa foi était un acte de vertu et non un raisonnement. Elle la regardait comme un don de Dieu reçu des mains de sa mère, et qu'il eût été coupable d'examiner et de laisser emporter au vent du chemin. Plus tard, toutes les voluptés de la prière, toutes les larmes de l'admiration, toutes les effusions de son cœur, toutes les sollicitudes de sa vie et toutes les espérances de son immortalité s'était tellement identifiées avec sa foi qu'elles en faisaient, pour ainsi dire, partie dans sa pensée, et qu'en perdant ou en altérant sa croyance, elle aurait cru perdre à la fois son innocence, sa vertu, ses amours et ses bonheurs ici-bas, et ses gages de bonheur plus haut, sa terre et son ciel enfin! Aussi y tenait-elle comme à son ciel et à sa terre. Et puis, elle était née pieuse comme on naît poète; la piété, c'était sa nature; l'amour de Dieu, c'était sa passion! Mais cette passion, par l'immensité de son objet et par la sécurité même de sa jouissance, était sereine, heureuse et tendre comme toutes ses autres passions.

Cette piété était la part d'elle-même qu'elle désirait le plus ardemment nous communiquer. Faire de nous des créatures de Dieu en esprit et en vérité, c'était sa pensée la plus maternelle. A cela encore elle réussissait sans systèmes et sans efforts et avec cette merveilleuse habileté de la nature qu'aucun artifice ne peut égaler. Sa piété, qui découlait de chacune de ses inspirations, de chacun de ses actes, de chacun de ses gestes, nous enveloppait, pour ainsi dire, d'une atmosphère du ciel ici-bas. Nous croyions que Dieu était derrière elle et que nous allions l'entendre et le voir, comme elle semblait elle-même l'entendre et le voir, et converser avec lui à chaque impression du jour. Dieu était pour nous comme l'un d'entre nous. Il était né en nous avec nos premières et nos plus indéfinissables impressions. Nous ne nous souvenions pas de ne l'avoir pas connu; il n'y avait pas un premier jour où l'on nous avait parlé de lui. Nous l'avions toujours vu entiers entre notre mère et nous. Son nom avait été sur nos lèvres avec le lait maternel, nous avions appris à parler en le balbutiant. A mesure que nous avions grandi, les actes qui le rendent présent et même sensible à l'âme s'étaient accomplis vingt fois par jour sous nos yeux. Le matin, le soir, avant, après nos repas, on nous avait fait faire de courtes prières. Les genoux de notre mère avaient été longtemps notre autel familier. Sa figure rayonnante était toujours voilée à ce moment d'un recueillement respectueux et un peu solennel, qui nous avait imprimé à nous-mêmes le sentiment de la gravité de l'acte qu'elle nous inspirait. Quand elle avait prié avec nous et sur nous, son beau visage devenait plus doux et plus attendri encore. Nous sentions qu'elle avait communiqué avec sa force et avec sa joie pour nous en inonder davantage.

LIVRE CINQUIÈME

I

Toutes nos leçons de religion se bornaient pour elle à être religieuse devant nous et avec nous. La perpétuelle effusion d'amour, d'adoration et de reconnaissance qui s'échappait de son âme, était sa seule et naturelle prédication. La prière, mais la prière rapide, lyrique, ailée, était associée aux moindres actes de notre journée. Elle s'y mêlait si à propos qu'elle était toujours un plaisir et un rafraîchissement, au lieu d'être une obligation et une fatigue. Notre vie était entre les mains de cette femme un *sursum corda* perpétuel. Elle s'élevait aussi naturellement à la pensée de Dieu que la plante s'élève à l'air et à la lumière. Notre mère, pour cela, faisait le contraire de ce qu'on fait ordinairement. Au lieu de nous commander une dévotion chagrine qui arrache les enfants à leurs jeux ou à leur sommeil pour les forcer à prier Dieu, et souvent à travers leur répugnance et leurs larmes, elle faisait pour nous une fête de l'âme de ces courtes invocations auxquelles elle nous conviait en souriant. Elle ne mêlait pas la prière à nos larmes, mais à tous les petits événements heureux qui nous survenaient pendant la journée. Ainsi, quand nous étions réveillés dans nos petits lits, que le soleil si gai du matin étincelait sur nos fenêtres, que les oiseaux chantaient sur nos rosiers ou dans leurs cages, que les pas des serviteurs résonnaient depuis longtemps dans la maison et que nous l'attendions ellemême impatiemment pour nous lever, elle montait, elle entrait, le visage toujours rayonnant de bonté, de tendresse et de douce joie; elle nous embrassait dans nos lits; elle nous aidait à nous habiller; elle écoutait ce joyeux petit ramage d'enfants dont l'imagination rafraîchie gazouille au réveil, comme un nid d'hirondelles gazouille sur le toit quand la mère approche; puis elle nous disait: "A qui devons-nous ce bonheur dont nous allons jouir ensemble? C'est à Dieu, c'est à notre père céleste. Sans lui ce beau soleil ne se serait pas levé; ces arbres auraient perdu leurs feuilles; les gais oiseaux seraient morts de faim et de froid sur la terre nue, et vous, mes pauvres enfants, vous n'auriez ni lit, ni maison, ni jardin, ni mère, pour vous abriter et vous nourrir, vous réjouir toute votre saison! Il est bien juste de le remercier pour tout ce qu'il nous donne avec ce jour, de le prier de nous donner beaucoup d'autres jours pareils." Alors elle se mettait à genoux devant notre lit, elle joignait nos petites mains, et souvent en les baisant dans les siennes, elle faisait lentement et à demi-voix la courte prière du matin, que nous répétions avec ses inflexions et ses paroles.

Le soir, elle n'attendait pas que nos yeux, appesantis par le sommeil, fussent à demi fermés pour nous faire balbutier, comme en rêve, les paroles qui retardaient péniblement pour nous l'heure du repos; elle réunissait au salon, aussitôt après le souper, les domestiques et même les paysans des hameaux les plus voisins et les plus amis de la maison. Elle prenait un livre de pieuses instructions chrétiennes pour le peuple; elle en lisait quelques courts passages à son rustique auditoire. Cette lecture était suivie de la prière qu'elle lisait elle-même à haute voix, ou que mes jeunes sœurs disaient à sa place quand elles furent plus âgées. J'entends d'ici le refrain de ces litanies monotones qui roulait sourdement sous les poutres et qui ressemblait au flux et au reflux régulier des vagues du cœur venant battre les bords de la vie et les oreilles de Dieu.

L'un de nous était toujours chargé de dire à son tour une petite prière pour les voyageurs, pour les pauvres, pour les malades, pour quelque besoin particulier du village ou de la maison. En nous donnant ainsi un petit rôle dans l'acte sérieux de la prière, elle nous y intéressait en nous y associant, et nous empêchait de la prendre en froide habitude, en vaine cérémonie ou même en dégoût. Outre ces deux prières presque publiques, le reste de notre journée avait encore de fréquentes et irrégulières élévations de nos âmes d'enfants vers Dieu. Mais ces prières, nées de la circonstance dans le cœur et sur les lèvres de notre mère, n'étaient que des inspirations du moment; elles n'avaient rien de régulier ni de fatigant pour nous. Au contraire, elles complétaient et consacraient, pour ainsi dire, chacune de nos impressions et de nos jouissances.

Ainsi, quand un frugal repas, mais délicieux pour nous, était servi sur la table, notre mère, avant de s'asseoir et de rompre le pain, nous faisait un petit signe que nous comprenions. Nous suspendions une demi-minute l'impatience de notre appétit, pour prier Dieu de bénir la nourriture qu'il nous donnait. Après le repas et avant d'aller jouer, nous lui rendions grâce en quelques mots. Si nous partions pour une promenade lointaine et vivement désirée, par une belle matinée d'été, notre mère, en partant, nous faisait faire tout bas, et sans qu'on s'en aperçût, une courte invocation intérieure à Dieu, pour qu'il bénît cette grande joie et nous préservât de tout accident. Si la course nous conduisait devant quelque spectacle sublime ou gracieux de la nature, nouveau pour nous, dans quelque grande et sombre forêt de sapins où la solennité des ténèbres, les jaillissements de clarté à travers les rameaux, ébranlaient nos jeunes imaginations; devant une belle nappe d'eau roulant en cascade et nous éblouissant d'écume, de mouvement et de bruit; si un beau soleil couchant groupait sur la montagne des nuages d'une forme et d'un éclat inusités, et faisait en pénétrant sous l'horizon de magnifiques adieux à ce petit coin du globe qu'il venait d'illuminer, notre mère manquait rarement de profiter de la grandeur ou de la nouveauté de nos impressions pour nous faire élever notre âme à l'auteur de toutes ces merveilles, et pour nous mettre en communication avec lui par quelques soupirs lyriques de sa perpétuelle adoration.

Combien de fois, les soirs d'été, en se promenant avec nous dans la campagne, où nous ramassions des fleurs, des insectes, des cailloux brillants dans le lit du ruisseau de Milly, ne nous faisait-elle pas asseoir à côté d'elle, au pied d'un saule, et le cœur débordant de son pieux enthousiasme, ne nous entretenait-elle pas un moment du sens religieux et caché de cette belle création qui ravissait nos yeux et nos cœurs! Je ne sais pas si ces explications de la nature, des éléments, de la vertu des plantes, de la destination des insectes, étaient bien selon la science. Elle les prenait dans Pluche, Buffon, Bernardin de Saint-Pierre; mais, s'il n'en sortait pas des systèmes irréprochables de la nature, il en sortait un immense sentiment de la Providence et une religieuse bénédiction de nos esprits à cet océan infini des sagesses et des miséricordes de Dieu.

Quand nous étions bien attendris par ces sublimes commentaires, et que nos yeux commençaient à se mouiller d'admiration, elle ne laissait pas s'évaporer ces douces larmes au souffle des distractions légères et des pensées mobiles; elle se hâtait de tourner tout cet enthousiasme de la contemplation en tendresse. Quelques versets des Psaumes qu'elle savait par cœur, appropriés aux impressions de la scène, tombaient avec componction de ses lèvres. Ils donnaient un sens pieux à toute la terre et une parole divine à tous nos sentiments.

II

En rentrant, elle nous faisait presque toujours passer devant les pauvres maisons des malades ou des indigents du village. Elle s'approchait de leurs lits, elle leur donnait quelques conseils et quelques remèdes. Elle puisait ses ordonnances dans Tissot ou dans Buchan, ces deux médecins populaires. Elle faisait de la médecine son étude assidue pour l'appliquer aux indigents. Elle avait des vrais médecins le génie instinctif, le coup d'œil prompt, la main heureuse. Nous l'aidions dans ses visites quotidiennes. L'un de nous portait la charpie et l'huile aromatique pour les blessés; l'autre, les bandes de linge pour les compresses. Nous apprenions ainsi à n'avoir aucune de ces répugnances qui rendent plus tard l'homme faible devant la maladie, inutile à ceux qui souffrent, timide devant la mort. Elle ne nous écartait pas des plus affreux spectacles de la misère, de la douleur et même de l'agonie. Je l'ai vue souvent debout, assise ou à genoux au chevet de ces grabats des chaumières, ou dans les étables où les paysans couchent quand ils sont vieux et cassés, essuyer de ses mains la sueur froide des pauvres mourants, les retourner sous leurs couvertures, leur réciter les prières du dernier moment, et attendre patiemment des heures entières que leur âme eût passé à Dieu, au son de sa douce voix.

Elle faisait de nous aussi les ministres de ses aumônes.

Nous étions sans cesse occupés, moi surtout, comme le plus grand, à porter au loin, dans les maisons isolées de la montagne, tantôt un peu de pain blanc pour les femmes en couches, tantôt une bouteille de vin vieux et des morceaux de sucre, tantôt un peu de bouillon fortifiant pour les vieillards épuisés faute de nourriture. Ces petits messages étaient même pour nous des plaisirs et des récompenses. Les paysans nous connaissaient à deux ou trois lieues à la ronde. Ils ne nous voyaient jamais passer sans nous appeler par nos noms d'enfant qui leur étaient familiers, sans nous prier d'entrer chez eux, d'y accepter un morceau de pain, de lard ou de fromage. Nous étions, pour tout le canton, les fils de la *dame,* les envoyés de bonnes nouvelles, les anges de secours pour toutes les misères abandonnées des gens de la campagne. Là où nous entrions, entrait une providence, une espérance, une consolation, un rayon de joie et de charité. Ces douces habitudes d'intimité avec tous les malheureux et d'entrée familière dans toutes les demeures des habitants du pays avaient fait pour nous une véritable famille de tout ce peuple des champs. Depuis les vieillards jusqu'aux petits enfants, nous connaissions tout ce petit monde par son nom. Le matin, les marches de pierre de la porte d'entrée de Milly et le corridor étaient toujours assiégés de malades ou de parents des malades qui venaient chercher des consultations auprès de notre mère. Après nous, c'était à cela qu'elle consacrait ses matinées. Elle était toujours occupée à faire quelques préparations médicinales pour les pauvres, à piler des herbes, à faire des tisanes, à peser des drogues dans de petites balances, souvent même à panser les blessures ou les plaies les plus dégoûtantes. Elle nous employait, nous l'aidions selon nos forces à tout cela. D'autres cherchent l'or dans ces alambics ; notre mère n'y cherchait que le soulagement des infirmités des misérables, et plaçait ainsi bien plus haut et bien plus sûrement dans le ciel l'unique trésor qu'elle ait jamais désiré ici-bas: les bénédictions des pauvres et la volonté de Dieu.

III

Quand tout ce tracas du jour se taisait enfin, que nous avions dîné, que les voisins qui venaient quelquefois en visite s'étaient retirés, et que l'ombre de la montagne, s'allongeant sur le petit jardin, y versait déjà le crépuscule de la journée qui allait finir, ma mère se séparait un moment de nous. Elle nous laissait, soit dans le petit salon, soit au coin du jardin, à distance d'elle. Elle prenait enfin son heure de repos et de méditation à elle seule. C'était le moment où elle se recueillait avec toutes ses pensées rappelées à elle et tous ses sentiments extravasés de son cœur pendant le jour, dans le sein de Dieu où elle aimait tant à se replonger. Nous connaissions, tout jeunes que nous étions, cette heure à part qui lui était réservée entre toutes les heures. Nous nous écartions tout naturellement de l'allée du jardin où elle se promenait, comme si nous eussions craint d'interrompre ou d'entendre les mystérieuses confidences d'elle à Dieu et de Dieu à elle ! C'était une petite allée de sable jaune tirant sur le rouge, bordée de fraisiers, entre des arbres fruitiers qui ne s'élevaient pas plus haut que sa tête. Un gros bouquet de noisetiers était au bout de l'allée d'un côté, un mur de l'autre. C'était le site le plus désert et le plus abrité du jardin. C'est pour cela qu'elle le préférait, car ce qu'elle voyait dans cette allée était en elle et non dans l'horizon de la terre. Elle y marchait d'un pas rapide, mais très-régulier, comme quelqu'un qui pense fortement, qui va à un but certain, et que l'enthousiasme soulève en marchant. Elle avait ordinairement la tête nue; ses beaux cheveux noirs à demi livrés au vent, son visage un peu plus grave que le reste du jour, tantôt légèrement incliné vers la terre, tantôt relevé vers le ciel où ses regards semblaient chercher les premières étoiles qui commençaient à se détacher du bleu de la nuit dans le firmament. Ses bras étaient nus à partir du coude; ses mains étaient tantôt jointes comme celles de quelqu'un qui prie, tantôt libres et cueillant par distraction quelques roses ou quelques mauves violettes, dont les hautes tiges croissaient au bord de l'allée. Quelquefois ses lèvres étaient entr'ouvertes et immobiles, quelquefois fermées et agitées d'un imperceptible mouvement, comme celles de quelqu'un qui parle en rêvant.

Elle parcourait ainsi pendant une demi-heure, plus ou moins, selon la beauté de la soirée, la liberté de son temps ou l'abondance de l'inspiration intérieure, deux ou trois cents fois l'espace de l'allée. Que faisait-elle ainsi? vous l'avez deviné. Elle vivait un moment en Dieu seul. Elle échappait à la terre. Elle se séparait volontairement de tout ce qui la touchait ici-bas pour aller chercher dans une communication anticipée avec le Créateur, au sein même de la création, ce rafraîchissement céleste dont l'âme souffrante et aimante a besoin pour reprendre les forces de souffrir et d'aimer toujours davantage.

Ce que Dieu disait à cette âme, Dieu seul le sait, ce qu'elle disait à Dieu, nous le savons à peu près comme elle. C'étaient des retours pleins de sincérité et de componction sur les légères fautes qu'elle avait pu commettre dans l'accomplissement de ses devoirs, dans la journée; de tendres reproches qu'elle se faisait à elle-même pour s'encourager à mieux correspondre aux grâces divines de sa situation; des remercîments passionnés à la Providence pour quelques-uns de ces petits bonheurs que lui étaient arrivés en nous: son fils, qui avait annoncé d'heureuses inclinations; ses filles, qui s'embellissaient sous ses yeux; son mari, qui, par son intelligence et son ordre admirables, avait légèrement accru la petite fortune et le bien-être futur de la maison; puis les blés qui s'annonçaient beaux; la vigne, notre principale richesse, dont les fleurs bien parfumées embaumaient l'air et promettaient une abondante vendange; quelques contemplations soudaines, ravissantes de la grandeur du firmament, de l'armée des astres, de la beauté de la saison, de l'organisation des fleurs, des insectes, des instincts maternels des oiseaux, dont on voyait toujours quelques nids respectés par nous entre les branches de nos rosiers ou de nos arbustes. Tout cela entassé dans son cœur comme les prémices sur l'autel, et allumé au feu de son jeune enthousiasme s'exhalant en regards, en soupirs, en quelques gestes inaperçus et en versets des Psaumes sourdement murmurés! Voilà ce qu'entendaient seulement les herbes, les feuilles, les arbres et les fleurs dans cette allée du recueillement.

IV

Cette allée était pour nous comme un sanctuaire dans un saint lieu, comme la chapelle du jardin où Dieu lui-même la visitait. Nous n'osions jamais y venir jouer; nous la laissions entièrement à son mystérieux usage sans qu'on nous l'eût défendu. A présent encore, après tant d'années que son ombre seule s'y promène, quand je vais dans ce jardin, je respecte l'allée de ma mère. Je baisse la tête en la traversant, mais je ne m'y promène pas moi-même, pour n'y pas effacer sa trace.

Quand elle sortait de ce sanctuaire et qu'elle revenait vers nous, ses yeux étaient mouillés, son visage plus serein, et plus apaisé encore qu'à l'ordinaire. Son sourire perpétuel sur ses gracieuses lèvres avait quelque chose de plus tendre et de plus amoureux encore. On eût dit qu'elle avait déposé un fardeau de tristesse ou d'adoration, et qu'elle marchait plus légèrement à ses devoirs le reste de la journée.

V

Cependant j'avançais en âge, j'avais dix ans. Il fallait bien commencer à m'apprendre quelque chose de ce que savent les hommes. Ma mère n'instruisait que mon cœur et ne formait que mes sentiments. Il s'agissait d'apprendre le latin. Le vieux curé d'un village voisin (car la cure de Milly était vendue et l'église fermée) tenait une petite école pour les enfants de quelques paysans aisés. On m'y envoyait le matin. Je portais sur mon dos, dans un sac, un morceau de pain et quelques fruits pour déjeuner avec mes petits camarades. Je portais de plus sous mon bras, comme les autres, un petit fagot de bois ou de ceps de vigne pour alimenter le feu du pauvre curé. Le village de Bussières, où il desservait une petite église, est situé à un quart de lieue du hameau de Milly, au fond d'une charmante vallée dominée d'un côté par des vignes et par des noyers sur des pelouses, s'étendant de l'autre sur de jolis prés qu'arrose un ruisseau et qu'entrecoupent de petits bois de chênes et des groupes de vieux châtaigniers. La cure avec son jardin, sa cour et son puits, était cachée au nord derrière les murs de l'église, et tout ensevelie dans l'ombre du large clocher.

Au midi seulement, une galerie extérieure de quelques pas de long, et dont le toit était supporté par des piliers de bois avec leur écorce, ouvrait sur la cuisine et sur une salle dont le vieillard avait fait notre salle d'étude. J'entends d'ici le bruit de nos petits sabots retentissants sur les marches de pierre qui montaient de la cour dans cette galerie. Nous venions de Milly cinq à six enfants tous les jours, quelque temps qu'il fît. Plus la température était pluvieuse ou froide, plus le chemin était pour nous amusant à faire et plus nous le prolongions. Entre Bussières et Milly, il y a une colline rapide dont la pente, par un sentier de pierres roulées, se précipite sur la vallée du presbytère. Ce sentier, en hiver, était un lit épais de neige ou un glacis de verglas sur lequel nous nous laissions rouler ou glisser comme font les bergers des Alpes. En bas, les prés ou le ruisseau débordé étaient souvent des lacs de glace interrompus seulement par le tronc noir des saules. Nous avions trouvé le moyen d'avoir des patins, et, à force de chutes, nous avions appris à nous en servir. C'est là que je pris une véritable passion pour cet exercice du Nord, où je devins très-habile plus tard. Se sentir emporté avec la rapidité de la flèche et avec les gracieuses ondulations de l'oiseau dans l'air, sur une surface plane, brillante, sonore et perfide; s'imprimer à soi-même, par un simple balancement du corps, et, pour ainsi dire, par le seul gouvernail de la volonté, toutes les courbes, toutes les inflexions de la barque sur la mer ou de l'aigle planant dans le bleu du ciel, c'était pour moi et ce serait encore, si je ne respectais pas mes années, une telle ivresse des sens et un si voluptueux étourdissement de la pensée, que je ne puis y songer sans émotion. Les chevaux même, que j'ai tant aimés, ne donnent pas au cavalier ce délire mélancolique que les grands lacs glacés donnent au patineur. Combien de fois n'ai-je pas fait des vœux pour que l'hiver, avec son brillant soleil froid, étincelant sur les glaces bleues des prairies sans bornes de la Saône, fût éternel comme nos plaisirs!

On conçoit qu'en telle compagnie et par une telle route nous arrivions souvent un peu tard. Le vieux curé ne nous en recevait pas plus mal. Accablé d'âge et d'infirmités, homme du monde autrefois, élégant et riche avant la Révolution, tombé dans le dénûment depuis, il avait peu de goût pour la société d'enfants étourdis et bruyants qu'il s'était chargé d'enseigner. Tout ce que le bonhomme voulait de nous, c'était la légère rétribution que la générosité de nos parents ajoutait sans doute au mince casuel de son église. Du reste, il se déchargeait de notre éducation sur un jeune et brillant vicaire qui vivait avec lui dans sa cure, et qui le traitait en père plus qu'en supérieur. Ce vicaire s'appelait l'abbé Dumont. Le reste de la maison se composait d'une femme déjà âgée, mais belle et gracieuse toujours. C'était la mère du jeune abbé. Elle gouvernait doucement et souverainement le ménage des deux prêtres, aidée par une jolie nièce et par un vieux marguillier qui fendait le bois, bêchait le jardin et sonnait la cloche.

L'abbé Dumont n'avait rien du sacerdoce que le dégoût profond d'un état où on l'avait jeté malgré lui, la veille même du jour où le sacerdoce allait être ruiné en France. Il n'en portait pas même l'habit. Tous ses goûts étaient ceux d'un gentilhomme; toutes ses habitudes étaient celles d'un militaire; toutes ses manières étaient celles d'un homme du grand monde. Beau de visage, grand de taille, fier d'attitude, grave et mélancolique de physionomie, il parlait à sa mère avec tendresse, au curé avec respect, à nous avec dédain, et supériorité. Toujours entouré de trois ou quatre beaux chiens de chasse, ses compagnons assidus, dans la chambre comme dans les forêts, il s'occupait plus d'eux que de nous. Deux ou trois fusils luisants de propreté décorés de plaques d'argent brillaient au coin de la cheminée; des fourniments de poudre, des balles, du gros plomb de chasse, étaient épars çà et là sur toutes les tables. Il tenait ordinairement à la main un grand fouet de cuir à manche d'ivoire, terminé par un sifflet pour rappeler ses chiens dans les montagnes. On voyait plusieurs sabres et des couteaux de chasse suspendus aux murs, et de grandes bottes à l'écuyère, armées de longs éperons d'argent, se dressaient toutes vernies et toutes cirées dans les coins de l'appartement. On sentait à son air, au son mâle et ferme de sa voix, et à cet ameublement, que son caractère naturel se vengeait par le costume du contre-sens de sa nature et de son état.

Il était instruit, et beaucoup de livres épars sur les chaises attestaient en lui des goûts littéraires. Mais ces livres étaient, comme les meubles, très-peu canoniques. C'étaient des volumes de Raynal, de J.-J. Rousseau, de Voltaire, des romans de l'époque ou des brochures et des journaux contre-révolutionnaires. Car, bien, qu'il fût très-peu ecclésiastique, l'abbé Dumont était très-royaliste. Sa cheminée était couverte de bustes et de gravures représentant l'infortuné Louis XVI, la reine, le Dauphin, les illustres victimes de la Révolution. Toute cette haine pour la Révolution et toute cette philosophie dont la Révolution avait été la conséquence se conciliaient très-bien alors, dans la plupart des hommes de cette époque. La Révolution avait satisfait leurs doctrines et renversé leur situation. Leur âme était un chaos comme la société nouvelle: ils ne s'y reconnaissaient plus.

On juge aisément, sur un pareil portrait, qu'entre un vieillard infirme qui se chauffait au feu de la cuisine tout le jour et un jeune homme impatient d'action et de plaisir, qui comptait comme autant d'heures de supplice les heures qu'il retranchait pour nous de la chasse, notre instruction ne pouvait pas s'étendre rapidement. Aussi se borna-t-elle, pendant l'année tout entière, à nous apprendre deux ou trois déclinaisons de mots latins dont nous ne comprenions même que la désinence. Le reste consistait à patiner l'hiver, à nager l'été dans les écluses des moulins, et à courir les noces et les fêtes des villages voisins, où l'on nous donnait les gâteaux d'usage dans ces circonstances, et où nous tirions les innombrables coups de pistolet qui sont partout le signe de réjouissances.

Je parlais le patois comme ma langue naturelle, et personne ne savait par cœur mieux que moi les chansons traditionnelles si naïves que l'on chante, la nuit, dans nos campagnes, sous la fenêtre de la chambre ou à la porte de l'étable où couche la fiancée.

VI

Mais cette vie entièrement paysannesque, et cette ignorance absolue de ce que les autres enfants savent à cet âge, n'empêchait pas que, sous le rapport des sentiments et des idées, mon éducation familière, surveillée par ma mère, ne fît de moi un des esprits les plus justes, un des cœurs les plus aimants, et un des enfants les plus docile que l'on pût désirer. Ma vie était composée de liberté, d'exercices vigoureux et de plaisirs simples, mais non de déréglements dangereux. On savait très-bien, à mon insu, me choisir mes camarades et mes amis parmi les enfants des familles les plus honnêtes et les plus irréprochables du village. Quelques-uns des plus âgés avaient jusqu'à un certain point la responsabilité de moi. Je ne recevais ni mauvais exemples ni mauvais conseils parmi eux. Le respect et l'amour que tout ce peuple avait pour mon père et pour ma mère rejaillissaient sur moi, tant le pays m'était comme une famille dont j'étais, pour ainsi dire, l'enfant commun et de prédilection.

Je n'aurais jamais songé à désirer une autre vie que celle-là. Ma mère, qui craignait pour moi le danger des éducations publiques, aurait voulu prolonger éternellement aussi cette heureuse enfance. Mais mon père et ses frères, dont j'aurai à parler bientôt, voyaient avec inquiétude que j'allais toucher à ma douzième année dans quelques mois, bientôt à l'adolescence, et que l'âge viril me surprendrait dans une trop grande infériorité d'instruction et de discipline avec les hommes de mon âge et de ma condition. Ils s'en alarmaient tout haut. J'entendais, à ce sujet, des représentations vives à ma pauvre mère. Elle pleurait souvent. L'orage passait et se brisait contre l'imperturbabilité de sa tendresse et contre l'énergie de sa volonté si flexible et pourtant si constante. Mais l'orage revenait tous les jours.

L'aîné de mes oncles était un homme d'autrefois; il était bon, mais il n'était nullement tendre. Élevé dans la rude et stricte école de la vie militaire, il ne concevait que l'éducation commune. Il voulait que l'homme fût formé par le contact des hommes; il craignait que cette tendresse de mère interposée toujours entre l'enfant et les réalités de la vie n'énervât trop la virilité du caractère. De plus, il était fort instruit, savant même et écrivain. Il voyait bien que je n'apprendrais jamais rien dans la maison de mon père qu'à bien vivre et à vivre heureux. Il voulait davantage.

Mon père, plus indulgent par sa nature et plus influencé par les idées maternelles, ne se serait pas décidé de lui-même à m'exiler de Milly; mais la persistance de mes oncles l'emporta. Ils étaient les rois de la famille et ses oracles, à peu près comme le bailli de Mirabeau dans la famille de ce grand homme. L'avenir de la famille était entre les mains de cet oncle, car il gouvernait ses frères et ses sœurs. Il n'était point marié; il fallait le ménager. Son empire un peu despotique, comme l'était alors l'autorité d'un chef de maison, s'exerçait avec une souveraineté fortifiée par son mérite distingué et par la considération dont il était investi. Par prudence et par amour pour ses enfants, ma mère céda. Mon arrêt fut porté, non sans bien des temporisations et bien des larmes.

On chercha longtemps un collège où les principes religieux, si chers à ma mère, fussent associés à un enseignement fort et un régime paternel. On crut avoir trouvé tout cela dans une maison d'éducation célèbre alors à Lyon. Ma mère m'y conduisit elle-même. J'y entrai comme le condamné à mort entre dans son dernier cachot. Les faux sourires, les hypocrites caresses des maîtres de cette pension, qui voulaient imiter le cœur d'un père pour de l'argent, ne m'en imposèrent pas. Je compris tout ce que cette tendresse de commande avait de vénal. Mon cœur se brisa pour la première fois de ma vie, et quand la grille de fer se referma entre ma mère et moi, je sentis que j'entrais dans un autre monde, et que la lune de miel de mes premières années était écoulée sans retour.

LIVRE SIXIÈME

I

Représentez-vous un oiseau doux, mais libre et sauvage, en possession du nid, des forêts, du ciel, en rapport avec toutes les voluptés de la nature, de l'espace et de la liberté, pris tout à coup au piège de fer de l'oiseleur, et forcé de replier ses ailes et de déchirer ses pattes dans les barreaux de la cage étroite où l'on vient de l'enfermer avec d'autres oiseaux de races différentes, et dont le plumage et les cris discordants lui sont inconnus, vous aurez une idée imparfaite encore de ce que j'éprouvai pendant les premiers mois de ma captivité.

L'éducation maternelle m'avait fait une âme toute d'expansion, de sincérité et d'amour. Je ne savais pas ce que c'était que craindre, je ne savais qu'aimer. Je ne connaissais que la douce et naturelle persuasion qui découlait pour moi des lèvres, des yeux, des moindres gestes de ma mère. Elle n'était pas mon maître, elle était plus: elle était ma volonté. Ce régime sain de la maison paternelle où la seule loi était de s'aimer, où la seule crainte était de déplaire, où la seule punition était un front attristé, avait fait de moi un enfant très-développé pour tout ce qui était sentiment, très-impressionnable aux moindres rudesses, aux moindres froissements de cœur. Je tombais de ce nid rembourré de duvet, et tout chaud de la tendresse d'une incomparable famille, sur la terre froide et dure d'une école tumultueuse, peuplée de deux cents enfants inconnus, railleurs, méchants, vicieux, gouvernés par des maîtres brusques, violents et intéressés, dont le langage mielleux, mais fade, ne déguisa pas un seul jour à mes yeux l'indifférence.

Je les pris en horreur. Je vis en eux des geôliers. Je passais les heures de récréation à regarder seul et triste, à travers les barreaux d'une longue grille qui fermait la cour, le ciel et la cime boisée des montagnes du Beaujolais, et à soupirer après les images de bonheur et de liberté que j'y avais laissées. Les jeux de mes camarades m'attristaient; leur physionomie même me repoussait. Tout respirait un air de malice, de fourberie et de corruption, qui soulevait mon cœur. L'impression fut si vive et si triste, que les idées de suicide, dont je n'avais jamais entendu parler, m'assaillirent avec force. Je me souviens d'avoir passé des jours et des nuits à chercher par quel moyen je pourrais m'arracher une vie que je ne pouvais pas supporter. Cet état de mon âme ne cessa pas un seul moment tout le temps que je restai dans cette maison.

II

Après quelques mois de ce supplice, je résolus de m'échapper. Je calculai longtemps et habilement mes moyens d'évasion. Enfin, à l'heure où la porte d'un parloir s'ouvrait pour les parents qui venaient visiter leurs enfants, j'eus soin de me tenir dans ce parloir. Je fis semblant d'avoir jeté dans la rue la balle avec laquelle je jouais. Je me précipitai dehors comme pour la rattrapper. Je refermai violemment la porte, et je m'élançai à toutes jambes à travers les petites ruelles bordées de murs et de jardins qui sillonnaient le faubourg de la Croix-Rousse, à Lyon. Je parvins bientôt à faire perdre mes traces au gardien qui me poursuivait, et quand j'eus gagné les bois qui couvraient les collines de la Saône, entre Neuville et Lyon, je ralentis le pas et je m'assis au pied d'un arbre pour reprendre haleine et réfléchir.

Je n'avais pour toute ressource que trois francs en petite monnaie dans ma poche. Je savais bien que je serais mal reçu par mon père; mais je me disais: "Ma fuite aura toujours cela de bon qu'on ne pourra pas me renvoyer dans le même collège." Et puis, je ne comptais pas me présenter à mon père. Mon plan consistait à aller à Milly demander asile à un de ces braves paysans dont j'étais si connu et si aimé, soit même à la loge du gros chien de garde de la cour de la maison, où j'avais si souvent passé des heures avec lui couché sur la paille; de là j'aurais fait prévenir ma mère que j'étais arrivé, elle aurait adouci mon père; on m'aurait reçu et pardonné, et j'aurais repris ma douce vie auprès d'eux.

Il n'en fut point ainsi. M'étant remis en marche, et étant arrivé dans une petite ville à six lieues de Lyon, j'entrai dans une auberge et je demandai à dîner. Mais à peine était-je assis devant l'omelette et le fromage qu'une bonne femme m'avait préparés, que la porte s'ouvrit et que je vis entrer le directeur de la maison d'éducation, escorté d'un gendarme. On me reprit, on me lia les mains, on me ramena à travers la honte que me donnait la curiosité des villageois. On m'enferma seul dans une espèce de cachot. J'y passai deux mois sans communication avec qui que ce fût, excepté pourtant avec le directeur, qui me demanda en vain un acte de repentir. Lassé à la fin de ma fermeté, on me renvoya à mes parents. Je fus mal reçu de toute la famille, excepté de ma pauvre mère. Elle obtint qu'on ne me renverrait plus à Lyon. Un collège dirigé par les jésuites (c'était à Belley, sur la frontière de Savoie) était alors en grande renommée, non-seulement en France, mais encore en Italie, en Allemagne et en Suisse. Ma mère m'y conduisit.

III

En y entrant, je sentis en peu de jours la différence prodigieuse qu'il y a entre une éducation vénale rendue à de malheureux enfants, pour l'amour de l'or, par des industriels enseignants, et une éducation donnée au nom de Dieu et inspirée par un religieux dévouement dont le ciel seul est la récompense. Je ne retrouvai pas là ma mère, mais j'y retrouvai Dieu, la pureté, la prière, la charité, une douce et paternelle surveillance, le ton bienveillant de la famille, des enfants aimés et aimants, aux physionomies heureuses. J'étais aigri et endurci; je me laissai attendrir et séduire. Je me pliai de moi-même à un joug que d'excellents maîtres savaient rendre doux et léger. Tout leur art consistait à nous intéresser nous-mêmes aux succès de la maison et à nous conduire par notre propre volonté et par notre propre enthousiasme. Un esprit divin semblait animer du même souffle les maîtres et les disciples. Toutes nos âmes avaient retrouvé leurs ailes et volaient d'un élan naturel vers le bien et vers le beau. Les plus rebelles eux-mêmes étaient soulevés et entraînés dans le mouvement général. C'est là que j'ai vu ce que l'on pouvait faire des hommes, non en les contraignant, mais en les inspirant. Le sentiment religieux qui animait nos maîtres nous animait tous. Ils avaient l'art de rendre ce sentiment aimable et sensible, et de créer en nous la passion de Dieu. Avec un tel levier placé dans nos propres cœurs, ils soulevaient tout. Quant à eux, ils ne faisaient pas semblant de nous aimer, ils nous aimaient véritablement, comme les saints aiment leur devoir, comme les ouvriers aiment leur œuvre, comme les superbes aiment leur orgueil. Ils commencèrent par me rendre heureux; ils ne tardèrent pas à me rendre sage. La piété se ranima dans mon âme. Elle devint le mobile de mon ardeur au travail. Je formai des amitiés intimes avec des enfants de mon âge aussi purs et aussi heureux que moi. Ces amitiés nous refaisaient, pour ainsi dire, une famille. Arrivé trop tard dans les dernières classes, puisque j'avais déjà passé douze ans, je marchai vite aux premières. En trois ans j'avais tout appris. Je revenais chaque année chargé des premiers prix de ma classe. J'en avais du bonheur pour ma mère, je n'en avais aucun orgueil pour moi. Mes camarades et mes rivaux me pardonnaient mes succès, parce qu'ils semblaient naturels, et que je ne les sentais pas moi-même. Il ne manquait à mon bonheur que ma mère et la liberté.

IV

Cependant je n'ai jamais pu discipliner mon âme à la servitude, quelque adoucie qu'elle fût par l'amitié, par la faveur de mes maîtres, par la popularité bienveillante dont mes condisciples m'entouraient au collège. Cette liberté des yeux, des pas, des mouvements, longtemps savourée à la campagne, me rendait les murs de l'école plus obscurs et plus étroits. J'étais un prisonnier plus heureux que les autres, mais j'étais toujours un prisonnier. Je ne m'entretenais avec mes amis, dans les heures de libre entretien, que du bonheur de sortir bientôt de cette réclusion forcée et de posséder de nouveau le ciel, les champs, les bois, les eaux, les montagnes de nos demeures paternelles. J'avais la fièvre perpétuelle de la liberté, j'avais la frénésie de la nature.

La fenêtre haute du dortoir la plus rapprochée de mon lit ouvrait sur une verte vallée du Bugey, tapissée de prairies, encadrée par des bois de hêtres et terminée par des montagnes bleuâtres sur le flanc desquelles on voyait flotter la vapeur humide et blanche de lointaines cascades. Souvent, quand tous mes camarades étaient endormis, quand la nuit était limpide et que la lune éclairait le ciel, je me levais sans bruit; je grimpais contre les barreaux d'un dossier de chaise, dont je me faisais une échelle, et je m'accoudais des heures entières sur le socle de cette fenêtre, pour regarder amoureusement cet horizon de silence, de solitude et de recueillement. Mon âme se portait avec d'indicibles élans vers ces prés, vers ces bois, vers ces eaux; il me semblait que la félicité suprême était de pouvoir y égarer, à volonté, mes pas, comme j'y égarais mes regards et mes pensées, et si je pouvais saisir dans les gémissements du vent, dans les chants du rossignol, dans les bruissements des feuillages, dans le murmure lointain et répercuté des chutes d'eau, dans les tintements des clochettes des vaches sur la montagne, quelques-unes des notes agrestes, des réminiscences d'oreille de mon enfance à Milly, des larmes de souvenir, d'extase, tombaient de mes yeux sur la pierre de la fenêtre, et je rentrais dans mon lit pour y rouler longtemps en silence, dans mes rêves éveillés, les images éblouissantes de ces visions.

Elles se mêlaient de jour en jour davantage dans mon âme avec les pensées et les visions du ciel. Depuis que l'adolescence, en troublant mes sens, avait inquiété, attendri et attristé mon imagination, une mélancolie un peu sauvage avait jeté comme un voile sur ma gaieté naturelle et donné un accent plus grave à mes pensées comme au son de ma voix. Mes impressions étaient devenues si fortes, qu'elles en étaient douloureuses. Cette tristesse vague que toutes les choses de la terre me faisaient éprouver m'avait tourné vers l'infini. L'éducation éminemment religieuse qu'on nous donnait chez les jésuites, les prières fréquentes, les méditations, les sacrements, les cérémonies pieuses répétées, prolongées, rendues plus attrayantes par la parure des autels, la magnificence des costumes, les chants, l'encens, les fleurs, la musique, exerçaient sur des imaginations d'enfants ou d'adolescents de vives séductions. Les ecclésiastiques qui nous les prodiguaient s'y abandonnaient les premiers eux-mêmes avec la sincérité et la ferveur de leur foi. J'y avais résisté quelque temps, sous l'impression des préventions et de l'antipathie que mon premier séjour dans le collège de Lyon m'avait laissées contre mes premiers maîtres. Mais la douceur, la tendresse d'âme et la persuasion insinuante d'un régime plus sain, sous mes maîtres nouveaux, ne tardèrent pas à agir avec la toute-puissance de leur enseignement sur une imagination de quinze ans. Je retrouvai insensiblement auprès d'eux la piété naturelle que ma mère m'avait fait sucer avec son lait. En retrouvant la piété, je retrouvai le calme dans mon esprit, l'ordre et la résignation dans mon âme, la règle dans ma vie, le goût de l'étude, le sentiment de mes devoirs, la sensation de la communication avec Dieu, les voluptés de la méditation et de la prière, l'amour du recueillement intérieur, et ces extases de l'adoration en présence de Dieu auxquelles rien ne peut être comparé sur la terre, excepté les extases d'un premier et pur amour. Mais l'amour divin, s'il a des ivresses et des voluptés de moins, a de plus l'infini et l'éternité de l'être qu'on adore! Il a de plus encore sa présence perpétuelle devant les yeux et dans l'âme de l'adorateur. Je le savourai dans toute son ardeur et dans toute son immensité.

Il m'en resta plus tard ce qui reste d'un incendie qu'on a traversé: un éblouissement dans les yeux et une tache de brûlure sur le cœur. Ma physionomie en fut modifiée; la légèreté un peu évaporée de l'enfance y fit place à une gravité tendre et douce, à cette concentration méditative du regard et des traits qui donne l'unité et le sens moral au visage. Je ressemblais à une statue de l'Adolescence enlevée un moment de l'abri des autels pour être offerte en modèle aux jeunes hommes. Le recueillement du sanctuaire m'enveloppait jusque dans mes jeux et dans mes amitiés avec mes camarades. Ils m'approchaient avec une certaine déférence, ils m'aimaient avec réserve.

J'ai peint dans *Jocelyn,* sous le nom d'un personnage imaginaire, ce que j'ai éprouvé moi-même de chaleur d'âme contenue, d'enthousiasme pieux répandu en élancements de pensées, en épanchements et en larmes d'adoration devant Dieu, pendant ces brûlantes années d'adolescence, dans une maison religieuse. Toutes mes passions futures encore en pressentiments, toutes mes facultés de comprendre, de sentir et d'aimer encore en germe, touts les voluptés et toutes les douleurs de ma vie encore en songe, s'étaient pour ainsi dire concentrées, recueillies et condensées dans cette passion de Dieu, comme pour offrir au créateur de mon être, au printemps de mes jours, les prémices, les flammes et les parfums d'une existence, que rien n'avait encore profanée, éteinte ou évaporée avant lui.

Je vivrais mille ans que je n'oublierais pas certaines heures du soir où, m'échappant pendant la récréation des élèves jouant dans la cour, j'entrais par une petite porte secrète dans l'église déjà assombrie par la nuit, et à peine éclairée au fond du chœur par la lampe suspendue du sanctuaire; je me cachais sous l'ombre plus épaisse d'un pilier; je m'enveloppais tout entier de mon manteau comme dans un linceul; j'appuyais mon front contre le marbre froid d'une balustrade, et, plongé, pendant des minutes que je ne comptais plus, dans une muette mais intarissable adoration, je ne sentais plus la terre sous mes genoux ou sous mes pieds, et je m'abîmais en Dieu, comme l'atome flottant dans la chaleur d'un jour d'été s'élève, se noie, se perd dans l'atmosphère, et, devenu transparent comme l'éther, paraît aussi aérien que l'air lui-même et aussi lumineux que la lumière!

Cette sérénité chaude de mon âme, découlant pour moi de la piété, ne s'éteignit pas en moi pendant les quatre années que j'employai encore à achever mes études. Cependant j'aspirais ardemment à les terminer pour rentrer dans la maison paternelle et dans la liberté de la vie des champs. Cette aspiration incessante vers la famille et vers la nature était même au fond un stimulant plus puissant que l'émulation. Au terme de chaque cours d'étude accompli, je voyais en idée s'ouvrir la porte de ma prison. C'est ce qui me faisait presser le pas et devancer mes émules. Je ne devais les couronnes dont j'étais récompensé et littéralement surchargé à la fin de l'année qu'à la passion de sortir plus vite de cet exil où l'on condamne l'enfance. Quand je n'aurais plus rien à apprendre au collège, il faudrait bien me rappeler à la maison.

Ce jour arriva enfin. Ce fut un des plus beaux de mon existence. Je fis des adieux reconnaissants aux excellents maîtres qui avaient su vivifier mon âme en formant mon intelligence, et qui avaient fait pour ainsi dire rejaillir leur amour de Dieu en amour et en zèle pour l'âme de ses enfants. Les pères Desbrosses, Varlet, Béquet, Wrintz, surtout, mes amis plus que mes professeurs, restèrent toujours dans ma mémoire comme des modèles de sainteté, de vigilance, de paternité, de tendresse et de grâce pour leurs élèves. Leurs noms feront toujours pour moi partie de cette famille de l'âme à laquelle on ne doit pas le sang et la chair, mais l'intelligence, le goût, les mœurs et le sentiment.

Je n'aime pas l'institut des jésuites. Élevé dans leur sein je savais discerner, dès cette époque, l'esprit de séduction, d'orgueil et de domination, qui se cache ou qui se révèle à propos dans leur politique, et qui, en immolant chaque membre au corps et en confondant ce corps avec la religion, se substitue habilement à Dieu même et aspire à donner à une secte surannée le gouvernement des consciences et la monarchie universelle de la conscience humaine. Mais ces vices abstraits de l'institution ne m'autorisent pas à effacer de mon cœur la vérité, la justice et la reconnaissance pour les mérites et pour les vertus que j'ai vus respirer et éclater dans leur enseignement et dans les maîtres chargés par eux du soin de notre enfance. Le mobile humain se sentait dans leurs rapports avec le monde; le mobile divin se sentait dans leurs rapports avec nous.

Leur zèle était si ardent qu'il ne pouvait s'allumer qu'à un principe surnaturel et divin. Leur foi était sincère, leur vie pure, rude, immolée à chaque minute et jusqu'à la fin au devoir et à Dieu. Si leur foi eût été moins superstitieuse et moins puérile, si leurs doctrines eussent été moins imperméables à la raison, ce catholicisme éternel, je verrais dans les hommes que je viens de citer les maîtres les plus dignes de toucher avec des mains pieuses l'âme délicate de la jeunesse; je verrais dans leur institut l'école et l'exemple des corps enseignants. Voltaire, qui fut leur élève aussi, leur rendit la même justice. Il honora les maîtres de sa jeunesse dans les ennemis de la philosophie humaine. Je les honore et je les vénère dans leurs vertus, comme lui. La vérité n'a jamais besoin de calomnier la moindre vertu pour triompher par le mensonge. Ce serait là le jésuitisme de la philosophie. C'est par la vérité que la raison doit triompher.

Enfin, après l'année qu'on appelle de philosophie, année pendant laquelle on torture par des sophismes stupides et barbares le bon sens naturel de la jeunesse pour le plier aux dogmes régnants et aux institutions convenues, je sortis du collège pour n'y plus rentrer. Je n'en sortis pas sans reconnaissance pour mes excellents maîtres ; mais j'en sortis avec l'ivresse d'un captif qui aime ses geôliers sans regretter les murs de sa prison. J'allais me plonger dans l'océan de liberté auquel je n'avais pas cessé d'aspirer ! Oh ! comme je comptais heure par heure ces derniers jours de la dernière semaine où notre délivrance devait sonner ! Je n'attendis pas qu'on m'envoyât chercher de la maison paternelle ; je partis en compagnie de trois élèves de mon âge qui rentraient dans leur famille comme moi, et dont les parents habitaient les environs de Mâcon. Nous portions notre petit bagage sur nos épaules, et nous nous arrêtions de village en village et de ferme en ferme, dans les gorges sauvages du Bugey. Les montagnes, les torrents, les cascades, les ruines sous les rochers, les châlets sous les sapins et sous les hêtres de ce pays tout alpestre, nous arrachaient nos premiers cris d'admiration pour la nature. C'étaient nos vers grecs et latins traduits par Dieu lui-même en images grandioses et vivantes, une promenade à travers la poésie de sa création. Toute cette route ne fut qu'une ivresse.

V

De retour à Milly quelques jours avant la chute des feuilles, je crus ne pouvoir épuiser jamais les torrents de félicité intérieure que répandait en moi le sentiment de ma liberté dans le site de mon enfance, au sein de ma famille. C'était la conquête de mon âge de virilité. Ma mère m'avait fait préparer une petite chambre à moi seul, prise dans un angle de la maison et dont la fenêtre ouvrait sur l'allée solitaire de noisetiers. Il y avait un lit sans rideaux, une table, des rayons contre le mur pour ranger mes livres. Mon père m'avait acheté les trois compléments de la robe virile d'un adolescent, une montre, un fusil et un cheval, comme pour me dire que désormais les heures, les champs, l'espace étaient à moi. Je m'emparai de mon indépendance avec un délire qui dura plusieurs mois. Le jour était donné tout entier à la chasse avec mon père, à panser mon cheval à l'écurie ou à galoper, la main dans sa crinière, dans les prés des vallons voisins; les soirées aux doux entretiens de famille, dans le salon, avec ma mère, mon père, quelques amis de la maison, ou à des lectures à haute voix des historiens et des poètes.

Outre ces livres instructifs vers la lecture desquels mon père dirigeait sans affectation ma curiosité, j'en avais d'autres que je lisais seul. Je n'avais pas tardé à découvrir l'existence des cabinets de lecture à Mâcon, où on louait des livres aux habitants des campagnes voisines. Ces livres, que j'allais chercher le dimanche, étaient devenus pour moi la source inépuisable de solitaires délectations. J'avais entendu les titres de ces ouvrages retentir au collège dans les entretiens des jeunes gens plus avancés en âge et en instruction que moi. Je me faisais un véritable Éden imaginaire de ce monde des idées, des poèmes et des romans qui nous étaient interdits par la juste sévérité de nos études.

Le moment où cet Éden me fut ouvert, où j'entrai pour la première fois dans une bibliothèque circulante, où je pus à mon gré étendre la main sur tous ces fruits mûrs, verts ou corrompus de l'arbre de science, me donna le vertige. Je me crus introduit dans le trésor de l'esprit humain. Hélas ! hélas ! combien ce trésor véritable est vite épuisé ! et combien de pierres fausses tombèrent peu à peu sous mes mains avec désenchantement et avec dégoût, à la place des merveilles que j'espérais y trouver !

Les sentiments de piété que j'avais rapportés de mon éducation et la crainte d'offenser les chastes et religieux scrupules de ma mère, m'empêchèrent néanmoins de laisser égarer mes mains et mes yeux sur les livres dépravés ou suspects, poison des âmes, dont la fin du dernier siècle et le matérialisme ordurier de l'empire avaient inondé alors les bibliothèques. Je les entr'ouvris en rougissant, avec une curiosité craintive, et je les refermai avec horreur. Le cynisme est l'idéal renversé; c'est la parodie de la beauté physique et morale, c'est le crime de l'esprit, c'est l'abrutissement de l'imagination. Je ne pouvais m'y plaire. Il y avait en moi trop d'enthousiasme pour ramper dans ces égouts de l'intelligence. Ma nature avait des ailes. Mes dangers étaient en haut et non en bas.

Mais je dévorais toutes les poésies et tous les romans dans lesquels l'amour s'élève à la hauteur d'un sentiment, au pathétique de la passion, à l'idéal d'un culte éthéré. Mme. de Staël, Mme. Cottin, Mme. de Flahaut, Richardson, l'abbé Prévost, les romans allemands d'Auguste Lafontaine, ce Gessner prosaïque de la bourgeoisie, fournirent pendant des mois entiers de délicieuses scènes toutes faites au drame intérieur de mon imagination de seize ans. Je m'enivrais de cet *opium* de l'âme qui peuple de fabuleux fantômes les espaces encore vides de l'imagination des oisifs, des femmes et des enfants. Je vivais de ces mille vies qui passaient, qui brillaient et qui s'évanouissaient successivement devant moi, en tournant les innombrables pages de ces volumes plus enivrants que les feuilles de pavots.

Ma vie était dans mes songes. Mes amours se personnifiaient dans ces figures idéales qui se levaient tour à tour sous l'évocation magique de l'écrivain, et qui traversaient les airs en y laissant pour moi une image de femme, un visage gracieux ou mélancolique, des cheveux noirs ou blonds, des regards d'azur ou d'ébène, et surtout un nom mélodieux. Quelle puissance que cette création par la parole qui a doublé le monde des êtres et qui a donné la vie à tous les rêves de l'homme ! Quelle puissance surtout à l'âge où la vie n'est elle-même encore qu'un rêve, et où l'homme n'est encore qu'imagination !

Mais ce qui me passionnait par-dessus tout, c'étaient les poètes, ces poètes qu'on nous avait avec raison interdits pendant nos mâles études, comme des enchantements dangereux qui dégoûtent du réel en versant à pleins flots la coupe des illusions sur les lèvres des enfants.

Parmi ces poètes, ceux que je feuilletais de préférence n'étaient pas alors les anciens dont nous avions, trop jeunes, arrosé les pages classiques de nos sueurs et de nos larmes d'écolier. Il s'en exhalait, quand je rouvrais leurs pages, je ne sais quelle odeur de prison, d'ennui et de contrainte, qui me les faisait refermer comme le captif délivré qui n'aime pas à revoir ses chaînes ; mais c'étaient ceux qui ne s'inscrivent pas dans le catalogue des livres d'étude, les poètes modernes, italiens, anglais, allemands, français, dont la chair et le sang sont notre sang et notre chair à nous-mêmes, qui sentent, qui pensent, qui aiment, qui chantent, comme nous pensons, comme nous chantons, comme nous aimons, nous, hommes des nouveaux jours: le Tasse, le Dante, Pétrarque, Shakespeare, Milton, Chateaubriand, qui chantait alors comme eux, Ossian surtout, ce poète du vague, ce brouillard de l'imagination, cette plainte inarticulée des mers du Nord, cette écume des grèves, ce gémissement des ombres, ce roulis des nuages autour des pics tempétueux de l'Écosse, ce Dante septentrional aussi grand, aussi majestueux, aussi surnaturel que le Dante de Florence, plus sensible que lui, et qui arrache souvent à ses fantômes des cris plus humains et plus déchirants que ceux des héros d'Homère.

VI

C'était le moment où Ossian, le poète de ce génie des ruines et des batailles, régnait sur l'imagination de la France. Baour-Lormian le traduisait en vers sonores pour les camps de l'empereur. Les femmes le chantaient en romances plaintives ou en fanfares triomphales au départ, sur la tombe ou au retour de leurs amants. De petites éditions en volumes portatifs se glissaient dans toutes les bibliothèques. Il m'en tomba une sous la main. Je m'abîmai dans cet océan d'ombres, de sang, de larmes, de fantômes, d'écume, de neige, de brumes, de frimas, et d'images dont l'immensité, le demi-jour et la tristesse correspondaient si bien à la mélancolie grandiose d'une âme de seize ans qui ouvre ses premiers rayons sur l'infini. Ossian, ses sites et ses images correspondaient merveilleusement aussi à la nature du pays de montagnes presque écossaises, à la saison de l'année et à la mélancolie des sites où je le lisais. C'était dans les âpres frissons de novembre et de décembre. La terre était couverte d'un manteau de neige percé çà et là par les troncs noirs de sapins épars, ou surmonté par les branches nues des chênes où s'assemblaient et criaient les volées de corneilles. Les brumes glacées suspendaient le givre aux buissons. Les nuages ondoyaient sur les cimes ensevelies des montagnes. De rares échappées de soleil les perçaient par moments et découvraient de profondes perspectives de vallées sans fond, où l'œil pouvait supposer des golfes de mer. C'était la décoration naturelle et sublime des poèmes d'Ossian que je tenais à la main. Je les emportais dans mon carnier de chasseur sur les montagnes, et, pendant que les chiens donnaient de la voix dans les gorges, je les lisais assis sous quelque rocher concave, ne quittant la page des yeux que pour retrouver à l'horizon, à mes pieds, les mêmes brouillards, les mêmes nuées, les mêmes plaines de glaçons ou de neige que je venais de voir en imagination dans mon livre. Combien de fois je sentis mes larmes se congeler au bord de mes cils! J'étais devenu un des fils du barde, une des ombres héroïques, amoureuses, plaintives qui combattent, qui aiment, qui pleurent ou qui chantent sur la harpe dans les sombres domaines de Fingal. Ossian est certainement une des palettes où mon imagination a broyé le plus de couleurs, et qui a laissé le plus de ses teintes sur les faibles ébauches que j'ai tracées depuis. C'est l'Eschyle de nos temps ténébreux. Des érudits curieux ont prétendu et prétendent encore qu'il n'a jamais existé ni écrit, que ses poèmes sont une supercherie de Macpherson. J'aimerais autant dire que Salvator Rosa a inventé la nature!

VII

Mais il manquait quelque chose à mon intelligence complète d'Ossian: c'était l'ombre d'un amour. Comment adorer sans objet? comment se plaindre sans douleur? comment pleurer sans larmes? Il fallait un prétexte à mon imagination d'enfant rêveur. Le hasard et le voisinage ne tardèrent pas à me fournir ce type obligé de mes adorations et de mes chants. Je m'en serais fait un de mes songes, de mes nuages et de mes neiges, s'il n'avait pas existé tout près de moi. Mais il existait, et il eût été digne d'un culte moins imaginaire et moins puéril que le mien.

Mon père passait alors les hivers tout entiers à la campagne. Il y avait, dans les environs, des familles nobles ou des familles d'honorable et élégante bourgeoisie qui habitaient également leurs châteaux ou leurs petits domaines pendant toutes les saisons de l'année. On se réunissait dans des repas de campagne ou dans des soirées sans luxe. La plus sobre simplicité et la plus cordiale égalité régnaient dans ces réunions de voisins et d'amis. Vieux seigneurs ruinés par la Révolution, émigrés encore jeunes et conteurs, rentrés de l'exil; curés, notaires, médecins des villages voisins, familles retirées dans leurs maisons rustiques, riches cultivateurs du pays, confondus par les habitudes et par le voisinage avec la bourgeoisie et la noblesse, composaient ces réunions que le retour de l'hiver avait multipliées.

Pendant que les parents s'entretenaient longuement à table, ou jouaient aux échecs, au trictrac, aux cartes dans la salle, les jeunes gens jouaient à des jeux moins réfléchis dans un coin de la chambre, se répandaient dans les jardins, pétrissaient la neige, dénichaient les rouges-gorges ou les fauvettes dans les rosiers, ou répétaient les rôles de petites pièces et de proverbes en action qu'ils venaient représenter, après le souper et le jeu, devant les parents et les amis.

Une jeune personne de seize ans, comme moi, fille unique d'un propriétaire aisé de nos montagnes, se distinguait de tous ces enfants par son esprit, par son instruction et par ses talents précoces. Elle s'en distinguait aussi par sa beauté plus mûre qui commençait à la rendre plus rêveuse et plus réservée que ses autres compagnes. Sa beauté, sans être d'une régularité parfaite, avait cette langueur d'expression contagieuse qui fait rêver le regard et languir aussi la pensée de celui qui contemple. Des yeux d'un bleu de pervenche, des cheveux noirs et touffus, une bouche pensive qui riait peu et qui ne s'ouvrait que pour des paroles brèves, sérieuses, pleines d'un sens supérieur à ses années; une taille où se révélaient déjà les gracieuses inflexions de la jeunesse, une démarche lasse, un regard qui contemplait souvent, et qui se détournait quand on le surprenait, comme s'il eût voulu dérober les rêveries dont il était plein: telle était cette jeune fille. Elle semblait avoir le pressentiment d'une vie courte et nuageuse comme les beaux jours d'hiver où je la connus. Elle dort depuis longtemps sous cette neige où nous imprimions nos premiers pas.

Elle s'appelait Lucy.

VIII

Elle sortait depuis quelques mois d'un couvent de Paris où ses parents lui avaient donné une éducation supérieure à sa destinée et à sa fortune. Elle était musicienne. Elle avait une voix qui faisait pleurer. Elle dansait avec une perfection d'attitude et de pose un peu nonchalante, mais qui donnait à l'art l'abandon et la mollesse des mouvements d'une enfant: elle parlait deux langues étrangères. Elle avait rapporté de Paris des livres dont elle continuait à nourrir son esprit dans l'isolement du hameau de son père. Elle savait par cœur les poètes; elle adorait comme moi Ossian, dont les images lui rappelaient nos propres collines dans celles de Morven. Cette adoration commune du même poète, cette intelligence à deux d'une même langue ignorée des autres, était déjà une confidence involontaire entre nous.

Nous nous cherchions sans cesse; nous nous rapprochions partout pour en parler. Avant de savoir que nous avions un attrait l'un vers l'autre, nous nous rencontrions déjà dans nos nuages, nous nous aimions déjà dans notre poète chéri. Souvent à part du reste de la société, dans les jeux, dans les promenades, nous marchions presque toujours à une longue distance en avant de sa mère et de mes sœurs, nous parlant peu, n'osant nous regarder, mais nous montrant de temps en temps de la main quelque beaux arcs-en-ciel dans les brouillards, quelques sombres vallées noyées d'une nappe de brume d'où sortait, comme un écueil ou comme un navire submergé, la flèche d'un clocher ou le faisceau de tours ruinées d'un vieux château: ou bien encore quelque chute d'eau congelée au fond du ravin, sur laquelle les châtaigniers et les chênes penchaient leurs bras alourdis de neige, comme les vieillards de Lochlin sur la harpe des bardes.

Nous nous répondions par un regard d'admiration muette et d'intelligence intérieure. Nous marchions souvent une demi-heure ainsi, à côté l'un de l'autre, quand je la conduisais jusqu'au bout de la vallée où demeurait son père, sans qu'on entendît d'autre bruit que le léger craquement de nos pieds dans le sentier de neige. Nous ne nous quittions pourtant jamais sans un soupir dans le cœur et sans une rougeur sur le front.

Les familles et les voisins souriaient de cette inclination qu'ils avaient aperçue avant nous. Ils la trouvaient naturelle et sans danger entre deux enfants de cet âge, qui ne savaient pas même le nom du sentiment qui les entraînait ainsi. Bien loin de se déclarer cette prédilection l'un à l'autre, ils ne se l'expliquaient pas à euxmêmes.

IX

Cependant ce sentiment se passionnait de jour en jour davantage en moi et en elle. Quand j'avais passé la soirée auprés d'elle, que j'avais reconduit sa famille jusqu'au torrent au-dessus duquel la maison de son père s'élevait sur un cap de rocher, il me semblait qu'on m'arrachait le cœur et qu'on l'enfermait avec elle dans ces gros murs et sous cette porte retentissante. Je revenais à pas lents, sans suivre aucun sentier, à travers les taillis et les prés, me retournant sans cesse pour voir l'ombre des hautes murailles se découper sur le firmament: heureux quand j'apercevais briller un moment une petite lumière à la fenêtre de la tourelle haute qui dominait le torrent où je savais qu'elle lisait en attendant le sommeil.

Tous les jours je m'acheminais, sous un prétexte quelconque, de ce côté de la vallée, mon fusil sous le bras, mon chien sur mes pas. Je passais des heures entières à rôder en vue du vieux manoir, sans entendre d'autre bruit que la voix des chiens de garde qui hurlaient de joie en jouant avec leur jeune maîtresse, sans voir autre chose que la fumée qui s'élevait du toit dans le ciel gris. Quelquefois cependant je la découvrais elle-même en robe blanche à peine agrafée autour du cou; elle ouvrait sa fenêtre au rayon matinal ou au vent du midi; elle posait un pot de fleurs sur le rebord pour faire respirer à la plante renfermée l'air du ciel, ou bien elle suspendait à un clou la cage de son chardonneret, qui baisait ses lèvres entre les barreaux.

Elle s'accoudait aussi quelquefois longtemps pour regarder écumer le torrent et courir les nuages, et ses beaux cheveux noirs pendaient en dehors, fouettés contre le mur par le vent d'hiver. Elle ne se doutait pas qu'un regard ami suivait, du bord opposé du ravin, tous ses mouvements, et qu'une bouche entr'ouverte cherchait à reconnaître dans les saveurs de l'air les vagues du vent qui avaient touché ses cheveux et emporté leur odeur dans les prés. Le soir, je lui disais timidement que j'avais passé en vue de sa maison dans la journée; qu'elle avait arrosé sa plante à telle heure; qu'à telle autre elle avait exposé son oiseau au soleil; qu'ensuite elle avait rêvé un moment à sa fenêtre; qu'après elle avait chanté ou touché du piano; qu'enfin elle avait refermé sa fenêtre et qu'elle s'était assise longtemps immobile comme quelqu'un qui lit.

X

Elle rougissait en me voyant si attentif à observer ce qu'elle faisait et en pensant qu'un regard invisible notait ses regards, ses pas et ses gestes jusque dans sa tour, où elle ne se croyait vue que de Dieu; mais elle ne paraissait attacher aucune signification d'attachement particulier à cette vigilance de ma pensée sur elle.

"Et vous, me disait-elle avec un intérêt sensible dans la voix, mais masqué d'une apparente indifférence, qu'avez-vous fait aujourd'hui?" je n'osais jamais lui dire: "J'ai pensé à vous!" Et nous restions toujours dans cette délicieuse indécision de deux cœurs qui sentent qu'ils s'adorent, mais qui ne se décideraient jamais à se le dire des lèvres: leur silence et leur tremblement même le disent assez pour eux.

Ossian fut notre confident muet et notre interprète. Elle m'en avait prêté un volume. Je devais le lui rendre. Après avoir glissé dans toutes les pages les brins de mousse, les grains de lierre noir, les fleurs bleues qu'elle aimait à cueillir dans les haies ou sur les pots de giroflée des chaumières quand nous nous promenions ensemble avant l'hiver; après avoir cherché à appeler ainsi sa pensée sur moi et montré que je pensais à ses goûts moi-même, l'idée me vint d'ajouter une ou deux pages à Ossian, et de charger l'ombre des bardes écossais de la confidence de mon amour sans espoir. J'affectai de me faire redemander souvent le livre avant de le rendre et de citer vingt fois le chiffre d'une page "que je relisais toujours, lui disais-je, qui exprimait toute mon âme, qui était imbibée de toutes mes larmes d'admiration, et je la suppliais de la lire à son tour, mais de la lire seule, dans sa chambre, le soir, avec recueillement, au bruit du vent dans les pins et du torrent dans son lit, comme sans doute Ossian l'avait écrite." J'avais excité ainsi sa curiosité, et j'espérais qu'elle ouvrirait le volume à la page qui contenait le poème de ses propres soupirs.

XI

J'ai retrouvé, il y a trois ans, ces premiers vers dans les papiers du pauvre curé de B***, qui était en ce temps-là de nos sociétés d'enfance, et pour qui je les avais copiés, car quel amour n'a pas besoin d'un confident? Les voici dans toute leur inexpérience et dans toute leur faiblesse. J'en demande pardon à M. de Lormian, poète et aveugle aujourd'hui comme Ossian. C'était un écho lointain de l'Écosse répété par une voix d'enfant dans les montagnes de son pays, une palette et point de dessin, des nuages et point de couleur. Un rayon de la poésie du Midi fit évanouir pour moi plus tard cette brume fantastique du Nord.

A LUCY L. . .

RÉCITATIF.

La harpe de Morven de mon âme est l'emblème;
Elle entend de Cromla les pas des morts venir;
Sa corde à mon chevet résonne d'elle-même
Quand passe sur ses nerfs l'ombre de l'avenir.
Ombres de l'avenir, levez-vous pour mon âme!
Écartez la vapeur qui vous voile à mes yeux. . .
Quelle étoile descend?. . . Quel fantôme de femme
Pose ses pieds muets sur le cristal des cieux?

. . . .

Est-ce un songe qui meurt? une âme qui vient vivre?
Mêlée aux brumes d'or dans l'impalpable éther,
Elle ressemble aux fils du blanc tissu du givre
Qu'aux vitres de l'hiver les songes font flotter.
Ne soufflez pas sur elle, ô vents tièdes des vagues!
Ne fondez pas cette ombre, éclairs du firmament!
Oiseaux, n'effacez pas sous vos pieds ces traits vagues
Où la vierge apparaît aux rêves de l'amant!

La lampe du pêcheur qui vogue dans la brume
A des rayons moins doux que son regard lointain.
Le feu que le berger dans la bruyère allume
Se fond moins vaguement dans les feux du matin.

. . . .

. . . .

. . . .

. . . .

Sous sa robe d'enfant, qui glisse des épaules,
A peine aperçoit-on deux globes palpitants,
Comme les nœuds formés sous l'écorce des saules,
Qui font renfler la tige aux sèves du printemps.

CHANT.

Il est nuit sur les monts. L'avalanche ébranlée
Glisse par intervalle aux flancs de la vallée.
Sur les sentiers perdus sa poudre se répand;
Le pied d'acier du cerf à ce bruit se suspend.
Prêtant l'oreille au chien qui le poursuit en rêve,
Il attend pour s'enfuir que le croissant se lève.
L'arbre au bord du ravin, noir et déraciné,
Se penche comme un mât sous la vague incliné.
La corneille, qui dort sur une branche nue,
S'éveille et pousse un cri qui se perd dans la nue;
Elle fait dans son vol pleuvoir à flocons blancs
La neige qui chargeait ses ailes sur ses flancs.
Les nuages chassés par les brises humides
S'empilent sur les monts en sombres pyramides,
Ou, comme des vaisseaux sur le golfe écumant,
Labourent de sillons le bleu du firmament.
Le vent transi d'Érin qui nivelle la plaine
Sur la lèvre en glaçons coupe et roidit l'haleine;
Et le lac où languit le bateau renversé
N'est qu'un champ de frimas par l'ouragan hersé.

. . . .

. . . .

Un toit blanchi de chaume où la tourbe allumée
Fait ramper sur le ciel une pâle fumée;
La voix du chien hurlant en triste aboiement sort,
Seul vestige de vie au sein de cette mort:

. . . .

Quel est au sein des nuits ce jeune homme, ou ce rêve,
Qui de l'étang glacé suit à grands pas la grève,

Gravit l'âpre colline, une arme dans la main,
Rencontre le chevreuil sans changer son chemin,
Redescend des hauteurs dans la gorge profonde
Où la tour des vieux chefs chancelle au bord de l'onde?
Son noir lévrier quête et hurle dans les bois,
Et la brise glacée est pleine d'une voix.

CHANT DU CHASSEUR.

Lève toi! lève-toi! sur les collines sombres,
Biche aux cornes d'argent que poursuivent les ombres!
O lune! sur ces murs épands tes blancs reflets!
Des songes de mon front ces murs sont le palais!
Des rayons vaporeux de ta chaste lumière
A mes yeux fascinés fais briller chaque pierre;
Ruisselle sur l'ardoise, et jusque dans mon cœur
Rejaillis, ô mon astre, en torrents de langueur!
Aux fentes des créneaux la giroflée est morte.
Le lierre aux coups du Nord frissonne sur la porte
Comme un manteau neigeux dont le pâtre, au retour,
Secoue avant d'entrer les frimas dans la cour.
Le mur épais s'entr'ouvre à l'épaisse fenêtre. . .
Lune! avec ton rayon mon regard y pénètre!
J'y vois, à la lueur du large et haut foyer,
Dans l'âtre au reflet rouge un frêne flamboyer.

LE CHASSEUR.

Astre indiscret des nuits, que vois-tu dans la salle?

LA LUNE.

Les chiens du fier chasseur qui dorment sur la dalle.

LE CHASSEUR.

Que m'importent les chiens, le chevreuil et le cor?
Astre indiscret des nuits, regarde et dis encor.

LA LUNE.

Sous l'ombre d'un pilier la nourrice dévide
La toison des agneaux sur le rouet rapide.
Ses yeux sous le sommeil se ferment à demi;
Sur son épaule enfin son front penche endormi;
Oubliant le duvet dont la quenouille est pleine,
Dans la cendre à ses pieds glisse et roule la laine.

LE CHASSEUR.

Que me fait la nourrice aux doigts chargés de jours?
Astre éclatant des nuits, regarde et dis toujours!

LA LUNE.

Entre l'âtre et le mur, la blanche jeune fille,
Laissant sur ses genoux sa toile et son aiguille,
Sur la table accoudée. . .

LE CHASSEUR.

Astre indiscret des nuits!
Arrête-toi sur elle! et regarde et poursuis!

LA LUNE.

Sur la table de chêne, accoudée et pensive,
Elle suit du regard la forme fugitive
De l'ombre et des lueurs qui flottent sur le mur,
Comme des moucherons sur un ruisseau d'azur.
On dirait que ses yeux fixés sur des mystères
Cherchent un sens caché dans ces vains caractères,
Et qu'elle voit d'avance entrer dans cette tour
L'ombre aux traits indécis de son futur amour.
Non, jamais un amant qu'à sa couche j'enlève,
Dans ses bras assoupis n'enlaça plus beau rêve!

Vois-tu ses noirs cheveux, de ses charmes jaloux,
Rouler comme une nuit jusque sur ses genoux?

LE CHASSEUR.

Soufflez, brises du ciel! ouvrez ce sombre voile!
Nuages de son front, rendez-moi mon étoile!
Laissez-moi seulement sous ce jais entrevoir
La blancheur de son bras sortant du réseau noir!
Ou l'ondulation de sa taille élancée,
Ou ce coude arrondi qui porte sa pensée,
Ou le lis de sa joue, ou le bleu du regard
Dont le seul souvenir me perce comme un dard.
O fille du rocher! tu ne sais pas quels rêves
Avec ce globe obscur de tes yeux tu soulèves!
A chacun des longs cils qui voilent leur langueur,
Comme l'abeille au trèfle est suspendu mon cœur.
Reste, oh! reste longtemps sur ton bras assoupie
Pour assouvir l'amour du chasseur qui t'épie!
Je ne sens ni la nuit ni les mordants frimas.
Ton souffle est mon foyer, tes yeux sont mes climats.
Des ombres de mon sein ta pensée est la flamme!
Toute neige est printemps aux rayons de ton âme!
Oh! dors! oh! rêve ainsi, la tête sur ton bras!
Et quand au jour, demain, tu te réveilleras,
Puissent mes longs regards, incrustés sur la pierre,
Rester collés au mur et dire à ta paupière
Qu'un fantôme a veillé sur toi dans ton sommeil!
Et puisses-tu chercher son nom à ton réveil!

. . . .

. . . .

RÉCITATIF.

Ainsi chantait, au pied de la tour isolée,
Le barde aux bruns cheveux, sous la nuit étoilée.

Et transis par le froid, ses chiens le laissaient seul,
Et le givre en tombant le couvrait d'un linceul,
Et le vent qui glaçait le sang dans ses artères
L'endormait par degrés du sommeil de ses pères,
Et les loups qui rôdaient sur l'hiver sans chemin,
Hurlant de joie aux morts, le flairaient pour demain.
Et pendant qu'il mourait au bord du précipice,
La vierge réveillée écoutait la nourrice
A voix basse contant les choses d'autrefois,
Ou tirait un accord de harpe sous ses doigts,
Ou, frappant le tison aux brûlantes prunelles,
Lisait sa destinée au vol des étincelles,
Ou regardait, distraite, aux flammes du noyer,
Les murs réverbérer les lueurs du foyer.

(*Milly,* 1805, 16 décembre.)

XII

Je lui remis un soir, en nous séparant, le volume grossi de ces vers. Elle les lut sans colère et vraisemblablement sans surprise. Elle y répondit par un petit poème ossianique aussi, comme le mien, intercalé dans les pages d'un autre volume. Ses vers n'exprimaient que la plainte mélancolique d'une jeune vierge de Morven, qui voit le vaisseau de son frère partir pour une terre lointaine, et qui reste à pleurer le compagnon de sa jeunesse, au bord du torrent natal. Je trouvai cette poésie admirable et bien supérieure à la mienne. Elle était en effet plus correcte et plus gracieuse. Il y avait de ces notes que la rhétorique ne connaît pas et qu'on ne trouve que dans un cœur de femme. Notre correspondance poétique se poursuivit ainsi quelques jours, et resserra, par cette confidence de nos pensées, l'intimité qui existait déjà entre nos yeux.

XIII

Nous trouvions toujours trop courtes les heures que nous passions ensemble, pendant les promenades ou pendant les soirées de famille, à contempler la sauvage physionomie de nos montagnes, les sapins chargés de neige, imitant les fantômes qui traînent leurs linceuls, la lune dans les nuages, l'écume de la cascade d'où s'élevait *l'arc de la pluie* dont parle Ossian. Nous aspirions à jouir de ces spectacles nocturnes pendant des nuits plus entièrement à nous, et en échangeant, plus librement que nous n'osions le faire devant les indifférents, les jeunes et inépuisables émanations de nos âmes devant les merveilles de cette nature en harmonie avec les merveilles de nos premières extases et de nos premiers étonnements. "Qu'elles seraient belles, nous disions-nous souvent, des heures passées ensemble, dans la solitude et dans le silence d'une nuit d'hiver, à nous entretenir sans témoins et sans fin des plus secrètes émotions de nos âmes, comme *Fingal, Morni* et *Malvina* sur les collines de leurs aïeux!"

Des larmes de désir et d'enthousiasme montaient dans nos yeux à ces images anticipées du bonheur poétique que nous osions rêver dans ces entretiens dérobés au jour et à l'œil de nos parents. A force d'en parler, nous arrivâmes à un égal désir de réaliser ce songe d'enfant; puis nous concertâmes secrètement, mais innocemment, les moyens de nous donner l'un à l'autre cette félicité d'imagination. Rien n'était si facile du moment que nous nous entendions, moi pour le demander avec passion, elle pour l'accorder sans soupçon ni résistance.

XIV

La tour qu'habitait Lucy, à l'extrémité du petit manoir de son père, avait pour base une terrasse dont le mur, bâti en forme de rempart, avait ses fondements dans le bas de la petite vallée près du torrent. Le mur était en pente assez douce. Des buis, des ronces, des mousses, poussés dans les crevasses des vieilles pierres ébréchées par le temps, permettaient à un homme agile et hardi d'arriver, en rampant, au sommet du parapet et de sauter de là dans le petit jardin qui occupait l'espace étroit de la terrasse au pied de la tour. Une porte basse de cette tour, servant d'issue à la dernière marche d'un escalier tournant, ouvrait sur le jardin. Cette porte, fermée la nuit par un verrou intérieur, pouvait s'ouvrir sous la main de Lucy et lui donner la promenade du jardin pendant le sommeil de sa nourrice. Je connaissais le mur, la terrasse, le jardin, la tour, l'escalier. Il ne s'agissait pour elle que d'avoir assez de résolution pour y descendre, pour moi assez d'audace pour y monter. Nous convînmes de la nuit, de l'heure, du signal que je ferais de la colline opposée en brûlant une amorce de mon fusil.

Le plus embarrassant pour moi était de sortir inaperçu la nuit, de la maison de mon père. La grosse porte du vestibule sur le perron ne s'ouvrait qu'avec un retentissement d'énormes serrures rouillées, de barres et de verrous dont le bruit ne pouvait manquer d'éveiller mon père. Je couchais dans une chambre haute du premier étage. Je pouvais descendre en me suspendant à un drap de mon lit et en sautant de l'extrémité du drap dans le jardin; mais je ne pouvais remonter. Une échelle heureusement oubliée par des maçons qui avaient travaillé quelques jours dans les pressoirs me tira d'embarras. Je la dressai, le soir, contre le mur de ma chambre. J'attendis impatiemment que l'horloge eût sonné onze heures et que tout bruit fût assoupi dans la maison. J'ouvris doucement la fenêtre et je descendis, mon fusil à la main, dans l'allée des noisetiers. Mais à peine avais-je fait quelques pas muets sur la neige, que l'échelle, glissant avec fracas contre la muraille, tomba dans le jardin. Un gros chien de chasse qui couchait au pied de mon lit, m'ayant vu sortir par la fenêtre, s'était élancé à ma suite. Il avait entravé ses pattes dans les barreaux et avait entraîné par son poids l'échelle à terre. A peine dégagé, le chien s'était jeté sur moi et me couvrait de caresses. Je le repoussai rudement pour la première fois de ma vie. Je feignis de le battre pour lui ôter l'envie de me suivre plus loin. Il se coucha à mes pieds et me vit franchir le mur qui séparait le jardin des vignes sans faire un mouvement.

XV

Je me glissai à travers les champs, les bois et les prés, sans rencontrer personne jusqu'au bord du ravin opposé à la maison de Lucy. Je brûlai l'amorce. Une légère lueur allumée un instant, puis éteinte à la fenêtre haute de la tour, me répondit. Je déposai mon fusil au pied du mur en talus. Je grimpai le rempart. Je sautai sur la terrasse. Au même instant, la porte de la tour s'ouvrit. Lucy, franchissant le dernier degré et marchant comme quelqu'un qui veut assoupir le bruit de ses pas, s'avança vers l'allée où je l'attendais un peu dans l'ombre. Une lune splendide éclairait de ses gerbes froides, mais éblouissantes, le reste de la terrasse, les murs et les fenêtres de la tour, les flancs de la vallée.

Nous étions enfin au comble de nos rêves. Nos cœurs battaient. Nous n'osions ni nous regarder ni parler. J'essuyai cependant avec la main un banc de pierre couvert de neige glacée. J'y étendis mon manteau, que je portais plié sous mon bras, et nous nous assîmes un peu loin l'un de l'autre. Nul de nous ne rompait le silence. Nous regardions tantôt à nos pieds, tantôt vers la tour, tantôt vers le ciel. A la fin je m'enhardis: "O Lucy! lui dis-je, comme la lune jaillit pittoresquement ici de tous les glaçons du torrent et de toutes les neiges de la vallée! Quel bonheur de la contempler avec vous! —Oui, dit-elle, tout est plus beau avec un ami qui partage vos admirations pour ces paysages." Elle allait poursuivre, quand un gros corps noir, passant comme un boulet par-dessus le mur du parapet, roula dans l'allée, et vint, en deux ou trois élans, bondir sur nous en aboyant de joie.

C'était mon chien qui m'avait suivi de loin, et qui, ne me voyant pas redescendre, s'était élancé sur ma piste et avait grimpé comme moi le mur de la terrasse. A sa voix et à ses bonds dans le jardin, les chiens de la cour répondirent par de longs aboiements, et nous aperçûmes dans l'intérieur de la maison la lueur d'une lampe qui passait de fenêtre en fenêtre en s'approchant de la tour. Nous nous levâmes. Lucy s'élança vers la porte de son escalier, dont je l'entendis refermer précipitamment le verrou. Je me laissai glisser jusqu'au pied du mur dans les près. Mon chien me suivit. Je m'enfonçai à grands pas dans les sombres gorges des montagnes en maudissant l'importune fidélité du pauvre animal. J'arrivai transi sous la fenêtre de ma chambre.

Je replaçai l'échelle. Je me couchai à l'aube du jour, sans autre souvenir de cette première nuit de poésie ossianique que les pieds mouillés, les membres transis, la conscience un peu humiliée de ma timidité devant la charmante Lucy, et une rancune très-modérée contre mon chien qui avait interrompu à propos un entretien dont nous étions déjà plus embarrassés qu'heureux.

XVI

Ainsi finirent ces amours imaginaires qui commençaient à inquiéter un peu nos parents. On s'était aperçu de ma sortie nocturne. On se hâta de me faire partir avant que cet enfantillage devînt plus sérieux. Nous nous jurâmes de nous aimer par tous les astres de la nuit, par toutes les ondes du torrent et par tous les arbres de la vallée. L'hiver fondit ces serments avec ses neiges. Je partis pour achever mon éducation à Paris et dans d'autres grandes villes. Lucy fut mariée pendant mon absence, devint une femme accomplie, fit le bonheur d'un mari qu'elle aima, et mourut jeune, dans une destinée aussi vulgaire que ses premiers rêves avaient été poétiques. Je revois quelquefois son ombre mélancolique et diaphane sur la petite terrasse de la tour de ***, quand je passe, l'hiver, au fond de la vallée, que le vent du nord fouette la crinière de mon cheval, ou que les chiens aboient dans la cour du manoir abandonné.

NOTES

PAUL ET VIRGINIE

Page 4. Now called Mauritius, an island 550 miles east of Madagascar. Its capital is Port-Louis. It is 36 miles long and 23 broad, and possesses much beautiful scenery. Discovered by the Portuguese in 1507, it belonged to France from 1715 until the English took it in 1810.

Page 10. A negro race of Senegambia.

Page 13. The constellation of Gemini, or the twins, Castor and Pollux.

Page 14. Leda, the swan-mother of Castor and Pollux, the twins who sprang from a single egg, according to Greek legend.

Page 16. Mother of many children, all of whom were stricken by the shafts of Apollo and Diana to avenge their mother Latona, over whom Niobe had boasted.

Page 39. Madian = Midian. See *Exodus* 2:15 f. for the story here enacted, referring to Moses, Reuel and Zipporah.

Page 49. Not the Apostle, but the hermit Paul of Thebes, who, fleeing from the persecution of Decius, lived to a great age alone in the desert.

Page 57. This and the following are names of cities in India.

Page 68. The well known story written by Fénelon for the edification of the Duke of Burgundy, grandson of Louis XIV.

Page 68. Antiope and Eucharis are characters in this story based on Greek legend.

Page 94. A marshal of France (1637-1712) under Louis XIV.

ATALA

Page 151. The harper maiden, daughter of Toscar and lover of Oscar, son of Ossian. Allusions to the Ossianic poems by Macpherson are frequent in the writings of the French romanticists.

Page 153. La lune des fleurs = May.

Page 153. Areskoui = the god of war.

Page 156. Sagamité. A kind of corn-cake.

Page 165. Chichikoué. A musical instrument.

Page 178. La lune de feu = July.

Page 215. Agannonsioni = Iroquois.

RENÉ

Page 226. The effect of church bells recurs throughout this work as a musical *motif.*

Page 230. Calédonie = Scotland. All the names in this passage refer to places and characters in the Ossianic poems.

Page 232. The *grand chef* was the King of France.

STELLO

Page 262. Robespierre, "the incorruptible," the outstanding figure of the later years of the Revolution, was himself sent to the guillotine in 1794. The Terror was over with his death.

Page 262. Les Girondins. The moderates of the Revolutionary party.

Page 262. Les Hébertistes. The party of Hébert, one of the organizers of the cult of Reason, a gross writer, executed by Robespierre in 1794.

Page 262. Montagnardes. Cf. Montagnard, a member of the advanced democratic party, called "la Montagne," in the Convention Nationale, 1792-95.

Page 262. Danton, one of the great leaders of the Revolution, sitting with the "mountain," and executed by the party of Robespierre in 1794.

Page 262. Saint-Just, partisan and associate of Robespierre, was arrested with him and shared his fate.

Page 262. Machiavelli, Florentine statesman and historian, author of *The Prince.* His name, somewhat undeservedly, is synonymous with cold, calculating and unscrupulous principles of political tyranny.

Page 263. Stello = the heart, the sentiment of Vigny, while le Docteur Noir = the head, the clear logic of Vigny.

Page 263. 1832, a year of revolution, comparable with that of 1793.

Page 269. As compared with "la montagne" occupied by extremists, "la plaine" was the term applied to the benches occupied by the moderates in the Convention.

Page 269. Desmoulins. Influential pamphleteer rather than orator. As secretary of Danton, he was involved in the latter's ruin, and was executed in 1794, a week before his wife, who protested to Robespierre regarding her husband's arrest.

Page 269. Vergniaud (1753-93), a member of the Girondins or moderate party. Hostile to the extreme leaders of the Commune, he was executed in 1793.

Page 269. Méduse = Medusa, one of the three Gorgons, the sight of whom turned the spectator to stone. Here the name is synonymous with "monster."

Page 270. Place de la Révolution. Now Place de la Concorde.

Page 272. *Réformé* means retired, and *réforme* means retirement from service.

Page 273. *Gagner à la loterie de sainte Guillotine* is a manner of referring to those who had escaped execution.

Page 274. *Pied de biche* is the name given to the handle of a house bell.

Page 274. Sans-Culotte. Name originally given in derision by the aristocrats to the revolutionists; it was later claimed by them as a proud title.

Page 274. *Ça ira.* A Revolutionary song popular during the Terror.

Page 275. *La maison Lazare* means the Revolutionary prison of that name.

Page 277. Celui de Charles IX. Reference to Marie Joseph de Chénier (1764-1811), younger brother of André and author of the tragedy *Charles IX*.

Page 282. Otaïti = Tahiti, principal one of the Society Islands in Oceanica belonging to France.

Page 284. La Carmagnole. A Revolutionary song.

Page 287. La Princesse de Lamballe. Noted for her beauty and personal devotion to Queen Marie-Antoinette. She was treated with peculiar cruelty and executed in 1792.

Page 294. The great cemetery of Père-Lachaise.

Page 295. Riccobonienne. Reference to the Italian comedy played by Riccoboni at Paris in the first half of the 18th century.

Page 295. Lingam. The symbol of natural fecundity in the form of the god Civa in certain religions of India.

Page 295. Siwa = Civa, the third person in the Hindoo Trinity.

Page 296. Both quotations are from *Hamlet.*

Page 298. These verses are by André Chénier.

Page 300. *Un quine à la loterie* means a rare piece of luck; the reference here is to escape from death.

Page 301. Mlle. de Coigny (1769-1820). The young woman imprisoned at St. Lazare at the same time as André Chénier. He has celebrated her in his beautiful poem entitled *La Jeune Captive.*

Page 306. Verses from André Chénier's poem *La Jeune Captive.*

Page 309. Conciergerie. Another Revolutionary prison, which may still be visited.

Page 311. The phrases in italics are taken from the last verses written by Chénier.

Page 313. La Halle. The Paris markets.

Page 314. Edmund Burke, 1729(?)-1797. British statesman and political writer.

Page 327. Pitt. William Pitt the Younger (1759-1806), British statesman and organizer of political and military coalitions against France during the Revolution and the régime of Napoleon.

Page 327. Hermina. Jeanne Bérard, wife of Jacques-Marie L'Hermina, was condemned Sept. 26, 1793, to deportation for "propos inciviques, injures aux autorités, dérision de la fête du 10 août." Her husband, accused of the same offenses, was acquitted. See H. Wallon: *Histoire du Tribunal Révolutionnaire de Paris,* vol. ii:*522*.

Page 327. Verrès, Catalina. Reference to Cicero's orations on these conspirators at Rome.

Page 327. Ronsin. Dramatic author and general in the Revolutionary armies, executed in 1794 the same day as Hébert, to whose party he belonged.

Page 327. Chaumette. Promoter of many social and educational reforms, he was violently anti-Catholic and a partisan of Hébert. Executed in 1794.

Page 327. Catherine Théot, a French visionary who declared she was the Mère de Dieu. She was the object of a strange cult, with which Robespierre's enemies asserted his connection, and died in prison shortly after him.

Page 328. Brissotin. A follower of Brissot, who was closely associated with the foreign affairs of the Assemblée Législative of which he was a member. Denounced as hostile to Robespierre, he was executed in 1793.

Page 328. Fouché. Enemy of Robespierre, whom he contributed to overthrow. One of the Revolutionary leaders who survived, serving successive governments until 1820, when he died in Trieste as an Austrian subject.

Page 331. Imaginary land of chaste and faithful shepherds and shepherdesses. Cf. the region of ancient Greece called Arcadia.

Page 331. Alexis. The name of one of the shepherds in Vergil's *Eclogue* II, to which Vigny is probably referring in this sarcastic passage.

Page 334. Joseph de Maistre. Eloquent reactionary author (1753-1821), opposed to the Revolution, and apologist of monarchy and of the Pope as supreme head of Europe.

Page 334. Origène. Origen, 185-254, voluminous and authoritative writer on Christian theology. He mutilated himself in an excess of zeal.

Page 335. Colomb = Christopher Columbus.

Page 336. Abeilard = Abélard (1079-1142), great mediaeval scholar and teacher. The reference here is to his love for Héloïse and the cruel mutilation with which he was punished for it.

Page 338. Saint-Barthélemy. The massacre of Protestants on St. Bartholomew's day, August 24, 1572.

Page 338. Septembrisades. The cruel general massacre of prisoners by the extremists in September, 1792.

Page 338. Jacques Clément. Murderer of Henry III in 1589.

Page 338. Ravaillac. Murderer of Henry IV in 1610.

Page 338. Louvel. Assassin of the duc de Berry, second son of Charles X, in 1820.

Page 338. des Adrets. A cruel Protestant leader of the 16th century.

Page 338. Montluc. Blaise de Montluc (1501-77), a lifelong warrior, famous for his cruelty to the Huguenots during the religious wars. Author of *Commentaires*.

Page 338. Marat. Doctor of medicine and publicist. Violent communist, he had a responsible part in the September massacres of 1792. Murdered by Charlotte Corday. See Ponsard's tragedy of *Charlotte Corday*.

Page 338. Schneider. Chief of the Strasbourg Jacobins during the Revolution. Executed in 1794.

Page 339. By Marie-Joseph Chénier.

Page 345. Gresset. One of the most pleasing poets of the 18th century (1709-77). Best known work is the witty poem entitled *Vert-Vert, histoire d'un perroquet de Nevers.*

Page 346. Jacobins. The club, headquarters of the party.

Page 346. See Plato's *Republic,* Books ii, iii.

Page 347. Reference to Haman and Mordecai in the Book of *Esther*.

Page 354. Tallien (1767-1820) had a checkered career as a rabid revolutionist, but, after being instrumental in securing the arrest of Robespierre, he survived the restoration of the Bourbons.

Page 355. Couthon. At first temperate, he later became an extremist and an unfailing partisan of Robespierre, whose fate he shared in 1794.

Page 355. Barras (1755-1829) took vengeance upon his enemy Robespierre by arresting him at the Hôtel de Ville on the 9th Thermidor.

Page 355. Lecointre (1744-1805). Personal enemy of Robespierre, in whose overthrow he took part.

Page 355. Vadier (1736-1828), Revolutionist, opposed to Robespierre in his overthrow on the 9th Thermidor.

Page 357. Feuillants. The Paris house of the religious order of the Feuillants was situated between the present rue St. Honoré and the palace of the Tuileries. Dissolved in 1791, their house was occupied 1791-92 by the exclusive Revolutionary "Club des Feuillants," composed of moderates like André Chénier and LaFayette.

Page 365. Palais-National = Palais des Tuileries.

Page 367. Still called La Place du Carrousel, between the Louvre and the Tuileries, the latter then standing.

Page 372. Octave = Octavius or Augustus Caesar, nephew of Julius Caesar, 63 B.C.-14 A.D.

LA CONFESSION D'UN ENFANT DU SIÈCLE

Page 381. Austerlitz was one of Napoleon's greatest victories, against a superior force of Austrians and Russians, in 1805. The battle began early in a heavy mist, but later the fog was dissipated by the sun. Hence the phrase, "le soleil d'Austerlitz," used as an indication of the favor of Heaven in removing obstacles.

Page 381. Joachim Murat (1771-1815) was born a peasant, but entered a military career and married Napoleon's sister. Sharing in many of the Emperor's campaigns, he was a brilliant cavalry leader. He was for some years King of Naples, but after the banishment of Napoleon he was put to death by the Allies.

Page 381. Azraël. The angel of death in the religion of Mahomet.

Page 382. The Duke of Wellington and the Prussian general Blücher are here represented as having saved the world from Napoleon at Waterloo in 1815.

Page 383. The thought is that one could go out of any gate of a French walled city and follow the road to some different national capital conquered by Napoleon.

Page 383. Reference to the nobles, churchmen and other monarchists who had emigrated during the Revolution and who, under Louis XVIII, after Waterloo returned to claim their estates.

Page 383. Reference to the fact that Napoleon's imperial robe was of azure blue strewn with golden bees. The Bourbon monarch restored in 1815 naturally feared a possible return to power of Napoleon or of his followers.

Page 383. Napoleon had landed from Elba at Cannes in 1815, and for the "Cent Jours" ending with Waterloo had inspired his followers with a new hope. Some believed after the final banishment to St. Helena that he might still return and surprise his enemies.

Page 383. The white lily is, of course, the emblem of the monarchy in France.

Page 384. Reference to the blood shed by the guillotine in the memory of older people still living under the Restoration.

Page 384. Paris cemetery where many victims of the Revolution were buried.

Page 385. According to the Greek legend, the artist Pygmalion fell in love with a statue named Galatea which he had carved. Venus gave life to the statue and Pygmalion married Galatea.

Page 386. Having brought the Pope, Pius VII, to Paris, the coronation was celebrated in Notre-Dame, December 2, 1804, when Napoleon took the imperial crown from the hands of the Pope and crowned himself.

Page 388. Talma (1763-1826). The great tragic actor of the Empire and Restoration stage.

Page 389. For the romantic life of the old Latin quarter, read *Le Pays latin* and *Scènes de la Vie de Bohème* of Henri Murger (1822-61).

Page 394. Montesquieu (1689-1755) is famous as a moralist and historian. His most important works are *Lettres Persanes, Considérations sur les causes de la grandeur des Romains et de leur décadence,* and *L'Esprit des lois.*

LES CONFIDENCES

Page 413. The revolutions of 1789 and 1830.

Page 434. *Jerusalem Delivered,* by Tasso.

Page 440. Psalm 137.

Page 447. Laertes, father of Ulysses and king of Ithaca, in the Homeric poems.

Page 453. Mme. de Genlis, writer on education; author of interesting memoirs; governess of the children of the Duc d'Orléans.

Page 453. *Robinson Crusoe* by Defoe.

Page 455. Pythagoras, Greek philosopher and mathematician of the 6th century B.C.

Page 455. *Émile,* a philosophical novel by Rousseau (1762) dealing with an ideal system of education.

Page 461. "Lift up your hearts," quoted from the Mass.

Page 464. Pluche, French author, 1688-1761.

Page 464. Buffon, the French natural historian, 1707-1788.

Page 473. Raynal, French historian and philosopher, 1713-1796. Author of an important "Histoire philosophique et politique des établissements et du commerce des Européens dans les Indes."

Page 488. Mme. de Staël (1766-1817), celebrated author of *Delphine, Corinne,* and *De l'Allemagne.*

Page 488. Mme. Cotton, author (1770-1807) of several romantic novels, little read to-day, but once very popular, especially *Mathilde* (1805) and *Elisabeth ou les Exilés de Sibérie* (1806).

Page 488. Mme. de Flahaut. This lady (1761-1836) was known also through a second marriage as Mme. de Souza. She was the author of several novels of society which are not without a historical value. Contemporary readers esteemed most highly *Adèle de Senanges* (1794) and *Eugène de Rothelin* (1808).

Page 488. Samuel Richardson (1689-1761), the English novelist, whose works when translated, especially *Clarissa Harlowe,* were much read in France.

Page 488. Abbé Prévost, author (1697-1763) of one famous love story, *Manon Lescaut* (1731). During his adventurous career he wrote other novels of unequal value and served by translations and adaptations as an important channel of literary communication between England and France (cf. J. Texte: *J.-J. Rousseau et les origines du cosmopolitisme littéraire,* 1895; also in English translation, 1899).

Page 488. Auguste Lafontaine, German author (1758-1831) of more than two hundred sentimental stories of family life.

Page 488. Gessner, a Swiss author (1730-1788) who wrote

in German, but whose works in French translation enjoyed a European favor. His poetry, for which he designed his own illustrations, is marked by happy descriptions of Nature, and by that sentimentality which was current in the latter part of the 18th century.

Page 491. Aeschylus (d. 456 B.C.), the Greek tragic dramatist. To compare Macpherson with Aeschylus could occur only to a romanticist.

Page 491. James Macpherson (1736-1796), Scottish poet whose Ossianic epic poetry exercised a great influence upon European romanticism. Though he may be criticized for his stout assertion that the poems were translated or directly drawn from ancient Gaelic poems, the originals of which he never produced, yet as a poet his talent suffers no disparagement if, as it is now generally admitted, he himself composed all the works of "Ossian."

Page 491. Salvator Rosa, poet, musician, and famous painter of the Neapolitan school (1615-1673), whose works may be found in many European galleries.

Page 494. Lochlin, a kingdom of Scandinavia, according to Ossian. See the first canto of Macpherson's poem *Cath-Loda.*

SCOTT: The Heart of Midlothian
With an introduction by WILLIAM P. TRENT, Professor of English Literature, Columbia University

STEVENSON: The Master of Ballantrae
With an introduction by H. S. CANBY, Assistant Editor of the *Yale Review* and Editor of the *Saturday Review*

THACKERAY: The History of Pendennis
With an introduction by ROBERT MORSS LOVETT, Professor of English, University of Chicago. 2 vols.; $1.50 *per set*

TROLLOPE: Barchester Towers
With an introduction by CLARENCE D. STEVENS, Professor of English, University of Cincinnati

WHARTON: Ethan Frome
With a special introduction by EDITH WHARTON

THREE EIGHTEENTH CENTURY ROMANCES: The Castle of Otranto, Vathek, The Romance of the Forest
With an introduction by HARRISON R. STEEVES, Professor of English, Columbia University

POETRY

BROWNING: Poems and Plays
Edited by HEWETTE E. JOYCE, Assistant Professor of English, Dartmouth College

BROWNING: The Ring and the Book
Edited by FREDERICK MORGAN PADELFORD, Professor of English, University of Washington

TENNYSON: Poems
Edited by J. F. A. PYRE, Professor of English, University of Wisconsin

WHITMAN: Leaves of Grass
Edited by STUART P. SHERMAN, late Literary Editor of the New York *Herald Tribune*

WORDSWORTH: Poems
Edited by GEORGE M. HARPER, Professor of English, Princeton University

AMERICAN SONGS AND BALLADS
Edited by LOUISE POUND, Professor of English, University of Nebraska

ENGLISH POETS OF THE EIGHTEENTH CENTURY
Edited by ERNEST BERNBAUM, Professor of English, University of Illinois

MINOR VICTORIAN POETS
Edited by JOHN D. COOKE, Professor of English, University of Southern California

ROMANTIC POETRY OF THE EARLY NINETEENTH CENTURY
Edited by ARTHUR BEATTY, Professor of English, University of Wisconsin

ESSAYS AND MISCELLANEOUS PROSE

ADDISON AND STEELE: Selections
Edited by WILL D. HOWE, formerly head of the Department of English, Indiana University

ARNOLD: Prose and Poetry
Edited by ARCHIBALD L. BOUTON, Professor of English and Dean of the Graduate School, New York University

BACON: Essays
Edited by MARY AUGUSTA SCOTT, late Professor of the English Language and Literature, Smith College

BROWNELL: American Prose Masters
Edited by STUART P. SHERMAN, late Literary Editor of the New York *Herald Tribune*

BURKE: Selections
Edited by LESLIE NATHAN BROUGHTON, Assistant Professor of English, Cornell University

CARLYLE: Past and Present
Edited by EDWIN MIMS, Professor of English, Vanderbilt University

CARLYLE: Sartor Resartus
Edited by ASHLEY H. THORNDIKE, Professor of English, Columbia University

EMERSON: Essays and Poems
Edited by ARTHUR HOBSON QUINN, Professor of English, University of Pennsylvania

FRANKLIN AND EDWARDS: Selections
Edited by CARL VAN DOREN, Associate Professor of English, Columbia University

HAZLITT: Essays
Edited by PERCY V. D. SHELLY, Professor of English, University of Pennsylvania

LINCOLN: Selections
Edited by NATHANIEL WRIGHT STEPHENSON, author of "Lincoln: His Personal Life"

MACAULAY: Historical Essays
Edited by CHARLES DOWNER HAZEN, Professor of History, Columbia University

MEREDITH: An Essay on Comedy
Edited by LANE COOPER, Professor of the English Language and Literature, Cornell University

PARKMAN: The Oregon Trail
Edited by JAMES CLOYD BOWMAN, Professor of English, Northern State Normal College, Marquette, Mich.

POE: Tales
Edited by JAMES SOUTHALL WILSON, Edgar Allan Poe Professor of English, University of Virginia

RUSKIN: Selections and Essays
Edited by FREDERICK WILLIAM ROE, Professor of English, University of Wisconsin

STEVENSON: Essays
Edited by WILLIAM LYON PHELPS, Lampson Professor of English Literature, Yale University

SWIFT: Selections
Edited by HARDIN CRAIG, Professor of English, University of Iowa

THOREAU: A Week on the Concord and Merrimack Rivers
Edited by ODELL SHEPARD, James J. Goodwin Professor of English, Trinity College

CONTEMPORARY ESSAYS
Edited by ODELL SHEPARD, James J. Goodwin Professor of English, Trinity College

CRITICAL ESSAYS OF THE EARLY NINETEENTH CENTURY
Edited by RAYMOND M. ALDEN, late Professor of English, Leland Stanford University

SELECTIONS FROM THE FEDERALIST
Edited by JOHN S. BASSETT, late Professor of History, Smith College

NINETEENTH CENTURY LETTERS
Edited by BYRON JOHNSON REES, late Professor of English, Williams College.

ROMANTIC PROSE OF THE EARLY NINETEENTH CENTURY
Edited by CARL H. GRABO, Professor of English, University of Chicago

SEVENTEENTH CENTURY ESSAYS
Edited by JACOB ZEITLIN, Associate Professor of English, University Illinois

BIOGRAPHY

BOSWELL: Life of Johnson
Abridged and Edited by CHARLES GROSVENOR OSGOOD, Professor of English, Princeton University

CROCKETT: Autobiography of David Crockett
Edited by HAMLIN GARLAND

PHILOSOPHY SERIES
Editor, Ralph Barton Perry
Professor of Philosophy, Harvard University

ARISTOTLE: Selections
Edited by W. D. ROSS, Professor of Philosophy, Oriel College, University of Oxford

BACON: Selections
Edited by MATTHEW THOMPSON MCCLURE, Professor of Philosophy, University of Illinois

BERKELEY: Selections
Edited by MARY W. CALKINS, late Professor of Philosophy and Psychology, Wellesley College

DESCARTES: Selections
Edited by RALPH M. EATON, late Assistant Professor of Philosophy, Harvard University

HEGEL: Selections
Edited by JACOB LOEWENBERG, Professor of Philosophy, University of California

HOBBES: Selections
Edited by FREDERICK J. E. WOODBRIDGE, Johnsonian Professor of Philosophy, Columbia University

HUME: Selections
Edited by CHARLES W. HENDEL, JR., Professor of Philosophy, McGill University

KANT: Selections
Edited by THEODORE M. GREENE, Associate Professor of Philosophy, Princeton University

LOCKE: Selections
Edited by STERLING P. LAMPRECHT, Professor of Philosophy, Amherst College

PLATO: The Republic
With an introduction by C. M. BAKEWELL, Professor of Philosophy, Yale University

PLATO: Selections
Edited by RAPHAEL DEMOS, Assistant Professor of Philosophy, Harvard University

SCHOPENHAUER: Selections
Edited by DEWITT H. PARKER, Professor of Philosophy, University of Michigan

SPINOZA: Selections
Edited by JOHN D. WILD, Instructor in Philosophy, Harvard University

MEDIEVAL PHILOSOPHY
Edited by RICHARD MCKEON, Assistant Professor of Philosophy, Columbia University

FRENCH SERIES

Editor, Horatio Smith

Professor of French Language and Literature, Brown University

BALZAC: Le Père Goriot
With an introduction by HORATIO SMITH, Brown University

CORNEILLE: Le Cid, Horace, Polyeucte, Le Menteur
Edited by C. H. C. WRIGHT, Professor of French Language and Literature, Harvard University

FLAUBERT: Madame Bovary
With an introduction by CHRISTIAN GAUSS, Dean of the College, Princeton University

MADAME DE LA FAYETTE: La Princesse de Clèves
With an introduction by H. ASHTON, Professor of French Language and Literature, University of British Columbia

MOLIÈRE: Les Précieuses Ridicules, Le Tartuffe, Le Misanthrope
Edited by WILLIAM A. NITZE and HILDA L. NORMAN, University of Chicago

PRÉVOST: Histoire du Chevalier des Grieux et de Manon Lescaut
With an introduction by LOUIS LANDRÉ, Associate Professor of French, Brown University

RACINE: Andromaque, Britannicus, Phèdre
Edited by H. CARRINGTON LANCASTER, Professor of French Literature, Johns Hopkins University, and EDMOND A. MÉRAS, Professor of French Literature, Adelphi College

GEORGE SAND: Indiana
With an introduction by HERMANN H. THORNTON, Associate Professor of French and Italian, Oberlin College

STENDHAL: Le Rouge et le Noir
With an introduction by PAUL HAZARD, Collège de France

VOLTAIRE: Candide and Other Philosophical Tales
Edited by MORRIS BISHOP, Assistant Professor of the Romance Languages and Literature, Cornell University

FRENCH ROMANTIC PLAYS: Dumas's "Antony," Hugo's "Hernani" and "Ruy Blas," Vigny's "Chatterton," Musset's "On ne badine pas avec l'amour."
Edited by W. W. COMFORT, President, Haverford College

FRENCH ROMANTIC PROSE
Edited by W. W. COMFORT, President, Haverford College

FOUR FRENCH COMEDIES OF THE EIGHTEENTH CENTURY: Lesage's "Turcaret," Marivaux's "Le jeu de l'amour et du hasard," Sedaine's "Le philosophe sans le savoir," Beaumarchais's "Le barbier de Séville"
Edited by CASIMIR D. ZDANOWICZ, Professor of French, University of Wisconsin